LE MAÎTRE DES PEINES

Le Jardin d'Adélie

Tome 1

MARIE BOURASSA

LE MAÎTRE DES PEINES

Le Jardin d'Adélie

Tome 1

ÉDITIONS FRANCE LOISIRS

Édition du Club France Loisirs,
avec l'autorisation des Éditions J.C.L.

Éditions France Loisirs,
123, boulevard de Grenelle, Paris.
www.franceloisirs.com

© Les éditions J.C.L inc, 2008.
ISBN : 978-2-298-02060-1

Note de l'auteure

Un certain nombre d'événements décrits dans ce roman sont des adaptations de faits historiques; de même, quelques personnages ayant réellement vécu sont parfois placés dans des contextes fictifs. Les autres personnages, les situations, ainsi que deux agglomérations décrits dans ce roman sont fictifs. Toute ressemblance avec des personnes connues ou inconnues, existant ou ayant déjà existé, ne peut être que pure coïncidence.

Remerciements

Je tiens à exprimer toute ma gratitude à Dominique Martel, à Jocelyne Fournier et à Bernard Chaput, trois de mes quatre premiers lecteurs, ainsi qu'à Geoffrey Abbott pour avoir éclairé ma lanterne sur certains détails d'ordre technique. Merci du fond du cœur à Jean-Claude Larouche, mon éditeur, pour avoir eu foi en mon œuvre, et à Marc Beaudoin pour ses conseils judicieux. Je suis aussi reconnaissante envers mon employeur, le frère Étienne Rizzo, de même qu'envers mes collègues de travail, Lucie, Luc, Denise, Claudette, le frère Bruno et Michel, qui m'ont donné la chance de bénéficier d'un horaire propice à l'élaboration de ce roman. Je ne saurais non plus oublier Ciuin-Ferrin et mes autres amis clavardeurs pour leur complicité enthousiaste lors de jeux de rôle qui m'ont permis non seulement de voyager dans le temps, mais aussi de mieux cibler certains aspects de mon intrigue et de mes personnages. Enfin, je veux adresser une mention toute spéciale à mon père, Yves, à ma famille et à mes amis pour leur indulgence à mon égard au cours des six dernières années.

M. B.

À Paule Tardif

Fervente première lectrice et amie,
qui t'en es allée à livre ouvert.
Pour tout ce que tu n'as pas pu lire
et pour tout ce que je n'ai pas su dire.

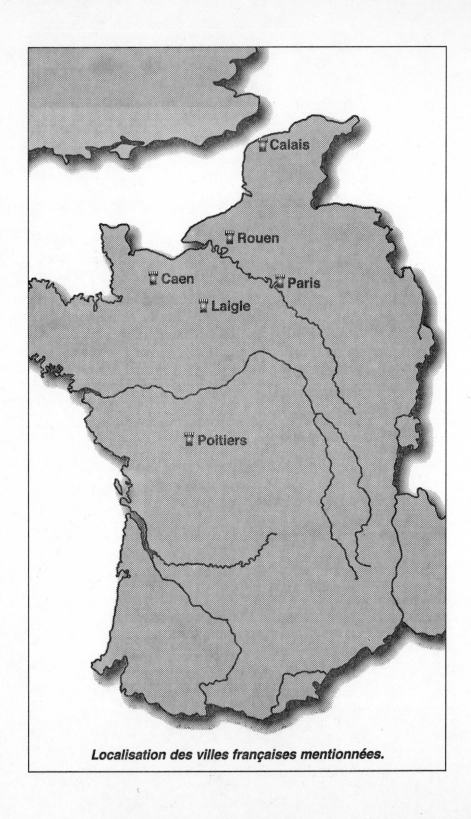

Localisation des villes françaises mentionnées.

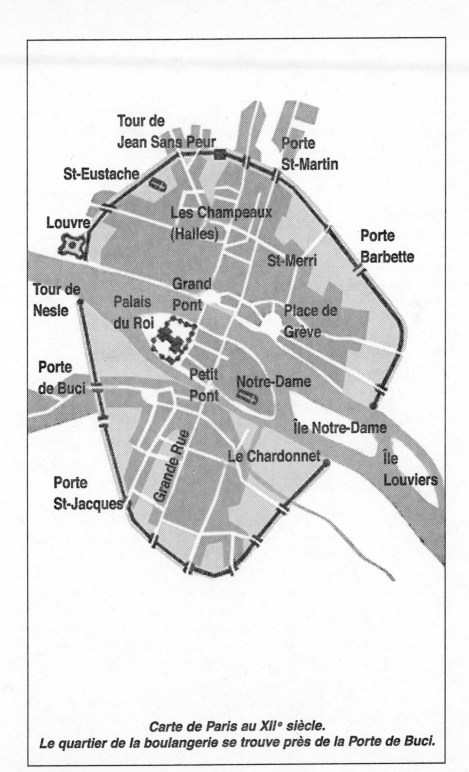

Carte de Paris au XIIe siècle.
Le quartier de la boulangerie se trouve près de la Porte de Buci.

Note de l'éditeur

NOTES:

Seules les notes jugées essentielles à la compréhension immédiate du texte ont été placées en bas de page. Le lecteur pourra, cependant, consulter l'ensemble des notes et compléments historiques à partir de la page 509.

GLOSSAIRE:

Les mots périmés utilisés par l'auteure et ne figurant pas aux dictionnaires usuels ont été regroupés par ordre alphabétique dans un glossaire à la page 531 et suivantes. Dans le texte, ces mots seront suivis d'un astérisque.

Première partie
1340-1344

Chapitre I

Le Ratier

Saint-Germain-des-Prés, automne 1340

L'abbaye royale de Saint-Germain-des-Prés était l'un des monastères les plus prestigieux d'Europe. Au cœur de son immense enceinte, la cour presque carrée abritait, en plus de l'église abbatiale, d'une chapelle dédiée à la Vierge et des bâtiments conventuels, quelques bâtiments de service : écuries, étables, granges, cuisine, cellier, poulailler, porcherie, moulin, hôtellerie. Des cours plus petites séparaient ces constructions du cloître et de la maisonnette de l'abbé. L'ensemble évoquait une ville à l'intérieur de la ville, car au-delà, exception faite du vaste Pré-aux-Clercs, le quartier Saint-Germain se pelotonnait autour de l'abbaye, assemblage de bois, de pierre, d'ardoises, de plâtre et de chaume à travers lequel se tortillaient une infinité de rues étroites.

Un moine courtaud et bedonnant, en apparence désœuvré, se promenait entre deux rangs d'herbes médicinales soigneusement cultivées. Sa tonsure se saupoudrait peu à peu de gris et il avait le visage lunaire de ceux pour qui la gourmandise avait dû être inscrite par erreur dans la liste des péchés capitaux. À le voir, on avait peine à croire que cet homme était l'abbé. Ce n'en était pas moins un conseiller spirituel estimé et un administrateur hors pair.

Une feuille de sauge froissée entre ses doigts dégagea un arôme franc dont il ne se lassait jamais. Il sourit. «Tout entouré que je sois de choses vénérables, c'est ce potager d'une saison, qui demain ne sera plus rien, que je préfère. Allez donc savoir pourquoi», se dit-il...

L'abbé cueillit la feuille et la frotta pensivement contre sa joue ronde. C'était frais, velouté. Ce contact le réconforta. Il se plaisait à flâner dans ce coin de potager réservé aux simples chaque fois que ses soucis se faisaient trop pressants. Et ils l'étaient particulièrement ce jour-là. Car quelque part en ville, au-delà des murs de la besogneuse mais paisible abbaye, un garçon s'inquiétait pour sa mère. Le religieux, lui, s'en faisait pour le garçon. C'était un enfant anormal. Tout le monde le savait. Mais ce qui semblait encore plus anormal, c'était le fait qu'un personnage aussi important que lui se tracassât tant pour un petit roturier qu'il connaissait à peine. Par contre il connaissait très bien les parents de ce garçon. Surtout le père.

Le regard de l'abbé Antoine se porta du côté de l'hôtellerie. Des lierres couraient sur ses murs en pierres de taille dans lesquels avaient été percées de multiples fenêtres garnies de losanges en verre épais, teintés de rouge et de jaune sur les pourtours. En milieu d'après-midi, leurs panneaux béaient sur le jardin afin de permettre aux convalescents de respirer un air tiède, chargé d'odeurs saines. À l'intérieur, ses murs chaulés de frais, en réflé-chissant la lumière, distillaient l'atmosphère positive nécessaire à ce lieu consacré à la guérison du corps. Il s'agissait là de l'une des missions traditionnelles de leur communauté, de l'une des raisons matérielles de son existence au sein de la ville.

*

Cette pensée ramena le moine à sa préoccupation immédiate : il lui fallait rendre visite à la petite boulangère du quartier qu'ils avaient admise le matin même dans la partie de l'hôtellerie réser-vée aux femmes.

— Le saignement a grandement diminué, mon père, lui dit en l'accueillant avec nervosité un vieux moine qui faisait office d'infirmier. Je viens de lui donner à boire une décoction forte de camomille. C'est pour les crampes.

Ce n'était pas tous les jours qu'on voyait l'abbé se déranger personnellement pour lui rendre visite.

— C'est bien.

L'abbé ne put s'empêcher de ressentir du soulagement. Aristote affirmait que le seul regard venimeux et nuisible de la femme à l'époque de ses menstrues ternissait les précieux miroirs et pouvait jeter un sort à quiconque n'y prenait pas garde. La nature de la femme était certes mystérieuse ; les sommes encyclopédiques qui pullulaient à présent dans la bibliothèque en étudiaient la physiologie d'une façon extrêmement poussée, voire gênante. Le processus de la grossesse y était décrit et les traités d'anatomie étaient fort élaborés. On y démontrait que l'homme était créé à l'image de Dieu, que l'apparence des petits garçons était féminine parce qu'ils étaient encore incomplets et que la femme ressemblait à un mâle stérile; par conséquent la femme ne pouvait être que la réplique imparfaite d'un homme. Lui-même arrivait à comprendre plutôt bien le contenu de ces ouvrages. Mais si toutes ces découvertes suscitaient en lui une relative inquiétude, il n'arrivait pas à croire la pieuse et douce Adélie capable de lancer une malédiction.

L'attention d'Antoine fut à nouveau détournée par le passage d'un grand moine dans le déambulatoire menant à la cour du cloître. Ce ne pouvait être que frère Lionel, un saint homme. Âgé de vingt-trois ans à peine, il faisait l'objet de la vénération des habitants du quartier et servait de modèle à ses frères d'ordre. Ses prunelles et ses cheveux ras, presque noirs et disciplinés par la tonsure, donnaient l'impression qu'il revenait de Jérusalem. Ce n'était pourtant pas le cas. Il était né et avait toujours vécu dans les environs. Huit ans auparavant, ce moine de haute taille, mince et ascétique, avait fait vœu de silence complet. Un vœu qu'il n'avait jamais rompu. La voix qui eût pu faire de lui un ménestrel très populaire avait changé de fonction lorsque l'adolescent avait abandonné ce rêve à la porte du cloître. Pendant une courte période au tout début de son noviciat, son chant avait magnifiquement enluminé les hymnes et les cantiques des offices, puis, un jour, sans raison apparente, elle s'était tue. Lionel avait pris les ordres comme le jongleur qui s'était fait moine, disant passionnément à une statue de la Vierge: «*Dame qui n'êtes pas ingrate avec ceux qui vous servent avec justesse, quoi que je fasse, que ce soit pour vous! Si je le fais, c'est pour vous seule, car j'ose le dire, moi je n'attends rien*[1].» Il s'était patiemment affranchi de lui-même. Lionel servait sa Dame en menant une existence de reclus parmi les livres. Il n'avait donc pu connaître de Jérusalem que ce qui lui avait été dévoilé par les lettrines enjolivées des codex, car il était le bibliothécaire de l'abbaye royale.

Antoine avait tôt pris conscience de la vanité à laquelle Lionel avait voulu se soustraire; si bien des ménestrels avaient jadis fini leur vie en moines, il y avait également eu des moines qui étaient devenus ménestrels. Il avait entendu parler d'un chanoine du Midi nommé Peire Rogier qui était devenu troubadour et s'était fait moine par la suite.

---

1. Voir notes à la page 509.

Les pairs de Lionel avaient connu une forme différente de renoncement en n'entendant plus les chants du jeune novice et ils n'en avaient que davantage admiré son mysticisme rigoureux. Car Lionel avait demandé la permission de mener l'existence la plus stricte qu'autorisait son Ordre; dès lors il était devenu nattaire, ne dormant plus que sur une natte de jonc. Il ne consommait qu'un seul repas par jour, à midi, et il se contentait de petite bière ou de vin coupé d'eau aux autres repas qui se prenaient en commun au réfectoire.

Nombreux étaient les habitants du quartier qui avaient entendu parler de lui. Des bénéficiaires de l'hôtellerie tentaient de l'intercepter au sortir de la messe dominicale pour avoir la possibilité de se confier à lui. Certains convoitaient sa bénédiction en dépit du fait qu'il n'était qu'un modeste frère. Sa présence, même muette – ou peut-être justement en raison de ce mutisme volontaire – était forte, rassurante, d'une grande compassion. Et force était d'admettre qu'il apportait un autre type de prospérité au monastère grâce à la piété admirative qu'il suscitait.

Antoine s'en voulut de s'attarder à des détails aussi dérisoires. «Vanité. Tout n'est que vanité! Le frère Lionel, lui, ne pense pas à ces choses-là. Surtout pas en ce moment. Il souffre énormément. Mais n'oublions pas que Satan, dans le *Livre de Job*, n'est que le nom de l'ange chargé de tenter le héros pour le mettre à l'épreuve.» C'est ce qu'il se disait en regardant la silhouette furtive se fondre dans la pénombre. Là où tant d'autres moines avaient été appelés à soigner les corps, Lionel était voué au soin des âmes. Antoine était persuadé que le reclus était en train de prier pour celle de la jeune femme qu'il venait voir. «Il le faut bien, avec une telle famille. Que le Seigneur me vienne en aide.»

L'infirmier mit un tabouret à la disposition de l'abbé qui s'assit au chevet de la femme; auprès d'elle somnolait une jeune mère. Les deux compagnes de lit devaient avoir le même âge, mais leurs points communs s'arrêtaient là: le teint de la parturiente, même si un peu de couperose en altérait temporairement la fraîcheur, dénotait une nature vigoureuse. Cette maman en bonne santé allait bientôt ouvrir des yeux clairs et joyeux sur son beau nourrisson tout rose. Sur un avenir rempli de promesses. Elle avait tout à attendre de la vie. Pas l'autre. Sous les draps, exception faite du ventre enflé, ravagé, reposait un corps mince, presque celui d'une adolescente. Antoine se prit à redouter l'instant où les paupières bistrées d'Adélie Ruest allaient s'ouvrir sur de grands yeux couleur de pluie.

—Elle est d'une pâleur effrayante, dit-il tout bas à l'infirmier.

—C'est que cette fois elle a bien failli passer, mon père. La pauvrette! Faudra qu'elle veille à se refaire les humeurs avec de la bonne viande épicée et des bouillons gras...

—Sans doute n'est-il pas sage de lui prescrire également un vin vieux de qualité. Qu'en est-il du petit?

—Hélas...

Le vieux moine se signa sans ajouter un mot.

—Seigneur, pas encore, dit Antoine en un soupir las.

La jambe d'Adélie remua sous le drap de lin propre. Les yeux de l'abbé remontèrent alors vers le visage émacié de la petite femme. Son cœur pourtant habitué aux misères humaines se serra: on eût dit que le réveil de la malade avait accentué les deux cercles sombres de ses orbites creuses. Ils ressemblaient à des traces de cendres qui tout à coup se mouillaient d'une pluie résignée.

—Adélie, ma fille...

Il ne trouva rien d'autre à dire. Malgré l'interdiction de tout contact physique que lui prescrivait son Ordre, la main potelée de l'abbé se posa brièvement sur celle de la femme. Elle était glacée comme celle d'un cadavre.

—C'est le troisième, dit Adélie tout bas.

—Je sais.

Oui, il le savait. Il connaissait presque tout de la famille Ruest, et même de l'aïeul qui lui avait transmis son nom: il s'agissait d'un serf ayant jadis habité près d'un petit ruisseau. Cet ancêtre avait fui sa condition pour trouver refuge à Paris, chez un talemelier* qui l'avait engagé en tant qu'apprenti, car il était sans enfants. Au douzième siècle, le père de ce talemelier s'était inscrit à la nouvelle corporation avec d'autres collègues de même profession. Il avait ainsi fait preuve de prévoyance et avait été parmi les premiers à suivre ce nouveau courant. Ayant reçu comme quelques autres l'autorisation de posséder son propre fournil de boulangerie, il s'était mis parallèlement à vendre ses produits au détail à son ouvroir même ainsi qu'au marché local, car, tout récemment, en 1305, un édit royal avait autorisé les talemeliers à développer ce type de commerce en contrepartie de redevances. Cet édit, qui avait complété celui que le Philippe Auguste avait décrété presque un siècle auparavant, s'était tôt avéré très lucratif pour le roi; les cens produits par les fours banaux des féodaux n'étaient plus versés à un seigneur, mais directement au Grand Panetier* du Roi par les propriétaires de ces nouveaux fours privés. Certains

---

* La définition des mots suivis d'un astérisque se retrouve dans le glossaire, page 531.

17

monastères ayant possédé leur propre fournil avaient cédé leurs droits de boulangerie à des ouvriers désignés par eux en échange d'un pourcentage payé en nature avec de gros pains de trois livres. Dès lors, les pains provenant de la campagne environnante avaient pu ravitailler également les villes, mais cette petite concurrence n'avait jamais nui à l'ancêtre Ruest, qui faisait partie de ces gens que le destin favorise. Il était devenu maître boulanger, ce nouveau nom faisant référence à la forme du pain non cuit. Empruntant les anciennes prérogatives du fournier, il avait sonné du cor chaque matin lorsque son four était chaud afin que les gens lui apportent leur pâte à cuire. Il ne pouvait se douter à l'époque que son petit commerce était destiné à devenir l'une des meilleures boulangeries de Paris. Comme ses collègues, il avait acquis le droit de vendre sur place à longueur de semaine parce qu'il résidait sur les terres du roi, contrairement aux forains, c'est-à-dire aux gens venus de l'extérieur qui, eux, ne pouvaient écouler leur marchandise qu'aux jours de marché. Une ère de prospérité s'était annoncée lorsqu'il avait été choisi comme l'un des premiers fournisseurs de l'abbaye de Saint-Germain-des-Prés dont le four banal, situé à l'endroit aujourd'hui occupé par la rue du Four, s'était soumis à la nouvelle loi. Car les bénédictins, même s'ils étaient autosuffisants, avaient au fil des siècles élaboré un *modus operandi* pour régir un certain type de relations symbiotiques avec son voisinage très populeux, de façon à ce qu'il ne vînt pas troubler leur vie contemplative : ils avaient consenti à confier certaines tâches serviles aux mains de laïques choisis.

Ainsi, même le lieu où son échoppe était installée lui avait été favorable. En effet, une majorité de boulangers se concentraient encore comme anciennement rue de la Juiverie, sur l'île de la Cité, à proximité de la Halle aux blés.

Une légende circulait dans la guilde à l'effet que le grand-père du propriétaire actuel aurait reçu des éloges de la part de Philippe le Bel[2] lui-même, alors que ce dernier se baladait incognito dans les rues de sa ville, comme il aimait à le faire parfois, et qu'il s'était arrêté à son échoppe. Ce monarque imposant, déguisé en simple citoyen, avait mordu dans un pain mouton*. Il en avait été à ce point ravi qu'il avait tôt fait d'en réclamer sur sa table.

Le propriétaire actuel de la boutique se prénommait Firmin. Rien n'avait présagé qu'il prît un jour la relève. Il était le quatrième fils d'une famille de treize enfants. De ses huit frères, cinq étaient décédés en bas âge. Ses deux aînés avaient trouvé la mort dans une stupide querelle entre étudiants. Quant à ses sœurs, trois d'entre elles avaient coupé tout lien filial en allant s'établir au loin. La quatrième était morte en couches. De cette cellule familiale décimée, il n'était donc resté que les parents, Firmin et son jeune frère, un intellectuel excentrique qui avait été écarté d'emblée de la succession, car il était considéré par ses parents comme étant inapte à prendre la relève au commerce le moment venu. On le disait d'ailleurs responsable de la querelle qui avait mal tourné, dont il s'était lui-même sorti indemne grâce à quelque mauvaise plaisanterie de la Providence. On avait donc, en contrepartie, demandé à la Providence de se charger de lui. Un monastère l'avait accueilli en même temps qu'une donation destinée à subvenir à ses modestes besoins et à faire taire les mauvaises langues. L'honneur de la famille était sauf. Après tout, cette façon d'agir était fréquente chez les bourgeois assez aisés qui avaient un fils plus jeune dont ils ne savaient que faire.

Malgré une trop forte tendance à la paresse et à la débauche, Firmin était parvenu à faire assez bonne figure au cours de ses dix longues années d'apprentissage. Son succès relatif avait sans doute contribué à motiver le choix de son père malade. Par la suite, en tant qu'artisan, le jeune homme avait joui d'une plus grande liberté et il en avait largement profité. Mais il avait toujours su agir dans les limites de ses droits et de ses obligations. Ils étaient mieux définis, mieux protégés qu'avant et il avait pris soin de ne jamais dépasser la limite du raisonnable. Il avait donc continué pendant quelque temps encore à travailler pour son père en prenant son mal en patience. La corporation exigeait que le candidat à la maîtrise fût capable de présenter un chef-d'œuvre*, jugé par douze jurés désignés par le Grand Panetier du roi qui résidait en son hôtel de la rue du Four-Saint-Honoré[3]. S'il avait échoué cet examen, Firmin eût été contraint de continuer à travailler sa vie durant sous les ordres de son père ou d'un autre maître. Or, à cet âge, il ne souhaitait qu'une chose: s'affranchir au plus vite et chercher à se faire engager au Louvre. Philippe le Bel n'était plus, mais il y avait un autre roi et les richesses qui allaient avec.

Isolé dans une pièce que l'on avait équipée de tout ce qu'il lui fallait pour la confection de son chef-d'œuvre, Firmin avait été étroitement surveillé par les jurés qui étaient venus régulièrement lui rendre visite afin de s'assurer qu'il n'avait reçu aucune aide clandestine. Le chef-d'œuvre avait été une réussite; Firmin avait pu prêter serment et était ainsi devenu maître. Il avait versé une somme réglementaire à la confrérie, ainsi qu'à ses collègues qui lui avaient porté assistance pour son examen. Il avait enfin défrayé les coûts du festin traditionnel offert à tous ses collègues. Ce soir-là, il avait mis fin à une pénible tempérance; elle n'avait que trop duré et la partie était gagnée. Ses compagnons l'avaient retrouvé ivre mort le lendemain matin sous l'une des longues tables du banquet.

La réputation de la boulangerie Ruest était bien établie, à l'époque. De nombreux ménages aisés du quartier avaient depuis longtemps déjà renoncé à confectionner leur propre pain, lui préférant les miches savoureuses dont seule cette famille détenait la recette. Cela valait largement la dépense de quelques sous chaque jour, en leur évitant en plus la corvée fastidieuse d'avoir à pétrir leur propre pâte et de l'emmener à la boulangerie pour qu'on l'y enfournât pour eux.

Une fois son examen passé, Firmin n'avait plus eu qu'à attendre le décès de son père et le départ de son frère pour acheter sa charge au roi et pour se marier. Il était alors âgé de vingt-cinq ans. Il était fin prêt à succéder au vieux maître. Il avait dûment acquis le droit d'être son propre patron, de posséder la boutique promise en héritage et d'exercer le commerce qui s'y rattachait. Il avait épousé la fille d'un collègue comme cela se faisait souvent. La plupart des boulangers ne s'établissaient à leur compte qu'une fois mariés, ne pouvant assumer seuls à la fois la confection du pain et sa mise en vente. L'épouse était directement affectée au service de la clientèle. Comme elle devait se charger du nettoyage de la boutique aussi bien que de la prise des commandes, elle travaillait généralement de prime* à complies* passées. La cour de Firmin auprès de sa future épouse avait été aussi brève que ce qui était permis par les convenances, car il avait besoin d'aide. Et il s'était un peu trop empressé d'engrosser la jeune fille qu'il courtisait.

La jeune Adélie avait eu tôt fait de se substituer à son ivrogne de mari, de plus en plus négligent, pour assurer leur subsistance et le fonctionnement de la boutique. Pour être privé des droits attachés à sa fonction, Firmin eût dû commettre une faute grave. Or il n'en commit jamais : Adélie le sauva de l'exclusion en prenant discrètement la responsabilité de la boulangerie chaque fois que son mari était trop intoxiqué pour travailler correctement. Personne n'y trouvait à redire, car, malgré un retour graduel dans les mœurs de l'antique code romain, rétrograde dans maints domaines, bien des femmes étaient encore considérées comme partenaires, et non comme esclaves, dans l'entreprise de leur mari. Il n'était pas rare que les maîtres transmettent leurs droits à leur femme. Il n'était pas rare non plus de voir des veuves continuer à exercer le métier de leur défunt mari si elles possédaient les connaissances requises. Et, heureusement pour Firmin, même si les bienfaits de leur partenariat se limitaient au partage des tâches, Adélie s'avérait une excellente boulangère.

Pourtant, le roi ne devait jamais réclamer leurs services.

Leur fils était né un peu plus de six mois après le mariage, le neuvième jour de mars, à l'heure où le crépuscule donnait à la neige de la cour une luminosité spectrale. Il avait fallu que ce fût un prématuré pour satisfaire aux convenances. Sa mère avait été modelée par les douleurs de l'accouchement durant près de vingt-quatre heures, seule avec l'impuissance de la sage-femme, affrontant la détermination d'un enfant qui se refusait à voir la lumière du jour. Après la délivrance, le nouveau-né avait empli la chambre de ses vagissements, ce qui avait rassuré l'accoucheuse sur son état de santé. Il avait été nettoyé et soigneusement emmailloté. Il s'était déjà mis à somnoler dans les bras d'Adélie lorsqu'on avait enfin permis à Firmin d'entrer. L'homme s'était installé dans un fauteuil surchargé de coussins auprès de la jeune mère. La sage-femme avait soulevé le bébé et l'avait posé dans les bras noueux du boulanger avant de se retirer pour accorder à la nouvelle famille un moment d'intimité.

—Louis, avait doucement appelé Adélie.

Elle s'était soudain rendu compte qu'on lui avait pris l'enfant. Elle avait tourné la tête vers son mari, qui n'avait rien dit. Firmin avait regardé le petit paquet de linge blanc sans daigner l'approcher de lui. Cela pesait à peine, moins que deux boules de pâte. Un garçon. Beau et solide. Pas la fille malingre qu'il avait espéré renier. L'enfant avait ouvert les yeux. Ses prunelles sombres avaient pénétré dans l'esprit de Firmin et s'étaient mises à fouiller. Louis avait commencé à déterrer quelques débris dans l'âme de son père. Firmin l'avait lâché et s'était reculé dans les coussins du fauteuil. L'enfant était resté étendu en travers de ses jambes, la tête rejetée par en arrière. Firmin avait grimacé et s'était enfin résolu à soulever le bébé par le cocon serré qu'avait formé la couverture autour de son petit corps. Cela s'était un peu défait; le nourrisson ainsi exposé et tenu à bout de bras avait l'air d'une poupée désarticulée. Une petite main aux doigts écartés s'était agitée en une muette supplique.

—Non... attention, il va tomber! avait soufflé Adélie, qui s'était redressée avec peine contre ses oreillers.

Louis avait haleté. Il avait geint faiblement, puis s'était tu. Firmin l'avait posé sur le sol à ses pieds et avait dit à Adélie:

—Reprends ça. Je n'en veux pas.

Ce furent les paroles qui marquèrent l'arbre et son fruit.

Adélie eût été en mesure de nourrir le petit Louis. Mais Firmin avait insisté pour qu'il fût sevré peu après sa naissance; le boulanger ne voulait pas qu'elle perdît avec lui un temps précieux. Un matin, elle avait donc inséré doucement une corne de vache percée remplie de lait de chèvre entre les lèvres minces du bébé, qui y avaient adhéré avec avidité. Ce nouveau lait ne l'avait heureusement pas incommodé. Louis avait été un bébé tranquille et peu exigeant.

Un jour qu'il souffrait de coliques, son père lui avait donné à téter un chiffon imbibé d'eau-de-vie et avait interdit à Adélie de délaisser le travail pour s'en occuper. Chaque fois que Louis s'était réveillé en pleurs – si l'on pouvait qualifier de pleurs les halètements ponctués de rares vagissements qui lui étaient caractéristiques – Firmin lui avait redonné de l'eau-de-vie à sucer en ricanant, prenant lui-même une rasade au goulot de son petit cruchon. Le bébé n'avait pas dessaoulé pendant près de trois jours. Adélie en était rapidement venue à la conclusion qu'il valait mieux laisser Louis à lui-même pendant les quelques heures où Firmin était présent à la boutique. Sinon, de tels soins l'auraient probablement tué.

Tout cela avait sans doute eu un impact sur la personnalité de Louis, car il avait manifesté très tôt des signes d'indépendance. C'était un enfant très solitaire. Il admettait rarement qu'un peu d'aide pouvait lui être utile. Même tout petit, le garçonnet repoussait l'adulte secourable et faisait sa petite affaire seul avec beaucoup d'acharnement.

Dès sa troisième année, au moment où Firmin commençait à intervenir dans son éducation jusque-là prodiguée exclusivement par Adélie – et ce, uniquement lorsqu'elle en avait le loisir – Louis s'était mis à avoir d'impressionnantes poussées de croissance qui avaient donné lieu de croire que même la nature s'était mise de la partie pour aider le garçon à grandir au plus vite.

Les Ruest habitaient dans la rue Gui-le-Preux, que l'on nommait aussi Gilles-le-Queux, une belle maison à colombages qui se trouvait bien à sa place parmi de luxueux hôtels privés. Elle comportait deux étages et comptait quatre fenêtres aux panneaux garnis de losanges en verre un peu bosselé qui donnaient un aspect fantasque aux objets vus à travers. Un œil-de-bœuf en parchemin huilé éclairait les combles. Derrière la maison proprement dite, une petite cour suffisait tout juste à contenir le bâtiment du fournil avec son puits, ainsi qu'une remise. Le rez-de-chaussée était affecté à l'échoppe et à l'arrière-boutique; cette dernière était également aménagée en pièce à vivre puisque l'unique cheminée s'y trouvait. La boutique était très jolie. Il était interdit à Louis d'y aller. Là se trouvaient les belles étagères en bois verni sur lesquelles Adélie alignait les pains tout frais sortis du four. Elle aménageait quotidiennement la boutique et, ouvrant sur la rue, sa grande fenêtre munie d'une étagère qui faisait office de vitrine. Il était jadis arrivé qu'on interdît à l'aïeul d'y exposer du pain raffiné à cause de la famine qui sévissait. L'étage était divisé en deux. Il y avait la chambre à coucher et une autre pièce où étaient entreposés les sacs de grain ou de farine revenant du moulin. Le désagrément d'avoir à transporter ces sacs dans l'escalier abrupt était compensé par le fait qu'ils demeuraient bien au sec et à l'abri des rongeurs. L'espace personnel de Louis avait été aménagé dans un coin de cette resserre. Il en était séparé par un épais rideau fait de vieux sacs de toile cousus ensemble. Le garçon n'y possédait que sa paillasse, sa couverture et une petite caisse pour ranger ses affaires. Deux chevilles plantées dans le mur lui permettaient de suspendre ses vêtements. Il faisait de son mieux pour maintenir la propreté de cet espace exigu. Sa paillasse était installée à même le plancher de bois, sous l'échelle qui menait aux combles. Il n'y avait rien là-haut, sauf quelques souris dont il entendait certaines nuits les petits pas préoccupés.

L'accès à la chambre des maîtres était interdit à Louis. C'était beaucoup trop beau. Le mobilier était l'un des plus avant-gardistes du pays : le père d'Adélie leur avait légué tous les beaux meubles qu'il avait acquis au fil des ans. Il avait été en son temps un bourgeois exceptionnellement cultivé. De prime abord, le mobilier paraissait d'une simplicité typique de l'époque, que l'on fût prince ou paysan : armoire, coffre, table et lit, le tout réalisé par l'assemblage de planches massives et de pentures en fer forgé. La différence provenait plutôt de la qualité et de la finition des meubles dont l'ornementation gothique avait affiné l'apparence rigide pour en faire des éléments de décor. L'ensemble était pourtant discret en dépit de l'ajout de sculptures à même le bois. Il y avait en outre un placard dans le mur pour y ranger les vêtements. L'armoire, quant à elle, était réservée aux livres de comptes. Seuls le Grand Panetier du roi et ses officiers en comprenaient le contenu. Un coffre reposait au pied du lit conjugal comme un gros chien fidèle. Firmin s'en servait comme banc. Il y avait de ces malles et bahuts dans chaque pièce de la maison. Celui de la cuisine, la huche, contenait de la vaisselle et quelques denrées. Enfin, l'ameublement de la chambre se complétait par un grand lit à baldaquin. Son matelas de plume était relevé à la tête. Ce meuble était si haut que le couple avait besoin d'un petit escabeau pour y monter. De belles courtines* le transformaient en nid intime. Un jour, Louis s'était furtivement glissé sous son ciel* pour enfouir le nez dans les carreaux* afin d'y recueillir le doux parfum de sa mère.

La pièce à vivre était, quant à elle, équipée d'une belle table à tréteaux qu'ils rangeaient le long du mur une fois les repas terminés. Ils utilisaient des malles en guise de bancs. En plus de la cheminée, ils possédaient un évier en pierre, une autre armoire aménagée dans l'épaisseur du mur, ainsi qu'une goulotte* pour disposer des eaux usées au lieu de les jeter dans la rue par la fenêtre. Le sol du rez-de-chaussée était fait d'un carrelage en terre cuite soigneusement assemblé. Soucieux d'hygiène, l'aïeul avait également veillé à ce que le plancher de la cuisine fût ainsi dallé pour en faciliter l'entretien. Près de l'endroit où l'on rangeait la table se trouvait le grand cuvier pour le bain, de même que le petit miroir d'étain que Firmin utilisait pour son rasage. Le foyer était muni de briques percées destinées à servir de supports aux tournebroches. Ainsi, ils pouvaient s'offrir de la viande rôtie, au lieu du sempiternel pot-au-feu. Un mortier de pierre attendait d'être ramené à la cuisine; il servait à broyer des épices qu'ils n'avaient malheureusement pas le moyen de s'offrir souvent. C'était comme pour la viande rôtie, d'ailleurs. Le vin de Firmin coûtait trop cher.

*

«Seigneur Dieu, aidez-moi à ne pas souhaiter un veuvage précoce à cette pauvre femme si telle n'est pas Votre volonté», pria Antoine en silence.

— Firmin, appela Adélie d'une voix sans timbre.

— Ne t'inquiète pas, ma fille. J'ai envoyé un novice le prévenir. À l'heure qu'il est, il doit savoir que tu es ici.

«À l'heure qu'il est, il doit être à la taverne et encore assez sobre pour comprendre ce qu'on lui dit», songea-t-il.

Quel gaspillage. Comment un homme promis à une existence aisée et même heureuse avait-il pu se laisser glisser aussi vite dans une telle déchéance? Il y avait de quoi douter de la prodigalité du Seigneur envers certaines créatures.

— Adélie, ces ecchymoses que tu as par tout le corps... Te maltraite-t-il souvent comme cela? demanda l'abbé.

Humiliée, la jeune femme détourna les yeux.

— Il ne m'a pas maltraitée. Je me suis trouvée mal et je suis tombée.

—Allons, allons, insista-t-il, tu sais bien qu'à moi tu peux tout dire. Cela ne sortira pas d'ici. Cela restera entre nous, d'accord?

Il avait beau se répéter que les errances des siècles passés avaient presque transformé les femmes en déités païennes et que ces dernières faisaient tout, que cela fût conscient ou non, pour entretenir cette illusion afin de tromper les hommes, il ne pouvait s'empêcher de croire que certains profitaient honteusement de la doctrine chrétienne pour infliger à leur épouse des châtiments immérités. Décidément, la majorité d'entre elles payaient trop lourd tribut pour la faute d'Ève. «*Néanmoins, elle sera sauvée en devenant mère*[4], se dit-il tristement. Si au moins c'était vrai dans son cas à elle!»

—Je fais du mieux que je peux, mon père.

—Je n'en doute aucunement, ma fille. Manges-tu en suffisance?

—Je... je crois. Je n'ai guère faim, vous savez...

—Il avait encore bu, n'est-ce pas?

—Oui, mon père, répondit-elle tout bas.

—Je parlerai à Firmin. Encore une fois.

—Oh! Ne vous donnez pas cette peine. Mon père, vous en faites déjà beaucoup trop. J'ai pourtant demandé à l'infirmier qu'on ne vous importune pas pour moi.

—Je sais. Il me l'a dit comme c'était son devoir. Comment se porte ton fils?

—Louis s'en tire mieux que moi, mon père. Il croit encore en la vie.

«Comment peut-il en être autrement, pensa Antoine. Il en va presque toujours ainsi avec les créatures dotées d'un esprit lent. Le Créateur, dans Son infinie sollicitude, semble leur épargner maintes souffrances que ne peuvent éviter les gens ordinaires.» Pourtant, en dépit du mince réconfort apporté par cette pensée, Antoine ne pouvait s'empêcher de se morfondre. Comment Firmin pouvait-il ne pas apprécier ce garçon vigoureux, cet enfant unique que la Providence avait daigné lui donner? Louis avait beau être mentalement attardé, nombreux étaient les habitants du quartier qui disaient de lui qu'il était fort travailleur, serviable et obéissant. Il suffisait de lui dire les choses d'une façon simple et de lui accorder le temps de bien les assimiler. Certains auraient tout donné pour être à la place de Firmin.

—N'attends pas la nuit pour profiter de la bienheureuse délivrance du sommeil, ma fille, dit l'abbé en se levant. Pour le moment, il n'y a rien de mieux à faire que de te reposer. Je reviendrai te voir un peu plus tard. Si, si, j'insiste. Je te l'ai déjà dit:

c'est fort peu de chose en regard de ce que ta famille a fait pour le bien de notre communauté.

L'abbé avait raison : il fallait qu'Adélie reprît des forces au plus vite pour la boulangerie, pour Louis qui l'attendait à la maison et qui devait à cause d'elle se charger d'un surcroît de travail.

De nouveau seule avec sa voisine endormie, Adélie ne bougea plus. Ses yeux demeurèrent clos. Mais son corps tout entier criait la détresse que son âme devait taire.

Personne n'avait remarqué le grand moine qui se tenait en retrait derrière un paravent, près de l'entrée. Son capuce avait glissé vers l'arrière pour révéler les contours anguleux de son visage et ses prunelles d'un marron très sombre au fond desquelles une lueur lointaine s'alluma. Non, il n'était pas bon que son œil eût un tel regard. Il baissa la tête. Oublié par la ronde des heures solennelles et étriquées de la vie monastique, il resta là, immobile, pendant un long moment. Il fit pour la petite boulangère une supplique muette, toujours la même, l'une de ces prières que l'on récite d'instinct, oblitérée de ses souvenirs à force d'être sue. Puis il se détourna pour ne pas arriver en retard aux vêpres.

Ce jour n'était que le même jour qui recommençait et recommençait sans cesse, depuis toujours consacré à la prière et au labeur ; séparé de son pareil par l'interminable halte d'une nuit sans sommeil ; ce jour allait disparaître pour céder la place au lendemain comme une vaguelette de la mer succédait à une autre, et ce, de toute éternité. Et il allait en être ainsi jusqu'à la consommation des siècles. Tout était bien comme cela. Le doux bercement des vagues endormait l'esquif trop fragile qu'était l'âme humaine.

« *Ayant abandonné tout attachement aux fruits de son action, ne dépendant de rien ni de personne... il reste libre* », avait-il lu dans un texte ancien venu des Indes.

*

Un rat solitaire festoyait dans un tas d'immondices qui était en train d'envahir une venelle, entre deux habitations. Ses congénères, toujours sur le qui-vive, avaient encore une fois pris la fuite. Dès que de pesants pas humains faisaient vibrer le sol trop près d'eux, ils ne manquaient jamais de disparaître prudemment dans la première brèche qu'ils trouvaient. Cette fois-ci pourtant, non seulement aucun son dérangeant ne s'était fait entendre, mais en plus le rat audacieux venait de tomber sur une tête de chou. Ravi de l'aubaine, il en arracha un fragment de feuille, le tira précieusement vers lui entre ses petites pattes antérieures et entreprit de le grignoter à même le sol. Il n'eut pas le temps de détaler loin de l'ombre qui s'étendait sur lui, ni même d'avaler sa friandise : un gourdin lui fracassa l'épine dorsale. Seul un dernier petit couinement surpris lui échappa.

L'enfant repoussa le rat mort du bout de son bâton. Il avait horreur des rats. Il y en avait trop. Parfois il en attrapait un et ne le tuait pas tout de suite ; il tenait la petite bête par le bout de la queue et la faisait tournoyer en l'air jusqu'à ce qu'elle fût trop étourdie pour être tentée de le mordre. Après quoi il prévenait le rat : « Tu es à moi et je vais te faire très mal. » Il l'immobilisait sous un vieux bout de planche sur laquelle il posait un genou et broyait les pattes nues du rat à l'aide d'un caillou aux arêtes acérées. C'était très laid. Il finissait en arrachant le poil du rat par touffes. À chaque fois cela déclenchait en lui d'affreux frissons de dégoût mêlés à un sentiment de pouvoir irrésistible. Il était galvanisé à la seule pensée qu'il détenait un contrôle absolu sur le rat. Cette bestiole méprisable qui gémissait, palpitante d'affolement et de douleur, devenait sa propriété ; il pouvait en faire ce qu'il voulait le temps qu'elle durait, la libérer – ce qu'il ne faisait jamais – ou la faire souffrir encore, jusqu'à ce qu'elle devienne une chose morte dénuée de tout intérêt, rien de plus.

Il examina le chou dont un bon tiers était à peu près intact. Après un coup d'œil furtif alentour, il s'en empara et quitta le cul-de-sac pour se diriger vers quelque fond de cour oublié où il allait pouvoir manger en paix et se reposer un peu. Il se sentait ce jour-là trop affamé pour jouer avec les rats. La lourde hotte qu'il portait frottait sans cesse contre son dos meurtri. Plusieurs lacérations avaient recommencé à saigner et il s'efforçait de camoufler les taches de sa chemise sous son fardeau encombrant. Exténué, il s'assit sur de petites marches en bois. La veille au soir, son père l'avait battu à coups de ceinture parce qu'un client ne lui avait pas remis en entier la somme qui lui était due. Le garçon se demandait comment faire pour éviter de commettre à nouveau ce genre d'erreur, car, ne sachant compter, il ne reconnaissait les pièces de monnaie que par leur apparence. Cet incident l'avait laissé impuissant et angoissé devant ce qui l'attendait ce soir-là.

Louis Ruest était décharné et trop grand pour son âge. On le surnommait le *Ratier à Firmin*, à cause certes de l'attention particulière qu'il semblait porter aux rongeurs, mais aussi à cause de sa physionomie qui évoquait celle des chats de gouttière dégingandés traînant partout et qu'on chassait à coups de balai.

Tout comme Louis, ces bêtes étaient indifférentes à l'opinion qu'on se faisait d'elles; elles patrouillaient les rues de Paris; elles avaient élu domicile dans toutes les retraites à peu près inaccessibles qu'on pouvait imaginer: brèches de maçonnerie, murets en ruine, clochers d'église. Louis eût aimé être l'un de ces chats. Ainsi on l'eût laissé à peu près tranquille. Hélas, il n'était qu'un gamin laid et sale. Sa tunique grisâtre accentuait la maigreur de sa charpente anguleuse. Il portait un bonnet informe sous lequel on pouvait deviner une chevelure foncée taillée à l'écuelle. Cette coiffure détonnait, donnant à sa tenue de mendiant un air de déguisement mal fait. Mais il y avait autre chose encore, chez lui, quelque chose qui n'allait pas. On devait y regarder à deux fois avant de découvrir que c'étaient ses yeux qui dérangeaient. Ses iris, telles deux fleurs trop obscures pour être agréables à voir, gardaient jalousement les pupilles au creux de leurs pétales, comme deux petites coccinelles noires. Il y avait bien un aspect vaguement méditerranéen dans cette teinte presque noire des prunelles et de la chevelure, mais cela n'attirait pas forcément l'attention. Néanmoins les yeux de Louis suscitaient un malaise chez ceux qui les remarquaient. Ils donnaient l'impression que ce pauvre garçon aurait dû être intelligent. Mais les yeux de Louis étaient vides. Ils ne se posaient sur rien de précis, comme si pour l'enfant rien n'existait vraiment en dehors de lui-même. Personne n'avait envie d'essayer de causer avec lui. De toute façon, il ne semblait guère comprendre ce que l'on pouvait lui dire. En tout cas, il réagissait à peine. Parfois, les passants l'entendaient marmonner des choses inintelligibles, alors qu'il les croisait en laissant errer son regard vague et inexpressif partout, sauf sur eux. C'était triste à voir. Mais puisqu'il fallait bien que le boulanger Ruest fît quelque chose de ce pauvre demeuré, il l'envoyait par les rues du quartier livrer à domicile une partie de la production quotidienne de sa boutique. Car plusieurs personnes parmi sa clientèle bien établie en avaient fait la demande. Chose curieuse, le garçon savait toujours où aller et ne succombait jamais à la tentation d'écouler son fardeau en faisant du colportage ou de la revente dans la rue[5]. Firmin lui avait aussi formellement défendu de donner du pain à des mendiants.

Quand le chou qu'il croquait commença à avoir un goût amer, Louis dut se résigner à le jeter. Il ne restait déjà plus rien de la partie encore comestible mais un peu rance. Il se leva en soupirant, le ventre encore plus creux qu'avant sa découverte. À aucun moment cette faim qui lui tordait les entrailles ne lui fit porter la main sur sa hotte dont le contenu couvert d'un linge propre devait être livré en trois parts, d'abord à une taverne, ensuite chez une noble veuve qui possédait un hôtel, et enfin chez le gentil forgeron qui lui avait un jour montré comment on ferre un cheval. Il s'interdisait de seulement songer à tous ces pains frais qu'il transportait, à leur intérieur humide sous une croûte dorée et croustillante, à ces toutes petites miches de froment dont la panse était gonflée par une mie tendre et légère, presque sucrée, blanche comme la neige nouvelle. Ces pains-là se vendaient très cher. Il se remit en route en s'efforçant de passer par là où la puanteur des rigoles allait lui faire oublier un peu tous ces arômes tentateurs qu'il traînait dans son sillage.

Louis aimait son travail. Il aimait à se retrouver seul, oublié, dans des rues grouillantes de monde. Même s'il lui était en principe défendu de franchir les limites de son quartier, il ne pouvait s'empêcher de passer outre à cette règle. Certains endroits qu'il préférait entre tous, particulièrement propices aux rêveries, n'étaient pas forcément dans le voisinage. Bien sûr il se plaisait, dans la partie sud de la ville, à déambuler rue Saint-Jacques; elle passait près de Saint-Jacques-du-Haut-Pas, à la porte du même nom, et de l'enceinte de Philippe Auguste. Cette vieille muraille avait jadis servi de rempart à la ville qui en débordait à présent, et il essayait d'imaginer à quoi avait dû ressembler ce Paris de jadis. Il continuait près de Saint-Benoît, vers l'emplacement actuel de la Sorbonne, et près des Mathurins. Mais il franchissait bientôt la Seine et se dirigeait vers l'une ou l'autre des rues Saint-Denis et Saint-Martin. Là, s'il s'arrêtait et fermait un peu les yeux, il se voyait continuer tout droit vers Compostelle, sans s'arrêter jamais, vers les pays lointains où poussaient orangers et oliviers.

Mais il rouvrait bien vite les yeux et secouait la tête. Non. Ce rêve-là n'était pas raisonnable. Il n'avait aucune réelle envie de quitter la maison. De plus, il y avait beaucoup mieux que cela.

Chaque fois qu'il en avait l'occasion, il faisait une pause à la Fontaine du Ponceau, située entre l'ancienne porte Saint-Denis et la nouvelle, pour se rafraîchir et se reposer un brin. À cet endroit précis, lorsque le roi Philippe[6] ou un souverain étranger faisait son entrée dans Paris, l'on pouvait assister à des spectacles extraordinaires. Louis n'en avait encore jamais vu, mais il se plaisait à les imaginer, sans savoir que l'idée qu'il s'en faisait était loin de correspondre à leur faste réel. Par contre, même en l'absence de tout spectacle, il se passait souvent quelque chose d'intéressant à cette fontaine, ne fût-ce que des jeunes gens qui batifolaient dans l'eau courante. Il les y eût volontiers rejoints s'il n'avait pas eu tant de travail. C'était toujours la raison qu'il se donnait pour ne pas y aller. Mais, en son for intérieur, il savait bien que, s'il s'était hasardé trop près des baigneurs, ils l'auraient tout de suite remarqué et repoussé.

Louis passait outre et trouvait à se changer les idées assez vite, car au même endroit commençait la voie triomphale qui, par la porte du Châtelet et le Grand-Pont, aboutissait à Notre-Dame. Ce trajet-là avait beaucoup plus de prix à ses yeux que la route du Midi ou que cet autre chemin qui traversait le pont aux Meuniers[7], contournait l'immense basilique pour franchir le second bras du fleuve par le Petit-Pont et, de là, prenait à droite le long des berges de la Seine ourlées de quais dominés par le transept sud, pour mener jusqu'à Boulogne.

Mais, pour Louis, ces destinations perdaient tout intérêt une fois parvenu à l'île de la Cité qui, insatiable, s'abreuvait d'un flot constant de promeneurs et de charrettes. Car Notre-Dame était son refuge favori.

Vue de l'est depuis l'abside qui émergeait de la Seine, la structure de la basilique ressemblait à la proue d'un navire amarré à la pointe de l'île de la Cité par sa foison d'arcs-boutants. Mais c'était du côté occidental, sous les feux du couchant, que Notre-Dame déployait ses plus beaux atours. Sur sa façade à trois portails, un trio de galeries superposées reliait les deux tours imposantes en déroulant leur dentelle tissée à même la pierre.

Le parvis[8], auquel on accédait par onze marches, était bordé au sud par l'Hôtel-Dieu qui se dressait le long de la Seine en prolongement du palais épiscopal. Près de là, des escaliers menaient au jardin de l'hôpital. Au nord, à l'entrée du cloître Notre-Dame, trônait le baptistère de Saint-Jean-le-Rond. Le parvis était continuellement encombré d'échoppes autour desquelles gravitaient dans une presse constante badauds, chalands, malades, pèlerins, mendiants et érudits qui y affluaient chaque jour, que ce fût pour y prier, pour y faire commerce de primeurs ou pour y débattre de quelque notion abstraite glanée dans le champ fertile de l'Université.

L'édifice d'une hauteur vertigineuse qui se dressait devant Louis[9] n'était, comme toutes les cathédrales, rien de moins qu'une immense enluminure en trois dimensions. Malgré la crasse que deux siècles avaient accumulée sur les tympans, les colonnettes et les innombrables statues, on pouvait aisément distinguer encore les fastes d'une prime jeunesse parée d'or et rehaussée de mille couleurs qui, réparties selon une symbolique savante, en transfiguraient l'architecture. Trois portails encadrés de contreforts découpaient la façade occidentale. En s'avançant vers celui du centre, Louis leva les yeux : le contrefort creusé d'une niche profonde était peuplé d'une foule colorée qui, dans sa divine immobilité, égalait celle qui s'agitait sur le parvis. Aux pieds de sculptures peintes ou dorées alignées à même la pierre, il put voir deux rangées superposées de médaillons. Celle du haut représentait les Vertus, auxquelles s'opposaient, en bas, les Vices. Mais, ce qui attirait l'attention dès le premier coup d'œil, c'était une imposante statue du Christ qui le représentait présidant au Jugement dernier, assis sur un trône d'or tout garni d'ornements en or plaqué. Comme toutes les autres statues du portail, il se détachait sur fond d'or. À ses pieds, deux linteaux inférieurs évoquaient le Jugement. Sur celui du bas, des morts ressuscitaient pêle-mêle; il y avait des rois et des paysans, des chevaliers encore vêtus de leur vieille cotte de mailles et de jolies dames. En haut, saint Michel procédait à la pesée des âmes. À sa gauche, des anges conduisaient au paradis les élus qui, le visage levé vers Jésus, paraissaient déjà en extase et ne remarquaient pas qu'à la droite de saint Michel d'affreux démons poussaient des damnés encordés, l'air malheureux, en direction de l'enfer.

Parfois, Louis avait l'impression que Jésus, du haut de son trône, abaissait les yeux sur lui et le regardait passer dans un silence réprobateur. Il savait, l'enfant en était sûr. Jésus savait que Père lui avait strictement défendu d'aller à l'église: «Les tarés de ton espèce ne sont pas dignes de s'y montrer», lui avait-il dit. Louis le croyait volontiers. Dieu devait être quelqu'un de très important pour posséder un peu partout des maisons plus splendides que des palais. Et Notre-Dame était la plus majestueuse de toutes ces maisons. Elle exerçait un attrait irrésistible sur un enfant qu'un rien suffisait à émerveiller.

Lorsqu'il franchissait le seuil, les prunelles de Louis redevenaient vagues et il effaçait le portail du Jugement de son esprit. Cette scène l'avait toujours effrayé. La lumière déclinante de ce jour-là semblait la rendre plus terrifiante encore. Il se demandait souvent où il allait être emmené, lui, à la fin des temps. Certainement pas avec les élus, il n'était pas assez bon pour cela. Ses craintes ne l'avaient toutefois jamais empêché de continuer à se glisser, furtif, parmi la foule bigarrée qui bourdonnait continuellement autour de Notre-Dame. Il ne pouvait s'empêcher d'espérer qu'il puisse y avoir une autre issue que l'enfer pour un petit garçon insignifiant comme lui. Jésus allait peut-être l'oublier dans un coin, car il y avait tellement de monde partout. À Notre-Dame, plus que n'importe où ailleurs, il lui était aisé de disparaître. Très vite, il n'existait plus pour personne. Père lui-même n'allait jamais savoir qu'il se trouvait là, et Dieu non plus. Parce qu'il n'était rien.

Sans le savoir, Louis pénétrait dans ce qui était pour l'Église catholique le sanctuaire absolu. Toute l'aventure humaine y était consignée, de la faute originelle au Jugement dernier qui semait tant d'effroi dans les esprits. Notre-Dame était aussi et allait être un compendium de l'histoire. Ses fondations plongeaient au cœur de l'Empire romain finissant et c'était à cause de cette cathédrale que Clovis[10] avait choisi Paris pour capitale. Alors qu'elle n'était encore qu'une petite église romane, ses piliers avaient été effleurés par les grossières mantes fourrées de forestiers à demi sauvages. Elle n'avait été achevée que quelques années plus tôt, au début du quatorzième siècle[11].

Une foison de vitraux somptueux entourait le fidèle de toutes parts : au fond du chœur, leurs nuances avaient la timidité de l'aube ; au sud, en plein midi, le soleil transformait bleus, rouges et verts en merveilles inaccessibles témoignant de la béatitude des élus qui avaient déjà rejoint le Christ ; le nord était dévolu aux sévérités de l'Ancien Testament, évoquées dans des teintes froides qui leur convenaient fort bien. Une troisième rosace flamboyait, étourdissante, du côté occidental[12].

Ces œuvres colossales se joignaient aux mille teintes dont était revêtue la pierre de la cathédrale. Statues, colonnes, voûtes, tout était coloré. La plupart des éléments saillants, peints en bleu, se détachaient sur un fond rouge. De somptueuses tapisseries ornaient le chœur.

La petite silhouette grise de Louis s'avançait avec déférence dans la nef au sol encombré de tombeaux en cuivre et en marbre illuminés par une débauche de herses, de lampes et de lourds chandeliers ; de chaque côté, elle était ourlée par des pupitres où étaient enchaînés de précieux psautiers, antiphonaires et graduels dont seuls d'impressionnants personnages en robe longue comprenaient le contenu. Louis savait que d'autres livres de chœur étaient enfermés dans les coffres et les armoires rangés un peu partout le long des murs, car il avait déjà vu de ces grands hommes au verbe haut en prendre. De nombreux tableaux votifs, des reliquaires, des tapisseries et des vitraux historiés animaient les chapelles latérales, richement dotées par leurs fondateurs qui avaient en outre fait don aux chapelains d'ornements couverts d'or ou de broderies, de vases sacrés en matières précieuses, de pyxides d'ivoire, d'évangéliaires enluminés à la reliure luxueuse.

La croisée du transept était délimitée par quatre imposants piliers qui s'élevaient jusqu'à la voûte. Ils montaient fidèlement la garde, présentant à la nef d'où Louis arrivait des pilastres différents des colonnettes dont ils étaient revêtus côté chœur. Sous la voûte qu'ils soutenaient, au centre du chœur, se dressait le maître-autel de la cathédrale. À chacune de ses visites, Louis faisait un détour pour s'en approcher le plus possible. Le meuble sacré, recouvert de plaques de cuivre incrustées de pierreries, exhibait des parois en vermeil sur lesquelles étaient gravées les scènes de l'Annonciation et du couronnement de la Vierge. À chacun des coins, des anges en émail retenaient des tringles auxquelles étaient suspendues de riches draperies. Cette table était une telle merveille que Louis était persuadé que, le dimanche, le christ colossal qui se dressait au-dessus de la porte d'entrée descendait de son socle afin de préparer pour ses fidèles un repas somptueux à la suite duquel ils ne souffraient plus jamais de la faim. Il eût bien aimé pouvoir y être convié, lui aussi, même s'il en avait un peu peur.

Jésus était un homme étrange. Il inspirait la crainte lorsqu'on regardait les statues qui le représentaient assis sur son trône; mais d'autres statues rappelaient aussi qu'il avait été un enfant dans les bras de sa mère. Louis n'osait se l'avouer, mais il préférait Jésus en petit garçon. Il était certes moins intimidant sous cette représentation, mais également Louis comprenait mieux Jésus enfant parce que, lui aussi, il avait une mère qui l'aimait.

La Sainte Vierge était toujours jolie. Elle ne lui faisait jamais peur. Il y avait une statue d'elle avec bébé Jésus au trumeau du portail de la Vierge[13]. Derrière l'autel, une statue en vermeil qui la représentait tenait dans ses mains un reliquaire. Auprès d'elle se tenait un ange qui portait une pyxide renfermant les hosties. Plus loin encore, à cinq mètres au-dessus du sol, sous un édicule en forme de dais protégé par d'autres anges était gardée une châsse en argent et en or[14]. Au fond du chœur, enfin, il y avait l'autel des Ardents, dominé par une Vierge différente, d'albâtre celle-là. Il était surmonté d'un ouvrage de menuiserie sans prix qui contenait encore des châsses vouées à des saints; de part et d'autre de cet autel, deux statues monumentales représentaient Philippe Auguste et son fils Louis VIII.

Bousculé par les hordes de pèlerins et de clercs qui bavardaient, Louis se terrait contre la clôture rejoignant un jubé et deux escaliers qui, depuis la seconde moitié du treizième siècle, fermait le chœur. Des stalles en bois au dossier garni de cuir étaient adossées à cette clôture; les jours de fête, on y tendait des étoffes précieuses. L'enfant savait que seules de très importantes gens avaient le droit d'aller jusque-là. Agrippé à la clôture, il observait pendant un moment les scènes de la Passion et la Résurrection sans parvenir à y comprendre grand-chose. Comment était-il possible que Jésus, glorieux et puissant comme il l'était, se fût un jour retrouvé attaché à un poteau et fouetté comme une mauvaise personne? Pourquoi l'avait-on maltraité, puis tué? N'avait-il pas été le meilleur des hommes? Du moins, c'était ce que les gens prétendaient. Et sa mère, qu'avait-elle bien pu penser de tout cela, se demandait-il en jetant un coup d'œil de chaque côté où se dressaient d'autres autels, dont celui de la Vierge qui était brillamment illuminé de jour comme de nuit.

Ces questions, autant que la nef surchargée d'objets et de voix, finissaient par devenir trop éblouissantes pour Louis qui faisait bien vite demi-tour, ses pieds nus et sales ne faisant aucun bruit sur le plancher recouvert d'un pavage polychrome. Car toute cette magnificence ne constituait pas le but réel de sa visite.

Son vrai refuge ne se trouvait pas dans le lieu trop bruyant qu'il laissait derrière lui. Non, cet endroit-là ne constituait qu'un premier arrêt. Il en avait habituellement besoin pour amasser une dose de courage. Par la suite il devait faire preuve d'une grande détermination pour se rendre là où il désirait aller.

Au pied de l'escalier en colimaçon menant au clocher qui se trouvait en haut de la tour nord, la foule aujourd'hui devenait clairsemée. Louis s'en réjouit. Dès l'instant où il entreprit de gravir une première volée de marches à toute allure, manquant trébucher à plusieurs reprises, il se mit à ressentir d'angoissants malaises : les murs sombres se refermaient peu à peu sur lui comme des personnages maléfiques et commençaient à l'étouffer. Avant qu'il ne fût parvenu à mi-chemin, il s'écroula avec ce qui restait de son chargement de pain. Il se remit péniblement debout, mais ses genoux ne cessaient de ployer sous lui. Il dut consentir à s'asseoir pour prendre plusieurs grandes respirations. Heureusement, personne d'autre que lui ne circulait dans l'escalier. Rassemblant ce qui lui restait de forces, il se mit à grimper les marches deux par deux en se disant qu'ainsi sa pénible montée allait être finie deux fois plus vite. Un couple de vieillards grommelant dut se ranger contre le mur pour le laisser passer. Plus haut, il dut ralentir à cause d'un pèlerin boiteux qui s'appuyait lourdement sur sa canne crochue.

L'escalier menait à la salle haute. Louis ne s'y attarda que le temps de reprendre son souffle, car, en cette fin d'après-midi, elle se peuplait pour la nuit des sans-abri à qui elle servait de lieu d'accueil. Dans un angle de cette pièce qui peu à peu s'envahissait de couches rudimentaires, un petit escalier en vis à cage ajourée menait par l'extérieur de l'impressionnante galerie des rois d'Israël et de Juda, que Louis confondait avec les monarques de France, à la galerie de la Vierge.

C'était à partir de là que Louis commençait à se sentir mieux. Il n'étouffait plus et, la plupart du temps, il était le seul à se donner la peine de monter plus haut à cette heure. Au deuxième étage, la galerie de la Vierge, qui reliait les contreforts, l'attendait avec sa terrasse bordée par une balustrade ajourée derrière laquelle les vitraux de la grande rose occidentale s'embrasaient. De part et d'autre, sous chacune des tours, deux baies adjacentes séparées par une colonnette étaient surmontées d'une rose aveugle. À cet endroit, Louis pouvait à nouveau se permettre d'exister. Seul, oublié du monde, il se sentait enveloppé par la rose lumineuse qui palpitait dans son dos. Elle lui communiquait les couleurs dont il se savait dépourvu. Cela lui procurait, hélas trop brièvement, le merveilleux sentiment d'être au centre de quelque chose de magnifique qui se trouvait là juste pour lui. Il ne s'attardait jamais très longtemps sur cette galerie : la rose finissait par lui donner l'impression que Dieu se tenait peut-être tapi juste derrière elle, pour l'épier attentivement. Bien vite, il ne se sentait plus à sa place en ce lieu trop beau. Alors il se détournait sans oser faire face à la rose.

Après avoir gravi la dernière volée des deux cents cinquante-cinq marches qui menaient au troisième étage, Louis déboucha sur la coursive tournant au-dessus de la Grande Galerie. Cette dernière déployait sa délicate arcature ajourée qui reliait les deux tours entre elles. Épaulées par leurs énormes contreforts, c'était à ce niveau qu'elles se détachaient de la façade pour dresser vers le ciel leur silhouette sévère garnie de baies ogivales. À quarante-six mètres du sol, parmi les rangées de gargouilles aux grimaces féroces, Louis se sentait enfin le bienvenu. Les gens n'avaient que dégoût pour les créatures laides, même en pierre, et celles-ci, en réponse à ce rejet, leur vomissaient dessus les rages du ciel. Louis se plaisait à faire comme elles : se penchant entre deux fines colonnettes, il se raclait la gorge et s'amusait à cracher le plus loin possible.

— C'est bien fait ! criait-il joyeusement en regardant descendre ses crachats jusqu'à ce qu'ils aient disparu.

Chaque fois qu'il se livrait à cette activité, il ne pouvait s'empêcher d'espérer que ce fût ceux de la bande à Hugues qui lui serviraient de réceptacle. Il imaginait qu'il se transformait en pigeon et qu'il pouvait se laisser planer en vitesse jusqu'en bas, à temps pour voir l'un des membres de cette bande d'affreux gamins recevoir l'éclaboussure sur le dessus de la tête et prendre la fuite, sans jamais se douter que c'était lui qui avait fait le coup.

Cette bande était une petite clique de vauriens à peine adolescents qui faisaient les quatre cents coups depuis le début de ce printemps. Ils avaient déjà causé suffisamment de ravages pour qu'on cherchât à les éviter, mais pas encore assez pour attirer l'attention de la milice. Louis ne les aimait pas. Contrairement aux adultes qu'il rebutait pour la plupart, eux se collaient à ses basques en chahutant dès qu'il avait le malheur de croiser leur chemin. Une fois qu'ils étaient là, il n'y avait plus aucun moyen de s'en débarrasser, sauf si Louis pouvait se réfugier chez lui à temps, ce qui était, hélas, chose rare. Ils semblaient connaître son itinéraire et ils s'arrangeaient pour traîner dans le quartier de l'abbaye à l'heure de son retour. Immanquablement, d'autres enfants étaient attirés par ces cortèges indésirables et s'y greffaient. Cela se passait toujours ainsi. La peur collée au ventre, Louis affectait un air indifférent. Il continuait à marcher, un rien plus vite qu'à l'habitude. Il se gardait bien de se retourner vers eux, de leur dire de s'en aller et de le laisser tranquille. Cela ne servait à rien. Ne pas réagir était certes difficile, mais tenter quoi que ce soit eût aggravé les choses. Il le savait pour l'avoir déjà essayé : ils étaient trop nombreux et lui était trop fatigué pour se défendre. S'il leur montrait sa rancœur et sa colère, ils s'agitaient de plus belle autour de lui comme un gigantesque nid de frelons. Non, Louis ne pouvait absolument rien contre eux. Presque rien, en fait.

Car ce que la bande à Hugues ignorait, c'était que Louis connaissait une issue secrète. Lorsque les enfants l'encerclaient, l'isolaient du reste du monde pour lui lancer insultes et ordures, Louis attendait. Il attendait de ne plus y penser, de ne plus voir qu'il était là. Cela exigeait de lui un certain effort. Mais dès l'instant où il y parvenait, il cessait enfin d'avoir peur. Il pouvait commencer à s'en aller. Il s'en allait sans bouger de sa place et personne ne le savait. Les enfants ne s'en rendaient pas compte. Leurs moqueries et leurs rires ne cessaient pas ; ils se chargeaient d'échos et transformaient tout en un bruit confus, lointain, qui ne signifiait plus rien. Son corps tout entier s'engourdissait. Si des coups venaient, il les sentait à peine : Louis n'était plus là et, depuis son refuge secret, c'était lui qui riait d'eux en les regardant s'acharner sur la coquille vide qu'il avait laissée derrière lui.

Parfois, il se disait qu'à force de faire cela, et s'il restait parti assez longtemps, il allait finir par disparaître pour de bon.

Mais ce jour-là, du haut de la Grande Galerie, il était là, il existait. Et il était bien.

Aux angles arrière des tours que la galerie festonnait, on avait une vue plongeante sur le toit pentu qui coiffait la basilique sur toute sa longueur, depuis l'arrière des tours jusqu'aux arcs-boutants qui s'étiraient depuis le chevet. Trois portes percées dans le mur du pignon ouvraient sur un endroit mystérieux que les gens appelaient la Forêt[15]. Louis ignorait que chacune des poutres de cette Forêt avait été taillée dans un chêne différent. À une époque où les forêts couvraient encore de vastes territoires; les grands arbres étaient nombreux et probablement déjà relativement âgés; leur bois était en outre très dense, leur croissance ayant été plus lente à cause du temps froid. Louis se demandait souvent à quoi pouvait bien ressembler cet endroit qui occupait l'espace compris entre la toiture et les voûtes de la nef et du chœur. C'était peut-être là que se trouvait le paradis terrestre dont il avait déjà entendu parler, car, au sommet du pignon, un ange montait la garde en sonnant de la trompette pour annoncer le Jugement dernier.

— Ça ne fait rien. J'ai un jardin bien à moi. Et tu ne me fais pas peur. Je peux monter plus haut que toi, dit-il à l'ange.

Il retourna en direction de la façade. Le soleil était encore suspendu au-dessus de l'horizon. «J'aurais le temps», se dit-il en jetant un coup d'œil à l'un des angles de la tour sud qu'il venait de dépasser. À cet endroit, une tourelle signalait l'emplacement de la cage d'un autre escalier. Jamais il n'était monté tout en haut. Il se sentait tenaillé par l'envie d'y aller, mais en même temps il appréhendait d'avoir à gravir l'étroit escalier en vis qui devait être pire que celui d'en bas. Jusqu'à ce jour, il avait toujours pu prétexter le manque de temps. Il avait pu renoncer à son ambitieux projet en se disant que Père allait le punir s'il franchissait le seuil de la boulangerie après le couvre-feu.

«Tout là-haut, personne ne pourra plus me faire de mal. Pas même l'ange», se dit-il en levant les yeux vers la tour qui, vue d'aussi près, avait l'air encore plus imposante. Elle semblait confirmer son raisonnement par sa seule stature.

Avec lenteur, il se dépouilla donc de sa hotte. Il l'appuya contre le mur près de l'escalier en compagnie de son gourdin et entreprit sa pénible ascension.

Très vite, il fut tenté de rebrousser chemin. Son malaise ne ressemblait en rien à ceux qu'il avait jusque-là ressentis, dans les autres escaliers où seules l'angoisse et la faiblesse de ses jambes l'avaient fait tomber. À cause de ce défi qu'il venait de lancer à l'ange, Dieu semblait avoir eu vent de ce qu'il était en train de faire. Or, Dieu ne voulait pas de lui à l'église, et sûrement encore moins là-haut. C'était Lui, l'enfant en était sûr, qui lui faisait ressentir une telle oppression qu'il s'en trouva incapable de respirer. Par trois fois, il cessa brusquement d'exister, comme si Dieu lui arrachait son âme en guise d'avertissement et la lui redonnait ensuite. Les deux premières fois, il revint à lui par l'effet de ses propres chutes; il dut débouler une bonne dizaine de marches avant d'arriver à se retenir à l'une d'elles du bout des doigts. Chaque fois, il dut s'asseoir pour se reposer un peu. Une piécette s'échappa de sa bourse et il faillit plonger en avant pour tenter de la rattraper. Trop tard: il l'entendit tinter interminablement dans l'escalier jusqu'à ce qu'elle fût engloutie par le silence. Louis referma fébrilement sa bourse et se mit à pleurer. Dieu le punissait, il n'y avait aucun doute là-dessus. Et, une fois à la maison, Père allait lui aussi le punir à cause de la pièce perdue. Sauf s'il atteignait le haut de la tour et ne rentrait plus jamais. Il reprit donc courageusement sa montée.

La troisième fois, il mit plus longtemps à lutter contre l'inconscience, car, au haut des quatre cent vingt-deux marches, il avait atteint une surface assez large pour se laisser choir mollement à plat ventre. Ce fut l'effet de la lumière cuivrée du couchant, associé à la brise fraîche devenue vent sur son visage en sueur, qui le ranima. Confus, la tête bourdonnante, le corps parcouru de frissons, Louis ouvrit les yeux. En tombant, sa bourse s'était rouverte et avait répandu son contenu sur le dallage en pierre tiède d'une terrasse dont le centre était coiffé d'un pignon octogonal.

Il avait réussi.

Sans se soucier de sa monnaie, Louis se remit debout et s'avança sur ses jambes flageolantes jusqu'à une balustrade identique à celle qui surmontait la Grande Galerie du côté occidental. Le vent qui venait de loin n'avait ramassé nulle part de scories fétides. En bas, les rues étroites ressemblaient à de grosses fourmilières au-dessus desquelles dérivaient mollement des fumées grasses. Au-delà, la ville prenait une perspective encore différente. La Seine aussi, avec les cinq îles qu'elle avait semées, par distraction sans doute, en plein cœur de la ville. En faisant le tour de la terrasse, le garçon put voir d'un seul coup d'œil, comme un ange en vol, toutes les choses que les méandres des rues et les encorbellements sombres refusaient de partager avec les habitants de la ville. Les trois bourgs qui composaient Paris, la Cité, la ville en tant que telle et l'Université, étaient alimentés par deux rues parfaitement rectilignes qui les traversaient de part en part. Grâce à elles, Paris prenait l'aspect un peu plus ordonné d'une créature organisée. À son stade embryonnaire, Paris avait eu l'apparence organique d'une pêche. Contrairement à la plupart des villes qui naissent sur une seule rive de leur cours d'eau géniteur, la chair de la pêche parisienne s'était formée autour d'une île entre Seine et Marne dont elle avait fait son noyau. Elle s'était développée ensuite de façon circulaire autour de lui. Au sud la ville savante s'était installée avec l'Université, tandis que le nord avait été consacré à l'activité commerçante et au Temple des artisans. Quant au centre, il avait conservé sa vocation première : là palpitait le cœur du royaume, avec la cathédrale Notre-Dame et le palais. L'autre rive de la Seine, celle de droite, était dévolue à la fonction marchande de la ville : halles, boucheries, smala d'échoppes variées. Le cimetière des Saints-Innocents accueillait sans trêve une population silencieuse qui se densifiait comme celle, vivante celle-là, de la cité nourricière. La pêche initiale avait fini par en devenir méconnaissable : bornée d'un côté par une ligne imaginaire qui eût été posée entre le Louvre et le Temple, elle s'était infiltrée dans l'espace entre le Châtelet et la porte Saint-Denis.

Louis passa un moment à admirer la Bastille, puis le paysage du côté de l'île aux Juifs que certains vieillards appelaient encore l'île aux Chèvres. Il se demandait souvent ce qui était arrivé pour que les chèvres soient devenues des Juifs. Peut-être ces gens que tout le monde haïssait avaient-ils été victimes d'un sortilège qui avait depuis été rompu ? Cet îlot se trouvait en aval et à la pointe de l'île de la Cité. Le jardin du Palais n'en était séparé que par un mince bras du fleuve. Au nord, l'Hôtel de ville montait la garde devant la place de Grève.

Grisé, Louis soupira d'aise. Il se sentait mieux. L'épreuve était enfin terminée. À soixante-neuf mètres du sol, il avait Paris à ses pieds, et sa tête effleurait le ciel. L'ange du Jugement dernier ne pouvait plus rien contre lui. Il se retourna vers la cage de l'escalier qui béait, toute noire. Dieu Lui-même semblait avoir renoncé à le poursuivre. Jamais auparavant il n'avait éprouvé un tel sentiment de sécurité. Juste pour cela il avait valu la peine d'endurer le reste.

« Ça y est. J'y suis, j'y reste », songea-t-il en tentant de se persuader que c'était possible. C'était tellement agréable de faire semblant d'y croire, même un bref instant. Du côté ouest, il distingua les trois flèches romanes de Saint-Germain-des-Prés et la secrète et intimidante abbaye où logeait sa mère en ce moment même, un privilège que convoitaient des personnages aussi illustres que des évêques. « Mais quand même, Mère aimerait mieux être ici », se dit-il encore. Mère aimait bien rêver avec lui. Elle en avait bien besoin, elle aussi, car elle était si souvent malade. Quelques jours plus tôt, elle avait encore dû se rendre chez les moines pour se faire soigner à cause d'une maladie qui lui faisait parfois un gros ventre. Quand elle était de retour à la maison, son ventre redevenait graduellement plat. Cette maladie devait être très douloureuse. Pauvre Mère.

Appuyé contre la balustrade occidentale, Louis se rendit compte que le soleil avait disparu à l'horizon et que le vent fraîchissait. Il avait pris beaucoup de retard, il le savait. Pourtant, il ne faisait pas mine de rebrousser chemin. «C'est à cause de l'escalier», se dit-il en essayant d'y croire. C'était en partie vrai. Mais il savait que ce n'était pas la seule raison de sa crainte. L'autre raison s'appelait Père. Lui n'allait pas, comme l'ange ou Dieu, renoncer à le punir de s'être attardé et d'avoir perdu une pièce. «Je n'ai pas envie de rentrer ce soir. Si je passais la nuit ici?» Encore un projet irréalisable: il lui fallait passer par la maison prendre du pain pour ses livraisons du lendemain. Il devait rentrer pour aider Père, qui lui aussi était souvent malade.

—Vole, vole, je suis un oiseau, dit-il aux pigeons qui tournoyaient autour de lui tels des mouchoirs souillés. Un volatile curieux s'aventura plus près et se posa sur la terrasse: Louis chercha à l'atteindre d'un coup de pied: le pigeon s'éloigna à tire-d'aile.

—Saleté, je t'aurai, dit-il en suivant d'un regard envieux le vol erratique de l'oiseau.

Soudain, il prit conscience de ce qu'il venait de dire. Il n'aima pas cela. C'étaient là des mots que son père lui disait souvent, à lui. Du coup, il eut envie de tuer ce pigeon. Une espèce de rictus fit saillir sa mâchoire et donna à son visage une expression de férocité primitive. L'enfant se mit en quête de cailloux à lancer. Il n'en trouva pas.

—Maudit oiseau trop laid! dit-il au pigeon.

Louis aimait Père. Il l'aimait de tout son cœur. Mais il ne voulait pas dire les mêmes choses que lui.

Il n'avait plus envie de voler.

Une à une, les pièces de monnaie furent ramassées et remises dans la bourse. Dévalant l'escalier à toute vitesse, au risque de se rompre le cou, Louis fit une pause sur le palier du troisième, le temps de récupérer son bâton et sa hotte. Quelle ne fut pas sa surprise de retrouver sa piécette fugueuse au beau milieu de la Grande Galerie. Cela tenait du miracle. Il ne lui restait plus qu'à rentrer avant le couvre-feu. S'il se hâtait, c'était encore possible. Peut-être avait-il une chance d'échapper au bâton de Père.

De retour en bas, hors d'haleine, Louis se laissa happer par la foule qui soudain lui parut plus bruyante et plus dense qu'avant sa montée au clocher. Le ciel avait profité de son absence dans les escaliers en colimaçon pour étendre au-dessus des toits pentus l'étoffe phosphorescente qui précédait de peu l'arrivée de la nuit. Le garçon dut fournir un ultime effort pour faire ses dernières livraisons à la course. Heureusement qu'il allait être de retour à la maison avant Père, qui lui rentrait rarement avant le couvre-feu.

Louis n'était pas un bon fils et il le savait. Il mettait trop de temps à faire ce qu'on lui demandait. C'était souvent très difficile d'obéir, même s'il faisait de son mieux. Mais Père était toujours déçu. «Peut-être que je suis réellement taré», se disait-il parfois avec inquiétude. Un jour, il avait entendu Père dire à Mère: «Fais-moi un vrai fils et c'est à lui que j'enseignerai le métier.» Louis n'avait pas de frères ni de sœurs comme les autres enfants. Il se demandait d'ailleurs pourquoi. Peut-être était-ce parce qu'il aurait été un mauvais grand frère, aussi. Il ne comprenait pas. Sans doute valait-il mieux ne pas trop s'attarder aux choses que l'on ne comprenait pas. Il y avait beaucoup trop à faire.

«Je promets d'être un bon fils, désormais, se dit-il. Je vais cesser de traîner en route et je travaillerai plus fort. Et je deviendrai le meilleur boulanger de Paris. Père et Mère ne seront plus jamais malades. Ils porteront de beaux habits. Mère mangera de la viande rôtie avec des épices tous les jours et Père sera enfin fier de moi.»

Sa poitrine se gonfla de bonheur anticipé. Si seulement il devenait un bon fils, ils pourraient faire tellement de choses. Il eut alors la certitude qu'il allait pouvoir en être un. Là, à partir de cet instant précis, et cela, même s'il était à bout de souffle et même si son corps tout entier lui faisait mal. Ces petits désagréments causés par sa course ne lui étaient rien du tout puisqu'il s'était mis à songer à son jardin, celui-là même qu'il avait mentionné à l'ange.

Ce soir-là, il parvint à le voir distinctement. C'était leur refuge secret, à sa mère et à lui. Ils l'élaboraient ensemble à l'insu de tous depuis longtemps. Ce jardin n'existait pour le moment que pour eux, dans leur tête. Il n'attendait qu'une chose pour devenir réel: que Louis fût grand. Le garçon aperçut sa main, devenue celle d'un homme, serrant la barrière du jardin afin de la refermer derrière lui. Rien ni personne ne venait plus les y importuner. Louis se vit adulte, en train d'y conduire ses parents fatigués. Il les faisait asseoir ensemble sur un banc décoré de pampres en fer forgé et leur disait: «Reposez-vous, tous les deux. Je m'occupe de tout.» Et il leur apportait un panier rempli de petits pains moelleux qu'il avait confectionnés lui-même. Nul vacarme ne venait déranger le chant des pinsons. Louis-adulte se tenait à la porte du fournil et regardait ses parents aux cheveux blancs partager le pain. Il s'essuyait les mains sur son tablier épais et s'étirait au soleil, heureux au son de sa mélodie favorite, le dos chauffé par le four qui embaumait derrière lui.

Quelque chose se mit en travers de son chemin et, farouche, l'image du jardin se volatilisa avec sa musique. Louis trébucha. Il se retrouva à plat ventre en pleine rue Guillaume-Porée, que les vieux appelaient encore Mauconseil. Il était redevenu enfant, et sa chemise était éclaboussée par l'eau sale d'une rigole. Il se redressa afin de s'assurer que le contenu restant de sa hotte était intact et jeta autour de lui un regard effaré. Un joueur de boules venait de lui faire un croche-pied.

— Tiens, qui voilà? Tu ne sais même pas courir, le Ratier. T'es encore plus taré que je croyais.

Des gamins criards l'encerclaient en ricanant et en le pointant du doigt. Il s'agissait pour la plupart d'enfants du voisinage, fils de gasteliers*, de fouaciers* et d'oubloyers*. Hugues et sa bande se trouvaient parmi eux. Désœuvrés, ils avaient choisi et isolé Louis pour passer un peu le temps. Une prise facile: le pauvre bougre ne se défendait jamais.

— Et, en plus, tu sens les latrines, dit un autre en se bouchant le nez.

— Comment peut-il réussir à vendre du pain, ce morpoil*? Moi, à la place de son père, j'en crèverais de honte.

— Eh! Le Ratier! File-m'en une miche ou deux. On sait jamais, peut-être bien que nos cochons vont aimer!

Une voix qui graillonnait interrompit les rires et la manœuvre d'encerclement des agresseurs:

— Non mais, vous allez me cesser ce raffut, sales voyous! Pour qui vous prenez-vous? Allez, ouste! du vent, ou je m'en vais vous faire déguerpir à coups de balai, moi!

Goguenards, les gamins s'éloignèrent quelque peu. Certains se mirent à chuchoter entre eux sans quitter Louis des yeux.

Ce dernier récupéra son gourdin qui avait roulé plus loin et se remit debout. Une vieille femme se tenait sur le seuil de sa porte. C'était l'une des servantes d'une maison de pension pour étudiants où Louis devait faire sa toute dernière livraison de la journée. La voix de la vieille s'adoucit lorsqu'elle s'adressa à lui, presque comme à un bébé:

— Allez, viens là, petit, que je te paye. Ben dis donc, tu n'es pas beau à voir! Ce sont ces canailles, qui t'ont fait ça? Ah! les misérables. Tiens, prends. Il y a tout. Et tu feras savoir à ton père que nous en voulons deux douzaines de plus pour samedi. Essaie de venir plus tôt, d'accord? On attend un nouveau groupe d'étudiants. Tu as bien compris? Dis-moi si tu as tout bien compris.

—Oui, dame. Deux douzaines. Et je viendrai plus tôt, répondit-il.

—Très bien. Tiens, prends un sou de plus pour ta peine. Tu es un bon petit gars, toi.

Elle tapota la joue sale du garçon, qui recula comme si elle avait menacé de le gifler. Elle fit semblant de ne pas le remarquer.

Elle n'eut pas l'air de s'aviser non plus que la voix de Louis était sans timbre, mécanique, comme s'il ne faisait jamais que réciter des choses apprises par cœur.

Lorsque la porte se fut refermée sur la femme, quelque chose de mou atteignit Louis dans le dos et tomba entre ses jambes. C'était une tête de saumon.

—Tiens, le Ratier, mange si t'as faim! On en a d'autres pour toi!

Les garçons se mirent à bombarder leur victime avec des ordures ramassées un peu partout. Une grosse balle en argile, empruntée à un jeu de boules interrompu, l'atteignit à l'épaule. Désemparé, Louis se laissa glisser contre la porte et ne fit que se protéger le visage. Les enfants du quartier aimaient cela. Flanquer une bonne raclée de temps en temps à cette grande loque inoffensive était l'un de leurs jeux favoris.

C'est un attrait irrésistible pour un groupe que de pouvoir se persuader de sa supériorité devant celui qui ne cherche plus à se défendre. Rien n'est plus grisant que de pouvoir se moquer sans risque de représailles. La faiblesse, parce qu'elle est celle d'un autre, devient dérisoire. L'autre devient lui aussi dérisoire. Ce qui lui est fait n'est pas sérieux, du moins, le croit-on. Car il ne viendrait jamais à l'esprit collectif rudimentaire et inconséquent d'une telle bande que, par son jeu soi-disant anodin, elle dépose sur les braises de la forge un fer qui pourrait bien un jour être brandi contre elle.

L'ennui, avec Louis, c'était que même s'il était aux abois il devenait vite lassant. Il ne réagissait jamais. La pluie de projectiles s'était mise à diminuer, et le garçon put jeter un coup d'œil furtif au-dessus de son bras.

—Allez, on s'en va. C'est vraiment rien qu'un taré, dit une voix.

—Attends.

L'un des enfants se détacha du groupe pour le narguer de plus près, comme cela survenait parfois. C'était Hugues en personne. Il s'accroupit devant Louis qui n'avait pas bougé et lui dit gentiment:

—Mes copains et moi, on est affamés, tu le savais? Hein? On n'aurait qu'à lever le petit doigt pour te prendre ton pain, Mais on le fait pas. Non, parce que tu es très, très laid, tu vois? On n'en veut pas, de ton pain.

Il y eut quelques ricanements. Satisfait de l'effet produit, Hugues dit encore:

— Et puis, tu sens vraiment trop fort. Dis-moi, est-ce que tu sais ce que c'est que le savon? J'imagine que, si tu te frottais très fort et pendant très longtemps, tu finirais peut-être par venir à bout de ta crasse et par ressembler à quelque chose. Tu ne comprends rien du tout à ce que je raconte, pas vrai?

Le regard imprécis de Louis s'était posé quelque part au-dessus de l'épaule droite de Hugues. Ce dernier inclina la tête pour tenter d'obliger son interlocuteur à le regarder.

— Ou bien tu fais comme si on n'était pas là? Mais c'est très impoli, ça. Que penserait ta petite maman si elle te voyait faire?

Le regard de Louis cilla et, l'espace d'une seconde, il s'accrocha à celui de Hugues dont la stupéfaction fut telle qu'il se retourna légèrement pour appeler:

— Eh! les gars, vous avez vu?

— Prends garde, Hugues! interrompit l'un des spectateurs.

Trop tard.

Louis ne sut pas comment il se retrouva debout, le gourdin brandi. Hugues était à terre. Le chahut cessa net. Et ce fut alors que, pour la première fois, Louis se rendit compte à quel point son adversaire était petit. Il avait l'air insignifiant. Il couinait d'une façon ridicule. Les yeux de Louis s'animèrent d'un scintillement que nul n'y avait jamais vu jusqu'alors. Sa mâchoire saillante révéla un petit trou noir dû à la perte récente d'une dent de lait. En serrant le bâton de façon spasmodique, il s'approcha du garçon qui s'était assis en se frottant l'épaule.

— Qu'est-ce qui te prend, pauvre merde? dit Hugues.

Louis éleva à nouveau son gourdin et frappa son tourmenteur à l'estomac. Il le regarda s'effondrer sur le côté, plié en deux, privé de souffle. Tout le monde se remit à crier. Quelques-uns s'avancèrent pour tenter de neutraliser ce gamin qui subitement leur faisait peur. Louis semblait à peine remarquer leurs cris et leurs manœuvres. Il se contenta de les éloigner en faisant de grands moulinets avec son arme.

— Il tourne en avertin*!

— Faut tirer Hugues de là, dit un autre.

Mais Louis refusait de délaisser Hugues qui, encore haletant, essayait instinctivement de s'éloigner à quatre pattes. Il alla se planter au-dessus du chef de la bande, abandonna son bâton et repoussa Hugues d'un coup de pied dans le ventre. Ses orteils nus lui firent mal : il ne s'en soucia pas. Une telle révolte éclatait en lui qu'il se sentait tout à coup vivant. Il était quelqu'un. Il n'avait plus peur. Hugues allait payer pour tout le mal qu'il lui avait fait.

Il se pencha pour soulever Hugues par sa tunique. Il assena au visage détesté un coup de poing si violent que l'autre tomba à la renverse, à demi assommé, et se mit à saigner du nez. « Pareil que moi », pensa distraitement Louis qui saignait du nez fréquemment. Il se jeta sur Hugues et se mit à le larder de coups de poing au ventre et en pleine figure. Les autres firent cercle autour du corps à corps en criant des encouragements.

Le combat cessa bien vite d'en être un. Hugues finit par ne plus remuer. Pourtant, Louis ne semblait pas le remarquer et continuait à le frapper de ses deux poings, partout où il pouvait l'atteindre. Il entreprit de lacérer ses vêtements à grands coups d'ongles qui tracèrent de profondes griffures sur sa poitrine. Il lui arracha des cheveux.

Le fils d'un pâtissier du voisinage résolut de s'avancer prudemment et lui dit :

— Ça va, le Ratier, ça va. Tu as gagné. Laisse-le, d'accord ?

À bout de souffle, Louis se redressa et cligna des yeux éberlués en regardant autour de lui les gamins qui avaient cessé de se moquer. Il baissa à nouveau le regard sur Hugues inanimé. Sa colère s'apaisait. Mais en même temps que son refus lui vint une terrible prise de conscience : « Qu'ai-je fait là ? » C'était très mal de frapper les gens. Seul Père avait le droit de le frapper, lui, et c'était toujours parce qu'il le méritait.

Il se releva d'un bond à la vue du chef de bande qui se réveillait en se lamentant. Il était trop tard pour les regrets, maintenant, le mal était fait. Il lui avait été si facile d'assommer Hugues.

— Tu n'es qu'un rat, lui dit-il.

Après avoir rajusté sa hotte, qui heureusement n'avait pas trop souffert de l'incident, Louis récupéra son arme. Il dit, sans regarder personne :

— Fallait pas dire n'importe quoi.

Il fit quelques pas en avant. Les enfants s'écartèrent en silence sur son passage.

*

La nuit était presque tombée lorsque Louis se rendit pleinement compte qu'il était à nouveau seul et qu'il marchait. Ses pas l'avaient machinalement ramené à la maison. Père devait être rentré. C'était trop tard maintenant pour compter esquiver le châtiment. À bout de forces, le dos, les jointures des mains et les pieds nus écorchés, il rentra et laissa choir sa hotte vide dans l'arrière-boutique. Il assujettit l'épais correau* de fer derrière la porte afin de la verrouiller pour la nuit.

La chaleur de la grande pièce était habituellement son seul réconfort après une journée passée à arpenter les rues de la ville. Le point final de chaque jour tenait en un tout petit geste qui motivait tout ce long travail et en constituait le but: le dépôt des piécettes hétéroclites acquises quotidiennement dans une jarre en terre cuite qui reposait sur la table de nuit de la chambre conjugale, située à l'étage. Seul Firmin avait le droit de toucher au contenu de cette jarre dans laquelle Adélie versait également chaque soir les recettes de la boutique. L'homme ne se donnait pas la peine de la cacher; il savait qu'il n'y manquait jamais une obole.

Ce soir-là, Louis ne se rendit pas à la chambre. Il demeura cloué dans l'encadrement de la porte qui menait dans la pièce à vivre, hésitant à faire un pas de plus. Firmin était là. Assis à table, il donnait l'impression d'attendre le retour de son fils depuis un bon moment. Le gobelet qui était posé à sa droite avait déjà été rempli à plusieurs reprises comme en témoignait un cruchon de vin presque vide. Le boulanger était un homme trapu, tassé sur lui-même, aux allures de dogue. Il gardait ses cheveux brunâtres presque ras à cause de la chaleur du four qu'il approchait pourtant de moins en moins. Il frotta son nez rougi par la mauvaise vinasse et leva vers l'enfant ses petits yeux porcins, sombres et ronds comme des billes. Il était passablement éméché.

—Tu la fermes, cette porte, espèce d'idiot? dit-il en grondant.

Louis se reprit et obtempéra. Il avança courageusement vers l'ivrogne, à qui il remit directement la somme gagnée au cours de la journée. Même la pièce supplémentaire qu'il avait reçue de la domestique à la maison de pension changea de mains. Firmin n'était pas encore assez ivre pour être incapable de faire les comptes sur un coin de la table. L'opération complétée, il leva les yeux vers Louis qui était resté planté devant lui, tête baissée et en attente de son congé ou, plus probablement, de sa punition.

—Il y a un sou de plus, dit le boulanger.

—Oui, Père, dit Louis dont le regard erra successivement sur ses orteils crasseux, ses doigts ensanglantés et un tranchoir qui attendait sur la table. Ce demi-pain de la veille déjà durci, dont l'intérieur avait été évidé, était prêt à recevoir deux louches d'un ragoût préparé par Adélie peu avant son départ. Il était posé sur un plateau qui était lui aussi appelé tranchoir.

—Je n'ai pas volé ce sou, Père, dit Louis qui tentait d'éviter le regard déplaisant de Firmin en regardant ailleurs comme s'il était coupable. L'homme ricana.

—On t'a fait l'aumône?

—Oui, Père. Je... je crois.

—Tu n'as pas honte?

—Non, Père. Je n'ai rien demandé.

—L'on t'a pris pour un mendiant. Tu sais ce que je pense des mendiants.

Louis ne songea pas un instant que son allure avait pu attirer la pitié. Il n'avait rien connu d'autre et croyait que les belles choses n'étaient simplement pas faites pour lui. Qu'il était trop peu important pour en mériter.

—J'ai juste livré le pain comme vous me l'avez demandé, Père.

—Et tu y as mis trop de temps. Regarde-moi. Regarde-moi dans les yeux quand je te parle, imbécile. Tu le sais, ce que je pense des mendiants, n'est-ce pas? Oui? Alors, dis-le-moi.

Louis répéta d'un trait, de sa voix sans intonation:

—«Je n'ai pas les moyens de nourrir cette saloperie* de ville pour rien. Pas de sous, pas de pain. C'est ce que j'ai toujours dit. S'ils veulent manger du pain, ils n'ont qu'à travailler pour le gagner comme tout le monde. Et dire que l'on me traite de voleur, moi qui suis un artisan honnête!»

—Bon à rien! J'ignore pourquoi, mais ça sonne affreux lorsque c'est toi qui le dis. Que t'est-il arrivé?

—Quoi?

—Là. Tes doigts.

—Rien, Père. Je... je suis tombé dans les ronciers.

—Dans les ronciers. Pauvre teigneux. Alors, il arrive, ce souper, ou faut-il que je te botte le potron*? Fais deux plats. Et n'oublie pas de te laver les mains avant d'y toucher. Tu es répugnant.

Le sou disparut parmi les autres pièces dans la bourse de cuir que le boulanger portait sur lui, et Louis s'en alla puiser un seau d'eau fraîche.

L'enfant revint pour préparer deux tranchoirs. Il évida la seconde moitié du pain qui restait et la posa sur un tranchoir en bois qu'il prit sur une étagère. Les deux demi-pains furent remplis d'un bouillon épais et foncé dans lequel nageaient de gros morceaux de mouton et de légumes. Il y aperçut quelques fragments d'oignons dorés, préalablement rôtis dans la graisse. Ses lèvres brillèrent de salive. «Pourquoi deux portions?» se demanda-t-il distraitement, concluant qu'ils devaient attendre l'un des rares visiteurs de Père. Il les posa sur la table et se détourna.

— Assieds-toi et mange, lui ordonna Firmin.

Louis en resta coi, pétrifié d'étonnement. Il lui avait rarement été donné de partager un repas avec Firmin, et plus rarement encore d'être convié à table. Habituellement, Adélie avait droit aux restes, quand il y en avait. Firmin ne prenait pas ses repas à heures fixes. Quant à Louis, il lui fallait attendre qu'Adélie fût en mesure de lui passer discrètement la plus grande partie des maigres restes refroidis qui étaient abandonnés sur le tranchoir métallique de Père.

— Es-tu aussi sot que tu en as l'air? Assieds-toi, je te dis, répéta Firmin.

Louis obéit avec la rapidité craintive qui l'envahissait lorsque son père usait de son ton de commandement. Il lui jeta un nouveau coup d'œil furtif avant d'enfoncer ses petites dents de fauve dans le pain ramolli par le bouillon brun. Il put même se servir de la belle salière en terre cuite. Elle représentait un cavalier, et le précieux sel reposait dans une coupelle creusée dans la croupe de l'animal. C'était un objet de luxe, car ailleurs on se contentait d'utiliser du pain rassis évidé en guise de salière. Mais, chez eux, tous les restes de pain étaient cuisinés de quelque façon par Adélie. La viande et le bouillon qu'elle avait préparés étaient chauds, délicieux, revigorants. Louis n'avait jamais rien goûté d'aussi bon.

L'ivrogne ne se rendit pas compte que son fils engloutissait son souper comme s'il craignait de se le faire reprendre. Il rota et annonça, d'une voix pâteuse:

— Demain, c'est dimanche. Je vais aux bains du Palais. Allez, grouille-toi, petit porc. Faut que je t'y emmène, tu sens vraiment trop fort. Il sera toujours temps de t'engraisser après.

Incrédule, Louis regarda le cuvier accroché au mur. C'était déjà un délice en soi que de se plonger dans l'eau tiède chaque samedi soir, après que ses parents s'y étaient baignés. Mais aller aux étuves, c'était là un luxe dont il n'avait qu'entendu parler. Père affectionnait particulièrement la rue des Étuves-Saint-Michel et les bains du luxueux hôtel Saint-Pol. Firmin y était accueilli presque comme un notable; les boulangers inspiraient un certain respect, qu'entachait cependant leur réputation de voleurs. Mais la famille Ruest avait transcendé ce préjugé depuis longtemps, même si elle vivait à l'aise. À tout le moins, eût-elle dû vivre à l'aise.

Firmin se leva et tituba jusqu'à un coffre qu'il ouvrit. Lui qui raffolait des étuves ne se réjouissait guère, ce soir-là: l'obligation d'y emmener le Ratier avait transformé la perspective d'une partie de plaisir en corvée dont il valait mieux se débarrasser au plus vite.

— Mais oui, tu m'accompagnes aux bains. Et arrête de me regarder comme le niais que tu es. Tiens, tu mettras ça puisqu'on devra s'endimancher.

En disant cela, il lui lançait à la figure un ballot assez léger maintenu par une cordelette de chanvre. C'était un ensemble acheté auprès d'un fripier de la rue Tirechape, près du marché sis en place de Grève : Louis déplia une tunique toute simple en drap naïf* gris et les braies assorties. Ce dernier vêtement, qui était en fait un caleçon, pouvait être porté en guise de culottes. Une paire de sabots que l'enfant n'avait pas remarquée attendait près du coffre. Il caressa le tissu grossier, sans oser encore se montrer trop heureux. C'était comme à la Noël. Après la journée qu'il venait de passer, quelque chose d'anormal survenait encore. Mais il fut obligé de patienter pour recevoir des éclaircissements, car il restait un peu de travail à faire avant d'aller au lit.

· Sur l'établi de la cuisine, un pâté en pot appartenant à un voisin attendait d'être mis à cuire en amorti. Firmin demeura dans la cour pour fendre comme à chaque soir le bois qui allait servir à la fournée du lendemain. Il le taillait en quartiers convenant aux dimensions du foyer tandis que Louis se chargeait de transporter les bûches à l'intérieur pour les empiler au sec. Il en fallait beaucoup, car un boulanger pouvait brûler jusqu'à cinq cents kilogrammes de chêne par jour. Il était étonnant que Firmin, dans l'état où il se trouvait, ne se blessât pas, à la vitesse avec laquelle il abattait sa besogne. Seule une longue habitude pouvait expliquer son étonnante adresse. Louis se hâtait pour suivre le rythme de production de son père, malgré la fatigue de sa journée, et même s'il se plantait une écharde. «Les échardes, tu te les enlèves le dimanche, lui disait Firmin, et avant de songer à t'en plaindre, dis-toi bien que dans la vie tu as le choix : ou bien tu endures, ou bien tu crèves.»

Outre le beau four en maçonnerie qui faisait la fierté de Firmin, le bâtiment de la cuisine comportait un grand pétrin, des étagères au mur et des panetons vides empilés sur le sol. Dans le prolongement du fournil, on trouvait la farinière*, une petite pièce où le boulanger allait s'allonger lorsqu'il ne pouvait s'éloigner du four.

Une fois le bois prêt pour le lendemain, Louis devait passer le balai. C'était une tâche insignifiante, mais il s'en acquittait toujours avec grand soin, car Adélie lui avait dit que la façon dont un apprenti balayait le fournil démontrait l'attention qu'il portait à la propreté de son lieu de travail. Et la propreté d'une boulangerie était primordiale.

— Allez, allez, finis-en, qu'on s'en aille au pieu, grommela Firmin. Demain on va chercher ta mère. L'abbé veut nous voir tous les deux.

Louis s'immobilisa un peu et s'agenouilla pour ramasser un petit tas de poussière qu'il s'en alla jeter dehors. À sept ans, il lui était parfois pénible de se cacher derrière son personnage. Il pouvait survenir des événements inattendus, comme ceux de ce soir, qui faisaient que sa spontanéité naturelle reprenait le dessus. Il s'essuya les mains sur ses cuisses et s'approcha enfin de Père, avant de lui demander avec hésitation:

— S'il vous plaît, Père... Qu'est-ce que c'est qu'un abbé?

Firmin scruta attentivement l'expression de son fils. Quelque chose n'allait pas. Il était temps d'y remédier, surtout à l'occasion de cette visite au cours de laquelle une remarque inconséquente pouvait échapper à un enfant trop confiant.

— C'est un homme qui me ressemble un peu, sauf qu'il est drôlement vêtu. Il porte toujours une espèce de corde avec des grains sur lui. Ça lui sert à pendre les morveux comme toi quand ils parlent trop. Alors, je te préviens: vaut mieux que tu te taises.

Louis blêmit. Son père l'avait un jour emmené en promenade sur le chemin aux Vaches à l'insu d'Adélie. Il l'avait conduit tout droit au gibet de Montfaucon, ce terrifiant monument de la Justice, pour lui montrer des cadavres de pendus. Longtemps après, cette vision de cauchemar avait continué à le hanter et à le réveiller en sursaut, la nuit. Le moindre craquement de madrier ou de plancher dans la maison silencieuse évoquait celui des cordes au bout desquelles se balançaient les dépouilles lugubres qui avaient été des êtres humains. Parfois, il croyait encore entendre le croassement des corbeaux et étouffer sous l'horrible puanteur que cet endroit dégageait.

Les leçons de Firmin étaient aussi redoutables que l'avaient été ses soins.

— Si tu dis n'importe quoi, il va aussi te foutre la raclée de ta vie avec un bâton tel que tu n'en as jamais vu. Une férule, que ça s'appelle. Crois-moi, ce serait bien pire que tout ce que j'ai pu te faire. Prends garde. Compris?

— O...oui, Père.

Le regard de Louis s'éteignit et redevint fuyant.

«Voilà. Plus de risque de ce côté», se dit Firmin avec satisfaction.

*

L'étroit réduit où Firmin était agenouillé sentait bon la cire d'abeille. La pénombre qui y régnait se voulait rassurante pour le pénitent abrité par ses murs de bois verni. Cependant, le boulanger fut incapable d'y trouver même un semblant de réconfort. Comparativement au sanctuaire familier de sa paroisse de Saint-André-des-Arcs, l'église abbatiale avait tout pour intimider. De plus, un visage rond qu'il reconnaissait trop bien se dessinait derrière la grille du confessionnal.

Antoine était le seul à pouvoir inspirer quelque remords à cet ivrogne incurable. C'était sans doute pour ça qu'il s'était dérangé en personne pour s'occuper de lui. Le boulanger baissa honteusement la tête.

—Je bois trop, mon père. Vous avez raison. Et, quand je suis saoul, la rage me prend. C'est plus fort que moi.

—Un repentir sincère efface la faute. Tu le sais, cela, n'est-ce pas?

—Mais je me repens! Je me repens sans cesse: avec vous, avec elle, même à la taverne, quand j'y reste trop longtemps. Et je mortifie ma chair... enfin j'essaie.

—Ce n'est pas assez, puisque tu retombes toujours dans les mêmes excès. Je n'ai rien contre des mesures de discipline raisonnables. C'est un mal nécessaire. Mais tu ne te repens pas, Firmin. Tu connais le proverbe aussi bien que moi: «Feves* et forniers* boivent volontiers.» L'ivrognerie est un péché grave, très grave.

Antoine ne contestait pas à Firmin son autorité paternelle, qui lui attribuait le droit de corriger les errements. La coutume d'Amiens[16] était formelle à ce sujet: seuls les cas de mort d'enfant ou de blessures graves obligeaient les parents à répondre de leurs actes devant la justice. Et il savait Firmin trop fin finaud pour atteindre cette limite. Pourtant, comme il aurait aimé pouvoir le prendre à son propre piège. Le droit canonique imposait une obligation alimentaire; Firmin nourrissait sa famille, sinon convenablement, du moins suffisamment pour assurer sa survie. Il lui fournissait également le strict nécessaire en matière d'entretien. Tout le reste était dilapidé. L'abbé avait mûrement réfléchi à son affaire. Il était un secteur crucial que Firmin avait peut-être involontairement négligé.

Un silence lourd tomba sur eux, et le confesseur le laissa se charger comme un ciel annonçant l'orage. Firmin attendit, de plus en plus nerveux, tandis que l'abbé entretenait soigneusement cette tension grandissante chez son pénitent. Il fit gronder un premier éclair lointain:

—Où est ton fils?

Firmin leva craintivement la tête, l'attention détournée de son habituel chapelet d'excuses, qu'il n'eut pas le temps de servir cette fois-ci. Antoine sut dès lors qu'il l'avait bien en mains.

— Je lui ai dit d'attendre dans la cour, répondit le boulanger.

— C'est bon.

— Il... euh... réclame sa mère.

— Ne me dis pas que tu t'en soucies, maintenant. L'enfant peut attendre un peu, car j'ai à te parler. Tu peux remercier ton épouse. Sans elle, tu serais banni de la guilde.

— Alors là, je trouve que vous y allez un peu fort, mon père. J'aurais pu devenir l'un des boulangers du roi.

— Tu aurais pu, oui. Et il te ressemble fort d'utiliser ce regret-là pour rendre tes péchés plus acceptables.

— Euh... et de toute façon ma femme ne peut rien faire sans moi.

— C'est vrai. C'est vrai et c'est là un fait déplorable, tu peux m'en croire. Mais nous ne sommes pas ici pour discuter performances et lois. Qu'est-ce qui ne va pas, cette fois-ci?

— Bien, il y a que je suis désappointé.

— Je conçois cela. Eh bien, Adélie est tirée d'affaire. Je suis persuadé que le Seigneur vous bénira à nouveau.

— Ouais.

— Ne tiens-tu pas à savoir comment elle va?

— Oh, si, bien sûr. Mais je me demande pourquoi elle tient tant à venir se faire soigner ici plutôt qu'à l'Hôtel-Dieu ou même à Saint-Côme et Saint-Damien. La rue des Cordeliers est tout près de chez nous et leur église est votre censive. Ils ont pourtant tout ce qu'il faut là-bas.

— Et tu risquerais moins d'y faire des rencontres indésirables, n'est-ce pas, Firmin?

L'ivrogne esquiva la question en se passant la langue sur les lèvres et en prenant un air contrit qui ne lui allait pas. Antoine dit:

— Bon, passons. Ton fils, maintenant.

Firmin se tassa davantage contre la cloison du confessionnal, comme s'il cherchait à se protéger d'une averse. L'instant qu'il redoutait depuis sept ans était arrivé. Ce n'était pourtant pas la première fois que l'abbé lui parlait du petit, loin de là. Mais jamais auparavant Antoine n'avait réclamé la présence de Louis qu'il n'avait d'ailleurs qu'entrevu depuis sa naissance. Maintenant, il fallait à tout prix que Firmin trouve une raison qui justifie sa négligence passible d'excommunication. Quel intérêt avait-il de se faire confirmer que le boulanger ne voulait simplement pas de Louis dans ces murs, ni même à l'église? En effet, il craignait plus que tout de devoir l'y laisser, qu'on en fasse un moine ou un enfant de chœur[17]. Antoine comprenait cette réticence devant ce qui pouvait contraindre le boulanger à faire au monastère un don substantiel, en plus de le priver d'un soutien dont il ne pouvait actuellement se passer.

—C'est un simple d'esprit, mon père. Il n'a pas plus d'âme à sauver ou à damner qu'une bête.

—Laisse-moi le soin d'en juger par moi-même, tu veux bien? D'après ce que j'en sais, tout lent qu'il soit, il t'est quand même d'un précieux secours à la boutique, n'est-ce pas?

—Bien, euh...

—Or, toi, bien entendu, tu refuses de l'admettre. Cela dit, tu n'as aucune raison valable de le priver d'éducation.

—Comment voulez-vous que je lui enseigne quoi que ce soit? Ce n'est pas que je le prive, c'est lui qui ne comprend rien. Les gens me trouvent trop dur avec lui, ça, je le sais. Eh bien, moi, j'ai pour mon dire que «peu d'enfants périssent par excès de sévérité, mais beaucoup par excès d'indulgence».

—N'aie pas la prétention de me citer Philippe de Novare, Firmin, c'est vraiment malencontreux. Je connais cet écrivain mieux que toi et cet air docte que tu te donnes ne te va pas du tout. Cela dit, je dois admettre que tu es habile: s'il préconise bel et bien une éducation stricte, Novare affirme aussi que Dieu a fait à l'enfant trois dons: *primo*, aimer et reconnaître celle qui lui donne le sein, *secundo*, témoigner joie et amour à ceux qui jouent avec lui et, *tertio*, inspirer l'amour et la tendresse à ceux qui l'élèvent.

—On voit bien que c'est pris dans un livre, tiens. Parce que ça a l'air facile, dit comme ça...

L'abbé continua, comme s'il n'avait pas été interrompu:

—Vois comme l'amour fait partie de chacune de ces paires.

—Ouais. Sauf que moi, je ne suis guère du genre à cajoler, surtout pas ce benêt de...

Il s'interrompit en se rendant compte que l'abbé le dévisageait. Il corrigea:

—De l'amour, je vous demande un peu!

—Mais si, de l'amour. Car je crains fort qu'en sevrant ainsi l'enfance de tendresse notre génération ne finisse par produire des adultes qui ne feront pas plus de cas des autres que l'on en aura fait d'eux pendant leur croissance.

Firmin haussa les épaules.

—Il s'en fout déjà pas mal, des autres.

—Cette façon que tu as de le dénigrer est en soi répréhensible.

Mais ce n'est pas tout. Il y a pire. Cet enfant est presque un païen. Nul ne le voit jamais assister aux offices, ni même à la messe dominicale. Pourquoi le prives-tu ainsi des bienfaits de la foi?

—Il ne comprend rien à la religion, mon père. Vous savez, j'ai bien essayé de l'amener à l'église. Mais il se pâme toujours avant d'arriver. Songez donc que j'ai deux malades sur les bras, moi. Je fais ce que je peux.

—Hum! fit dubitativement le bénédictin, qui n'avait pas vraiment besoin de s'assurer de la véracité de ces dires.

Avec Firmin comme avec tout autre ivrogne impénitent, le moindre geste était sujet à caution. Son manque de subtilité lui était presque une insulte. Tout le quartier était au courant des sévices qu'enduraient Adélie et son fils, mais personne ne souhaitait intervenir. L'abbé encore moins que les autres. Ce n'était pas dans l'intérêt de l'abbaye. Après tout, ne valait-il pas mieux s'attarder davantage sur l'immersion sacrée du baptême qu'avait reçue le petit Louis pour le salut de son âme, plutôt que de tenter de sauver son corps? Les hommes ne devaient-ils pas apprendre le mépris de leur chair faible et périssable? La souffrance physique ne durait qu'un temps, alors que les tourments de l'enfer étaient éternels. Les délices du bleu paradis, elles aussi, allaient être éternelles pour quiconque tendait vers la sainteté. Là devait se trouver la consolation de la douce et pieuse Adélie, dans l'attente du Jugement dernier. Cependant, l'esprit pratique d'Antoine prit le dessus et il crut quand même bon dire:

—Cet enfant n'a pas bonne mine, il me semble. Son sang n'est pas assez riche. Il doit tenir cela de sa mère, à qui j'ai pourtant bien recommandé davantage d'aliments chauds et humides[18]. Au moins deux fois la semaine. Cela vaut pour le petit aussi. Tu veux dire quelque chose?

—Oui. Vous... vous avez donc vu le Ra... euh, mon... mon fils?

—Le quoi? Qu'allais-tu dire? Bon, laisse. Et cesse de me regarder avec cet air de lièvre prêt à être abattu. Oui, j'ai vu ton fils. Ou plutôt je l'ai aperçu à une ou deux reprises. Qu'y a-t-il de mal à ça?

—Rien, rien...

—Ne t'inquiète pas, il ne faisait rien de blâmable. Je puis même t'assurer qu'il travaillait à ta boulangerie, comme tout bon apprenti de sept ans est en mesure de le faire.

—Oh, c'est bon, ça, euh... et lui avez-vous parlé?

—Non. Je n'ai pas cru nécessaire de le déranger pendant le travail.

—Ma femme le fait exprès, c'est sûr, pour ne pas m'en donner d'autres... Des fois, je ne peux m'empêcher de croire qu'elle prend des tisanes diaboliques pour les faire passer.

—Adélie est une bonne chrétienne. Jamais elle ne ferait une chose pareille. J'ose espérer que tu plaisantes.

—Ouais, répondit l'ivrogne, qui n'eut pas envie d'en débattre. Antoine n'était pas né de la dernière pluie et Firmin le savait. Mieux valait donc ne pas insister.

—Je n'ai, hélas, jamais eu l'occasion de parler à ton fils. Mais, cette occasion, nous l'avons maintenant, n'est-ce pas, Firmin? Allons-y. Il doit être bien las de nous attendre.

*

L'odeur d'un jeune rosier s'infiltrait par une porte laissée ouverte sur une autre partie de la cour entourée par les bâtiments conventuels. Tout près de là, une fontaine entourée de pelouse impeccable fredonnait doucement. C'était tout ce que Louis avait eu le temps de parcourir, un peu trop rapidement à son goût. Le doyen de l'abbaye, un vieux moine tout rabougri et presque aveugle, venait de l'éconduire du plus beau jardin qu'il eût jamais vu, plus beau même que celui de ses rêves. Il continua donc à se promener dans la cour, explorant ses moindres recoins. Il y avait tant à voir. Tout était d'une propreté irréprochable, sous les rayons dorés du soleil. Il se sentait lui-même envahi d'un profond bien-être à cause de son bain de la veille et de ses habits neufs dont le contact était encore étranger à sa peau.

L'expérience du bain avait été merveilleuse, inoubliable. Les étuves du Palais, à la pointe de la Cité, là où il s'était rendu la veille en compagnie de son père, étaient ce qu'un bourgeois bien nanti pouvait s'offrir de meilleur. Elles étaient munies d'une grande chaufferie et d'un fournois* où l'on mettait les pots destinés au chauffage des cuves; Louis avait entrevu des pièces aménagées pour la sudation et une piscine; l'on trouvait aussi des baignoires privées pour les riches ou les malades. Les pieds nus du garçon s'étaient posés sans crainte sur un pavement en pierres douces. Entre des murs lambrissés de bois d'Irlande et des portes accueillantes en fer treillissé, les grandes cuves, elles aussi en bois d'Irlande, étaient cerclées de cuivre. Les deux baigneurs avaient pu y disposer de deux fonds de bain*; de plus, ils avaient pu s'étendre dans des lits aux matelas de coton où deux dames étaient venues les oindre d'huile parfumée; après quoi elles leur avaient servi une collation arrosée d'hypocras*, et des musiciens étaient venus leur proposer de jouer leurs airs préférés. Chose surprenante, Firmin n'avait rien dit lorsque Louis avait spontanément réclamé sa chanson favorite qui s'intitulait *L'Amour de moi*. La belle dame qui s'était occupée de lui avait eu la discrétion de ne pas le questionner sur la présence des marques fraîches dans son dos. Ses doigts avaient fait en sorte de les éviter le plus possible sous le regard scrutateur du père qui les avait observés depuis le lit voisin. Même si l'huile parfumée avait rallumé la brûlure de sa punition, le vin sucré qui lui avait été donné à goûter et le fait que la dame s'était adressée à lui comme s'il avait été un garçon ordinaire avait largement compensé ce petit désagrément.

Louis fut ramené au présent par l'église abbatiale qui se dressait devant lui. Puisque son père semblait en avoir pour un bon moment, il décida d'aller jeter un coup d'œil à l'intérieur.

C'était impressionnant, mais d'une manière plus dépouillée qu'à Notre-Dame. Depuis le fond des âges, cet édifice subjuguait le fidèle par l'écho des antiques répons dont la vénérable présence était demeurée perceptible comme celle d'un encens oublié par le temps, entre les arches massives de sa section romane. Le chœur gothique plus récent y superposait chaque jour les mêmes hymnes chantés par des voix nouvelles. L'on ne pouvait entrer dans cette église sans ressentir l'impression qu'elle avait concentré en ses murs près de mille ans de foi chrétienne. On eût dit que les images étaient sur le point de s'animer dans ses vitraux qui brillaient de tous leurs feux. Il y en avait de tout simples, véritables gemmes dans les fenêtres arrondies. Ceux-là étaient faciles à comprendre. Ceux des fenêtres à bout pointu étaient trop élaborés. Louis s'arrêta près d'un vitrail ancien, d'une maîtrise parfaite, qui devait bien dater de trois siècles. Les oxydes métalliques ajoutés à la matière en fusion pour colorer le verre dans la masse y étaient simplifiés à l'extrême, car les derniers perfectionnements techniques en étaient absents. Pourtant, on pouvait déjà y discerner le talentueux usage des couleurs: cuivre pour le rouge et le vert, cobalt pour le bleu, antimoine pour le jaune, manganèse pour le pourpre. La feuille de verre, cette matière vivante, avait été obtenue par deux différents procédés de soufflage. Elle avait été découpée au fer rouge et peinte à la grisaille*. L'artisan l'avait enfin mise en plomb selon un modèle préalablement tracé sur une table blanchie à la craie. Et ce travail-là, des siècles plus tard, continuait à produire un merveilleux miracle sous le soleil. Les fenêtres du chœur et des transepts, elles, affichaient leurs réseaux de plomb et des motifs plus denses qui frôlaient la saturation. Les inscriptions noires qui y figuraient ressemblaient à de gros insectes. Les maîtres verriers de jadis avaient savamment exploité les ressources des phénomènes optiques: l'humeur d'un même rouge, sombre lorsqu'il était entouré de jaune ou de pourpre clair, devenait passionnée au voisinage du bleu et du vert. Grâce à ce seul effet, un vitrail changeait d'aspect selon qu'on le contemplait de la nef ou du chœur.

Louis s'approcha davantage du vitrail roman. Il représentait un bélier dont les cornes s'étaient prises dans des ronces. À droite se tenait un vieil homme avec un poignard et à gauche un garçon voûté par le poids des fagots qu'il portait sur son dos[19]. Le fond rouge du vitrail était saisissant. Louis leva un peu la main, et une couleur chaude, magique, se communiqua à sa peau.

— Ah, te voilà, toi.

L'enfant sursauta. Il fut rejoint par son père, accompagné de celui qui ne pouvait être que l'abbé, car l'homme en robe noire serrait dans sa main un long bâton. Terrifié, Louis recula contre le mur. Firmin dit :

— Où étais-tu passé ? On t'a cherché partout. Je t'avais pourtant averti de ne pas bouger.

— Laisse, laisse, Firmin. C'est sans importance, puisque nous l'avons retrouvé.

— Je suis désolé, bafouilla Louis, dont le visage blêmissait à vue d'œil.

— Bonjour, petit, lui dit gentiment Antoine.

Louis ne répondit pas. Son visage demeura complètement dénué d'expression. L'abbé jeta un regard interrogateur à Firmin, qui haussa les épaules.

— Je vous l'avais dit.

Antoine n'eut pas le temps de répliquer. Louis avait levé la tête et s'était descellé du mur. Il avait repéré le grand crucifix de bois qui était accroché derrière l'autel. L'espace d'une seconde, le masque blanc de son visage fut involontairement repoussé, juste le temps de dévoiler l'admiration craintive de cet enfant qui, somme toute, n'avait pas l'air aussi stupide qu'on le disait.

— Il est beau, n'est-ce pas ? demanda juste derrière lui la voix du terrifiant personnage.

— Oui, messire, dit Louis qui n'eût osé ni le contredire ni lui poser aucune question au sujet de l'effigie de cette victime qu'était Jésus. Antoine, quant à lui, tiqua imperceptiblement.

— Tu dois dire *mon père*, lorsque tu t'adresses à moi.

— Oui, mon père. Pardon, mon père.

— Il n'y a pas d'offense. Pourquoi donc trembles-tu comme ça ? Est-ce que je te fais peur ? demanda doucement le religieux, qui s'accroupit afin que son visage se retrouve légèrement plus bas que celui de l'enfant.

Comme Louis gardait toujours les yeux baissés, il fut contraint de regarder le religieux.

— Oui, mon père.

—Tu n'as rien à craindre, voyons. Je ne te veux pas de mal. L'homme qui est mort sur la croix s'appelle Jésus. As-tu déjà entendu ce nom?

—Ils ne l'ont pas mis au gibet comme les autres? dit Louis.

Ce fut au tour du bénédictin de dévisager l'enfant. Il précisa néanmoins, usant du ton neutre d'un pédagogue:

—Jésus a été mis à mort il y a très, très longtemps, dans un pays lointain. Connais-tu la Terre sainte?

—Non, mon père.

—Ça ne fait rien.

Antoine dut se redresser à cause d'une crampe dans un mollet. Il se rendit compte que Louis ne quittait presque pas sa poitrine des yeux. C'était plutôt gênant. Il ne pouvait pas se douter que c'était sa croix pectorale qui, avec son grand chapelet en noyaux d'olive polis et sculptés, attirait l'attention anxieuse du garçon.

De son côté, Firmin attendait sans dire un mot, les mains derrière le dos. Louis jeta un coup d'œil dans sa direction. Il aurait aimé savoir pourquoi il lui fallait appeler cet inconnu *mon père* alors qu'il avait déjà un père. Firmin se contenta de lui offrir un sourire en coin. «Je dois me taire», se rappela l'enfant avec inquiétude. Un cierge crépita tout près d'eux et pleura une goutte de cire qui se figea sur le fer de son support.

—Louis, as-tu entendu ce que je viens de dire? demandait soudain la voix un peu impatiente de l'abbé.

—Écoute un peu ce qu'on te dit, petit. L'abbé s'est dérangé pour toi, dit Firmin.

—Pardon, mon père.

—Aimerais-tu faire la connaissance du Seigneur Jésus?

—Oui, mon père.

Antoine jeta un regard noir au boulanger, dont l'angoisse se réveilla. L'abbé demanda encore à l'enfant:

—Te plairait-il d'aller à l'église tous les dimanches?

—Oui, mon père.

L'abbé se redressa et se mit à parler durement à Firmin. Mais Louis n'en perçut que des échos informes. Père se faisait gronder. C'était une aberration. Jamais Louis n'avait vu pareille chose se produire. Il avait dit quelque chose qu'il ne fallait pas et il ignorait quoi au juste. Tout était sa faute. Sans bouger de sa place, les yeux abaissés sur les dalles fraîches de l'allée centrale, il se mordit la lèvre inférieure et se mit anxieusement en quête de son jardin pour se calmer.

L'abbé se tourna à nouveau vers lui et lui posa une autre question avant qu'il n'ait eu le temps d'y porter attention. Il ne la comprit pas et n'osa pas ouvrir la bouche. La peur lui fouaillait les entrailles: l'abbé fronçait les sourcils. Il semblait fâché, et pourtant Louis faisait tout son possible pour ne pas lui déplaire. Les mots qu'Antoine disait ne voulaient plus rien dire; seul comptait l'instant où la main de l'homme allait empoigner la corde qu'il portait au cou pour la passer autour du sien. Louis s'apprêtait à être pendu et il ne pouvait rien y faire.

Au lieu de cela, le personnage en robe noire s'accroupit à nouveau devant lui.

—Il y a toutes sortes de belles choses à découvrir ici, en ces murs mêmes. Nous pourrions aussi t'apprendre à lire et à chanter. Aimerais-tu cela? demanda Antoine avec une douceur inespérée.

—Oui, mon père.

«Sale petite vermine», songea Firmin. Mais le moine continua, un peu intrigué par le regard inexpressif de l'enfant, qui était toujours fixé sur sa poitrine:

—Aimes-tu les figues?

—Oui, mon père.

«Il n'a jamais goûté à une figue de sa vie», se dit Firmin.

—Ton père te bat-il souvent?

—Oui, mon père.

—Hé, ho, ce n'est pas vrai, ça! dit le boulanger qui étendit la main en s'alarmant une nouvelle fois.

Antoine ne s'en soucia aucunement et demanda encore:

—J'ai une belle souris dans ma poche. Tu la veux?

—Oui, mon père.

—Mercredi, nonante, gingembre et tourne en rond?

—Oui, mon père.

L'abbé soupira tristement. Sans doute valait-il mieux en rester là.

—C'est bon. Allons voir ta mère.

Il se releva et ébouriffa les cheveux de Louis qui ne bougea pas. Antoine dit:

—Pardonne-moi, Firmin. Tu avais raison. Permets-moi au moins de le bénir.

Le boulanger crut défaillir tant il était soulagé. Il ne fut que plus réjoui encore de constater que Louis venait d'uriner par terre. Tête baissée, parfaitement immobile, ce dernier regardait d'un œil morne la flaque qui s'agrandissait sur les dalles et dans laquelle baignaient ses sabots neufs.

Chapitre II

Petit Pain

Paris, automne 1340

La bande à Hugues n'avait pas tardé à trouver un substitut à Louis en tant que bouc émissaire. Chaque jour vers la même heure, le groupe traînait dans les environs de la rue des Cordèles[20], où l'infortunée victime pensionnait aux frais du roi. Et, chaque jour, celui que l'on surnommait Sans-Croc se faisait tomber dessus. Âgé de plus de trente ans, Sans-Croc n'avait pas été choyé par la vie. Très jeune il avait été atteint d'une maladie osseuse qui l'avait tout tordu et lui avait fait perdre ses dents, si bien qu'il avait l'air d'un vieillard prématuré. Malgré sa grave déficience mentale, il supportait toujours avec une amertume résignée les moqueries des gens du quartier les rares fois où, pour une raison ou une autre, il était obligé de se pointer le bout du nez dehors.

En cette fin de journée frisquette, Sans-Croc se fit coincer près du tristement célèbre hôtel de Nesle[21].

—Hé, regardez-moi ça, dit Aubert la Gargouille en tirant de la besace volée à Sans-Croc une bouteille de vin gris.

—Pas mal, comme butin, dit Hugues.

Assis sur des marches, oublié du groupe, Sans-Croc les regardait d'un air malheureux. Les voyous débouchèrent la bouteille et burent chacun une rasade. Hugues claqua la langue.

—En voilà, du bon vin, pour une mauvaise tête comme la tienne, Sans-Croc. Il ne nous reste plus qu'à trouver de quoi souper et on sera heureux.

—Y a pas un croûton là-dedans, bougonna Samson, la toute dernière recrue de la bande qui était presque un nain. Ho, voyez un peu qui vient par là.

Hugues se tourna dans la direction indiquée et secoua la tête.

—Ah non... Pas lui. Restez ici.

—Mais son panier doit être plein de pain frais!

—Et de galettes, dit Aubert.

—Je le sais et j'ai aussi grand-faim que vous. Mais on touche pas au Ratier.

—Ce brèche-dent n'a même pas dix ans et tu en as peur? En plus, j'ai ouï dire qu'il est pareil à ce benêt de Sans-Croc.

—J'en ai pas peur, dit Hugues. On voit bien que t'es nouveau dans le coin, toi, Samson. Benêt ou non, vas-y un peu te frotter à lui. Tu verras comme il cogne fort.

À regret, ils laissèrent donc Louis approcher puis dépasser leur groupe sans intervenir. La nuit tombait et les patrouilles de guet nocturne avaient commencé à arpenter les rues, lanterne à la main. À partir du couvre-feu, elles veillaient à la sécurité de la ville endormie et interceptaient tout traînard d'allure suspecte, tandis que d'autres guetteurs étaient affectés aux remparts afin de prévenir toute attaque.

Louis ne regarda pas Hugues. Il se contenta de passer en laissant tomber quelque chose à ses pieds d'une façon si discrète que cela faillit passer inaperçu. Le fils du boulanger posa un regard franc sur Sans-Croc. Les commissures de ses lèvres se retroussèrent. C'était peut-être un sourire de connivence; mais Sans-Croc prit peur et s'enfuit de sa démarche claudicante. Il sema ses gémissements inarticulés dans la rue où un sergent de guet entreprenait sa patrouille de nuit. Tous les gamins de la bande éclatèrent de rire. Tous sauf Hugues qui avait baissé les yeux.

Sur le pavement gras, entre ses pieds chaussés de sabots trop grands pour lui, un rat achevait d'agoniser en se tortillant.

Le guetteur qui jurait avoir entendu des rires quelques minutes plus tôt déboucha sur une rue presque déserte. Seul un gamin chargé d'une grosse hotte vide tournait au carrefour. Il crut le reconnaître.

—Eh, petit! Il se fait tard. Hâte-toi de rentrer, d'accord?

Louis s'arrêta et leva joyeusement la main. Car, en ce vendredi soir, il était l'enfant le plus heureux en ville. Il avait trois belles grandes journées devant lui.

*

—C'est l'heure, mon petit roi, dit la voix douce d'Adélie.

Louis sentit les doigts de sa mère lui peigner les cheveux vers l'arrière comme elle le faisait si souvent. Invariablement, les mèches courtes et raides du garçon lui retombaient sur le front. Cela chatouillait. Il ouvrit les yeux et lui sourit. Le bougeoir qu'Adélie tenait diffusait une lumière miellée dont la qualité, des années plus tard lorsqu'il évoquerait ces réveils nocturnes de son enfance, lui paraîtrait toujours unique au monde.

Il faisait encore nuit noire. Louis se hâta de se lever et s'habilla après avoir mis de l'ordre dans son lit sous l'échelle. Il descendit rejoindre sa mère à l'ouvroir. C'était comme un jour de fête. Il aimait bien prendre ainsi la maison par surprise alors qu'elle était profondément endormie.

Firmin était parti chez le meunier Bonnefoy vendredi et il n'allait rentrer que tard lundi soir, car il était allé y faire moudre une abondante quantité de grains. Même si le moulin se trouvait en ville et assez près de chez lui, Firmin passait quelques jours là-bas à chacune de ses visites. Il fallait du temps pour moudre à frais réduits autant de grains, et il valait mieux que le boulanger demeure sur place pour veiller à ses affaires. Firmin devait s'absenter ainsi plusieurs fins de semaine par année pour satisfaire à la demande. Les deux hommes prenaient prétexte de ces visites émaillées de bruyants marchandages pour s'adonner à force jeux et libations. Au fil des ans, ils étaient devenus de très bons amis.

La boulangère profitait de ces absences prolongées pour transmettre clandestinement son savoir à son fils.

Adélie avait ouvert la porte tout grand sur la rue silencieuse. Ils se tinrent tous les deux sur le seuil et ne parlèrent plus qu'en chuchotant. La nuit qui régnait sur la ville était plus calme que d'habitude. Elle avait cette agréable propriété sédative que seuls les dimanches savaient distiller. Celui qui s'achevait avait été l'un de leurs rares jours de repos et ils avaient pu le passer ensemble, seuls tous les deux dans la maison qui en avait paru agrandie.

Louis leva la tête. Là-haut, les étoiles étaient si nombreuses qu'il en fut pris de vertige. La nuit aussi avait le cœur à la fête.

—Asseyons-nous, dit Adélie.

Ce qu'ils firent. Elle posa son bougeoir en fer forgé sur un pavé devant eux. Il fit une étoile de plus à cette belle nuit, et un petit papillon gris la trouva de son goût. L'insecte se mit à tracer autour d'elle une série de cercles maladroits pour lui rendre hommage. Parfois, lorsque son propre élan le galvanisait un peu trop, il disparaissait à la vue de ses spectateurs pour reparaître là où l'on ne l'attendait pas.

—Mère, dit soudain Louis, quand je suis sorti de votre ventre, étiez-vous encore vieille?

— Hou là! Laisse-moi d'abord me remettre de cette question. Je vais ensuite tâcher d'y réfléchir.

Adélie rit affectueusement. Bien sûr, pour un enfant de sept printemps, en avoir vingt-trois paraissait très âgé. Surtout lorsqu'on avait déjà des cheveux blancs. Louis reprit :

— Parce que moi je pense qu'on est venus au monde ensemble. Je suis vous et vous êtes moi.

— Oh, mon petit roi! dit-elle, émue, en étreignant son fils.

Des moments comme celui-ci la rendaient pleinement consciente du fait qu'elle était aussi assoiffée d'affection que lui. Elle dit :

— Tu es bien davantage que moi, Louis. Tu iras beaucoup plus loin. Ça, je le sais. Tu deviendras un grand homme.

— Mais je ne veux pas devenir un grand homme. Je veux juste être un très bon boulanger. Et puis, où que j'aille, je veux que vous veniez avec moi. Je vous protégerai toujours. C'est promis.

— Advienne que pourra. Tu sais, un jour sera peut-être où tu n'auras plus envie de m'avoir tout le temps auprès de toi. C'est normal quand on grandit. Tu vas vouloir vivre ta vie à toi. Tu vas avoir des amis, tu épouseras une jolie fille.

— Vous croyez?

— Mon plus cher désir est que tu sois heureux, mon garçon. Même si dans la vie il faut espérer le meilleur, se préparer au pire et prendre ce que Dieu nous envoie.

Ils regardèrent le ciel étoilé en silence. Le papillon de nuit passa trop près de la chandelle et en fit palpiter la flamme. Il ne reparut pas.

Soudain, l'obscurité se mit à vibrer : le premier coup de cloche annonçant matines* à Notre-Dame venait de mettre fin au repos dominical. C'était le signal qu'attendaient tous les boulangers de la ville pour rallumer leur four[22].

Adélie ramassa la chandelle et laissa Louis refermer la porte de l'ouvroir derrière eux. Ils traversèrent la maison et la petite cour pour s'enfermer, tout heureux, dans le bâtiment de la cuisine.

Louis savait déjà comment fabriquer tout seul des pâtisseries assez simples. Cependant, Adélie lui avait interdit de s'occuper du four sans l'assistance d'un adulte. Ce beau four en maçonnerie irréprochable avait été la fierté du père de Firmin, qui en avait fait l'acquisition. La boulangère s'occupa du feu. Louis allait se charger de cuire de délicieux matefaims avec la préparation qu'il avait faite et mise au repos avant d'aller au lit quelques heures plus tôt : les œufs et le lait qu'Adélie avait achetés au marché la veille à l'insu de Firmin, mélangés à un peu de leur précieux levain, à de la farine et à du miel. Cette mixture d'un appétissant jaune doré allait donner des crêpes épaisses, à la fois légères et très nourrissantes, qui allaient les sustenter toute la journée. C'était un véritable festin.

Adélie tira une pierre chaude hors du four et la remplaça par une autre. Elle s'assit devant un pichet de cidre. Louis versa un peu de la préparation sur la pierre. La pâte y grésilla, et de petites bulles se formèrent sur le dessus en sifflant. Il ne fallut que quelques minutes pour que la gourmandise affiche, suite à l'intervention d'un habile coup de spatule, son ventre d'un beau brun doré.

—J'en ai l'eau à la bouche juste à voir cela, dit Adélie. Je mangerais bien une douzaine de tes crêpes à moi toute seule. Tu les fais si bien.

Louis rougit de plaisir et se jura d'avoir suffisamment de préparation pour faire douze crêpes à sa mère, dût-il pour cela s'en faire discrètement de plus petites.

Assis du bout des fesses sur des tabourets mis côte à côte, ils déjeunèrent, leur tranchoir de bois posé sur le large rebord de la fenêtre. Leur bonheur ressemblait au miel doré et à la lumière de la chandelle à nulle autre pareille. La bouche pleine, ils chantèrent et se racontèrent des histoires sans queue ni tête, émaillées de fous rires.

La pile de matefaims avait disparu, et ils chantaient encore.

L'amour de moi s'y est enclose
Dedans un joli jardinet
Où croît la rose et le muguet
Y aussi fait la passerose.

Ce jardin est bel et plaisant
Il est garni de toutes flours
On y prend son ébattement
Autant la nuit comme le jour.

Hélas il n'est si douce chose
Que de ce doux rossignolet
Qui chante au soir au matinet
Quand il est las il se repose[23].

—Il commence à faire assez chaud dans le fournil. Nous pouvons bluter, dit Adélie.

En effet, la température devait maintenant avoisiner les trente degrés Celsius, ce qui était idéal pour que la pâte lève bien. Adélie avait pris soin, la veille au soir, de faire le compte des commandes afin d'estimer la quantité de pain à confectionner et de savoir à quelles variétés donner la priorité. Il fallait éviter le plus possible d'avoir des restes. Le lundi était l'une des plus grosses journées de la semaine, la plupart des gens n'ayant pu acheter de pain, sauf s'ils en avaient acquis de la veille sur le parvis de Notre-Dame. Adélie devait également tenir compte du temps qu'il faisait, car la température du dehors avait aussi un impact sur leur travail, tant au niveau de la consommation qu'à celui de la qualité du pain. L'alchimie entre les ingrédients pourtant simples était fragile.

Louis apporta les bluteaux, ces tamis conçus pour séparer la farine des divers éléments considérés comme des déchets. Les Ruest possédaient plusieurs types de bluteaux, depuis ceux qui laissaient passer de petites particules jusqu'à celui dont le treillis très fin transformait la farine en neige poudreuse. Le jeune mitron se mit au travail et tamisa la farine dans de petits tonneaux différents.

— Peu importe qu'il soit blanc ou noir, on doit faire du bon pain ou alors il vaut mieux ne pas en faire du tout, dit Adélie qui s'occupait du feu grondant. Mon père m'a dit qu'il y a trente-sept ans, pendant la disette, seize boulangers ont été mis au pilori avec un de leur pain dans chaque main parce qu'ils avaient mélangé des ordures à leur pâte. Des ordures, tu te rends compte?

Louis grimaça.

— Ils ont été ensuite bannis du royaume, dit Adélie. C'est que, vois-tu, le pain est l'aliment le plus important du monde. Et nous seuls savons comment le fabriquer[24].

Louis écoutait sans arrêter de travailler. C'était le seul moment où sa mère s'autorisait à parler autant et avec une telle passion. Il ne s'en lassait jamais. C'était un plaisir trop rare qu'il aurait savouré des heures durant.

— Le pain est l'aliment de base. Non seulement il sert de tranchoir, les restes sont également utilisés comme agent pour lier des sauces. Et des sauces, tu ne peux imaginer comme il y en a qui sont exquises.

— On fait aussi de la fromentée*.

— Oui, et de la bouillie d'avoine, du gruau et de bons potages d'épeautre.

Adélie jeta un coup d'œil affectueux à son fils qui travaillait avec beaucoup d'application. Elle reprit :

— Notre métier est le plus beau du monde. Le forgeron travaille le fer qu'il a et le pêcheur doit prendre ce que la mer lui donne. Mais nous, nous pouvons contrôler chaque étape de la fabrication de notre pain, depuis le champ où pousse le blé jusqu'à la première bouchée que prendra un client. Nous achetons le meilleur blé qui soit. Il provient de Gonesse* et de Chailly*. Rappelle-toi bien ces noms. Nous le faisons moudre à notre manière chez le meunier. Nous avons nos recettes secrètes. Et, finalement, toi tu vas livrer de ce bon pain.

Louis leva la tête et sourit. C'était si merveilleux de se sentir utile.

— Un jour, tu en sauras autant que moi. Tu apprendras à chauffer le four. Tu sauras tout ce qu'un bon boulanger doit savoir, et c'est là bien davantage que ce qu'on ne serait porté à croire. Nous faisons intervenir les forces essentielles, celles-là même qui donnent la vie: la terre, l'eau, l'air et le feu. Il y a tout cela dans le pain. Car le laboureur récolte le grain de la terre, le boulanger le mêle à de l'eau, le levain lui donne de l'air et, pour finir, le feu du four transforme la pâte en pain.

Un peu de farine en tombant du bluteau chatouilla le dos de la main de Louis. C'était comme une caresse.

— Les outils dont on se sert existaient déjà bien avant qu'il y ait des églises et des villes: les bluteaux, les moules, les panetons et le pétrin. Ces ustensiles sont nos insignes et nous devons en être fiers.

Les joues d'Adélie étaient rosées. Si le cidre et la chaleur y étaient pour quelque chose, la joie en avait cependant la plus grande responsabilité.

— Ici, à Paris, notre travail est plus soutenu qu'ailleurs, car nous devons répondre à la demande.

— Et il y a beaucoup de demande à notre boulangerie.

— Tout à fait. Et c'est cela, notre plus grande fierté.

— J'ai fini.

— Très bien. Maintenant, vérifions le levain.

Elle apporta le vieux pot de grès aux parois internes glacées. Il était enveloppé de linges humides et avait passé la nuit près de l'âtre, afin que son contenu ne prenne pas froid. Il s'agissait d'un morceau de pâte à pain aigrie destiné à propager la fermentation dans les autres pâtes qui allaient être préparées. Ce levain chef était nerveux, car sa souche était très ancienne. Une petite quantité de cette vieille pâte, riche en spores de levure prêts à proliférer, mêlée à de la farine ordinaire, de l'eau et parfois d'autres ingrédients, suffisait pour engendrer après un temps une pâte à pain d'une grande finesse. Elle produisait d'autre levain pour la fournée du lendemain.

— L'âme d'une boulangerie, c'est son levain, dit Adélie. Plus sa souche est ancienne, meilleur il est. La lignée du nôtre a été commencée par ton arrière-grand-père.

— Celui qui cuisait du pain pour le roi?

— C'est ce qu'on dit. Tu te souviens comment entretenir le levain, n'est-ce pas?

— Il faut lui donner de l'ouvrage et le garder au chaud. C'est comme pour nous. Il faut une mesure de levain pour dix de farine. On le dissout dans l'eau avec un peu de sel pour qu'il agisse mieux.

— Très bien.

Ils travaillèrent ensemble la même pâte sur le plan de travail en bois lisse blanchi par l'usage. Les mains du jeune mitron, sous celles de sa mère, s'étaient réchauffées. Tout en supervisant le travail de son fils, Adélie dit:

— D'après la légende, ce serait un Juif qui aurait jadis inventé le pain tel que nous le connaissons. Avant, il ressemblait plutôt à de grosses galettes. Or, ce Juif aurait laissé traîner sa pâte avant de la cuire. Elle a fermenté, mais il la fit tout de même cuire pour ne pas la gaspiller. Imagine sa surprise lorsqu'il a sorti son pain du four, tout léger et moelleux. C'était nouveau et le goût était très différent, mais agréable.

— Pourquoi Père n'aime-t-il pas les Juifs, alors?

— Je l'ignore. Mais mieux vaut que tu ne lui parles pas de cette histoire.

— D'accord.

Firmin n'appréciait pas cette suspecte absence de préjugés chez sa femme. Comme la plupart de ses compatriotes, il disait que les Juifs étaient sales, hypocrites, trop nombreux et qu'ils étaient tout juste bons à servir de réserve monétaire au peuple chrétien.

Adélie s'occupa de mesurer les quantités des farines variées dont elle allait avoir besoin pour confectionner divers types de pains.

— C'est une grande responsabilité de conduire la fermentation de ce levain, Louis, dit-elle en reprenant le fil de la conversation. Ce pot est le seul héritage que tu recevras de l'aïeul qui t'a donné ton nom. Notre famille n'avait pas de statut et nous ignorons à quoi l'ancêtre ressemblait. Mais il t'a laissé un héritage bien plus précieux qu'une fortune en argent, que cette belle maison ou de beaux habits: ce levain assure ton avenir, car il te permettra de bien gagner ta vie avec le travail le plus noble qui soit. Tout est là, dans ce petit pot.

— Traiter le levain de bonne souche avec amour et respect, là se trouve la tâche la plus élevée du boulanger, récita Louis par cœur, tout fier.

La boulangère sourit en repoussant une mèche de cheveux pâles qui s'était échappée de sa coiffe. La mèche vieillit de quinze ans, à cause de ses doigts enfarinés. Louis récita encore en chantonnant, comme une comptine:

— Un bon boulanger doit savoir estimer la température de son four, reconnaître les sortes de farine et savoir si elles sont bonnes à servir. Il doit se souvenir comment faire toutes sortes de pain. Pour cela, il faut qu'il sache les dosages et la durée de pétrissage de chacun...

— Mais...?

— Mais ce n'est pas tous les jours pareil. On ne peut pas seulement «apprendre». Ce qu'il faut surtout, c'est du savoir-faire et de... de l'in-tui-tion.

— *Fit fabricando faber.*

Louis rit.

— Vous parlez comme à l'église.

— C'est du latin. Quelqu'un m'a un jour appris cette maxime. Elle signifie à peu près : *C'est en forgeant que l'on devient forgeron.*

Louis retira sa tunique et alla la déposer sur un tabouret. Adélie avait commencé à incorporer lentement du levain dissous dans une quantité convenable d'eau tiède à l'une des sortes de farine que le garçon avait tamisées. Le pétrissage allait commencer. C'était pour eux la partie la plus exigeante de la journée. Le travail de la pâte était une besogne d'homme et, sans Firmin, il était très long et pénible de la mener à bien. Sobre, Firmin devait normalement pétrir à bras et dans le pétrin environ soixante-cinq kilogrammes de farine pour trente-cinq litres d'eau. Adélie était étonnamment forte pour une femme de sa stature. Elle se chargea de cette tâche trop difficile pour des bras de petit garçon. La boulangère et son fils se turent pendant un long moment. À l'aide d'une raclette, Louis rejetait dans la cuve du pétrin des parcelles de pâte qui adhéraient aux parois. Il ne s'étonna pas d'entendre sa mère gémir sous l'effort : même son père, dont les bras noueux et puissants brassaient la pâte comme une chose vivante, se lamentait sans retenue à l'étape du pétrissage. Son dos nu se couvrait de sueur que Louis était chargé d'éponger pendant qu'il travaillait afin que la sueur ne vînt pas souiller la pâte[25]. Des taches s'agrandirent dans le dos et sous les aisselles d'Adélie, mais elle ne s'arrêta que lorsque toute la pâte fut pétrie et évaluée au toucher. Elle dut ensuite s'asseoir. Ses bras et ses épaules étaient pris de tremblements musculaires. Louis s'occupa de mettre la pâte au repos sous des linges afin de la laisser fermenter. Cela s'appelait le couchage.

— Pose une bûchette sur la pâte, mon petit roi. Cela va t'aider à vérifier le niveau de fermentation. Elle sera prête à servir lorsqu'elle l'aura soulevée de ceci.

Elle montrait à son fils une hauteur d'un peu plus d'un centimètre.

Louis obtempéra et servit à sa mère un reste de cidre.

— Reposez-vous, Mère.

— Pas trop longtemps. Il faut que je me lave un peu et que je m'occupe du four. Vérifie donc pour moi s'il a atteint sa chaleur.

Louis ne savait pas encore intuitivement reconnaître la température idéale requise pour la cuisson du pain. En revanche, Adélie lui avait enseigné une petite astuce : il frotta un bâton contre la chapelle du four et se tourna vers sa mère.

— Il n'est pas encore prêt, ça n'a pas fait d'étincelles. Mais on n'a plus besoin d'y mettre de bois.

— Alors viens t'asseoir, toi aussi. Ne me laisse pas paresser toute seule.

— Il y aura une fontaine, dans notre jardin, dit soudain Louis en rejoignant sa mère. Au milieu, comme celle que j'ai vue chez l'abbé. Et toute blanche avec des oiseaux qui se baignent dedans.

— Mais où sera donc le grand chêne ? demanda Adélie.

— C'est vrai... Nous mettrons la fontaine au pied de l'arbre. Ça fera joli, non ?

— Très joli. Excellente idée. Nous ferons pousser des rosiers tout autour.

— Nous aurons des châtaigniers.

— Et des ruches pour le miel.

— N'oublions pas le vivier. Et vous aurez une mandore pour faire de la musique toute la journée, puisque ça vous plaît.

— De la musique...

Comme c'était étrange. Hormis cette nuit-là, Louis ne l'avait pour ainsi dire jamais entendue chanter ; elle n'en avait plus eu le temps depuis des années. Ni le goût, d'ailleurs. Néanmoins, la musique était venue s'insérer d'elle-même tout naturellement dans leurs rêveries innocentes. Louis savait-il en son for intérieur, plus ou moins consciemment, que jadis sa mère avait été très différente ? Elle en eut soudain la certitude en raison de ce qu'il lui avait dit un peu plus tôt.

Parfois, elle s'en voulait d'alimenter comme du bon levain cette chimère de jardin qu'ils ne verraient sûrement jamais se concrétiser. Ne valait-il pas mieux apprendre à son fils à accepter la résignation réaliste qui était son lot à elle ? Elle ne pouvait s'y résoudre. Quelque part en elle, une voix lointaine, depuis longtemps disparue, lui intimait l'ordre de ne pas renoncer aux rêves et à la beauté, aux belles mélodies et au parfum enjôleur des fleurs de pommier. Non, il fallait à Louis un rêve à chérir, fût-il inaccessible, sinon l'enfant allait se voir réellement condamné à sombrer dans la folie. Ces créations compensatoires lui étaient indispensables pour le distraire de sa condition infecte, même si Adélie se doutait bien un peu que les rêves qu'elle entretenait étaient largement responsable du fait que les gens croyaient son fils atteint de déficience mentale. Elle savait que cet enfant assujetti à des tâches viles par son père ne pouvait pas, dans cette situation, avoir un développement social normal. Elle préférait laisser Louis à ses rêves. Un jour qu'elle espérait très proche, ils allaient lui donner la force de larguer les amarres.

Elle s'attristait que nul ne connût vraiment son fils hormis elle-même. Personne ne l'avait jamais vu tel qu'il était maintenant, souriant, le visage animé et les yeux avides de joie de vivre, étincelants du plaisir d'apprendre.

Mais la tendre Adélie se refusait à admettre l'existence de quelque chose de singulier qui avait depuis peu commencé à se superposer sur le visage de son fils à l'innocence de son émerveillement d'enfant. Elle n'aimait pas cette ombre qui s'y dessinait parfois lorsqu'il était laissé à certaines pensées. Elle ne la comprenait pas. Cela donnait à Louis un visage d'adulte et il avait presque l'air d'un étranger. Elle sentait que cette nouvelle chose lui échappait, qu'elle ne savait pas tout de son fils. Il y avait en lui quelque chose de latent, de malsain, et cela lui faisait peur. Dans ces moments-là, elle appelait doucement:

— Louis?

Il posait les yeux sur elle et redevenait lui-même. L'ombre cessait d'exister. Après tout, ce n'était peut-être qu'un mirage, un effet de la lumière déficiente.

Adélie se disait que son imagination débridée lui nuisait souvent davantage qu'elle ne lui était utile. Il lui fallait éviter de se rappeler qu'elle avait failli avoir le privilège d'apprendre à lire. Ce genre d'extravagances était réservé aux châtelaines, pas à une simple boulangère. Une femme qui avait de l'esprit était souvent perçue comme dangereuse par son mari. La situation en devenait infernale si le mari se savait dépourvu d'intelligence. Firmin correspondait à ce modèle. Louis avait su d'instinct quoi faire: mieux valait laisser son intelligence en berne derrière un personnage sans relief si l'on voulait survivre.

Mais pourquoi avait-il fallu que ce bel enfant intelligent paye pour la faute qu'elle seule avait commise?

— Allons vérifier la pâte, dit-elle après en avoir terminé avec sa toilette.

Louis sauta en bas de son tabouret et jeta un coup d'œil sur la bûchette.

— C'est prêt!

— Bien. Nous allons la débiter en gros pâtons. Je crois que je vais faire quelques pains bis aussi. Mettons donc un pâton de côté. Lui n'aura plus besoin d'être pétri à nouveau. Tiens, fais-en des pains pendant que je m'occupe d'étirer et de plier les autres pour les aérer et les laisser lever encore un peu. N'oublie pas de les peser ensuite. Car en plus des exigences du client, nous devons respecter celles de la loi.

Leur balance certifiée avait été délivrée par le Grand Panetier du roi. Tous les boulangers devaient se conformer aux normes établies par la corporation. Lorsque Louis en eut terminé, il vint prêter main-forte à sa mère qui pétrissait toujours de grosses masses de pâte sur le plan de travail avant de les déposer dans des bannetons, de petits paniers en osier à fond toilé, afin qu'ils continuent à y gonfler.

— Ça va comme ça? demanda l'enfant en lâchant sa grosse boule de pâte blonde. Son visage et son dos ruisselaient de sueur.

— Pétris-la encore un peu, sinon cela va donner un pain trop dense. Il faut que l'air puisse bien y pénétrer, pour que le levain agisse et rende la pâte légère. Et va te relaver le visage, les bras et les mains. N'oublie jamais de le faire régulièrement.

L'enfant se hâta de retourner dans la maison, où un nouveau seau d'eau propre était posé près de la pierre d'évier. Adélie vérifia discrètement sa boule de pâte. Elle était presque à point. Décidément, l'opiniâtreté silencieuse de ce garçon en faisait un apprenti admirable. Elle ne se doutait pas que Louis n'avait de cesse que d'avoir acquis suffisamment de force physique pour devenir un bon pétrisseur et que sa mère puisse ainsi se reposer. Il se remit à l'ouvrage après avoir songé à apporter le seau d'eau de rechange.

Le ciel se teintait d'un bleu blafard lorsqu'Adélie recouvrit les bannetons d'un linge propre.

— Il faut les protéger des courants d'air, maintenant, sinon une pellicule sèche se formera dessus. Tiens, aide-moi à déplacer la pâtière* par là, mais pas trop près du four. Voilà. Tu sens comme la température est juste comme il faut, ici? En hiver, je dois la poser plus près.

— On en est au soufflage.

— C'est ça. L'air emprisonné dans les pâtons va continuer à les gonfler. Pendant ce temps, je vais moi aussi faire ma toilette et me changer.

Louis sortit dans la cour afin d'aller se soulager. Sa mère avait prévu d'emporter des vêtements propres pour eux deux. Elle avait pris pour son fils le petit ensemble gris. Après tout, n'était-ce pas un jour de fête?

—On y est, dit la voix d'Adélie au retour de Louis. Elle avait déjà commencé à ratisser les tisons pour les retirer du four. Seules quelques braises y furent conservées afin de maintenir la chaleur appropriée.

—C'est moi qui ai nettoyé les cendres avant-hier. Et j'ai aussi bien frotté le fourgon et le rouable, dit Louis.

—Je sais. Tu as fait cela en plus de ton travail régulier, sans qu'on te le demande. C'est très bien, mon fils. Voilà. Tout est prêt. Nous pouvons maintenant façonner les pains.

Ils soulevèrent l'un des pâtons et y touchèrent.

—Sens comme le contact de la pâte levée est souple, maintenant, n'est-ce pas? On croirait presque toucher la peau d'un petit animal.

Louis y planta l'index.

—C'est vrai.

L'œil exercé d'Adélie la renseignait immédiatement sur la façon de s'y prendre avec chacun des pâtons. Elle savait comment tirer parti de leur état. Elle taillait les pains à l'aide d'un coupe-pâte et les façonnait d'une main experte, sans aucune hésitation. Elle pratiqua une entaille sur le dessus de chaque pain; cette incision permettait d'éviter que la miche n'explose en cuisant. Louis fit sa part presque aussi rapidement que sa mère. Il avait acquis davantage de dextérité dans l'exécution de ce travail au cours des derniers mois. Étant tout de même moins rapide que sa mère, il s'occupait de peser les pains.

—La signature, maintenant, dit Adélie.

Chaque boulanger possédait son propre symbole qu'il apposait sur ses pains. Cela permettait de reconnaître sa provenance si besoin était, que ce fût pour démasquer facilement les auteurs de fraudes ou tout simplement pour pouvoir retrouver l'endroit d'où provenait un produit qui avait été particulièrement apprécié. La marque des Ruest apparaissait également sur l'enseigne de leur boulangerie. Un pain y était dessiné; il s'agissait de trois lignes sinueuses et parallèles à l'horizontale. Celle du centre était plus longue que les deux autres. Le dessin représentait un ruisseau. C'était d'ailleurs ce que leur nom signifiait.

Adélie saupoudra les boules d'une fine pellicule de farine et les retourna à plusieurs reprises, afin d'en retirer un surplus d'humidité. Elle renversa les bannetons sur une pelle enfarinée et les enfourna tout au fond, à égale distance les uns des autres, en commençant par les grosses miches qui nécessitaient davantage de cuisson. Elle laissa Louis mettre au four les miches plus petites ainsi qu'une douzaine de brioches. La dépose des pains encore en pâte dans le four était une tâche délicate. Cela exigeait un certain petit coup de pelle qui paraissait anodin mais dont il fallait acquérir la maîtrise. L'objectif était de remplir le four le plus possible.

—Je n'ai pas baisé, Mère, dit Louis fièrement.

Adélie éclata de rire et il se demanda pourquoi.

—Décidément, tu es destiné à devenir un vrai boulanger.

Il était si familier avec l'argot du métier qu'il ignorait ce qu'une telle remarque pouvait susciter comme réflexion si elle parvenait à des oreilles profanes. Car le baiser, pour les boulangers, désignait simplement l'endroit où un peu de pâte manquait sur des pains cuits qui s'étaient touchés lors de leur mise au four.

—Ouf. Le soleil est sur le point de se lever. Tout sera prêt à temps. Nous avons bien travaillé, petit roi.

Le moment de défourner s'appréciait à l'expérience; le temps de cuisson était estimé à cinquante minutes environ.

Pendant que Louis sortait pour aller préparer la boutique pour l'ouverture, Adélie surveilla le four en se tenant prête à le *patrouiller*, c'est-à-dire à y passer soit l'écouvillon, soit le râble, soit encore des linges mouillés pour tempérer son ardeur. Il ne fallait pas que la croûte des pains noircisse.

L'ouvroir était prêt lorsque la boulangère entreprit de défourner soigneusement les premiers pains chauds, très fragiles. Elle en étendit sur le plan de travail, sur la table et même sur le rebord propre de la fenêtre afin de les laisser un peu refroidir avant de les manipuler.

—Si on se hâte trop de les ranger, ils moisiront, expliqua-t-elle. Nous pourrons commencer à empiler les premiers sortis dans quelques minutes. Face dessus dessous, Louis. Et laisse-leur de l'espace pour qu'ils respirent. Nous en emporterons dans la boutique lorsque cette fournée-ci sera terminée.

Les premiers clients se présentèrent alors que Louis commençait tout juste à remplir les beaux présentoirs en bois couleur de miel que le soleil levant rendait plus attrayants. Les miches encore tièdes embaumaient l'air frais de la rue qui s'animait peu à peu. Il y en avait de toutes sortes, du grossier pain ballé jusqu'au pain de Gonesse très raffiné que l'on appelait *pain de bouche*, car il se mangeait pour lui-même. Les pains de froment valaient douze sous. Ils étaient faits de fine fleur de farine, et Adélie en préparait en plus grand nombre que de pains noirs ou de seigle, pour combler le désir de leur clientèle particulièrement sophistiquée. On y trouvait aussi des pains de cour, des pains de salle pour les hôtes, des pains de chevalier, d'écuyer et de valet, des pains de chanoine; autant de variétés subtiles qui caractérisaient non pas la forme des miches, mais la composition de leur pâte. Louis savait déjà comment les différencier toutes, y compris certaines spécialités régionales comme les fouaces d'Amiens, les mollets* de Rouen et de Mézières et les pains de provende troyens. Il y avait aussi les cimereaux* et les cornuyaux*, tous des pains blancs, eux aussi. Le garçon aurait bien aimé pouvoir les goûter tous.

Il était de mise que l'ouvrier travaille dans son atelier, à la vue des passants, afin de prouver son honnêteté. Mais les clients des Ruest pouvaient difficilement voir ces derniers à l'œuvre au four, sauf si les boulangers laissaient la porte de l'arrière-boutique ouverte. Louis s'empressait d'apporter des chargements de miches en prenant soin de ne pas refermer la porte. La maison plus fraîche contrastait fortement lorsqu'on avait passé la nuit près du four. Déjà les premiers badauds se haussaient sur la pointe des pieds afin de jeter un coup d'œil sur leur cour arrière où tenaient à peine le bâtiment du four, une remise et un puits. Pourtant, n'eût été de leur enseigne et de l'odeur appétissante qui régnait constamment aux alentours, leur maison à colombages ne se serait pas vraiment distinguée des autres dans ce quartier cossu.

Adélie vint rejoindre son fils et commença tout de suite à servir les clients tandis que Louis préparait sa hotte de livraison. La journée s'annonçait belle.

—Nous ne salons que le pain de luxe, expliquait Adélie à un homme rondouillard accompagné de son épouse.

—Bien entendu. La gabelle est beaucoup trop élevée.

—Il ne s'agit pas de cela, messire. C'est que, voyez-vous, le sel n'est pas nécessaire lorsque la farine est parfaite: il ne ferait que masquer le goût du fruit du pain. Nous n'en utilisons chez nous que pour récupérer des farines avariées ou germées destinées à notre usage personnel. Cela dit, je fais d'excellents pains au lait.

Avant de partir, Louis rapporta de l'arrière-boutique de la tisane à la menthe tiède pour sa mère qui ainsi allait pouvoir se rafraîchir sans avoir à quitter l'ouvroir. Il l'avait fait infuser et l'avait versée dans leur beau pichet élancé muni d'une base et d'un col haut cintré. Ce récipient pouvait contenir deux pintes de breuvage; c'était l'élément central de leur table à la Noël. L'enfant avait également apporté à Adélie l'un des petits bols de céramique dont l'intérieur, tout comme l'extérieur, était enduit d'une glaçure décorée de motifs. Le goût des boissons servies dans ces bols ainsi imperméabilisés n'était pas altéré. Cette vaisselle précieuse leur venait du père d'Adélie, qui l'avait obtenue d'un Sarrasin d'Andalousie, selon ce qu'il disait. Elle avait, pour Louis, une origine mystérieuse, presque magique.

Lorsqu'Adélie se retourna et aperçut le pichet, Louis s'approcha et l'embrassa sur la bouche, comme un homme. Puis il s'enfuit en courant.

— Dieu du ciel! dit une vieille femme indignée qui arrivait mal à propos.

C'était la voisine, une cliente de longue date et, si l'on voulait, une amie de la famille. Adélie rougit jusqu'à la racine des cheveux sous sa coiffe.

— Oh, bonjour, Artémise.

Il n'y avait pas à douter qu'avant ce soir, tout le quartier allait être au courant de ce dont cette commère venait d'être témoin.

— Eh bien, j'ose espérer que vous corrigerez une telle indécence, dit-elle.

— Ce n'est pas ce que vous croyez, voyons. Ne vous en faites donc pas.

— Vous choyez beaucoup trop ce fils unique, ma chère. Il est plus que temps pour vous d'en avoir d'autres.

Adélie connaissait ce discours par cœur. Artémise allait lui assurer que le fait d'être fils unique retarderait le développement déjà précaire du garçon. Que Firmin avait d'instinct adopté envers lui l'attitude compensatoire du père fort et autoritaire, Louis étant déjà débilité par sa forte dépendance à sa mère.

— Et vous aimez trop ce petit. Vous le couvez et le consolez sans rien exiger de lui. Il deviendra efféminé. Ce sera un faire-valoir sans aucune volonté ni initiative, voilà. Il ne sera jamais qu'un grand imbécile qui s'accrochera aux basques d'un puissant et qui lui baisera les pieds en se persuadant qu'il est aussi intelligent que lui.

La même voisine avait dit, un jour, à un collègue de la guilde :

— La malheureuse n'a que cette pauvre créature sur qui épancher son amour. Vous connaissez son mari aussi bien que moi. Mais ce Ratier demeurera toujours un enfant. Ne se rend-elle pas compte qu'elle ne lui a pas vraiment permis de naître? C'est tout comme si elle le portait encore. Tous ces compliments dont elle le couvre pour la moindre peccadille! Vous devriez entendre cela. Il se croira le nombril du monde et, une fois adulte, il n'aura sa place nulle part. Jamais il n'arrivera à se trouver une femme.

Voilà tous les potins qu'allait déclencher ce baiser sur la bouche. Bien sûr, Adélie avait conscience de l'attachement excessif de Louis envers elle. Leur affection mutuelle s'était depuis un an transformée en une sorte de lien chaleureux, mêlé d'érotisme. Cela la troublait profondément, car Louis lui avait dit un jour :

— Lorsque Père mourra, je me marierai avec vous.

Elle se souvenait de sa réponse comme si elle datait de la veille :

— Ne dis plus jamais une chose pareille! Et je t'interdis même d'y penser.

Il l'avait regardée à la fois surpris et contrit. Jamais Adélie ne haussait ainsi le ton. Elle avait pris conscience que, pour un garçon si jeune, mourir pouvait simplement signifier s'absenter longtemps. Il n'avait jamais expérimenté la mort en tant que réalité. Du moins le croyait-elle. Quoi qu'il en fût, elle lui avait demandé pardon et Louis n'avait plus jamais abordé la question.

Néanmoins, elle craignait que Louis ne vînt à faire de Firmin son rival. Une telle attitude risquait de mener à la catastrophe, et dès lors elle s'efforça discrètement de mettre un frein aux premiers désirs de possession que son fils manifestait à son égard. Et ce n'était pas chose aisée que d'avoir à contrôler ses rares caresses. Louis n'était pas d'une nature très démonstrative.

La voisine était repartie, un pain sous le bras, laissant Adélie à ses réflexions.

« C'est l'autorité oppressive de Firmin qui est responsable de leur antagonisme », se dit-elle. Si au moins le boulanger pouvait s'en rendre compte. Mais non. Il ne réalisait même pas à quel point la révolte de son fils était justifiée et raisonnable, puisque jamais Louis ne tentait de porter la main sur son père; à son idée, c'eût été pire que commettre un sacrilège. Malgré le fait que son fils le redoutait déjà suffisamment, c'était Firmin qui le traitait comme un rival à vaincre.

Ce qu'Adélie était seule à savoir, c'était que Louis avait endossé trop vite une défroque d'adulte pour souffrir d'avoir été trop couvé. Il ne cherchait pas la protection maternelle, au contraire. C'était lui qui voulait devenir le gardien de sa mère. Et ce désir était mal compris, interprété faussement.

Adélie elle-même ne pouvait soupçonner l'effet émollient qu'avait sa sollicitude sur le tempérament de son fils. Elle ne pouvait se douter que, sans ses attentions, il se serait transformé en monstre.

*

Les sacs de farine fraîchement moulue l'attendaient depuis trop longtemps dans la charrette du chasse-mulet*. Ce dernier avait soupé et bu quelques gobelets en sa compagnie, puis la soirée avait débuté avec une prometteuse partie de dés. Mais il se faisait tard; il était plus que temps de rentrer. Firmin se leva de table à regret et enjamba le banc sur lequel il avait par mégarde répandu quelques gouttes d'un vin bon marché si âpre qu'il n'arrivait à en ingurgiter qu'une fois gris.

La taverne qu'il fréquentait habituellement était mieux tenue que la plupart des établissements de ce genre. Comme elle était fréquentée par des marchands et quelques notables auprès de qui il valait mieux faire bonne impression, le propriétaire en prenait soin. Elle comptait une dizaine de tables et recevait une clientèle peu changeante.

— Reviendrez-vous finir la partie, les gars? demanda un compagnon buveur qui secouait deux dés d'ivoire dans sa main. Firmin n'en avait pas l'intention, mais il trouva l'offre tentante. Sans parler des ribaudes qui attendaient dans les chambres de l'étage. « Ce serait quand même moins déprimant que de chevaucher l'Adélie », se dit-il, même s'il trouvait assez excitant d'écraser le corps frêle de la boulangère sous son poids, de le sentir se tortiller et d'entendre ses gémissements de douleur.

— Je te dirai ça si je suis capable de revenir, l'ami, répondit-il en ricanant.

— Quoi, Ruest, ta femme t'en empêcherait?

— Eh! eh! J'aimerais bien voir ça. Bon, allez, on y va. À plus tard, peut-être.

Il donna une claque sur l'épaule du gringalet qui était avec lui, et ils sortirent ensemble.

Le trajet pourtant court entre la taverne et la maison risquait d'être plus long que tout le reste du voyage dans des rues bondées : il faisait nuit noire, et les deux hommes étaient passablement ivres. Le pauvre mulet ne savait où donner de la tête, guidé comme il l'était par des mains hésitantes. À plusieurs reprises, Firmin trébucha dans des timons de charrettes invisibles que l'on avait appuyées contre les murs pour la nuit. Il faillit se crever un œil.

— Saleté de pavement mal foutu, grommela-t-il.

— Encore heureux que le guet soit aussi saoul qu'on l'est… supposa le jeune homme. Je connais quelques fonds de ruelles qui nous tiendraient bien au chaud si nous nous trouvions quelque belle à trousser. Eh, voyez un peu là-bas.

Une petite lumière venait dans leur direction en sautillant. Firmin s'arrêta et s'appuya contre la charrette en plissant les paupières.

— Une esconse*. Croyez-vous que ce soit un maraudeur?

Ils pouvaient maintenant discerner le lumignon de la lanterne à travers sa feuille de corne givrée par la poussière. Une silhouette maigrichonne se dessinait derrière.

— Ah non, t'en fais pas. C'est personne. C'est juste le Ratier.

Louis les rejoignit en silence et prit les devants en marchant lentement devant le mulet, sa lanterne tenue bien haut. Les vacances étaient terminées. Le petit mitron s'en voulut de ne pas apprécier le retour de son père. De son côté, Firmin refusait d'admettre qu'il était soulagé de voir Louis arriver, sa hotte vide ballottant sur son dos.

Une fois que la charrette fut parvenue à la grille donnant sur la cour, Firmin dit :

— Viens un peu par ici, le Ratier. Tu vas nous aider.

— Oui, Père.

L'enfant exténué obéit docilement et se débarrassa de sa hotte. Le boulanger frotta ensemble ses mains noueuses afin d'y rétablir une circulation déficiente. Il regarda Louis s'essouffler à bousculer un gros sac que l'adulte aurait pu transporter lui-même aisément sur son épaule. L'enfant, appuyant le dos contre un sac de grains, en poussa un autre en bas de la charrette de ses pieds nus et sales. Il sauta et traîna son fardeau à reculons jusqu'à l'arrière-boutique.

Firmin l'observait attentivement avec ce sourire en coin qui chez lui était si menteur. Cette expression qui aurait dû parler de joie signifiait plutôt qu'il était sur le point de changer d'humeur. Cela arrivait immanquablement lorsqu'il restait parti des heures durant et revenait avec cette haleine.

— Par saint Lazare[26], on en a pour la nuit, dit-il à son compagnon qui observait la scène lui aussi.

— Ça oui. Il n'y a pas à dire, vous l'avez bien dompté.

— Tu dis vrai. Mais, crois-moi, ça n'a pas été chose facile. Cet enfant-là, c'était un vrai petit sauvage. Avant, il refusait de manger et pissait au lit pour me défier. Laisse-moi te dire que ces bêtises-là n'ont pas duré ; j'ai eu vite fait de le calmer. Seulement, c'est un abruti. On lui parle et il ne comprend rien. Faut que je le dresse à coups de bâton, comme un chien.

Les deux hommes se passèrent un cruchon de vin qu'ils avaient emporté. Ils regardaient Louis s'éreinter sans aucunement se soucier du fait qu'il pouvait tout entendre. C'était comme s'il n'existait pas.

Ses révoltes d'enfant dont ils parlaient étaient bien loin derrière, désormais. Louis avait tôt appris que le refus de manger, alors que chaque bouchée de nourriture était précieuse, ne jouait pas en sa faveur. De même pour l'apprentissage de la propreté. Il avait donc opté pour une méthode plus subtile : il se retirait en lui-même, sous les apparences de la débilité. Le seul inconvénient, c'était que cela ne le protégeait que des étrangers, et non pas de Firmin et de sa répression par la force physique. Louis s'était pourtant entièrement soumis à la volonté de son père.

Il estima qu'il avait encore le temps de communiquer avec Firmin: la bête malfaisante était encore assoupie derrière les prunelles trop brillantes de l'ivrogne.

—Père?

Louis avait rentré trois sacs. Ses bronches sifflaient et il était trempé d'une sueur froide. Des tremblements musculaires commençaient à lui traverser le corps par spasmes.

—Il en reste encore. Ça vient? dit l'homme qui nettoyait ses dents gâtées avec l'ongle de son pouce.

—Oui, Père.

—Fais vite.

—Oui, Père.

Mais Louis ne put faire vite. Des quintes de toux l'interrompaient de plus en plus fréquemment, et ses forces l'abandonnaient.

—Allez, pousse-toi de là, incapable!

Les hommes se chargèrent des derniers sacs et les montèrent à l'étage. Ils s'occupèrent aussi des autres que Louis avait traînés jusqu'au pied de l'escalier. L'enfant s'en sentit honteux, indigne, même s'il s'agissait là d'une corvée de grande personne. Il se tassa contre le mur et attendit, fourbu, les oreilles bourdonnantes.

Lorsqu'ils redescendirent pour la dernière fois, Firmin donna une pièce au chasse-mulet, mais il garda le cruchon de vin.

—Prends les devants, je te rejoins.

Puis, à Louis qui n'avait pas bougé:

—La prochaine fois, tu viendras au moulin avec moi. Je saurai t'y mettre à l'ouvrage, espèce de paresseux. Tant vaut le mitron, tant vaut la miche.

Louis se laissa glisser le long du mur et s'assit par terre. C'en était fait de son bonheur.

*

—C'est vide! hurla Firmin à sa femme en cognant le pot de terre cuite contre le couvercle du coffre qui était installé près de leur lit. C'est vide et ça ne doit pas l'être!

Adélie s'essuya nerveusement les mains sur le tablier de chanvre qui la ceignait.

—Puisque tu le dis, Firmin. Toi seul peux le savoir, je n'y touche jamais.

Une lanterne transformait la fenêtre de la chambre conjugale en une feuille d'or d'apparence beaucoup trop noble pour enluminer pareille scène. Firmin reprit son souffle et se laissa tomber sur le coffre au pied du lit. Il empestait le mauvais alcool. Et voilà qu'il réclamait d'autres deniers pour retourner à la taverne.

La boulangère ne trouva rien à ajouter et retourna au fournil. À quoi bon avouer le lait et les œufs achetés en secret, à quoi bon même tenter de discuter avec lui lorsqu'il était dans cet état? Et comme elle le voyait rarement sobre, elle avait depuis longtemps cessé d'essayer de le raisonner. «Si au moins je pouvais reprendre un peu de vigueur», se dit-elle avec regret en préparant pour lui une portion de soupe*.

Perdue dans ses pensées, la boulangère ne sentit pas son mari s'approcher furtivement par-derrière. Elle prit une écuelle en bois qui attendait sur une étagère devant elle et y disposa une tranche de pain. De petits cheveux fous s'étaient échappés de sa coiffe blanche et bouclaient sur sa nuque. Ils frémirent sous l'haleine avinée de Firmin.

—J'ai trouvé ça dans ton bliaut, dit-il en lui montrant une piécette de bronze dans le creux de sa paume. Les doigts d'Adélie s'enfoncèrent dans la mie qui commençait à durcir. Comment avait-elle pu être assez sotte pour oublier jusqu'à l'existence même de cette pièce? Un page la lui avait remise l'avant-veille en échange de l'un de ces tout petits pains au lait, presque des gâteaux, si appréciés qu'on venait leur en acheter d'aussi loin que des faubourgs. Comme le jeune client n'avait pas d'autre pièce en sa possession, Adélie l'avait acceptée de bonne grâce et, débordée, avait négligé par la suite de la déposer avec les autres dans la tirelire. Se confondre en excuses et en justifications était inutile avec Firmin. Elle y renonça d'avance.

Il s'assit sur l'arche où l'on pétrissait le pain, profanant son propre atelier, mais Adélie n'osa pas le rappeler à l'ordre.

—Va me quérir ce que tu caches autre part, dit-il.

—Je ne garde pas d'autre argent, Firmin. Il n'y avait que cette pièce.

—Tu mens, femme. Fais vite ou je vais me fâcher!

Le poing charnu de l'homme se ferma sur la piécette.

Adélie ne put s'empêcher d'évoquer les pensées qu'elle avait eues plus tôt au sujet de son fils: «Après tout, tant mieux s'il devient un adversaire. Je suis bien contente. J'ai hâte au jour où il deviendra un vrai apprenti. Loin de notre misère et de toi...»

—Tu as entendu ce que je viens de dire? dit Firmin brutalement, interrompant cette rêverie à peine ébauchée.

—N...non, je suis désolée.

—Dis donc, tu ne comprends rien, toi?

Il se rapprocha avec sa grimace des mauvais jours. Adélie dit:

—C'est que... j'ai un peu mal au cœur, et...

—Encore? Tu as toujours mal au cœur!

Il la gifla.

—Je t'ai demandé où est l'argent. Tu en planques, pardieu! Ça, je le sais, et j'en ai besoin.

—Tout est là, dans le pot.

Il n'y avait rien à faire: nulle cachette d'urgence, si minuscule fût-elle, à lui dévoiler afin d'échapper à ce nouvel accès de rage. Il ne restait pas même un demi-gobelet de clairet pour faire diversion. Résignée, elle attendit donc, le dos tourné vers lui.

—Menteries! Toujours des menteries!

Il se mit à frapper sa femme pour ne s'arrêter que lorsqu'elle tomba à ses pieds en vomissant un peu de bile transparente.

—Et tu renvoies partout, en plus. Tu me dégoûtes.

Furieux, il s'en alla fouiller la chambre. Il revint bredouille et à bout de souffle. Adélie s'était relevée. Dans l'écuelle, la tranche de pain ressemblait à une tête d'elfe qui, à cause des stigmates creusés par ses doigts, la dévisageait malicieusement. Elle s'écrasa davantage sous la poitrine de la pauvre femme, et l'écuelle roula par terre: un coup de poing porté entre les omoplates lui avait vidé les poumons. Ni elle ni Firmin n'entendirent la porte s'ouvrir. Une grêle de coups s'abattait au hasard sur la malheureuse, partout où son mari pouvait l'atteindre. La coiffe blanche glissa et tomba discrètement entre eux comme une petite bête morte. Adélie s'effondra encore aux pieds de la brute en faisant de son mieux pour retenir ses gémissements. Cette fois, elle ne se releva pas.

—Non! cria Louis, qui s'interposa et reçut les coups à sa place, triste paquet d'humanité offert à la vindicte du *pater familias*.

—Parle, sale ribaude! Où l'as-tu mis? cria Firmin en se penchant sur sa proie.

Un filet de salive lui coula du menton pour aller se perdre dans la chevelure mate de la femme à demi consciente. Haletant, comprenant enfin ce que son père demandait, Louis s'empara de la bourse qu'il rapportait et voulut la lancer à ses pieds. Mais l'homme ne se souciait que d'Adélie, à qui il empoignait les cheveux pour la secouer. Louis défit les cordons de la bourse et projeta une pleine poignée de monnaie en direction de son père.

—Tenez! Tenez!

Cela produisit l'effet escompté, du moins pour un moment.

Sans lâcher sa prise immobile, Firmin se tourna vers son fils. Louis, sans lever les yeux ni oser parler, lui montra la bourse ouverte qui contenait encore des pièces. Il put voir que le visage de sa mère avait été hypocritement épargné. De cela, l'ivrogne prenait toujours bien garde avec eux.

—Ce que tu ramènes n'empêche pas ta folle de mère d'être une menteuse, dit-il. Apporte-moi ça ici. Ici, je te dis!

Louis allongea le bras vers lui et lui mit la bourse dans la main gauche.

—Et ramasse-moi ce que tu as semé partout. Allez. Je vais t'apprendre à vivre, moi.

Pendant qu'il regardait Louis s'exécuter, il lâcha Adélie, mais l'empêcha de se relever en posant un pied sur sa poitrine. Une fois la bourse regarnie, il l'agita et dit encore:

—Quoi, c'est tout? Avec le temps que ça te prend, tu pourrais au moins la remplir.

—Pardon, Père.

—Pardon, pardon, facile à dire, ça... Qu'est-ce que je vais bien pouvoir faire d'un bon à rien comme toi, hein?

Louis baissa honteusement la tête.

—De quoi avez-vous parlé, tous les deux, pendant mon absence? Du moine?

—Non, Père, dit Louis, qui regarda sa mère sans comprendre. D'un discret signe de tête, Adélie tenta de le rassurer à son sujet.

—Comment? Serais-tu toi aussi un menteur?

La lourde semelle souillée délivra Adélie, qui ne fit que s'asseoir à même le plancher. Firmin s'avança lentement vers son fils. Louis se refusa à bouger et se mordit la lèvre inférieure.

—Non, Père. Nous n'en avons pas parlé...

—Ah, cette fripouille, c'est bien de lui, ricana Firmin en suivant sa propre pensée.

Il n'écoutait plus. À quoi bon répondre oui ou non? De laquelle de ces deux réponses, vérité ou mensonge, Firmin allait-il faire sa vérité?

—De quoi avez-vous parlé, alors? Ne me dis pas que vous n'en avez pas profité pour me calomnier.

—Je ne me souviens plus, Père, dit Louis dont l'esprit commençait à s'embrouiller.

—Ce damné tonsuré aurait dû te faire tâter de sa férule. De ça, tu te souviendrais. Parle, dis-moi tout.

—Je ne sais plus...

Firmin pointa Adélie, toujours assise par terre et adossée à un tréteau.

—Vous manigancez je ne sais quoi dès que j'ai le dos tourné, c'est clair. Qu'est-ce que vous essayez de me cacher, hein? Tu vas parler, ça, je te le garantis.

Louis ne comprenait plus rien. Il n'eut cependant pas le temps d'en avertir son père, dont le poing l'atteignit au bras. L'enfant lui tomba presque entre les jambes. L'ivrogne se mit en quête d'un gourdin.

—Saleté, je t'aurai, dit-il en grognant.

—Firmin, je t'en prie... dit faiblement Adélie.

—Toi, la ferme!

Firmin s'était mis à cracher, car il salivait abondamment.

Louis s'était faufilé entre ses jambes et relevé. L'homme aux réflexes amoindris dut le poursuivre autour du pétrin avec son bâton. L'enfant avait tenté de profiter de sa distraction. Un croc-en-jambe mit fin à sa course. Ils se firent face.

—Place-toi, lui ordonna-t-il.

Louis regarda Firmin. Firmin regarda Louis. Personne ne regarda Adélie, pauvre bannière blanche qui s'effilochait au vent.

—Oserais-tu me désobéir? demanda Firmin.

Il infligea à son fils une gourmade qui l'assomma presque. Le garçon se mordit la lèvre et dut se résoudre à prendre la position qu'il lui fallait adopter chaque fois qu'il devait être puni: agenouillé, le postérieur relevé d'une façon humiliante. Les premiers coups frappaient de manière précise, douloureuse, mais inoffensive. La tête dans ses bras croisés sur le plancher, Louis parvint à étouffer ses pleurs. Mais il savait déjà que les choses n'allaient pas en rester là.

Encore une fois, Louis s'était montré un fils indigne. Il n'avait que ce qu'il méritait. Ses parents allaient tous deux être malades par sa faute.

Les coups de Firmin, sans perdre de leur force, étaient déjà en train de devenir aveugles et désordonnés: ils se mirent à atteindre l'enfant docile aux flancs et dans le dos. Lorsque le gourdin le frappa à la nuque, Louis haleta. Il s'étala de tout son long et ouvrit grand la bouche.

—Merde, c'est cassé, dit Firmin d'une voix inquiète.

Il s'accroupit près de son fils et posa le bâton près de son visage. Louis sentit de gros doigts lui tâter les vertèbres cervicales.

—Non, il n'a rien. Ouf, dit-il en se relevant avec maladresse.

Depuis son coin, une Adélie impuissante sanglotait, visiblement soulagée. Cet incident avait brusquement fait tomber la rage de l'ivrogne.

Louis se traîna avec hésitation et se retourna à demi sur le dos, exposant son abdomen. Il rejeta la tête en arrière et parut fixer le plafond. Envahi de points étourdissants, lumineux ou noirs, son champ de vision se rétrécit. La brute grogna de dégoût :

—C'est ça, tourne de l'œil maintenant.

Se tournant vers Adélie, il poursuivit :

—Il est laid à faire peur. C'est un idiot. Il n'y a pas d'autre moyen de lui donner un peu de jugeote. Ça va aussi pour toi, femme. Sers-moi à souper.

—Oui, Firmin.

Adélie se releva péniblement. Il lui était interdit de soigner Louis sans l'accord de son mari. Comme il n'avait rien dit à ce sujet, elle dut se rassurer avec ce qu'elle pouvait constater d'un simple coup d'œil. Louis s'était assis, isolé par ses oreilles bourdonnantes. Il luttait contre l'inconscience.

Firmin quitta le fournil pour aller se soulager. Adélie en profita pour s'approcher de son fils. Son bras droit était bleu là où il avait été serré, comme si sa peau avait été touchée par des doigts sales. Louis dit :

—Non, Mère, ne vous en faites pas. Je n'ai rien senti. Je vous jure que je n'ai pas senti les coups. Je suis juste très fatigué.

—C'est ma faute. Je n'aurais pas dû le provoquer.

—Non. C'est moi. J'ai mal travaillé. Mais, quand je serai grand, je ne le laisserai plus vous faire du mal. C'est promis.

—Toi, je t'ai assez vu, lui dit Firmin qui était de retour et rajustait ses chausses. Tu vas aller t'occuper des bestioles. Les cafards et les souris se cherchent un coin où passer l'hiver. Et je crois avoir entendu un rat, là-haut.

Cela augurait un séjour plus ou moins prolongé sous les combles. Épuisé comme il l'était et le corps raidi par les coups, il allait être difficile pour l'enfant d'y pourchasser un rat dans la pénombre. Firmin eut un rictus mauvais en lui remettant le bâton qu'il venait d'utiliser contre lui.

—Tu vas me débarrasser de toute cette vermine. Que je ne voie plus une seule de ces bêtes. Tu pourras sortir pour manger quand tu auras fini.

—Oui, Père.

L'enfant se laissa enfermer dans ce vaste espace où régnaient un froid humide et une obscurité presque complète. Le rat, contrarié par cette intrusion, s'éloigna avec un couinement de protestation. Une écoute attentive renseigna Louis sur la présence d'au moins deux souris.

Firmin donna presque la moitié de son souper à Adélie.

—Je t'ai laissé du blanc de volaille. Tu es contente?

—Oui, Firmin. Merci. J'apprécie grandement ton geste.

Elle posa une main timide sur l'avant-bras de son mari et s'étonna d'en être capable ce soir. Elle s'endurcissait donc, enfin! Cela avait quelque chose de rassurant. Sans doute un jour viendrait où son corps ne sentirait plus rien, comme le tronc d'un arbre dont le cœur sensible s'enfouit bien profondément sous les couches successives d'aubier.

—Viens. Allons nous coucher, dit-elle doucement.

Comme un arbre, elle n'avait nulle part où aller. Ses racines plongeaient de plus en plus loin dans les entrailles de la terre. Elles y creusaient leur propre fosse. Si Firmin s'accouplait avec elle, peut-être allait-il se montrer plus conciliant envers Louis au matin.

—Firmin, je... Il faut que je porte à nouveau les linges. Je dois cesser de travailler pendant quelques jours.

—Oh, ça va, ça va. Je vais rester. Je ferai ta part et le reste[27]. Faut que je vous aie un peu plus à l'œil, tous les deux. Il est plus que temps de t'engrosser, toi.

La partie de dés de ce soir-là ne fut jamais terminée, et les ribaudes fermèrent leurs volets.

*

Louis fut confiné dans les combles pendant trois jours.

Ce n'était pas la première fois. Assez souvent, Firmin le séquestrait arbitrairement ou, du moins, pour des raisons que l'enfant n'arrivait pas à définir. Après s'être débarrassé des rongeurs lorsqu'il y en avait, il pouvait dormir un peu pour passer le temps. Mais il savait d'avance que ce n'était qu'un court répit. Bien vite, les exigences de son corps se rappelaient à lui. La première à se manifester était invariablement la soif. Venaient ensuite la faim et le besoin de se soulager. Il n'y avait aucun seau d'aisance sous les combles, et le plancher de bois rêche n'était pas couvert de paille. Mais le pire, à cette époque de l'année, c'était le froid. Cet enchevêtrement de malaises grandissants, ajouté aux courbatures consécutives aux coups reçus et au fait de savoir Firmin seul avec sa mère, engendrait la peur. Louis était incapable de se rendormir.

Récemment, il avait imaginé une issue. C'était un trou de souris

---

27. Les croyances excluaient toute femme ayant ses règles, donc considérée comme impure, du travail du pain.

découvert antérieurement dans l'un des murs. Il se mit à sa recherche en palpant les planches au ras du sol. Lorsqu'il trouva le trou, il s'assit devant et se mit à se bercer. «Tout ce que j'aurais à faire, ce serait de trouver la formule magique pour me faire tout petit, petit... et je filerais par là. De l'autre côté, c'est le jardin, j'en suis sûr. Il y fait grand soleil. Ça sent bon. Il y a des fruits plein les arbres.» En pensée il mordait dans une pêche si mûre que le jus sucré lui coulait le long du menton. Il n'avait pas conscience qu'il se passait la langue sur les lèvres et en avivait les gerçures. Si quelque chose, un bruit ou l'apparition d'un nouveau cancrelat, interrompait soudain son fantasme, il se mettait à chercher fébrilement un endroit où cacher son fruit à demi mangé, pour ne pas que Firmin apprenne l'existence de son passage secret. Ces rêves éveillés finissaient par le laisser exténué, la tête vide.

La colique l'empêchait graduellement de repartir. Il lui fallait absolument se retenir, ne rien salir, sinon il allait être obligé de tout nettoyer et il savait que l'odeur des déjections risquait de persister malgré tout. Et il n'avait pas envie de dégrader davantage ses conditions de détention déjà suffisamment précaires. Il prenait son mal en patience et se couchait sur le flanc des heures durant, en position fœtale. Parfois, lorsque les murs commençaient à se resserrer autour de lui, Louis étouffait. Il se rasseyait et se berçait d'une façon agressive en se frappant le dos contre la paroi rugueuse, sans se rendre compte dans sa panique que les ecchymoses qu'il avait là se remettaient à saigner.

Firmin n'était pas un homme intelligent. Dans le cas contraire, sa cruauté eût été plus subtile. Les conséquences de ses actes lui indifféraient complètement. Tout ce qui importait pour lui, c'était de savourer le pouvoir qu'il détenait sur les siens. Il ignorait donc que par ses agissements il inoculait en Louis des ferments de sa propre férocité. Adélie n'en savait rien non plus, car, lorsqu'ils étaient ensemble, la brutalité embryonnaire de Louis se mettait automatiquement en veilleuse.

L'enfant vivait dans la frayeur constante d'un châtiment. Lui-même ne se rendait pas vraiment compte de la dynamique qui dominait entièrement sa vie et qui consistait à être châtié et à éviter d'être châtié. Même ses rêves d'avenir n'évoquaient en définitive que la délivrance de cet asservissement. Il sentait qu'il perdait pied dans un monde de plus en plus confus. Lentement, à chaque nouvelle punition, son sens de l'intégrité s'émiettait. Son respect de lui-même s'étiolait. Il se disait que, s'il se contentait de faire ce qui lui était ordonné, s'il ne prononçait plus jamais une seule parole, s'il s'amoindrissait au point de ne plus causer aucun remous, on allait oublier qu'il était là. Et tout irait pour le mieux. Il allait pouvoir se débarrasser de son identité comme d'un vieux manteau dont personne ne voulait plus. Ce ne pouvait être bien difficile de cesser d'être soi, de n'être plus rien.

Dehors, il devait faire jour : le parchemin huilé de la petite fenêtre dévoilait à présent le trou de souris devant lequel il s'était installé. Il était noir et invitant. Louis se mit à psalmodier, comme une incantation :

—J'essaie de partir... Loin, très loin d'ici... Je ferme les yeux... Mais ça ne veut pas, je ne peux pas disparaître.

*

La nuit tombait tandis que Louis se trouvait encore à une lieue de chez lui. Il avait bravé les caprices de novembre et ses nuages pleurnichards qui toute la journée avaient déversé une pluie morne. Les affaires en avaient été considérablement ralenties à l'ouvroir, si bien que le boulanger avait dû recourir aux livraisons seules pour écouler son stock bien protégé à l'intérieur du panier par une toile cirée. Heureusement, à l'une des tavernes, Louis était tombé sur un groupe d'étudiants affamés qui l'avait arrêté pour s'arracher de petites miches fraîches et moelleuses et les bonnes galettes bises. Il avait même dû revenir à la boulangerie pour remplir son panier avant le milieu de l'après-midi.

Sa hotte maintenant allégée lui épargnait le dos. Cela lui redonna du courage. Il avait grande hâte de retirer sa vieille cotardie* grise et trempée qui adhérait à sa peau et de se pelotonner sur sa couche, sous sa couverture de laine, pour se réchauffer au moins un peu.

Une rue en pente qu'il entreprenait de remonter lui caressait les pieds de l'eau boueuse de ses rigoles. Le pincement que cela lui causa eut au moins l'heur de lui assurer qu'ils n'étaient pas gelés. Mais le moment n'allait pas tarder où il allait devoir demander à son père la permission de porter ses sabots bourrés de paille. Il songea avec fierté à son petit ensemble gris, presque neuf, qu'il n'avait porté que deux fois au début de l'automne. L'enfant avait conscience que ce vêtement devait être réservé aux grandes occasions. Il n'y voyait d'ailleurs aucune objection. Cependant, il aurait bien apprécié pouvoir retourner aux bains.

Le son d'une toute petite voix parvint à ses oreilles, à peine plus forte que le bruit ténu de l'eau qui s'écoulait. Louis s'arrêta et tourna la tête. La voix se fit entendre à nouveau. C'était un miaulement de chaton qui semblait provenir du mur de l'une des maisons à sa droite. Il s'avança dans cette direction. Les miaulements devinrent plus nombreux et plaintifs. Lorsqu'il s'accroupit, il aperçut par une large brèche de maçonnerie un peu de fourrure dorée. Presque tout de suite, une tête minuscule émergea du trou. Un chaton mouillé âgé de deux mois à peine vint s'agripper à sa cheville et entreprit de grimper le long de sa jambe. Il leva vers Louis ses petits yeux gris implorants, tout remplis de confiance. Il miaulait sans interruption, avec insistance, en ouvrant chaque fois une menue gueule rose.

—Tu es bien joli, toi, dit tendrement Louis en glissant sa main sous le ventre creux du chaton pour le prendre dans ses bras. Il se remit debout et enfouit la petite bête tremblante de froid sous sa tunique, à même sa peau nue. Louis rit au contact des coussinets et des petites griffes sur sa poitrine, à cause surtout du museau rose qui s'était mis à explorer fébrilement l'un de ses tétons. C'était froid et étrange. Il se remit en marche alors que le chaton, tout heureux, tétait en ronronnant et en le pétrissant.

—Pauvre minet, tu as perdu ta maman. Je vais prendre soin de toi. Tu n'auras plus jamais froid. C'est promis. Moi, tu sais, j'ai un papa et une maman. Je vais te donner de mon manger comme ma maman fait pour moi.

Une fois à la maison, Louis s'empressa d'aller vider sa bourse dans le pot de terre cuite et revint dans la salle. Son père n'était pas encore arrivé, mais Adélie achevait de préparer le souper.

—Mère, regardez ce que j'ai trouvé.

Il retroussa sa cotardie pour en extraire le chaton jaune, confus et vaguement inquiet. Adélie ne put s'empêcher de se laisser attendrir par l'affection un peu gauche de Louis. Il posa l'animal sur la table et lui caressa le dos. Le chaton se laissa aplatir et se redressa, intrigué par cet environnement nouveau, pour mieux se faire aplatir encore.

—Il a très faim, Mère. Si on lui donnait un peu de bouillon?

Adélie vint s'asseoir à table et laissa la petite créature s'approcher d'elle, curieuse, sa courte queue dressée comme un bâtonnet. Le chaton lui prit maladroitement la main de ses deux pattes antérieures et entreprit de lui mordiller le bout des doigts.

—Tu as bon cœur, mon petit roi.

—Il est si petit. Je vais partager mon manger avec lui. Quel nom devrais-je lui donner? Je suis sûr qu'il n'en a pas.

—Louis...

—Ce sera pas trop dur pour moi, Mère, l'interrompit-il d'une voix un peu inquiète, car le ton de sa mère semblait être un prélude à des objections, objections dont il devinait malheureusement la teneur.

— Je pourrai le cacher sous les combles. On y est à l'étroit, mais, à lui, ça ne lui fera rien. Et puis, il y sera bien au chaud. Je lui mettrai un linge. Et puis, Père ne grimpe jamais là-haut. Il ne le trouvera pas.

— S'il te plaît, Louis, écoute-moi...

— Quand il sera plus grand, il nous aidera, Mère. Les chats, ils attrapent les rongeurs. Père verra bien que c'est une bonne idée de le garder.

— Mais comment va-t-on le nourrir, mon amour? Nous avons à peine de quoi pour nous deux. Et si Père le trouvait?

Elle caressa la joue de Louis. Le chaton tournait en rond, cherchant à descendre de la table vide.

Louis baissa tristement la tête. Le cœur d'Adélie se serra.

— Je suis désolée, mon petit roi. Si je pouvais...

— Moi, je pourrai! J'ai une idée, dit soudain Louis en se redressant.

Une nouvelle détermination se dessina sur ses traits. Il s'était soudain souvenu d'une anecdote que sa mère lui avait racontée au sujet de l'admirable dévotion de son saint patron. Alors qu'il était encore enfant, le roi Louis IX, le futur saint Louis, avait dérobé une volaille dans la cuisine du château de son père pour l'offrir à un pauvre. En lui racontant cela, Adélie ne pouvait prévoir que son récit servirait un jour de prétexte à son fils. Louis ajouta seulement:

— Et je lui ai aussi trouvé un nom: il s'appelle Petit Pain. Parce qu'il est rond et tout doré.

*

Ses premières tentatives exigèrent un certain temps. Il lui fallait être prudent, car même un enfant pris en flagrant délit de vol était soumis à de graves châtiments corporels. Louis avait souvent vu en ville des hommes à qui il manquait le nez ou une main. Il avait également vu des enfants à peine plus âgés que lui mis au pilori après avoir été fouettés en public jusqu'au sang. Il connaissait bien la morsure d'une lanière de cuir plate dans son dos et il arrivait que la boucle de la ceinture de Firmin le fît saigner, mais il ne s'imaginait pas subir cette punition dégradante au vu et au su de tous, d'une main étrangère. Il était déjà suffisamment l'objet de moqueries sans cela.

Plus que jamais, sa connaissance de la ville, acquise au cours des longues heures passées à en arpenter les rues, s'avéra utile. Même si ses investigations retardaient son retour à la maison d'une bonne heure chaque soir, personne ne s'en formalisa. Louis se rendit vite compte que l'endroit idéal pour commettre ses larcins se trouvait du côté de la paroisse Saint-Jacques, dans le quartier des bouchers et des tanneurs. On ne s'attardait généralement pas dans ce coin-là à cause de l'odeur épouvantable qui y régnait : sang, tripaille, chair animale faisandée ou en décomposition, urine et toutes sortes d'autres remugles qui donnaient la nausée. Les rats qui traînaient dans les rues de ce quartier étaient énormes. Louis ne quittait plus la maison sans son gourdin. Ces bêtes répugnantes se laissaient occire sans difficulté, tellement elles infestaient ce lieu. Le parcours de Louis y fut donc semé de rats morts. Mais personne ne les remarqua.

Du côté du Châtelet, une rue couverte donnait rue Saint-Leuffroy. L'endroit était digne d'intérêt. Les marchands étaient nombreux en ces lieux, puisqu'il semblait s'y produire toutes sortes de perceptions. Il y avait aussi un coin près du Pont aux Meuniers où se concentraient les Lombards. Non loin de là se trouvait l'ancien quartier juif.

Louis s'était fabriqué un carnier rudimentaire et facile à cacher sous sa tunique, avec une retaille de cuir endommagée qui avait été oubliée dans un coin d'atelier par son propriétaire. Il y enfouissait pêle-mêle bouts de saucisse, abats de volaille, de poisson ou de porc et même, parfois, un bon morceau de viande et quelques harengs fumés. Par prudence, il prenait toujours garde de ne voler que de petits aliments qui n'allaient manquer à personne. Ensuite, il changeait de secteur. L'enfant veillait également à ne pas emporter de viande avariée, même s'il fallait pour cela mettre davantage de temps à sélectionner ce qu'il devait prendre. Il avait appris que la faim n'empêchait pas les vers contenus dans la chair pourrie d'envahir le ventre et de donner des maladies.

Louis aimait le Paris d'avant l'aurore. Quand la ville somnolait encore un peu, il s'y glissait sans bruit tel un petit spectre, parmi les dernières canailles furtives, vestiges de la nuit, les chiens errants et les hommes de guet dont la vigilance s'était relâchée. Il fallait prendre garde aux contrevents qui s'ouvraient parfois pour cracher sur le pavement le contenu d'un pot de chambre. La ville et la Seine étaient sales. Le fleuve gargouillait, chargé de barques et de bacs sur lesquels s'entassaient des assortiments de vivres. La plupart du temps, des nuages d'insectes nés de l'humidité les survolaient. On ne pouvait rien y faire : la vie était faite ainsi.

La mauvaise odeur de la ville était largement compensée par ses couleurs. Louis se faufilait, agile, parmi les monceaux de primeurs d'où dépassait souvent le plumail* rigide d'une botte de poireaux. Il y avait de tout : raves, oignons, courges, panais et des cageots remplis de gros choux. Les marchands préparaient parfois d'avance leurs beaux paniers de fruits où trônaient pommes, poires et cerises vernies semblables à des bijoux. De cela il ne s'approchait pas, malgré l'attirance que ces présentations exerçaient : un fruit manquant risquait d'être trop apparent. De plus, il ne tenait pas à prendre le risque de faire s'ébouler une structure fragile. En revanche, il aimait bien à s'attarder du côté des pyramides de navets laborieusement montées. En bon Parisien, Louis raffolait des navets, quelle que fût la manière dont ils étaient apprêtés ; il lui arrivait même d'en croquer des tranches crues ; avec leur pelure aux touches de violet, ils constituaient l'une de ses friandises favorites.

Le même tombereau de brêlée traînait depuis au moins un mois devant une maison. Louis eut la surprise d'y découvrir ce matin-là une petite chèvre toute blanche qui s'en désintéressa pour venir lui quémander des caresses.

En saison, des fillettes s'égaillaient le long des rives de la Seine pour y cueillir de bon matin marguerites et centaurées qu'elles s'en allaient ensuite vendre par les rues. Elles évitaient toujours Louis d'instinct alors qu'elles se plaisaient à badiner avec les autres garçons. La venue des premières gelées les avait reléguées chez elles et Louis en profitait pour s'approprier ce royaume abandonné aux herbages rêches.

Petit Pain grossissait. Son poil lustré était doux sous la paume de Louis, qui allait le visiter quotidiennement sous les combles. Chaque soir, le chaton lui faisait la fête et dévorait sa nourriture. Louis veillait à lui laisser en tout temps une écuellée d'eau fraîche et un peu de paille propre sur laquelle dormir. Plusieurs fois par jour, Adélie faisait sortir le chat pour ses besoins. Il ne fallait pas que l'odeur forte de son urine trahisse sa présence. On eût dit que Petit Pain avait compris l'importance de cette précaution, car il ne faisait jamais de saletés.

Dès le premier soir où son fils revint avec un morceau de bon lard, Adélie vit ses soupçons confirmés. Voilà que Louis venait d'apprendre, de la pire manière qui fût, qu'il n'avait pas à dépendre uniquement de son père pour assurer leur subsistance à tous deux. Elle lui avait bien sûr fait part de ses réticences, mais force lui avait été d'admettre que peu à peu, grâce à ces suppléments presque quotidiens de bonne viande, elle avait commencé à reprendre des forces.

Au fur et à mesure que les semaines s'écoulaient, Louis gagnait en habileté. Ses manœuvres devinrent de plus en plus discrètes. Bientôt, il se mit à voler quelques aliments à l'un ou l'autre marché de la ville, tous des lieux qu'il n'avait jusque-là jamais fréquentés. C'était plus facile qu'il ne l'avait cru, puisque les gens ne portaient attention à ce pauvre Ratier à Firmin que pour lui acheter de sa marchandise. Son personnage s'enrichit ainsi d'une nouvelle fonction défensive et, grâce à cela, la nature de son butin se mit à changer. En plus de la viande indispensable, Louis pouvait parfois rapporter deux pommes, une poignée de châtaignes ou une petite pointe de fromage importé. Un soir, il revint même avec des tranches d'orange séchées. Il y goûta pour la première fois avec délices.

Pourtant, il aurait été faux d'affirmer que personne n'avait remarqué le manège de Louis. Pendant les quelques semaines qui avaient suivi Noël, quelqu'un s'était mis à l'espionner. Et ce qui n'avait d'abord été qu'une simple curiosité s'était vite mué en un intérêt plus sérieux.

Une fin d'après-midi du mois de janvier, au marché des Halles[28], l'espion observa de loin Louis en train de se faufiler entre les jambes de badauds attirés par un cracheur de feu. L'enfant se trouvait parmi les curieux dont l'attention était détournée par le spectacle, mais il se déplaçait lentement vers l'arrière, à reculons, comme quelqu'un qui cherche une meilleure vue. Sa hotte heurta l'étal d'un marchand de laitages. Le propriétaire s'était hissé sur la pointe des pieds afin de ne rien manquer. De longues flammes sortaient miraculeusement de la bouche de l'individu comme de celle d'un dragon. Le Ratier finit par se détourner de la scène, apparemment découragé par la foule trop dense. Mais l'espion avait eu le temps de remarquer le fromage à croûte blanche qui était apparu dans sa main.

— On y va, dit Hugues en faisant signe à ses acolytes.

En un rien de temps, Louis fut encerclé. Des applaudissements crépitèrent derrière son dos : le cracheur de feu devait s'être surpassé.

À sept ans, le garçon à l'air égaré atteignait la taille des plus jeunes d'entre eux, les adolescents de douze ans, mais il ressemblait à un grand roseau cassant. Ses traits encore enfantins demeuraient incongrus pour quelqu'un de sa taille. Son regard fuyant ne se posa sur personne. Il laissa tomber le fromage dans la neige souillée. L'angoisse le saisit à la gorge : il ne voulait pas devenir méchant comme l'autre fois.

Hugues ramassa le fromage et mordit dedans, avant de le faire passer à ses complices. Tout en mâchant, il étudia Louis, qui avait serré les poings. Sa mâchoire saillait. D'un instant à l'autre, il allait foncer.

— Pisse pas dans ton froc, le Long, dit un Aubert ricanant.

Louis jeta un coup d'œil rapide en direction de celui qui avait parlé pour évaluer ses distances. Hugues eut presque envie de le laisser lui flanquer une raclée dont il allait se souvenir longtemps. Les coups de ce jeunot étaient d'une efficacité vicieuse. Il le savait, lui : on eût dit que Louis ne voyait plus rien une fois lancé. Mais ses petits poings rapides visaient sans relâche l'estomac – ce qui était très douloureux mais ne laissait pas de marques – et la tête. Il était loin d'être aisé de protéger ces deux endroits vulnérables de façon simultanée.

Hugues vit le jeune voleur s'avancer vers Aubert en clignant ses yeux inexpressifs et en arborant son espèce de grimace bestiale.

— Nom d'un chien, Aubert, éloigne-toi vite! dit Hugues.

Puis, à Louis :

— Attends, le Ratier, attends. J'ai à te parler.

Louis fit une pause. Hugues lui tendit le fromage. C'était inattendu. Il l'accepta, mais n'en prit pas. «Pas si taré que ça, le petit, se dit-il. Il ne tombe pas dans le piège facile de se laisser distraire par la mangeaille. C'est rusé, ça. Un vrai goupil.» Il reprit :

— Depuis un bout de temps que je te regarde faire, tu te débrouilles bien. Tu as appris ça tout seul?

— Oui, répondit Louis.

— Mais tu es bien jeune. Quel âge as-tu?

— Sept ans.

— Bigre! Tu as changé, il me semble. Que t'est-il arrivé? Tu t'es cogné la tête?

Louis ne répondit pas. Il n'avait pas remarqué qu'il se tenait bien droit et qu'il fixait Hugues dans les yeux sans ciller. Il étudiait froidement son adversaire. Il aurait pu paraître insensé de la part du garçon de défier un colosse tel que Louis, mais l'enfant avait depuis longtemps appris à ne pas considérer sa stature comme un facteur de domination. Hugues semblait avoir du nerf, même si Louis l'avait déjà dépassé de plusieurs pouces. Ses yeux noisette étincelaient comme ceux d'un chat. Son intelligence évidente en faisait un adversaire à craindre. De plus, il ne pouvait cette fois-ci être question de le prendre par surprise, car lui aussi se tenait sur le qui-vive. Louis devinait que sa victoire était loin d'être assurée. Mais il n'en montra rien. Il se contenta de soutenir le regard rusé du chef.

Depuis son dernier affrontement avec Hugues, Louis avait découvert que l'une des façons les plus efficaces pour neutraliser son anxiété était de passer à l'action et de devenir lui-même agressif. Il avait constaté que rien de ce qui risquait de survenir ne pouvait être pire que la douleur et la peur qu'il avait eu souvent à supporter passivement. Il était capable de faire n'importe quoi, désormais, pour s'en débarrasser. L'effet paralysant de sa crainte avait disparu. Le maintien altier qu'il adoptait maintenant en témoignait, il était là tout entier et prêt à riposter. Cela suffit à émietter le courage de Hugues. Le gamin baissa la tête pour signifier qu'un combat n'allait pas être nécessaire pour élire le nouveau chef.

Bien qu'à contrecœur, il chercha quand même un moyen de gagner la confiance de Louis. Il se tourna vers son groupe.

—Ho! Vous autres! Faisons les présentations.

Cela fut fait. À partir de là, ils n'appelèrent plus Louis le Ratier. Ils partagèrent avec lui le fruit de leurs larcins et lui proposèrent de faire partie de leur cour des Miracles* malgré son jeune âge.

En leur compagnie, l'enfant perfectionna son apprentissage. Il ne fit cependant jamais tout à fait partie intégrante du groupe en dépit de son nouveau statut de leader, apparemment à cause de son travail qui occupait le plus clair de ses journées, tandis que la bande de Hugues consacrait les siennes à ses jeux et à ses mauvais coups. En fait, la vraie raison de son isolement relatif était que Louis ne ressentait pas le besoin d'avoir des amis. Qui n'a pas soif ne peut regarder la fontaine avec convoitise. L'eau est fraîche et claire, elle est là, à portée de la main, mais à quoi bon se pencher pour en boire si le besoin ou même la simple envie d'y goûter n'y est pas? Louis était l'ami de Hugues, mais on eût en vain cherché la réciproque. Nul n'était dupe de cette relation ambiguë, mais on l'acceptait comme telle.

À partir de là, Louis put même rapporter des épices et du sucre de canne chypriote à sa mère. Il prit soin de laisser les pièces de monnaie, le tissu et les bijoux aux copains, car la présence de ces objets dans la maison n'aurait pas manqué d'attirer l'attention de Firmin.

Ce fut vers cette époque que Louis entreprit d'étudier la portée que son nouvel ascendant sur les autres. Il tâcha d'abord de terroriser des passants. Il choisissait quelqu'un au hasard et se plantait devant lui sans un mot. Il ne le quittait pas des yeux et laissait l'inconfort monter. Dès l'instant où l'individu commençait à manifester des signes de lassitude et tentait de passer son chemin, Louis le piquait discrètement avec un poinçon rudimentaire qu'il s'était taillé dans une pierre. Il éprouvait un plaisir nouveau à observer l'étonnement et la douleur qui se peignaient sur le visage de ses victimes.

Les gamins de la bande apprirent tôt à reconnaître les signes précurseurs de colère sur le visage de Louis. Une fois, Aubert lui prit son poinçon juste à temps : Louis avait l'envie irrésistible de le planter dans la cuisse d'une fillette prétentieuse qui l'avait dévisagé.

Parfois, Petit Pain ne voulait pas voir son jeune maître. Le chat sentait d'instinct les moments où Louis venait à lui avec des dispositions malsaines depuis le jour où il avait tenté de lui brûler un flanc avec sa chandelle. La bête grimpait alors hors de portée et le regardait depuis le sommet des baliveaux. Il s'y installait et attendait.

— Va au diable, saleté, disait alors Louis, et le garçon s'en allait.

Mais, d'autres fois, il se couchait par terre et se mettait à pleurer en silence. Dans ces moments l'enfant se sentait indigne, entièrement démuni et seul. Petit Pain descendait alors le rejoindre et se pelotonnait contre lui. Il léchait ses larmes en ronronnant.

Cet hiver-là, Adélie fut brutalement amenée à découvrir, grâce à Firmin, en quelque sorte, cet aspect caché de la personnalité de son fils.

*

Vers la mi-février, le boulanger dut retourner au moulin. Il valait mieux moudre les céréales au fur et à mesure, selon les besoins, car les grains se conservaient mieux que la farine. Et, pour la première fois, Firmin emmena Louis avec lui. Le garçon avait endossé son habit propre qui commençait déjà à être trop petit.

De nombreux moulins à eau avaient été édifiés sur le Grand Pont[29], le long du fleuve et même au beau milieu de son lit, perchés sur des pilotis. La réputation de celui de Bonnefoy était presque séculaire, puisque la meunerie de son aïeul était l'une des plus anciennes à s'être installées en ville. Son moulin avait commencé par moudre les abondantes récoltes de la Beauce, parmi les premières à alimenter la ville. Le marché le plus ancien de Paris, situé sur l'île de la Cité[30], s'appelait d'ailleurs marché de Beauce

Client privilégié, le boulanger bénéficiait partout d'une réduction de la taxe qui était payée en nature au meunier. Il était en outre autorisé à faire écraser en une seule fois des quantités importantes de grains. Firmin étant un client fiable et de longue date. Le meunier Bonnefoy lui demandait moitié prix depuis plusieurs années. Les Ruest leur apportaient de nombreuses affaires et leur bonne réputation déteignait sur lui. Les deux hôtes furent donc traités avec égards pendant leur séjour. On s'efforça de considérer avec la même déférence l'étrange fils Ruest qu'ils n'avaient jamais rencontré auparavant.

Le garçon n'eut pas le temps de s'ennuyer des vacances. Non

seulement il aida son père en travaillant d'arrache-pied – ce qu'il appréciait bien plus que son père ne l'eût cru –, il trouva de plus le moulin à eau tout à fait fascinant.

C'était une espèce de maison-navire amarrée en permanence au beau milieu du fleuve grondant. Elle reposait sur une armature de pieux enfoncés profondément dans le lit de la Seine, directement dans son cours, et était reliée à la berge par une passerelle. Le moulin était composé de trois sections: la roue hydraulique, soutenue par un châssis que le meunier pouvait faire monter ou descendre selon que les eaux étaient hautes ou basses, les organes de transmission et les meules qui réduisaient les céréales en belle farine homogène.

Tout comme chez les Ruest, la maison ne se distinguait guère de l'atelier. Le rez-de-chaussée donnait directement sur l'eau et on accédait à la salle des meules par des passerelles. L'étage, quant à lui, était utilisé comme cuisine et salle de séjour par la famille, alors qu'une seconde petite pièce constituait la chambre des maîtres. Les combles comportaient une chambre unique où les visiteurs des Bonnefoy dormaient. Chacun partageait la vie du meunier, ses joies et ses angoisses, y compris les hôtes d'une ou deux nuits. Cette promiscuité entre maison et travail avait de nombreux avantages. Elle facilitait les tâches de la meunière qui devait accueillir les clients, les restaurer et entretenir le moulin. De son côté, le père Bonnefoy, un bon vivant au verbe haut, pouvait intervenir rapidement en cas de bris.

Le bruit était omniprésent, assourdissant. La première nuit, la rumeur de l'eau et les rouages qui s'entrechoquaient empêchèrent Louis de dormir. Le tic-tac incessant des engrenages, la rotation sourde des meules, le bruit saccadé du nettoyeur et celui plus doux de la bluterie, le roulement des poulies et des courroies, tous ces sons faisaient partie de l'activité quotidienne du moulin. Personne dans la salle de l'étage n'en paraissait plus incommodé, pas même Firmin qui ronflait bruyamment: il avait accepté un sédatif que lui avait offert l'épouse du meunier. Pourtant, si l'une des dents en bois d'un rouage se brisait et se mettait à produire un tac-tac inhabituel, le meunier se réveillait à l'instant, prêt à agir avant que toutes les autres dents du rouage n'y passent.

*

Bonnefoy avait quatre fils adultes. Tous s'étaient établis autre part, à l'exception de l'aîné qui aidait son père. Il lui restait aussi sa fille unique, Églantine, qui avait dix ans. La rive à laquelle on accédait par une passerelle branlante était toujours pleine de gamines chamailleuses, amies de la populaire et jolie Églantine. Louis ne l'aimait pas.

Le matin suivant l'arrivée des Ruest au moulin, Louis ne voulut pas rejoindre les autres enfants; ce en quoi son père l'approuva. Mais Bonnefoy intervint:

—Laissons un peu les petits s'amuser pendant que nous discutons affaires, mon vieux.

Louis fut donc laissé à lui-même et il s'en alla errer le long de la berge. Les fillettes piailleuses ne tardèrent pas à y encercler le grand garçon qui reculait, mal à l'aise.

—Tu es vilain, lui dit Églantine, catégorique et avec condescendance, avec l'air de lui accorder une faveur en se donnant la peine de le dénigrer de cette façon.

—Tu n'as qu'à me laisser, répliqua Louis.

Églantine lui offrit un sourire fielleux:

—Voyons, je ne peux pas faire cela, puisque tu es mon invité. Mes parents veulent que j'essaie au moins d'être aimable avec toi. Ils disent que tu travailles trop.

—J'aime travailler.

—Quel âge as-tu? s'interposa une autre fillette.

—Sept ans, dit-il, distrait de son envie de répliquer qu'il n'avait pas besoin que l'on s'occupe de lui.

—Sept? Mais tu es beaucoup trop grand. Moi, j'en ai dix, dit Églantine. C'est vrai que tu es taré?

En quête de secours, Louis leva les yeux vers le moulin en espérant voir son père lui faire signe depuis la passerelle. Pour une fois, il aurait bien aimé qu'il lui ordonne de le rejoindre. Mais Firmin n'était en vue nulle part.

—Je ne sais pas, dit-il.

—Ha! ha! Ça veut dire que tu l'es.

—Non. Je voulais dire que...

Il serra machinalement le poinçon froid dans sa poche.

—Si. Tu ne sais pas si tu es intelligent ou non. Cela veut donc dire que tu ne l'es pas.

Les fillettes firent une ronde autour de lui et se mirent à le ridiculiser en chantant une comptine spontanée et cruelle comme seuls savent en inventer les enfants:

—Si taré qu'il ne sait même pas qu'il l'est
Lon-la, lon-la, la faridondaine
Trop grand il prend sa tête pour ses pieds,

Lon-la, lon-la dondaine laridé!

Inconsciente du danger, Églantine rompit le cercle et vint se planter juste en face de lui. Elle souriait.

—Ne les écoute pas. Elles sont bêtes. Allons, calme-toi. Cessez cela, les filles.

Les enfants obéirent et regardèrent. Elle dit:

—Peut-être est-ce seulement parce que nous ne te connaissons pas. Je m'appelle Églantine Bonnefoy. Et toi?

Il ne répondit pas. Tremblant de rage contenue, se balançant d'une jambe sur l'autre, la mâchoire saillante, il fixait les chaussons brodés de la fillette. Églantine dit, d'une voix enjôleuse:

—Dis-moi ton nom, petit boulanger.

—Louis Ruest.

—Tu veux jouer avec nous?

Il en resta coi et cligna des yeux.

—C'est que... des jeux, je n'en sais pas.

—Tu voulais me frapper, n'est-ce pas? dit-elle en s'avançant toujours, provocante.

—Oui.

—Le veux-tu toujours?

Feignant une candeur craintive, elle leva vers lui de grands yeux de myosotis. Il se passa la langue sur les lèvres.

—Je sais plus.

Les fillettes pouffèrent. Victorieuse, Églantine se retourna vers ses amies.

—Vous voyez? Ce n'est pas si bête, après tout, et ça peut parler!

Louis détala, semant derrière lui un essaim de rires flûtés. Décidément, les filles étaient pires que les garçons. Il n'allait pas s'y faire reprendre de sitôt.

*

Peu avant le coucher du soleil, la mère Bonnefoy força Louis à aller se reposer un peu sur la berge, car il avait passé l'après-midi à vider des sacs de grains et à en remplir d'autres de farine. Or, il n'avait aucune envie de se reposer, pas après le délicieux dîner qu'il avait mangé. De plus, il appréhendait une autre mauvaise rencontre. Accroupi parmi les herbes rêches, il creusait de plus en plus rageusement un trou dans la terre à travers un lacis de racines à l'aide de son poinçon.

Au cours des derniers mois, grâce à ses contacts sociaux plus nombreux avec la bande de Hugues, sa technique d'approche des entités hostiles s'était beaucoup affinée. D'abord, il examinait l'ennemi à vaincre et déterminait s'il fallait être prêt à l'attaque ou à la retraite. C'était la première étape. Or il avait découvert ce jour-là que les filles n'agissaient pas autrement; elles le voyaient venir de loin avec cette méthode.

Il se demanda pourquoi il avait éprouvé de la réticence à cogner Églantine qui pourtant le méritait. Églantine la jolie, Églantine la poupée. Tout le monde l'aimait, elle. Mais lui n'était pas intéressé à savoir pourquoi. Tout ce qui lui importait, c'était de ne pas souffrir de l'acuité de son propre manque d'amour. Églantine venait d'un univers différent du sien; sans doute valait-il mieux ne pas chercher à comprendre. Encore un jour et demi et il allait s'en retourner à la maison vers ceux qu'il connaissait. Eux au moins étaient faciles à comprendre.

Pourtant il avait quand même envie de châtier Églantine qui préférait les autres enfants. Cette réaction lui était beaucoup plus familière que sa retenue qu'il n'arrivait pas à s'expliquer. Il n'avait plus jamais manqué de se venger depuis le jour où il avait appris que c'était possible. Le châtiment infligé plutôt que reçu devenait pour lui une fonction créatrice.

De son côté, Églantine était seule et s'ennuyait, car ses amies étaient parties. Une fois sur la berge, elle rejoignit inévitablement Louis qui était aussi désœuvré qu'elle.

— Eh, Louis, viens ici.

— Non. Va-t'en.

Il assena à la terre meuble plusieurs coups de poinçon violents et trouva un grand ver qu'il lança aux pieds de la fillette. Elle grimaça, mais cela ne suffit pas à la faire partir. Elle le regarda faire un moment en inclinant la tête d'un air coquin et dit doucement:

— Dois-je te rappeler que je suis ici chez moi?

— Pas ici. La Seine est à tout le monde et, si tu ne t'en vas pas, je vais te faire très mal.

— Écoute.

La fille du meunier s'accroupit devant lui.

— J'ai été stupide tout à l'heure. Pardonne-moi, dit-elle en prenant le poing armé du garçon dans sa petite main douce.

Saisi, Louis se laissa faire. Il songea: «Qu'est-ce qui lui prend tout d'un coup? Regrette-t-elle de m'avoir fait du mal?» Un enfant qui a cette certitude est prêt à tout pardonner. Il leva vers elle son regard un peu intimidé. À tout hasard, il décida d'user envers elle de son autre arme, celle qu'il avait nouvellement acquise. Il braqua son regard dans le sien. La fillette, résolue, ne se laissa pas démonter. Elle rassembla toutes ses forces dans ses yeux et soutint le regard noir. Elle sut tout de suite qu'elle n'allait plus jamais être capable de le refaire, par la suite. Mais elle savait aussi qu'elle n'aurait plus besoin de recommencer. Les yeux de Louis, surpris par cette résistance, vacillèrent. Elle en profita :

— Pauvre petit garçon malheureux, tout sale et mal habillé. Viens là. Moi, je saurai prendre soin de toi.

— Je ne suis pas malheureux. Qu'est-ce que tu fais ? Tu joues ?

Subjugué, il se laissa entraîner en direction d'un muret qui était le prolongement des assises de l'un des moulins. Elle y prit place, à côté d'un cruchon et d'un bol qu'elle y avait déjà disposés. Une poupée de son l'attendait aussi, mais elle avait décidé que jouer avec Louis allait s'avérer beaucoup plus intéressant. Elle ordonna, d'une voix autoritaire :

— Viens t'asseoir près de moi, mon chéri. Juste là, au pied du mur. C'est l'heure de ton lolo.

Soudain docile, il s'appuya contre les genoux anguleux de la fillette. Églantine musela son dédain et caressa doucement la chevelure raide du garçon. Louis se trémoussa sous cette main fine qui butinait ses cheveux. Fraîche, elle lui descendit le long de la nuque. Louis frissonna. Il tenta de se tourner pour faire face à Églantine, mais la main se plaqua contre sa poitrine. Il l'observa donc à la dérobée. La fille se glissa avec lenteur entre le muret et lui et le contraignit à s'appuyer de nouveau contre elle. Troublé, Louis sentit dans son dos le ventre chaud et les seins naissants d'Églantine. Elle susurrait des mots chantants qu'il ne comprit pas. La main d'Églantine passa sur son front et sur sa joue. Louis ne résista pas : fasciné, il étudiait les émois nouveaux que lui procurait ce contact très différent de celui de Mère. Ces cajoleries étaient déroutantes et pourtant agréables. La main sensuelle descendit sous son menton. Doucement mais fermement, elle lui souleva la tête. Il vit au-dessus du sien le visage penché de la fille et ses cheveux d'or qui pendaient librement et effleuraient son épaule. Un bol de cidre, serré dans l'autre main d'Églantine, s'approcha des lèvres de Louis. La voix ensorcelante dit encore :

— Bois.

Et il but. Églantine sourit d'un air satisfait en sentant sous sa paume la déglutition du garçon. Il avala les trois quarts du cidre à grandes gorgées. Lorsqu'il voulut repousser le gobelet, Églantine l'obligea à le finir, ce qu'il fit mollement. Cela terminé, elle lui donna une taloche dans le dos.

— Allez, ouste.

Louis, surpris par ce soudain retour à l'hostilité première, sauta et courut jusqu'à la berge. Il se hâta de franchir la passerelle aux planches disjointes pour s'éloigner au plus vite. Lorsqu'il se retourna, il aperçut Églantine qui, debout, secouait sa robe comme si elle venait d'en chasser un chien mal lavé. Il se hâta de disparaître en claquant la porte du moulin. Il ne savait plus s'il l'aimait ou s'il la détestait.

Quelques minutes plus tard, elle rentra à son tour et vit Louis qui gisait, inerte, tout seul dans un coin de la minoterie. Elle abandonna près de lui une cruche de vin vide qu'elle avait chapardée à ses parents. Mais, auparavant, elle prit soin d'en vider les dernières gouttes sur la poitrine du garçon.

— C'est ton père qui va être fier de toi. Comme ça, vous serez pareils tous les deux.

Elle quitta la pièce, sans oublier de ranger les herbes sédatives que sa mère conservait dans un coffret de pharmacie pour les invités insomniaques.

*

Les Ruest partirent le dimanche après-midi, beaucoup plus tôt que d'habitude, après que Louis eut été puni, non pas une mais deux fois.

Depuis la berge où elle s'était tenue la veille, non loin du trou creusé par Louis, Églantine avait écouté en se mordant les lèvres le bruit des coups de ceinture et les cris du garçon que le vacarme environnant n'était pas parvenu à assourdir. Elle s'était prise à regretter son mauvais tour. Le gamin, tout affreux qu'il fût, avait encaissé la punition sans la dénoncer, elle. Églantine se mit à admirer secrètement le courage de Louis.

Peu après avoir été relâché par son père, Louis avait remarqué chez la fillette ce changement de disposition. À peine remis des coups, il avait dérobé le rasoir du père Bonnefoy et s'était faufilé jusqu'à l'aire de jeu riveraine. Les mains dans le dos, il s'était approché au vu et au su des amies d'Églantine. La fillette, qui était sans méfiance, s'était approchée pour lui parler.

— Je te demande pardon.

— Quoi, encore?

— Tout est de ma faute. J'ignorais que ton père était sévère comme ça avec toi.

— C'est parce que toi, t'es trop jolie, avait-il dit en se dandinant autour d'elle d'une manière affectée. Le rasoir avait soudain brillé dans sa main. Toutes les fillettes criardes s'étaient égaillées, sauf Églantine qu'il avait vite fait d'attraper par l'une de ses longues nattes qu'il avait tendue et sectionnée d'un coup sec. Il la lui avait passée autour du cou et avait dit :

— Tiens. Maintenant, toi aussi tu es vilaine.

Impuissante et en larmes, Églantine avait vu le spectacle affligeant de sa natte dorée emportée par les flots de la Seine où Louis l'avait jetée. Elle ne comprenait pas comment ni pourquoi il avait choisi de frapper au moment où elle avait pris le risque d'abaisser ses armes.

Louis s'était senti si heureux qu'il était venu bien près d'embrasser Églantine sur la bouche, car il avait tiré de son geste une sensation nouvelle de puissance qui lui avait engendré de la joie. C'était l'émotion la plus pure et la plus forte qu'il eût jamais connue.

Les Bonnefoy furent scandalisés et Firmin était furieux. Églantine, toujours en pleurs et coiffée d'une capeline, dut assister au départ des hôtes de ses parents, qui restaient en assez bons termes avec les visiteurs, compte tenu des circonstances. Elle put voir que le dos de l'horrible garçon était ensanglanté : cela ne lui fut d'aucun réconfort. Car Louis lui souriait.

*

Paris, printemps 1341

La bande de Hugues avait pris l'habitude d'accompagner Louis dans ses livraisons lorsque celui-ci ne traînait pas trop dans le narthex de Notre-Dame. Le jeune mitron ne voyait aucun inconvénient à cela, au contraire, car ainsi personne ne lui cherchait noise.

Alors que le mois de mars chuchotait la promesse d'un printemps précoce dans les gouttières, une fin d'après-midi, Louis s'en revenait à la maison, seul pour une fois, mais tout content d'en avoir fini avec sa tournée alors qu'il faisait encore clair. Cela allait lui permettre de passer une heure ou deux en compagnie d'Adélie. Il avait hâte de lui offrir ses trois figues.

Adélie n'était pas à l'ouvroir. Dans la maison, elle profitait des dernières heures de clarté pour faire son raccommodage.

— Bonsoir, Mère.

Trop excité, il ne remarqua pas les doigts tremblants de la femme, ni ses joues striées de larmes.

D'abord, nourrir Petit Pain. Ensuite, il allait pouvoir offrir les figues à sa mère. Il vida son carnier sur la table pour y retrouver les abats de saumon qu'il avait récupérés ce jour-là. Il les déposa dans la vieille écuelle qui servait au chat.

—Je reviens, Mère, dit-il.

Il se précipita à l'étage et gravit l'échelle pour atteindre la trappe menant aux combles. Adélie entendit la voix de son fils s'assourdir derrière une épaisseur de bois et de chaume.

—Minet! Minet! Minet!... Allez, viens, viens-t'en, Petit Pain. Il y a du bon manger.

Louis redescendit avec l'écuelle d'abats.

—Il n'est pas là-haut, dit-il. Est-il resté dehors?

C'était bien possible, puisque Adélie le faisait toujours sortir un moment avant le retour de Firmin. Elle répondit:

—Je... je crois l'avoir vu dans la boutique tout à l'heure. Louis, attends.

Mais il y était déjà. Pas de trace du chat. Cependant, de retour à l'étage, il remarqua que sa paillasse avait été dérangée. Peut-être le chaton s'était-il faufilé quelque part entre les sacs de grains. Il se dirigea vers eux. Louis n'eut pas besoin de fouiller. Petit Pain était là.

Les degrés de l'échelle gémirent sous le poids de Firmin qui redescendait des combles. Il tenait un bâton et affichait un air faussement contrit. Louis eut un mouvement de recul.

Étendu sur le flanc de tout son long, le dos tourné à lui, Petit Pain ne se leva pas pour saluer son jeune maître d'une caresse. Sa tête s'inclinait beaucoup trop vers l'arrière et ses oreilles semblaient attentives au moindre son. L'enfant s'accroupit et posa sa main libre sur le pelage velouté. Son chaton ne bougea pas.

—Eh! appela Firmin. Mais Louis ne se soucia pas de lui. Le garçon reniflait bruyamment, et de grosses larmes allaient se perdre dans le pelage doré de l'animal.

—Tu m'excuseras, hein, je l'ai pris pour une vermine, dit Firmin.

Louis ne réagit toujours pas. Avec une cruelle insistance dictée par son besoin puéril d'être remarqué et craint, Firmin se mit à taquiner Louis, cette autre vermine, avec le bout de son bâton. D'abord, Louis ne fit rien: les coups pouvaient bien venir, maintenant, cela n'avait plus aucune importance. La trahison de son père était pire.

Car à travers ses yeux mouillés de nuit, Louis pouvait voir que Petit Pain avait le cou tordu.

Firmin demanda, sans cesser de donner à son fils d'agaçantes poussées dans le dos:

—Dis donc, qu'est-ce que t'as à pleurnicher comme ça? Ça n'est jamais qu'une bête morte. Tu as l'habitude, pourtant.

C'était la stricte vérité. Louis tuait toutes sortes de petits animaux sans remords. Pourquoi la perte de ce chat lui causait-elle tant de chagrin? Petit Pain avait-il été différent parce qu'il l'avait aimé?

L'amour... Peut-être qu'il lui était défendu d'aimer. Mais pas de haïr.

Louis se retourna brusquement et, la mâchoire saillante, empoigna le bâton des deux mains. Il se releva lentement devant son père paralysé d'étonnement. Après avoir fait quelques pas sans lâcher prise, ce qui contraignit Firmin à reculer, il repoussa le gourdin. Des larmes plein les yeux, il dit :

— Je n'en aimerai plus, de bête. Ça ne me sert à rien d'essayer d'être bon, vous n'êtes jamais content. Je serai mauvais.

Toujours sans bouger de l'endroit où Louis l'avait repoussé, Firmin regarda son fils ramasser tendrement le chat mort et l'emporter dans un coin de la cour pour l'ensevelir.

Chapitre III

Ignis sacer
(Feu sacré)

*P*aris, *Fête-Dieu 1344*[32]

Il faisait si chaud que les promeneurs étaient rares en ce début d'après-midi férié. L'air de juin était brûlant, immobile, et il distillait une lumière argentée qui semblait ralentir la ville tout entière comme pour un long dimanche. Adélie était reconnaissante de cet état de choses, vu les circonstances.

Firmin et Louis passaient la journée en ville, chacun de leur côté. Adélie, quant à elle, avait décidé de rester à la maison à cause de la chaleur que sa grossesse avancée rendait plus pénible encore. Heureusement, le feu allumé dans l'âtre au matin pour réchauffer un reste de soupe ne subsistait plus qu'à l'état de braises.

L'étrange sensation avait commencé peu après le repas du midi qu'elle avait pris en solitaire. Cela passa presque inaperçu, au début: elle s'était mise à se sentir vaguement ivre. Il lui fut aisé de mettre cela sur le compte de la chaleur accablante qui régnait dans la cuisine. Elle décida donc d'aller prendre un peu le frais à l'ouvroir, une fois son ménage terminé. Mais le malaise, au lieu de décroître, s'amplifia. Elle se sentit bientôt trop étourdie et dut s'asseoir.

Peu après, elle le vit. Pendant une seconde à peine, mais ce fut suffisant. Elle se persuada que c'était lui. Il était venu la chercher. Une espèce d'ivresse fébrile l'envahissait qui allait croissant. Elle se leva pour le rejoindre et se mit à danser, hilare. Soudain, il disparut. Elle s'étonna du bruit de son propre corps qui s'écroulait.

«Comme c'est curieux. Je n'ai même pas senti la chute», songea-t-elle en se retournant sur le dos. Elle s'assit et rit un peu. La pièce se mit à tournoyer d'une façon insupportable. Elle se laissa retomber et ferma les yeux. Ce fut alors qu'elle prit pleinement conscience de l'étrangeté de ses sensations.

— Ça ne va pas bien du tout, là, marmonna-t-elle à voix haute dans l'ouvroir désert.

Elle avait bien essayé. Mais à présent il n'était plus question de poursuivre le travail. Cela devenait trop dangereux. Avec grand-peine, Adélie se releva et ferma les volets. Dans la pièce à vivre, le reste de braises qui avait subsisté dans l'âtre s'était éteint. Combien de temps était-elle donc restée étendue sur le plancher frais de l'ouvroir? Aucune importance. Elle n'en pouvait plus. Elle monta à la chambre et s'étendit sur le côté, par-dessus les couvertures.

Il faisait de plus en plus chaud. Les dernières brises égarées semblaient avoir été aspirées par un monstre gigantesque, non encore visible. Des nuages d'orage se formaient et étendaient leur encre plombée sur un ciel trop pâle. Le quartier était singulièrement calme. Adélie se mit à somnoler.

À son réveil, elle grelottait. Elle avait l'impression que l'intérieur tout entier de son corps se laissait graduellement dévorer par une grande froidure, alors que la peau lui cuisait. Elle ne se rendit pas compte que toutes ses pensées, tel un nuage de moustiques au vol erratique et confus, avaient envahi la chambre; elle s'était mise à parler toute seule d'une voix monocorde. Les panneaux de la fenêtre commencèrent à bouillonner. Des voix qui chuchotaient se juxtaposèrent à la sienne, de plus en plus nombreuses. Cela devint insoutenable. Adélie cria et se boucha les oreilles. Au même moment, une violente crampe lui contracta les viscères. Soudain, plus rien d'autre que cela n'exista. Les voix se turent.

Lorsque la crampe s'atténua, sa lucidité revint et, avec elle, une certaine cohérence d'esprit.

« C'est trop tôt et ça ne se passe pas ainsi, d'habitude », se dit-elle.

Son ventre était anormalement gros pour un cinquième mois de grossesse. Ces dernières semaines, son corps et son visage s'étaient déformés sous l'effet d'une mauvaise enflure. Firmin lui avait dit:

— Ça a fait pareil pour le Ratier, souviens-toi. Il t'avait rendue horrible et grosse comme un jambon. Et, celui-ci, c'est le premier que tu gardes aussi longtemps.

Entre Louis, son premier-né et unique enfant vivant, Adélie avait eu cinq fausses couches. Cet accès de coliques lui fit donc craindre le pire. Une fringale l'avait tenaillée sans répit tout l'avant-midi, la forçant, peu avant sexte, à prendre une pause et à se faire cuire quelques petites galettes. Afin de ne pas puiser dans les réserves de bonne farine destinée à la clientèle, elle avait moulu au mortier des grains de seigle dont la piètre qualité, les ayant dès le départ de la mouture, s'était immédiatement révélée sous le pilon. Elle s'était dit que Firmin n'allait pas faire d'objection si elle en prenait un peu pour sa consommation personnelle. Mais, malgré le grand soin qu'elle avait mis à ne sélectionner que les grains moins touchés par une petite moisissure, le résultat était là: Adélie s'était empoisonnée. Elle avait contracté une forme sévère du mal des Ardents[33].

Les maux de ventre desquels elle était familière ne ressemblaient en rien à ce serrement des entrailles qui la saisit de nouveau et se répandit le long de tous ses membres, la laissant hurlante, arquée sur le lit.

«Il ne faut pas que je perde celui-ci aussi, mon Dieu, se dit-elle, anxieuse, une fois que la crampe l'eut délaissée, en sueur et sans force. Si au moins je n'étais pas seule!» La sensation d'ivresse revenait entre les spasmes, ne laissant à Adélie que d'avares parcelles de lucidité. Il ne fallait pas compter sur un retour de Firmin ou de son fils si tôt en après-midi. Elle voulut avant tout s'accorder un peu de repos. Il allait falloir qu'elle se débrouille seule par la suite pour aller chercher du secours.

Mais une nouvelle crampe la contraignit à ne pas attendre davantage. Alors qu'elle se remettait sur pied et traversait la chambre, elle plaqua ses deux mains sur son ventre. Elle se laissa tomber sur le coffre et se berça nerveusement. Les contractions qui lui tordaient les entrailles évaporaient un bref instant ses vertiges. Mais cela n'était pas suffisant. Une confusion angoissée commençait à s'installer dans l'esprit de la malheureuse, même lorsque la douleur s'émoussait pour l'abandonner à un répit miséricordieux.

—Louis, appela-t-elle, le souffle coupé. Elle avait oublié qu'il n'était pas là. Pourtant la chambre était pleine de monde. Mais c'étaient tous des inconnus à figure grimaçante de gargouilles qui demeuraient inconsistants et se dérobaient sans cesse dans un brouillard changeant. Une ombre vêtue de bure passa près d'elle. Mais oui, le monastère. Elle se porta en avant pour attraper le rebord du vêtement et manqua tomber.

—À l'aide. Mon bébé...

Adélie obligea son corps traumatisé à se déplier pour se lever. Il fallait absolument qu'elle quitte cette chambre, ne fût-ce que pour aller s'écrouler en pleine rue, au vu et au su d'improbables passants. Ou mieux encore, qu'elle se rende au moins à la fenêtre pour appeler à l'aide.

Vacillante, elle fit un pas, puis deux. La contraction lancinante qui lui tordait les entrailles, cette fois, ne lui laissa plus d'espoir. Elle se mit à sangloter, impuissante. Un flot tiède lui coula le long des jambes. Quelques gouttes d'eau trouble pleurèrent sur le plancher.

— Oh! non. Dieu, NON!

Pliée en deux, en larmes, elle enfonça ses ongles dans l'étoffe de sa robe et retroussa ses jupes. Un long ruban écarlate s'épanchait sur sa cuisse.

Elle se redressa et fit quelques pas qui tracèrent un chapelet d'étoiles rouges par terre.

Adélie cessa de pleurer. La fenêtre n'était plus là; quelque chose d'autre l'avait remplacée, le plafond, peut-être. Elle se sentit perdre pied et glisser. Elle tournoya, tournoya de plus en plus vite. Les gargouilles se disloquèrent et elle sombra dans le brouillard inconsistant qui soudain fut envahi de ténèbres.

*

Il commençait à tonner au loin, mais l'air demeurait stagnant et lourd. Louis fut le premier à rentrer, comme d'habitude par la cour. Il avait hâte de montrer à Adélie le petit pot d'olives, miraculeux oubli qu'il avait chapardé aux Halles de la Grève délaissées par la fête. L'enfant referma la grille et demeura un instant dans la cour à chercher. Quoi au juste, il l'ignorait. Quelque chose ne tournait pas rond. Une vague angoisse le saisit à la gorge. Un peu comme si, tout d'un coup, l'oxygène autour de lui avait été aspiré. Au moment où il allait se dire que la chaleur devait être en cause, il aperçut la porte du fournil restée ouverte.

Il n'y avait personne non plus au rez-de-chaussée, et les battants de l'ouvroir, eux, étaient bien fermés.

— Mère?

Trop de silence. Comme si un malfaiteur était entré pour s'y tapir. Louis frissonna et sa main serra plus fort son gourdin tandis qu'il faisait le tour de la maison. Rien n'avait été dérangé. Le panier de raccommodage était posé à côté d'un banc près de la fenêtre. Quelque chose de grave avait dû survenir pour que Mère laisse ainsi ses menus travaux en suspens au beau milieu du jour. Peut-être s'était-elle rendue à l'abbaye, car son ventre avait beaucoup grossi ces derniers temps.

Par acquit de conscience, il se résolut à monter l'escalier abrupt pour une dernière vérification. Il se disait que Père allait être content s'il prenait l'initiative de préparer la boutique et l'ouvroir pour le lendemain.

Au premier coup d'œil, il vit la forme recroquevillée. Au deuxième, il ne la vit plus. Elle s'effaça pendant trois interminables secondes, en une pathétique tentative de son âme qui se refusait à la géhenne. Le pot d'olives se fracassa sur le plancher, et un fruit ovale alla rouler dans la mare vivante qui s'agrandissait.

Adélie était couchée à même le plancher, sur le côté droit, en position fœtale. Son visage tourné vers lui ressemblait à un masque de plâtre ruisselant.

La tête vide, il s'avança. Aucun mot n'affleura à ses lèvres. Il n'y avait plus d'air pour les soutenir. Il tomba à genoux près d'elle, dans la mare de sang qui était reliée au coffre par une série de taches étoilées et tournant lentement au brun.

Soudain, Adélie se tendit et ouvrit des yeux blancs. Elle émit une sorte de gargouillis. Ses doigts crispés ressemblaient à des serres d'oiseau. Horrifié, Louis se rejeta contre le coffre. Son propre cri lui claqua aux oreilles et l'épouvanta davantage. Adélie se détendit et son regard, redevenu normal, se posa sur lui.

— Mère, appela Louis.

Elle leva vers lui une main agitée de soubresauts. Louis se rapprocha en tremblant, et les doigts toujours crispés, glacials, lui effleurèrent les cheveux. Ses pupilles, dilatées par la frayeur, assombrissaient davantage son regard. De la bile amère remonta dans la gorge de l'enfant et l'empêcha de parler. Adélie dit, d'une voix faible, méconnaissable:

— De l'aide. Vite. Dis-leur... c'est... le feu...

L'enfant s'élança dehors au moment précis où la foudre éclatait au-dessus de la ville. L'air raréfié fut envahi par des gouttes glacées qui se mêlèrent bientôt à de gros grêlons semblables à des billes en verre mal faites.

*

La procession du Saint-Sacrement avait été brusquement interrompue par l'orage. Depuis le matin, presque toute la ville avait reflué en direction de l'île de la Cité en vue des solennités de la fête qui avaient demandé plusieurs jours de préparation.

À l'abbaye, Louis perdit plusieurs précieuses minutes à tirer en vain la corde d'une clochette et à frapper à la grille d'un portail qui demeura cruellement fermée. Un seul moine traversa la cour sans bruit entre des rideaux de pluie qui rendaient sa silhouette imprécise. Il ne daigna même pas s'arrêter. Quant au vieux frère tourier, il avait su profiter de l'absence du prieur et du cellérier pour s'enivrer au vin de cerise; il s'était donc profondément endormi dans son cagibi.

Les poings ensanglantés par les coups assenés à la porte, le garçon se précipita en direction du pont à travers des rues où il ne rencontra pas âme qui vive. Ses pas résonnaient sur les pavés comme dans de longs couloirs impeccables et déserts.

Sur l'île, la procession démantelée par l'orage avait commencé à semer des marcheurs hâtifs qui s'en retournaient chez eux, la tête rentrée dans les épaules. Un homme trempé, en route vers l'abattoir avec ses deux bœufs, fustigeait les bêtes qui s'étaient agenouillées devant l'église et refusaient d'avancer. Quelque part au-dessus d'un groupe plus nombreux qui avait trouvé refuge sur le parvis de Notre-Dame, un ostensoir tanguait comme un petit soleil défiant les foudres célestes. Louis parvint tant bien que mal à se faufiler parmi les fidèles qui persistaient à braver avec lui le mauvais temps. Il y avait parmi eux des hommes d'Église. L'enfant allait forcément dénicher l'un de ceux qui, quotidiennement, prodiguaient des soins aux malades incapables de se rendre à l'Hôtel-Dieu. Mais, ce jour-là, nul d'entre eux n'était disposé à se faire déranger par un petit garçon affolé. Louis entreprit donc de grimper l'escalier menant à l'une des salles réservées aux malades. L'angoisse provoquée par les murs étroits était cette fois remplacée par une nouvelle forme d'oppression, bien pire, celle-là.

— Hé! Là! Où crois-tu que tu t'en vas comme ça, petit? demanda en l'interceptant une vieille religieuse hospitalière aussi sèche qu'un pruneau.

Incapable de reprendre son souffle à cause d'un point au côté qu'il tenta d'apaiser en y plaquant une main, Louis annonça, d'une voix saccadée:

— Le feu chez nous. C'est Mère. S'il vous plaît...

— Le feu? Tu t'es trompé d'endroit pour quérir de l'aide...

— Non, pas ce feu-là. Ma mère est malade!

— Ne m'interromps pas, petit insolent. Pour qui te prends-tu? Je sais bien de quel feu tu parles. Et d'abord, qui es-tu?

— Ruest. Vite...

— Ruest, dis-tu? Ce nom-là me dit quelque chose. N'es-tu pas le fils de cet excellent boulanger qui habite en rive gauche? Si? Ah, il me semblait aussi. J'ai beaucoup entendu parler de ce frère, qui... Enfin bref, trêve de bavardages. Amène-moi ta mère ici.

Louis se retint de foncer tête première dans le ventre de la vieille infirmière. Et dire qu'on le traitait, lui, d'esprit lent! Il cria, hystérique:

— Quoi! l'amener ici! Je ne peux pas.

Louis leva les poings à hauteur de sa propre tête et les serra en grinçant des dents, impuissance et rage au cœur. Un flot de larmes brûlantes jaillirent d'entre ses paupières closes. Il parvint à expliquer, à travers ses mâchoires serrées :

— Elle est à terre et toute bizarre. Elle tremble fort.

La religieuse s'adoucit soudain.

— Sainte Mère de Dieu. Et c'est arrivé comme ça, d'un coup ? Tu ne le sais pas ? Bon, écoute, écoute-moi bien, mon petit : je sais de quoi tu parles. Je voudrais bien pouvoir t'aider. Mais il se trouve qu'aujourd'hui je suis seule ici pour garder tous ces malades. Je ne fais qu'assister le frère lai qui veille habituellement sur eux. Tu vois bien que je ne peux point m'absenter. Tu comprends cela, n'est-ce pas ? Il eût fallu que tu ailles, je ne sais pas, moi, à Saint-Germain-des-Prés...

— J'y suis déjà allé. Il n'y a personne là-bas.

— Tu n'as pas pensé aux cordeliers ? Eux aussi, ils sont tout près de chez toi.

— Ce n'est pas le bon jour et il n'y a plus d'argent à la maison.

— Alors, il te reste l'Hôtel-Dieu, mon petit. C'est juste à côté, ou même, à la rigueur, va chez les Antonins[34].

Elle se détourna tristement. La salle reposait dans son silence ponctué de toux rauques et de gémissements. Les grondements du tonnerre y pénétraient d'une curieuse façon assourdie par les murs épais.

Penchée au-dessus d'un malade, la religieuse dit à Louis :

— Retourne auprès d'elle, d'accord ? Je me charge d'envoyer un émissaire pour prévenir le père abbé de Saint-Germain-des-Prés aussitôt que possible. Je sais qu'il vous tient tous en haute estime, vous autres, les Ruest. Allez donc savoir pourquoi.

*

Antoine errait dans la cour. Le frère tourier, dans son cagibi, ronflait bruyamment.

Le feu. À ce seul mot, l'abbé avait tout saisi. *Ignis sacer*, le mal des Ardents, aussi connu sous d'autres noms, tels que Feu de saint Antoine, Charbon de Dieu, *ignis gehennae* et *mortifer ardor*[35]. Tous des termes qui évoquaient les tourments de l'enfer.

Ce que lui avaient dévoilé quelques traités de médecine au sujet de cette maladie était horrible. Elle n'atteignait d'abord que les membres, les oreilles, le nez et le sexe. Elle pouvait prendre des semaines à se développer jusqu'à son stade ultime, ou foudroyer en une seule journée. Le premier signe en était une phase d'ivresse souvent accompagnée d'hallucinations. Physiquement, d'abord

---

35. Feu de l'enfer; ardeur mortelle.

rien de visible ne se manifestait. Le sommeil devenait agité et troublé par de violents cauchemars. Peu après les membres envahis de fourmillements s'engourdissaient et devenaient progressivement douloureux. Une gangrène sèche, traîtresse, se développait. Elle consumait les membres qui se couvraient de taches ombrées et se mettaient à noircir avec une rapidité démoniaque, pour se nécroser entièrement. Le malade qui souvent dégageait une odeur pestilentielle devenait agité, fiévreux et très assoiffé. Mais le plus terrifiant restait encore à venir : les membres touchés devenaient cassants à leurs articulations ; sans aucun saignement, sans douleur, et même parfois sans aucune mauvaise odeur dans les cas de gangrène sèche, ils se détachaient soudain et tombaient comme du bois mort. Malheureusement, la plupart du temps, des complications survenaient et la gangrène devenait humide. La maladie continuait à se répandre et, après avoir causé d'atroces souffrances, elle entraînait la mort, à plus ou moins brève échéance, lorsqu'elle touchait la tête et le cœur.

L'abbé avait lu que l'on recommandait toutes sortes de remèdes contre ce mal : vers de terre enduits de vinaigre, fientes de pigeon et graines de lin dans du vinaigre miellé, roux de la fiente fraîche d'une poule avec du vinaigre, lait de brebis frais et cendres de cheveux de femme. D'autres élixirs étaient composés d'huile contenant des cendres de tête de chien calcinée et de rats velus, ou encore de sauterelles fricassées dans du suif de bouc. Il y avait des médicaments faits d'acacia et de feuilles de framboisier mélangées à des olives, à sa propre urine, à du sang menstruel, à de la sauge et à des fleurs de sureau. Enfin, on mentionnait l'huile de foin qui s'obtenait par un laborieux procédé : il fallait enflammer le foin et l'éteindre aussitôt, puis le mettre sur du charbon ; pendant qu'il se consumait, il fallait recueillir le résultat huileux de la condensation des émanations sur une plaque métallique placée au-dessus du foin.

Antoine secoua la tête avec lassitude et regarda en direction du portail laissé grand ouvert. Cette collection de remèdes plus saugrenus les uns que les autres n'arrivait pas à lui faire oublier le groupe de jeunes moines à peine adolescents qui avaient décidé de fuguer pour se joindre à la procession de la Fête-Dieu. Cette grave transgression était déjà en soi très préoccupante ; pourtant, si l'abbé s'inquiétait, ce n'était pas à cause d'elle, mais à cause du fait qu'elle s'était produite à l'initiative du saint frère Lionel, le bibliothécaire.

Les moines fautifs venaient tout juste de rentrer, déçus et contrits, sans se rendre compte qu'ils avaient semé leur meneur derrière eux.

Vaincu, à nouveau seul parmi les fidèles en prière qui allaient en se raréfiant sur le parvis trempé, Louis se mit à sangloter. Des grêlons le heurtaient et quelques-uns le mordirent comme de méchants insectes, mais il n'en avait cure : la petite douleur qu'ils causaient n'était rien, elle n'était rien du tout. Le garçon clignait des yeux sans porter attention à l'ostensoir, déformé par ses larmes et par l'averse grise qui se confondaient en un seul et même désespoir.

Lorsque, dans sa retraite hésitante en direction du narthex, l'objet orfévré vint distraitement osciller juste au-dessus de sa tête, Louis leva les yeux vers le petit centre immaculé qu'il renfermait. Il s'essuya gauchement le nez avec ses jointures écorchées et se barbouilla la figure de sang rosé. Jésus, du haut de son trône du portail, ne le remarqua pas à cause de la pluie mêlée de grêle. L'enfant se mêla sans être vu aux clercs qui seuls pénétraient dans l'église à la suite de l'ostensoir et rendaient ainsi officielle la fin de la procession.

Quelques fidèles semés par l'orage s'attardaient dans la nef. L'un d'entre eux était un grand moine maigre qui s'était agenouillé pour prier. Les clercs franchirent le portail du Cloître et disparurent. Un sacristain vaquait à ses tâches, s'occupant de ramener les Saintes Espèces au Tabernacle. Après avoir enfermé des hosties dans la pyxide gardée par l'ange qui se tenait derrière l'autel, il franchit à son tour le portail du Cloître, les mains enfoncées dans ses larges manches, sans se rendre compte qu'une ombre l'avait suivi au-delà de la clôture. Le frère Lionel leva les yeux et entrevit cette ombre. Il se leva et se glissa furtivement derrière un pilier trapu afin de mieux examiner l'intrus.

À onze ans, Louis atteignait désormais la taille de la plupart des adultes malgré une certaine sous-alimentation. Cela devait contribuer à maintenir chez lui l'allure vaguement maladive de ceux qui avaient beaucoup grandi en peu de temps : effectivement, ces quatre dernières années l'avaient vu croître d'une façon trompeuse et anormale. De plus, il s'était mis à souffrir de fréquents maux de dos.

Louis s'avança jusqu'à la pyxide non verrouillée sans regarder alentour. Inconscient de ses gestes profanateurs, l'enfant l'ouvrit et caressa le récipient précieux qui s'y trouvait. Il reniflait sans arrêt et par soubresauts incontrôlables qui lui comprimaient bruyamment la gorge.

Le moine appréhendait d'avoir à arrêter ce jeune loqueteux s'il était venu commettre un vol, geste qui eût été ridicule puisque ces beaux objets du culte, trop aisément reconnaissables, auraient été invendables. Il hésitait à intervenir, quelle que fût la motivation de Louis. Enfin, il décida de ne rien faire. Ce qui se passait là était entre Dieu et l'enfant. Il n'avait rien à y voir. Il n'eût même pas dû se trouver là. L'éventualité d'un vol devenait secondaire, car il reconnaissait ces douloureux sanglots dans ses propres souvenirs d'enfant. C'était de ceux qui provenaient du tréfonds de l'âme, de ceux qui vous font ensuite flotter dans une sorte d'hébétude.

La main de Louis se referma sur le ciboire et il l'inclina vers lui pour regarder à l'intérieur. Le vase contenait de tout petits bouts d'un pain de froment mince et très blanc.

— Le pain de vie, dit-il d'une voix émue.

Il ne pouvait s'agir que de ce pain-là. C'était pour le recevoir que les fidèles s'assemblaient à l'église. Il n'ignorait pas que c'était en son honneur que sonnaient les cloches et que se déroulaient toutes ces cérémonies pleines de beaux chants. Un aliment conservé dans un tel récipient ne pouvait qu'avoir des propriétés magiques. Il n'avait plus besoin désormais d'attendre de remède ni de chercher en vain une aide que personne n'était disposé à donner. Le pain de vie allait guérir sa mère.

Louis ne commit pas le sacrilège auquel le moine s'était attendu : sous le regard impassible de l'ange, le garçon s'empara d'une seule hostie et s'enfuit en courant. Le bibliothécaire ne le poursuivit pas.

Quelque chose en Lionel s'émiettait comme un crouton rassis entre les doigts.

*

Haletant et trempé jusqu'aux os, Louis était revenu s'agenouiller auprès de sa mère. L'angoisse et son point au flanc le faisaient à demi suffoquer.

— Mère. Mère...

Il posa une main sur l'une des siennes. Elle était glacée, étrangère, même s'il faisait encore très chaud dans la maison. La robe tachée d'Adélie s'était entortillée autour de son corps comme si la malade s'était longuement débattue. Elle était à présent immobile et semblait lutter contre la somnolence. Ses paupières frémirent un peu avant de s'ouvrir sur des prunelles voilées.

— Vous seriez mieux au lit, Mère. Voulez-vous que je vous aide à y aller ?

Elle secoua lentement la tête et dit, d'une voix pâteuse :

— Ce n'est pas la peine.

Elle n'avait plus envie de retourner dans ce lit. Le regard fixe, elle se mit à murmurer des choses sans suite. Son débit était très rapide, comme si elle était pressée de tout dire. Louis se pencha et prêta l'oreille : ce n'était que de tristes fragments de pensée effilochés qui s'en allaient sombrer, tels les débris d'un naufrage, dans l'onde grise et inconstante du délire.

L'orage s'éloignait en maugréant. Il cédait la place à un silence plus terrible que ne l'avait été sa fureur. On eût dit que l'attention du monde entier se portait sur les seules paroles décousues d'Adélie et que ce monde muet s'apprêtait à partir à la dérive avec elle sur une mer de sang.

Louis se sentait encombrant, inutile. «J'ai failli à ma promesse. Je n'ai pas réussi à la protéger», se disait-il sans cesse. Et avec cette certitude vint quelque chose de pire que tout ce qu'il avait pu ressentir jusque-là : le désespoir né de l'impuissance. De se trouver là, tout près, et de ne pouvoir rien faire, de se rendre compte que, même si Adélie vivait encore, elle était en train de s'éloigner lentement, inexorablement, hors de sa portée, l'étouffait. Il était trop tard pour le remède et pour le pain. Louis était déjà seul. Il dit :

— Personne n'a pu venir, Mère.

Adélie ne répondit pas.

Le cerveau, système de défense prêt à intervenir, ordonnait au garçon de s'en aller sans plus attendre. De la laisser s'anéantir là, tout de suite, puisque de toute façon il ne pouvait plus rien pour elle, afin que sa mémoire préservât une image encore intacte de sa mère. Rompre et partir avec une cassure nette dont les arêtes trop pointues allaient pouvoir s'émousser sous le lent polissage du temps. Seule une abrupte rupture pouvait éviter à l'homme des tourments insurmontables. Mais l'amour naît de l'âme, non de l'esprit. Et Louis appelait sa mère de toute son âme. Il était toujours en symbiose avec Adélie, alors qu'elle ne l'était plus avec lui. Il se mit à sangloter par petits coups saccadés et nerveux.

— Vivre sans vous, moi, je peux pas.

Adélie fut donc veillée par son fruit, comme lui avait jadis été veillé par elle. Fruit vigoureux qu'elle regardait sans pouvoir le reconnaître, comme le fœtus que sa matrice avait violemment expulsé un peu plus tôt. Son fils ignorait qu'un pauvre bébé incomplet gisait, petit paquet d'argile grise, entre les jambes d'Adélie cachées par ses jupes. Mieux valait qu'il n'en sût rien. Adélie elle-même n'en avait pas vraiment eu conscience.

Louis se pencha au-dessus d'elle et attendit que les yeux, dont la vacuité rappelait les fenêtres d'une maison abandonnée, manifestent une ébauche de sentiment. Mais il ne se passa rien. Pourtant, son visage demeurait ravissant. Ses cheveux épars ondulaient, avec çà et là un fil argenté, insouciants du gouffre qui béait sous eux. Adélie commençait à chercher ses mots, telle une boîte à musique dont le ressort détendu ralentissait progressivement la ligne mélodique. Louis se prit à redouter instinctivement l'instant de la toute dernière note, celle qui allait demeurer suspendue dans l'air et laisser la mélodie à jamais inachevée.

Le mécanisme de défense du cerveau était malgré tout parvenu à reprendre le dessus et avait anesthésié Louis juste au moment où les mots d'Adélie s'étaient taris. Les yeux du masque d'argile étaient demeurés ouverts, fixés sur lui.

Du temps passa. Mais la mort ne vint pas.

*

—Un prêtre, réclama soudain Adélie, dont les traits s'étaient animés.

—Mère, il n'y en a pas. Mais j'ai... j'ai ceci, dit-il en ouvrant sa main gauche sur une hostie détrempée. Il dit encore:

—Du pain de vie. Je... je l'ai eu là-bas, à Notre-Dame. Ça va vous guérir.

Louis porta le bout de pain aux lèvres bleuies de sa mère. Elles remuèrent et Adélie articula difficilement, avec une sorte de langueur:

—Tu as bien prié.

—C'est une prière, ça?

—Partage avec moi...

Le garçon communia pour la première fois. Il mordit dans le petit cercle ramolli et déposa l'autre mince croissant grisâtre sur la langue de sa mère, qui mit longtemps à l'avaler.

—J'ai soif, dit-elle après quelques minutes.

Il lui donna à boire un peu d'eau fraîche en lui soutenant la tête qu'il reposa ensuite doucement sur un oreiller pris sur le lit.

Il y avait trop de sang. Sa mère en avait perdu tellement qu'il n'arrivait pas à savoir si le saignement s'était arrêté ou non. Le plancher de bois, cruel, s'en abreuvait.

Adélie tourna la tête.

—La nuit tombe. Il faut rentrer.

Louis échappa un tout petit gémissement: dehors, le ciel lavé par l'orage permettait au soleil de darder ses rayons en biais sur la fenêtre de leur chambre. Adélie recevait ainsi en pleine figure un éclairage direct et coloré, mais adouci par la présence des losanges en verre bosselé. Cette lumière forte ne pénétrait plus dans ses pupilles dilatées à l'extrême. Ses membres ne lui obéissaient plus. Cependant, une lucidité nouvelle émergeait, familière, semblable à un souvenir très ancien qu'elle avait depuis longtemps oublié. La souffrance s'en allait. Elle n'avait jamais existé.

Adélie chercha la main de son fils et la tint contre elle, sur son cœur, dont les battements étaient irréguliers et à peine perceptibles. Une dignité jusque-là inconnue émanait d'elle. Quelque chose comme une lueur semblait l'illuminer de l'intérieur. Louis la trouva belle. Elle dit tout bas :

— Notre jardin... c'est là que je serai.

Louis n'eut pas le temps de répondre. Adélie le tira brutalement à elle afin de le saisir par la nuque. Elle le força à s'incliner et pressa son front contre le sien. Un souffle prolongé mais ténu caressa le visage de l'enfant qui demeura penché au-dessus d'elle.

*

Firmin revint très tard. Il trouva la maison plongée dans l'obscurité. À demi ivre, il maugréa depuis le seuil.

— Ah, les fainéants. Faut pas les laisser sans surveillance un instant. Pas un, je vous dis.

Personne n'avait songé à accrocher la lanterne dehors ni même à faire du feu dans l'âtre. Il se dirigea à tâtons jusqu'à l'arrière-boutique pour trouver de quoi allumer un bout de chandelle. Puis il monta à la chambre où il buta contre quelque chose qu'il n'avait pas vu. C'était un paquet de linge qui traînait par terre.

— Saleté, grommela-t-il.

Il éleva la chandelle et fit le tour de la pièce. La voix de Louis monta dans la pénombre :

— Allez-vous-en. Elle n'est plus à vous.

Firmin ne voyait pas bien ce qui se passait. Lentement, comme si ses gestes étaient soudain freinés par la lourdeur d'un air ambiant envahi par des toiles d'araignée, il se retourna. Louis caressait le paquet de linge sur lequel il s'était étendu à plat ventre, avec cet instinct primitif de chercher à lui transmettre sa propre chaleur. Hagard, Firmin s'approcha. La froidure envahissait peu à peu ses membres. Il vit le bras qui étreignait fortement Louis par la nuque. Il était dur comme ceux d'un gisant de pierre. L'enfant abandonnait tendrement sa tête sur la poitrine vidée de tout souffle. Firmin vit la glaise durcie du visage d'Adélie et son regard vitreux. Sur le menton, quelques gouttes de sang traîtresses s'étaient frayé un chemin depuis la commissure droite des lèvres. Elles luisaient à la lueur de la chandelle comme un ruban rouge marquant la page déchirée d'un livre. Firmin tomba à genoux. Sa chandelle crépita en touchant le plancher visqueux et s'éteignit.

Le hurlement monta, monta, et, déshumanisé, déchira la trame de la toile. Les cris de Louis s'y greffèrent, plus stridents et plus brefs. Louis ne comprenait pas. Il ne comprenait pas, c'était là son malheur.

*

La porte de l'ouvroir en deuil était fermée comme pour toujours. Adélie passa trois jours allongée sur leur table parée de fleurs, résignée dans la mort comme elle l'avait été dans la vie. On l'avait vêtue de sa plus jolie tenue, une robe de cariset qu'elle avait à peine portée de son vivant. Cela lui donnait un air sophistiqué que Louis ne lui avait jamais connu. Une parente de Firmin avait dû en relâcher les coutures. Elle avait également teint en noir, pour Firmin et Louis, leurs deux meilleurs habits. Et, dès ce moment, Louis avait détesté ses vêtements.

Il abhorra aussi de voir comment son père recevait poliment, une famille après l'autre, tous les membres de la confrérie avec qui il échangeait paroles feutrées et prières, toujours les mêmes. Des mondanités sécurisantes dont les vertus sédatives ne visaient qu'à reculer le plus possible l'instant de l'ultime séparation. Louis avait l'intention de passer ces trois jours tapi dans un coin sous les combles. Certaines personnes vinrent le voir, surtout au début. Quelques-unes tentèrent même de le réconforter, mais, ne sachant trop comment s'y prendre avec lui, elles y renoncèrent bientôt. Même la bande de Hugues fut mal reçue. Samson, qui tenta de le consoler, se retrouva avec un œil poché et des cheveux en moins. La bande en fut quitte pour faire demi-tour en traînant dans son sillage les chuchotements scandalisés des autres visiteurs à propos du comportement inacceptable du fils Ruest.

Louis n'avait envie de voir personne. La mort de Petit Pain lui avait fait comprendre que, lorsqu'il éprouvait du chagrin, il valait mieux le cacher au plus profond de lui-même pour éviter que l'on tente de lui faire plus de peine encore.

Le deuxième soir de la veillée funèbre, il y eut une accalmie. Le silence épais de la nuit trop chaude pénétrait par la porte de la maison restée ouverte, comme une poix qui adhérait à l'âme pour l'étouffer. Des moucherons venaient s'enflammer aux chandelles pour tomber dans les écuelles vides laissées un peu partout par les visiteurs. Lorsque le meunier Bonnefoy arriva pour veiller au corps avec sa famille, Églantine décida de faire fi des conseils avisés de Firmin et s'en alla rejoindre Louis dans sa cachette. Elle s'assit à ses côtés sans mot dire. Sans cesser de se bercer en se frappant le dos contre le mur, Louis lui jeta un coup d'œil. Elle avait beaucoup changé et ressemblait désormais à une femme. Il en parut gêné et cessa de se bercer. Il se recroquevilla, le dos appuyé au mur et le front contre ses genoux pliés qu'il enserra.

Après un long silence, la jeune fille se résolut à lui faire remarquer :

— Nous devrions peut-être rejoindre les autres et prier pour elle.

Il releva la tête sans la regarder.

— Vas-y si tu veux. Mais moi, je dis qu'elle n'a plus besoin de rien.

— Tu crois cela ?

— Oui. C'était avant qu'il fallait y penser.

— Et son âme à elle, y as-tu pensé ? Et la tienne ?

Louis ne répondit pas. Oui, il y avait pensé. Il avait ardemment espéré ressentir, ne fût-ce que le temps d'un soupir, l'assurance qu'Adélie avait bel et bien trouvé le jardin. Mais rien n'était survenu. Au contraire, il avait l'impression que sa mère avait tout emporté avec elle. Et le jardin, et leur âme à tous deux.

Églantine ne quittait pas Louis des yeux. Quelque chose en lui la troublait profondément, bien au-delà de la compassion qu'elle éprouvait. L'intensité de sa peine lui démontrait qu'il était capable d'un amour absolu, inconditionnel, de cet amour dont chacun d'entre nous rêve d'être l'objet. Grâce à la seule puissance de cet amour, le garçon buté et rébarbatif devenait tout à coup plus humain à ses yeux.

Elle lui effleura gentiment le bras. Il fit un brusque écart avant de se remettre debout pour l'affronter en serrant les poings.

— Ne me touche pas. Je déteste me faire toucher.

Églantine se releva à son tour et lissa ses jupes. Elle le regarda d'un air navré.

— Comme tu veux. Mais tu n'y pourras rien si je décide d'aller prier pour toi.

Elle se détourna et le laissa seul avec ses pensées.

Ce qu'Églantine ne pouvait savoir, c'était que lui aussi allait caresser le bras d'Adélie dès que la pièce à vivre se vidait pour de rares instants, toujours trop brefs. Aucun signe du dernier mauvais traitement que sa mère avait subi ne paraissait sous le tissu délicat de sa robe. Ses mains reposaient sereinement sur son ventre encore enflé. Mais Louis savait que tout cela n'était qu'un leurre : Firmin avait dû casser le bras du cadavre à la jointure du coude pour dégager son fils de son étreinte rigide. Le garçon pouvait encore entendre le craquement sinistre des os qui avaient cédé sous les secousses hystériques de son père qui l'avait ensuite battu, lui. Mais le souvenir de ces bruits-là n'était rien en comparaison du silence d'Adélie qui, elle, n'avait pas crié. Ce silence qui allait pour toujours meubler sa mémoire des cris qui auraient dû y être.

Ce ne fut qu'au cours des toutes dernières heures de la veillée que Louis se décida enfin à quitter son repaire. Son père le désigna du doigt à quelqu'un et demanda :

— Que vais-je bien pouvoir faire de lui, maintenant?

Ils ne revirent le garçon qu'au matin des funérailles.

*

Rue Neuve-Saint-Victor, un groupe silencieux se formait sous le porche de la chapelle de la corporation, dédiée à saint Lazare, constituant le maigre cortège de la discrète petite boulangère dont on ne s'était jamais autant soucié. Le glas sonnait en son honneur et lui donnait, au nom de la collectivité à laquelle elle avait appartenu, l'importance qu'elle n'y avait jamais eue de son vivant, comme si on se rendait compte seulement en cet instant qu'Adélie Ruest avait bel et bien existé. La cloche unique rythmait l'acuité de regrets jusque-là prudemment dissimulés.

La procession frileuse s'ébranla. Elle était constituée pour l'essentiel de quelques parents éloignés, de collègues boulangers et d'un ramassis de curieux venus d'un peu partout en ville. Un vieux prêtre précédait la charrette à travers des rues étroites, et des gens se tenaient sur le seuil de leur maison pour la regarder passer en se signant. Les montants soigneusement astiqués en étaient frappés des armoiries de la guilde des boulangers que chacun pouvait aisément reconnaître : il s'agissait d'un écusson à fond noir présentant deux pelles de four blanches croisées, chacune étant chargée de trois pains rouges. D'ordinaire, ce véhicule besogneux arpentait les rues de la ville avec d'abondants chargements de grains ou de farine. Il était maintenant attelé à une vieille jument étique elle aussi empruntée à un collègue de la corporation, et n'emportait que le brancard sur lequel le corps d'Adélie gisait, enveloppé de son linceul blanc. Il paraissait tout petit, là-dedans. Peut-être le seigle qui avait mis un terme à sa vie y avait-il séjourné avant elle.

Louis ne quittait pas la charrette des yeux. Le garçon marchait juste derrière elle en compagnie de son père qui hululait d'une manière exaspérante. Louis détesta la charrette, les rigoles et le bruit des sabots martelant les pavés inégaux du chemin, qui tous secouaient trop sa mère. Il avait mal jusqu'aux entrailles. On eût dit que toute la chaleur du four s'était concentrée derrière ses yeux secs.

Des peupliers, rescapés de la grêle qui s'était abattue, ressemblaient à des plumets mouillés. Ils étaient figés par un air chaud et immobile. Des merles en rupture de campagne y avaient élu domicile, et leur présence, toute silencieuse qu'elle fût, semblait incongrue en ce jour. La lumière trop crue se chargeait de vapeurs bleutées. Louis pensa qu'il aurait dû pleuvoir, qu'au moins la nature pleure à sa place. Ses yeux secs brûlaient comme sous la morsure du sel.

La rosace de l'église Saint-Germain-l'Auxerrois, qui desservait l'immense enclos muré du cimetière des Saints-Innocents, observait l'arrivée du cortège d'un œil circonspect. Le prêtre et la famille se réunirent dans la partie du cimetière qui était réservée aux roturiers. Les quelques étrangers demeurèrent en retrait. Parmi eux se trouvait la bande de Hugues qui avait suivi la procession émaillée de reniflements. La charrette manqua s'enliser avant de s'immobiliser près d'une grande fosse qui attendait comme une blessure béante. On y apercevait çà et là des morceaux de linceul maculés de terre. Une pelle était plantée dans un tonneau de chaux placé au bord du trou. Deux anonymes formes blanches avaient été alignées dans un coin fraîchement creusé. Les fossoyeurs se décoiffèrent et reculèrent poliment.

Le célébrant laissa le temps aux ombres qui chuchotaient d'encercler de près la fosse commune qui exhalait une humidité malsaine. Leurs regards faussement compatissants se posèrent tour à tour sur le veuf qui se moucha bruyamment avec le pouce et l'index, puis sur l'orphelin au visage inanimé. Leurs murmures s'amalgamèrent à l'haleine du trou.

— C'est honteux de faire ensevelir sa femme comme une misérable alors qu'il aurait amplement de quoi s'offrir un caveau tout neuf. Tudieu, quel pingre!

— Tout le monde sait où s'en vont les écus de ce gros sanglier...

— Hélas. J'en suis marri pour le Ratier. Voyez-le un peu, ce pauvret. On dirait qu'il n'a même pas conscience de ce qui lui arrive.

Le visage blême du garçon accentuait l'obscurité de ses yeux dans lesquels brillait une seule étoile, polaire, très lointaine.

— Il a changé, je trouve. Qu'importe, c'est désagréable à regarder.

— Plaise à Dieu que Firmin ne trépasse pas bientôt, dit une

123

parente éloignée. Les pauvres parrains. Moi, à leur place, je ne saurais que faire d'un tel enfant.

— Serait-ce trop vous demander que de vous taire?

Vexées d'être ainsi rappelées à l'ordre, les commères tournèrent leur regard en direction de la personne qui avait parlé. C'était Églantine. Le poing de la jeune fille se refermait sur son mouchoir parfumé, détrempé par ses larmes. La jeune fille dit encore:

— Laissez-le tranquille. Vous ne savez rien de lui. Vous n'avez même pas idée de ce qu'il est vraiment.

Il était difficile de savoir si Louis avait perçu cet échange ou non. Mais un petit garçon n'en avait rien manqué. Il se détacha du groupe et vint se planter devant Églantine.

— Tu es sa petite amie? lui demanda-t-il.

Églantine renifla.

— Non.

— Alors tu devrais l'être puisque tu l'aimes bien.

— Mais de quoi tu parles? Je ne suis pas amoureuse de cette brute.

— Viens, allons le voir.

Le garçon prit Églantine par la main. Elle se rétracta.

— Quoi? Mais c'est hors de question. Je n'ai aucune envie de me faire encore éconduire comme une mendiante importune.

Le garçon se garda d'insister. Il alla donc se présenter seul à Louis.

— Salut. Mon nom est Nicolas. Nicolas Flamel[36]. J'habite pas très loin de chez toi. Mes parents ne veulent pas que je vous fréquente, toi et tes amis. Mais moi, je trouve que tu n'es pas bête. Et j'aimais bien ta mère.

— Nicolas, appela une femme.

— Tiens, j'ai quelque chose pour toi, de la part de cette fille qui est juste là.

Le garçon prit la main de Louis.

— Attention, n'y touche pas, ordonna Églantine trop tard.

Le garçon déposa quelque chose dans la main de Louis, puis il s'en alla rejoindre sa mère. Elle se baissa pour lui dire:

— Je t'ai déjà dit de ne pas t'approcher de ce garnement. Il est trop imprévisible.

Louis ouvrit la main: Nicolas lui avait offert une dragée au miel parfumée au citron. Il la mit dans sa poche.

Au signal du célébrant, le reste des membres de la corporation se rapprochèrent de la fosse fétide. Il était temps de faire cesser cet échange de commérages qui remplaçait chez ces gens simples le recueillement et la compassion qu'ils auraient dû témoigner. À quoi d'autre fallait-il s'attendre avec cette pauvre petite femme qu'aucun d'entre eux ne s'était réellement donné la peine de connaître? La voix solennelle du prêtre s'éleva pour réciter quelques prières en latin. Après quoi il leva les yeux et dit:

—Adélie nous a quittés pour un repos bien mérité en attendant le Jour du Jugement. Pour nous tous qui demeurons en ce monde, c'est là une chose difficile à accepter et encore plus à comprendre, mais telle est la volonté de Notre-Seigneur. Tout ce qui nous entoure, les objets, les amis, ceux que nous aimons, tout cela ne nous est que prêté. Il faut le rendre un jour.

Louis reçut soudain sur son épaule la main charnue de son père comme un coup de battoir. Firmin s'appuya davantage contre son fils. Louis supporta le faix avec une velléité de soumission muette.

Le brancard loué fut empoigné par quatre hommes qui le transportèrent jusqu'au bord de la fosse. Ils l'inclinèrent. Une nouvelle forme blanche se mit à glisser, d'abord avec réticence. Le corps d'Adélie tomba, tout raide, complètement enveloppé de son linceul. Il roula au fond du trou comme une chose. Louis se sentit tomber en avant avec lui. Il fut retenu par la main tremblante de Firmin qui n'avait cessé de lui pétrir douloureusement l'épaule. Des hoquets et des reniflements emplirent un instant le silence.

—*De profundis clamavi ad te, Domine: Domine exaudi vocem meam*[37], récita le prêtre.

Le bercement séculaire des suppliques latines portait à un bienheureux engourdissement. La douleur s'émoussait peu à peu, mais à sa place il n'y avait rien.

—*Requiem aeternam dona eis, Domine. Et lux perpetua luceat eis. Recquiescant in pace. Amen*[38].

Le regard de Louis erra sans but parmi les gens assemblés autour du trou. Il croisa à nouveau le regard compatissant du petit Nicolas. Le souvenir d'une brise vint lui caresser les cheveux.

Le prêtre s'éloigna en direction du groupe qui avait émis des commentaires désobligeants à propos de la sépulture. Cela détourna l'attention de Louis.

—*Memento, homo, quia pulvis es et in pulverem reverteris*, dit le prêtre d'une voix forte afin que tous puissent l'entendre. Après quoi il expliqua:

—Vous ne voyez là ni bien ni mal. Vous voyez là seulement ce

---

37. Des profondeurs de l'abîme, j'ai crié vers toi, Seigneur: Seigneur, écoute ma voix…

38. Donne-leur, Seigneur, le repos éternel et que la lumière sans fin brille pour eux. Qu'ils reposent en paix. Ainsi soit-il.

qui est. Car le Seigneur a dit: «Souviens-toi, homme, que tu es poussière et que tu retourneras en poussière.»

La brise douce vint effleurer un peu d'herbe bouclée qui était parvenue à pousser sur cette terre sans cesse piétinée et retournée. Louis cligna des yeux. Le curé se déplaça pour dessiner un lent signe de croix dans l'air, au-dessus de la fosse. Des gens commencèrent à partir. Firmin fut entouré par ceux qui désiraient le saluer avant de s'en aller à leur tour. Le religieux baissa les mains et les tint croisées devant lui. Les bribes d'une lettre qu'il avait reçue la veille d'un parent des Ruest lui revinrent à l'esprit. Elles commençaient sur un pieux mensonge qui, sans doute, visait à détourner l'attention du motif véritable de la missive. C'était habile:

«Firmin Ruest demeure un homme fort dévot malgré le fait qu'il soit rudement éprouvé par la perte de son épouse qui ne lui a laissé qu'un fils. Or la nature de cet enfant me trouble et me porte à vous demander conseil...»

Le religieux fut arraché à ses pensées par le fils Ruest lui-même, qui s'était discrètement approché de lui. Il le tira par sa manche de bure et dit:

— Mon père, je ne sens plus rien. Je pense que je suis mort. S'il vous plaît, changez-moi en poussière. Je veux partir avec elle.

*

Avant la tombée de la nuit, les fossoyeurs se résolurent à pelleter de la chaux vive devant la dernière personne qui s'attardait près de la fosse. C'était l'auteur de la lettre. Le frère Lionel, comme Louis, vivait en marge du monde.

Deuxième partie
1347-1350

Chapitre IV

Le baiser du boulanger

Paris, automne 1347

La hotte vide attendait, appuyée contre le mur de l'étal. Un garçon dégingandé faisait les cent pas devant la boutique qui était sur le point de fermer. Les étagères, vides elles aussi, étaient déjà nettoyées et rangées pour la nuit. La porte de l'arrière-boutique s'ouvrit et se referma. Un jeune artisan portant tablier s'avançait dans la pénombre de la boutique. Inconsciemment, le garçon se mit presque à l'attention. C'était Hugues.

— Une bonne journée. J'ai tout liquidé, dit-il, ravi, à Louis qui s'en venait.

Ce dernier lui remit quelques pièces prises à même la jarre de terre cuite. Hugues les accepta avec reconnaissance, comme chaque jour depuis bientôt un an qu'il faisait les livraisons pour les Ruest.

— Attends, dit Louis.

L'adolescent alla chercher dans l'ombre de l'ouvroir quelques lourdes miches qu'il tendit à son copain et lui dit:

— C'est pour toi et la bande. Ne les vends pas. Je n'ai pas le droit de faire des pains comme ceux-là.

— D'accord.

Hugues fractionna l'une des miches de pain complet dont la dense mie tiède était constellée de graines de tournesol, d'oignons grillés et de lardons.

— Sacredieu, c'est drôlement bon. Merci, dit Hugues, la bouche pleine.

Ils se saluèrent et Louis verrouilla la boutique pour aller souper avec la famille dans la chaude pièce à vivre. Il retira son tablier et se lava les mains, les avant-bras et le visage au seau d'eau qui était posé près de la porte. Il prit place au bout de la table, à l'extrémité opposée à celle de son père.

Bien des choses avaient changé au cours de ces trois dernières années. À quatorze ans, Louis était devenu plus robuste. Il dépassait d'une tête la plupart des adultes. Sa musculature s'était développée grâce au travail et à une alimentation plus saine dont son père ne le privait plus. Il portait des vêtements usés mais convenables et propres. Ses cheveux n'étaient plus taillés à l'écuelle; ils étaient ras, à peu près comme ceux de son père. Mais la chevelure du garçon était plus abondante que celle de Firmin, si bien qu'elle s'ébouriffait au moindre souffle d'air. Une petite mèche rebelle près du front s'obstinait à désigner le plafond comme s'il était la chose la plus intéressante à regarder.

La famille aussi était différente : elle s'était agrandie. Firmin s'était remarié l'année précédente. Odile, son épouse plantureuse, tenait maison et ne rechignait pas à partager avec lui les plaisirs de la couette. Ce goût insatiable pour les rapports charnels était d'ailleurs ce qui avait motivé sa démarche auprès de cette veuve plus âgée que lui, puisqu'elle ne connaissait rien en matière de boulangerie. Elle avait emmené avec elle Bertrand, un fils de seize ans qui ne songeait qu'aux gloires de la chevalerie, Clémence, sa fille de douze ans, Amaury, un garçonnet de cinq ans et le petit Gérard qui n'avait qu'un an. Curieusement, Firmin avait trouvé de quoi les entretenir tous sans pour autant renoncer à une cuite hebdomadaire. Il fallait qu'Odile fût bonne au lit.

Les Ruest demeuraient prospères. Toutefois, quelque chose manquait. Un malaise, comme ces lents brouillards d'automne que les ardoises des toits déchiquetaient, planait au-dessus d'eux et indisposait quiconque était tenté de s'infiltrer parmi eux. Leur demeure pourtant belle s'était fanée tel un pétale sous le frimas. Elle était comme privée de sa ration de lumière, on eût dit que ses fenêtres ne cherchaient plus qu'à voiler leur regard derrière le tulle endommagé d'araignées qui n'y étaient pas, puisque le ménage était bien fait. Peut-être Firmin avait-il essayé de nier l'existence de cette impression persistante en peuplant sa maison avec les enfants d'un autre.

Louis travaillait fort et savait s'occuper de tout : du four, du levain, des variétés de pains, en plus de la boutique. Il savait être partout à la fois. De sa propre initiative, il avait confié les livraisons à Hugues et n'avait jamais eu à le regretter : si le voyou continuait à commettre çà et là de petits larcins, jamais son ami n'en fut la cible. Clémence et Odile apprenaient à tenir la boutique à tour de rôle tandis que l'autre restait à la maison pour s'occuper des petits. Assez fréquemment, Firmin et Louis boulangeaient ensemble.

Une espèce de trêve s'était instaurée entre eux. Il y avait de quoi se demander si Firmin avait jamais douté de l'intelligence de son fils. Il lui confiait les rênes de plus en plus souvent. Il n'y avait plus de Ratier. À quatorze ans, Louis était désormais majeur[39] et n'était plus un chrétien sous tutelle. On arrivait presque à oublier qu'il avait été maltraité depuis l'âge de trois ans, au début de cet âge turbulent et mal considéré, où il avait progressivement perdu les vertus divines du baptême.

Peu après le remariage de son père, il avait déménagé sa couche sous les combles, préférant affronter le froid et les mauvais souvenirs plutôt que d'avoir à endurer l'envahissante promiscuité de sa belle-famille; car il passait la plupart de ses nuits dans la farinière*. S'il avait pris cette décision par défi, son père, bien que surpris, l'avait tout de même laissé faire sans protester.

Les deux petits n'incommodaient pas Louis: d'instinct, ils le laissaient tranquille. Il s'entendait plutôt bien avec Clémence, sa sœur par alliance, qui était la seule avec qui il communiquait un peu. Quant aux trois autres, Firmin, Odile et Bertrand, tout allait bien tant qu'ils s'en tenaient au minimum avec lui.

Dès que Louis se fut assis, ce soir-là, Clémence commença le service. C'était une petite brune timide qui devait tenir la majorité de ses traits de son défunt père. Elle servit d'abord Firmin, puis Louis. Ni Odile ni Bertrand n'y trouvèrent à redire. Ils attendirent leur écuelle en silence alors que le père et le fils commençaient à manger. C'était devenu naturel. Tacitement, c'était Louis et non pas Bertrand que l'on considérait comme l'aîné, parce qu'il travaillait.

— Le prix du grain a encore grimpé, dit Firmin. Si ça continue ainsi, nous allons devoir nous mettre au pain noir.

— J'espère que tu ne parles pas sérieusement, dit Odile dont la bouche lippue triturait de bon appétit un généreux fragment de pain au froment encore tiède.

— C'est à cause de la guerre. Que veux-tu que je te dise?

— Tout cela ne serait jamais arrivé si les nôtres avaient su se battre au lieu de se laisser plumer comme les volailles dodues qu'ils étaient, dit Bertrand[40].

Fidèle à son habitude, Louis écoutait et mangeait en silence.

Le roi de France, Philippe VI de Valois, avait eu à faire un dur apprentissage. Il avait dû renoncer à appliquer tous les beaux principes de chevalerie qu'il avait glanés dans ses lectures pétries

131

d'idéal romantique. La guerre était une chose sale, ingrate, ignoble. Les preux ne revenaient pas chez eux dans leur armure étincelante, bannière au vent : ils mouraient par milliers, inutilement, sur des champs de bataille gorgés de sang.

L'on ne pouvait soupçonner que ces horreurs n'étaient que le début d'un conflit dont nul d'entre eux n'allait connaître la fin. La guerre de Cent Ans[41] était commencée.

— On a spolié la chevalerie, voilà, dit Bertrand. Ces Anglais se battent comme les chiens d'archers gallois avec leurs *lombeaux**, des barbares qu'ils sont allés ramasser dans leurs montagnes. Ils ont perdu tout sens de l'honneur.

— En tout cas, il n'est pas encore né, l'Anglais qui va me priver d'une chère pareille, dit Odile dont le menton était dégoulinant du bouillon brun de son ragoût.

— Moi, je leur fais la nique, aux Anglais, dit Amaury de sa voix flûtée.

— Que dis-tu là, petit ? C'est un très vilain mot, dit Clémence.

— N'empêche que le grain coûte de plus en plus cher, dit Firmin. Il va falloir que je révise mes sources d'approvisionnement. En plus, il y a le Bonnefoy qui commence à me faire des misères.

— Tout ça ne serait pas arrivé avec un Capet, dit soudain Louis de sa voix muante[42].

— Ouais.

— Qu'est-ce que tu connais à la guerre, toi ? demanda Bertrand.

— J'en connais autant que toi qui t'assommes contre des branches d'arbre en jouant au preux avec tes amis et qui ensuite me mets ça sur le dos.

Bertrand, outré, se leva et s'appuya contre la table pour crier :

— Calomnies ! Je ne me suis assommé nulle part.

— Laisse tomber, Bertrand, dit Odile.

— C'est toi, espèce de vicieux, qui m'as pris par-derrière l'autre jour, et tu le sais.

— Peuh ! dit Louis.

Bertrand continua :

— Et puis, je ne « joue » pas à la guerre, comme tu dis. Ce sont de vrais exercices, comme à la joute. Et toi, tu viens nous les saboter.

— Ferme donc ta gueule, Bertrand. Tu m'embêtes, dit Firmin mollement.

Mais le jeune homme n'écoutait plus. Il poursuivit, le visage rouge d'indignation :

— On ne peut pas en dire autant de toi, le petit chéri à son papa, hein ? Tu joues au plus fort, mais je parierais que tu n'es même pas capable de tenir une lance correctement. Retourne donc à ton four et laisse la politique à ceux qui savent y faire.

Il n'en fallut pas plus pour amorcer dans le regard de l'adolescent une étincelle de colère dévastatrice. Tel un serpent qui n'attendait que cela, Louis se détendit et frappa comme l'éclair. Une partie de la vaisselle se renversa. Personne ne comprit comment Bertrand, le nez écrasé par un coup de poing, avait roulé sous la table. Louis, accroupi, s'efforçait de l'atteindre, frappant à l'aveugle et s'écorchant les jointures contre du bois rude sans s'en apercevoir. Tout le monde s'était levé et les petits pleuraient. Clémence s'occupa d'eux et les emmena, tandis qu'Odile hurlait :

— Bon Dieu, Firmin, fais donc quelque chose !

Le boulanger défit maladroitement la boucle de sa ceinture, l'enleva, et commença à en frapper le dos penché de l'adolescent dont la tête et les bras disparaissaient sous le plateau de la table. Tremblant de rage, la ceinture brandie, Firmin dit, sans cesser de frapper :

— Arrête ! Non mais arrête, merde ! Saleté, je t'aurai.

Presque immédiatement, Louis se redressa et fit front, lèvres retroussées et mâchoire saillante. Il attrapa la lanière au vol et donna une secousse. La main de son père, tenant toujours la ceinture, se retrouva au niveau de son visage. Le garçon y planta des dents de fauve. Firmin hurla et lâcha prise. Les incisives et les canines de Louis s'enfoncèrent davantage, alors que la ceinture qu'il avait saisie se mit à claquer contre son propriétaire. Firmin recula en geignant, cherchant à la fois à protéger son visage et à libérer sa main ensanglantée. Il assena à Louis plusieurs gifles retentissantes, sans résultat. Puis il pensa à lui forcer les mâchoires, et sa main fut dégagée.

Pendant ce temps, Odile cherchait à extraire Bertrand, délaissé, de sous la table. Clémence était de retour, elle aussi ; elle avait laissé les enfants anxieux dans la chambre commune.

— Oh, Louis... dit-elle tristement.

Ils regardaient tous, effarés. C'était la première fois que l'adolescent s'en prenait physiquement à son père.

Louis trouva que la ceinture ne causait pas assez de dommage ; il l'abandonna et la remplaça par ses poings. Il ne remarqua pas la ceinture qui s'éloignait en rampant discrètement. Odile la brandit un instant et la lanière bouclée atteignit l'adolescent au côté de la tête. Il s'affala contre Firmin, qui le retint avec difficulté pour le laisser glisser par terre.

À bout de souffle, Firmin regardait son fils inanimé, étendu à plat ventre, un bras légèrement tordu, car quelques doigts s'étaient pris dans la cordelette de sa tunique. Odile, Clémence et même Bertrand se rapprochèrent avec hésitation. Ce dernier s'épongeait le nez avec un mouchoir déjà passablement imbibé de sang. Odile chuchota:

— Doux Seigneur, c'est un chien enragé.

— Laissez-le tranquille, dit Firmin. Il faut juste lui foutre la paix.

Personne ne dit plus rien. Pour la seconde fois de sa vie, Firmin se prit à redouter son fils. En son for intérieur, il avait toujours su que les choses allaient finir par en arriver là.

Dans son coin sous les combles, Louis analysait le goût violent du sang de son père dans sa bouche. Les joues enflammées par les gifles, il n'avait pas conquis le territoire espéré. Il n'avait pas non plus perdu la bataille. Amour et haine, jusque-là clairement divisés, s'entremêlaient et dansaient follement l'un avec l'autre. Louis se roula en boule sur sa couche de foin et attendit.

Comme de nombreuses victimes de mauvais traitements, Louis enfant avait surmonté sa rivalité à l'égard de son père en adoptant ses valeurs et son comportement. Cette dynamique avait fait de lui un tortionnaire qui exerçait à son tour sur les autres la violence qu'avait manifestée son père envers lui. Ce qui demeurait à la fois étrange et admirable, cependant, c'était qu'une forme d'amour persistait à croître dans ces conditions hostiles avec l'obstination d'un arbrisseau poussant sur le roc. Louis n'en continuait pas moins à aimer son tourmenteur malgré le fait qu'il savait cet attachement sans issue. Peut-être était-ce dû au fait que la main qui l'avait frappé était également celle qui avait permis de le nourrir. C'était lui, son père, qui avait eu le contrôle absolu sur son bien-être comme sur sa souffrance. Louis percevait-il inconsciemment comme de la gentillesse le relatif adoucissement de ses conditions de vie?

*

Le père et le fils s'étaient mis au travail avant l'aube le matin suivant. Firmin avait dû renoncer à sa part de pétrissage à cause de sa main bandée qui allait être inutilisable pendant quelque temps. Il prenait une pause et sirotait un breuvage qu'il avait pris soin de corriger à l'eau-de-vie.

— N'oublie pas qu'il est temps d'aller au moulin, dit-il à son fils.

Le vêtement de Louis adhérait à son dos, car il ne l'avait pas enlevé après avoir accompli son travail au pétrin.

— J'irai si je peux, dit-il.

— Tu le pourras. Et retire cette chemise atroce! Je suffoque juste à te regarder.

— Vous n'êtes pas obligé de me regarder.

—J'ai fait cette boisson trop forte, je crois, dit Firmin en déposant son bol.

Lui-même était nu jusqu'à la ceinture; il exposait son torse barbouillé de poils brunâtres et hérissé de fétus à la chaleur du four. Louis savait depuis longtemps ce qu'il avait à faire. Il se dépouilla de son vêtement et se lava avec soin au seau pour éviter de souiller la pâte par la sueur ou la mauvaise haleine. Il se remit au travail. Ils cessèrent de causer pendant un certain temps.

Un peu plus tard, l'adolescent entreprit de mettre à cuire la première fournée. Firmin ne pouvait s'empêcher d'examiner et d'admirer chez lui les gestes sûrs et rapides de l'artisan. Ce fut sans doute la raison qui lui donna envie de rétablir entre eux la rivalité sans laquelle il se sentait diminué:

—L'Odile ne t'aime pas, tu sais.

Ces derniers mois, la belle-mère de Louis avait entrepris agressivement de le dénigrer. Elle n'hésitait pas à mettre sur son compte plusieurs méfaits commis par d'autres voyous et dont elle avait entendu le récit: feux de granges, poulets volés et autres crimes du même genre. Firmin avait plus ou moins accordé d'attention à ces ragots; il les avait mis sur le compte de la jalousie. L'adolescent demanda:

—Dois-je en être marri?

—Eh bien, je suppose... Faut dire que tu ne l'aides guère.

—Je n'en vois pas l'intérêt. C'est votre femme, pas la mienne.

L'adolescent n'interrompait pas son travail pour bavarder, ni ne semblait se laisser distraire par les émotions qui, en d'autres circonstances, lui auraient peut-être fait brandir sa pelle à enfourner au-dessus de la tête de Firmin. Cette concentration était une autre grande qualité décelable chez le futur boulanger. Le maître décida d'en profiter pour s'amuser à ses dépens tout en évaluant ce trait de caractère:

—À propos, ne trouves-tu pas qu'il est temps de te trouver une jouvencelle? Moi, à quatorze ans, j'en avais déjà défloré au moins une demi-douzaine, et pas des plus moches.

Louis s'abstint de répondre. Mais Firmin eut un rire paillard lorsqu'il vit sur les joues de son fils une rougeur qui n'y était pas auparavant et dont le four n'était pas responsable.

—Sacré nom de Dieu, le petit salaud. Tu en as une? Est-ce que je la connais?

—Non, je n'en ai pas.

—Allez, ne me fais pas le coup du puceau effarouché. Dis-moi qui c'est.

—Personne. Et vous ne devriez pas boire comme ça de si bon matin.

—Parce que ça te regarde, peut-être?

—Peut-être pas. Mais laissez-moi tranquille avec vos histoires, vous aussi.

Firmin ricana doucement en voyant son fils un peu perturbé. Le four fut rempli. Louis déposa sa pelle et s'essuya les mains. Firmin dit encore:

—Bravo. Tu n'as pas baisé, mais peut-être que tu devrais.

Il ricana encore à cause du double sens de sa phrase. Louis demanda:

—Est-ce qu'Odile aimerait me voir ramener ma fiancée ici? À moins que je ne parte m'établir à mon compte?

Il s'approcha de son père. Firmin demeura un instant interdit.

—Que dis-tu là?

—Pensez-y un peu.

—Comment? Aurais-tu des projets, par hasard? Tu as entrepris des démarches avec la corporation sans m'en parler?

Louis fit un vague signe d'assentiment. Il trouvait étrange d'être capable de parler à son père d'une façon presque normale, alors qu'une relative sobriété ne lui avait pas encore interdit toute pensée structurée.

—Pas encore. Mais j'en ai l'intention.

—Ah ben, ça alors!

—Vous comprenez maintenant pourquoi Odile ne m'aime pas. Les femmes des autres boulangers parlent. Elles se doutent de quelque chose. Vous seul êtes assez sot pour ne rien voir. Il n'en tient qu'à vous que nous devenions associés... ou autre chose. Et méfiez-vous de ce qu'Odile vous raconte.

Firmin n'eût jamais cru qu'une simple taquinerie au sujet des filles allait mener à un tel aveu. Il dit, encore sous le choc:

—Faudrait quand même que tu les lâches un peu.

—Allez plutôt dire ça à ce benêt de Bertrand.

—Alors... tout ce que m'a rapporté Odile à ton sujet... elle a tout faux?

—Oui, dit Louis.

—Complètement?

—Je vous l'ai dit.

—Ne me dis pas que ta bande n'y est pour rien?

—Ce que fait la bande ne concerne qu'elle.

—Tu n'as donc jamais frappé Odile?

—Non, mais j'en ai très envie.

—Quoi? Non mais, te rends-tu au moins compte de ce que tu racontes? Il n'y a vraiment plus moyen de te dire un mot, à toi. T'es devenu un vrai petit gibier de potence.

—N'ayez pas de souci, je ne ferai rien. Comme je ne vous ai rien fait à vous pour ma mère.

Un goût de sel se répandait dans la bouche de Firmin. Il bredouilla, mal à l'aise:

—Ne dis pas ça.

—Pourquoi non? Sûrement pas parce que vous la regrettez, hein? Elle n'est plus là, mais moi, j'existe. Et ma présence ne cesse de vous rappeler à tous les deux que ma mère était là bien avant votre putain!

—Ta gueule! Tu vas la fermer!

—J'ai assez enduré sans rien dire.

—Et je te défends de manquer de respect à ta belle-mère qui est aussi, au cas où tu l'oublierais, ma femme.

—Je n'oublie rien. C'est pour cette raison que je ne la respecterai jamais.

Firmin le gifla et cria:

—Au moins, respecte-moi! Tu as peut-être atteint ta majorité, mais je suis et demeure ton père. Ne m'oblige pas encore à te flanquer une raclée.

Le face à face qui suivit déstabilisa le boulanger. Louis le fixait en silence. C'était comme si son corps, quoique délié, s'était ramassé sur lui-même, prêt à bondir. Tout en lui suggérait déjà la force physique d'un félin à l'affût. Le père tremblait, réduit à l'impuissance, et il se dit avec désolation: «Je ne pourrai plus l'assommer. Je ne pourrai plus.» Louis était devenu un adversaire. Firmin aboya:

—Va-t'en. Je ne suis plus capable de te supporter. Bon à rien. Fainéant. Non, mais vas-tu t'en aller.

Louis cilla imperceptiblement, et Firmin réalisa trop tard qu'il venait de commettre une grave erreur.

—Je n'ai pas voulu dire ça. Mais, bon Dieu, tu me mets hors de moi. Allez, au travail.

Louis se détourna et, chose étonnante, se remit à sa fournée. D'avoir repris un semblant de contrôle sur cette lave humaine déconcertait Firmin. Mais il n'était plus question de le lâcher. Il dit:

—Sache, pour ta gouverne, que je n'ai pas encore pris de décision à propos de la boulangerie. Il me tarde d'enseigner le métier aux petits.

Louis s'était déplacé vers le pétrin vide et écoutait, la tête baissée, les yeux sur les mesures[43] qui interdisaient toute fraude à son père. Firmin continua :

— Je veux avoir le choix, vois-tu. La boutique m'appartient. À moi et à moi seul. Je ne te fais pas confiance. Tu es trop belliqueux. C'est mauvais pour les affaires. Et tu passes trop de temps à fainéanter au bain.

Cette dernière accusation était injustifiée et Firmin le savait. Mais il ne pouvait s'empêcher de la porter. Il aima voir le dos voûté de son fils. Louis souleva le lourd pétrin comme s'il s'apprêtait à s'en servir comme massue, mais il se ravisa et laissa l'instrument retomber lourdement au fond de la cuve. Il se tourna vers son père et dit, d'une voix blanche :

— Très bien. Alors, bonne chance.

Il se dirigea posément vers la porte.

— Eh, attends une minute. Où est-ce que tu t'en vas ?

— Je ne sais pas trop encore. Au bain, peut-être. Ou me trouver quelqu'un à tabasser, faut voir, dit-il, sarcastique.

— Et le moulin ? Qui va y aller ? Je ne peux pas tout faire.

Louis haussa les épaules et dit, avant de sortir :

— Demandez à Amaury. Ou, au pire, à Bertrand.

*

Le matin suivant, Hugues fut reçu à la porte de l'étal par Firmin dont le visage luisait de sueur. Une fois ses pains bien couverts, il se chargea de sa hotte. Firmin lui demanda :

— Dis-moi, tu n'aurais pas vu le Louis hier, par hasard ?

— Non, maître, je ne l'ai pas vu.

— Ah. Eh bien, si tu le trouves, tu lui diras que, euh... que j'ai à lui parler, voilà. Tu lui diras ça.

— Je le lui dirai, maître. Bonne journée.

Hugues se hâta de tourner le coin de la rue avant de s'appuyer contre un mur et de pouffer de rire. À quelques pas de là, un haleur de fardier rouspétait contre une mégère qui bloquait le passage sous prétexte qu'elle avait échappé l'un des poussins de sa couvée.

— Qu'est-ce qu'il t'a dit ? demanda Louis qui s'était planté un brin de trèfle entre les dents.

— Il n'a pas l'air faraud, dis donc ! Veux-tu bien me dire ce que tu lui as fait ?

— Rien. Je suis parti, c'est tout.

— Ah ben, ça alors. Tu en as, du cran.

Ils se mirent en marche en direction de l'île de la Cité.

—Et que vas-tu faire, maintenant? demanda le jeune livreur.

—Je n'en sais rien.

Mais Hugues se douta que Louis mentait, qu'il savait très bien ce qu'il avait l'intention de faire.

La bande s'était agrandie au fil du temps, la guerre ayant produit un plus grand nombre de pauvres. Même le doux Sans-Croc en faisait désormais partie depuis qu'on avait mis un terme à son hébergement pour une raison connue de ses seuls ex-bienfaiteurs. L'apparence de la Gargouille ne s'était pas améliorée: il s'était fait prendre la main dans le sac une fois de trop et on l'avait puni en lui coupant les lèvres. Aubert et Samson, quant à eux, se donnaient un air goguenard avec leurs vêtements disparates qui, s'ils avaient formé un ensemble, auraient peut-être été beaux.

Depuis trois ans, Louis n'avait pratiquement plus eu besoin de voler. Il lui arrivait pourtant de recourir encore à ses talents, surtout pour se procurer des fruits, qui lui manquaient trop dans une alimentation constituée pour l'essentiel de féculents et de viande.

—Eh, les gars, si on allait tourmenter un brin les filles? demanda le petit Samson.

—Bonne idée. On y va, dit Hugues.

Les fillettes du quai aux Fleurs qui émaillaient tôt le matin les berges de la Seine constituaient toujours une cible de choix pour une bande de gamins tapageurs. Certaines, plus délurées que les autres, ne rechignaient pas à se laisser bouler jusqu'au secret des buissons pour s'adonner à des jeux délicieusement illicites. Quant aux autres, qui constituaient la grande majorité, les garçons se plaisaient tout autant à leur jouer des tours pendables.

Ce jour-là, le premier vrai jour de vacances qu'il prenait depuis le décès de sa mère, Louis eut la surprise d'apercevoir Églantine Bonnefoy, la fille du meunier, parmi les fillettes caquetantes qui s'attardaient un peu trop sur la berge. Il prit Hugues à part et lui dit:

—Tu vois celle qui ne tient aucun bouquet? Pas touche. Elle est à moi.

—Ah bon... d'accord, si tu le dis.

Églantine ne le remarqua pas; le bavardage de ses amies requérait toute son attention. Sa capeline pendait dans son dos et sa longue natte s'était défaite. Il en profita. Se coulant sans bruit parmi les tiges rébarbatives tandis que tous les autres commençaient à jouer bruyamment, il disparut comme par enchantement.

Un objet griffu bondit sur la tête d'Églantine et s'y accrocha comme une méchante petite bête. La jeune fille poussa un cri et porta la main à ses cheveux. Ses doigts rencontrèrent une grappe de petites sphères qui s'étaient inextricablement emmêlée dans ses longues mèches. C'étaient des glouterons brunis, ces fruits de la bardane dont les crochets trop entreprenants s'appropriaient tout ce qui avait le malheur de les frôler de trop près.

Les fillettes entourant Églantine s'égaillèrent en hurlant, et Louis se redressa, tout sourire, alors que l'adolescente se tournait vers lui. Sa main protégeait en vain la masse blonde de ses cheveux.

—Salut, pimbêche. Je m'en viens voir ton père, dit Louis.

—Ah non, pas toi!

—Hélas, si. Et tu ferais bien de te taire, sinon je t'en ferai manger, de ces trucs.

Il se mit à la poursuivre en la bombardant avec d'autres glouterons jusqu'à ce qu'elle eût atteint la rue, où elle fonça tête première dans une charretée de melons qui se renversa sur elle. Elle fut raccompagnée, en larmes, vers le moulin par les injures du marchand et les vivats de la bande à Hugues.

Louis attendit plusieurs heures avant de se manifester, un brin de trèfle défraîchi entre les dents, chez le père Bonnefoy.

—Ça, par exemple, si ce n'est pas le jeune Ruest. Ton père n'est pas avec toi? demanda le meunier, un peu étonné.

—Pas cette fois, maître. Il a à faire.

—Très bien, très bien. Allez, entre, je vais te montrer où poser tes affaires.

—Je n'ai rien apporté.

—Ah bon, hum...

—Mon père m'a dit que notre chargement de grains a été livré directement ici.

—C'est ma foi vrai. Tu es bien informé. Viens un peu par là qu'on aille voir ça.

Bonnefoy entraîna Louis à l'intérieur du moulin où il haussa le ton.

—Tu m'excuseras si la maison est un peu sens dessus dessous, hein, c'est que ma femme n'est pas de très bonne humeur. Figure-toi que notre fille nous est arrivée tout à l'heure dans un état lamentable, avec des gafirots* plein les cheveux. Sales gamins. On n'est en sûreté nulle part, de nos jours.

Louis rit sous cape, même si quelque chose dans ce propos se mit à le déranger.

Plus tard, lorsqu'ils se rendirent dans la pièce à vivre de l'étage, Louis fit un clin d'œil à une Églantine au visage bouffi de larmes, dont les cheveux avaient été triturés pendant des heures par une servante bougonneuse. De mémoire d'homme, le meunier, tout comme le forgeron, avait toujours été considéré comme une espèce de magicien, car son savoir un peu mystique le rendait capable de transformer la matière. Il pouvait transformer le grain, souvent foncé, en farine immaculée. Sa maîtrise des forces de la nature en faisait parfois un être à craindre. Dans les villages, il faisait office de météorologue local. On s'en remettait à lui pour déterminer le meilleur moment de la fauchaison. C'était un homme puissant, influent, souvent assez riche et dès lors volontiers soupçonné de chercher à escroquer ses clients en ne leur rendant pas toujours en farine l'équivalent intégral de leur apport en grains. Il accusait les rats et les poules de le piller à toute heure du jour ou de la nuit, mais on n'en doutait pas moins de sa parole. Pourtant, les larcins qu'il pouvait commettre étaient de peu d'intérêt, sinon pour sa propre table, puisqu'il n'était généralement pas autorisé à vendre directement sa mouture. Le meunier savait aussi se montrer charitable. Souvent survenait quelque pauvre hère à qui il permettait, selon une tradition bien établie, de remplir ses mains et, à l'occasion, ses avant-bras de farine. Le misérable puisait alors avec reconnaissance dans le réceptacle de mouture fraîche. Ces ponctions, qui donnaient au meunier l'occasion de vérifier la qualité de son produit, assuraient parfois un repas pour une famille entière. Les besoins en farine étaient tels à Paris que les meuniers avaient l'autorisation spéciale de travailler la nuit.

Autour du meunier et de sa famille gravitaient des personnes de condition inférieure dont le nombre dépendait de sa réussite. On retrouvait dans les moulins des domestiques, servantes, valets de charrue, manouvriers et aides. Enfin, la meunerie était depuis toujours un lieu reconnu de sociabilité masculine. Les hommes s'y retrouvaient en attendant que leur blé soit moulu et ils y discutaient allègrement, tandis que les femmes se réservaient l'étage dévolu aux tâches ménagères.

Pour la première fois depuis qu'il accompagnait son père chez le meunier, Louis eut le loisir d'apprendre des choses passionnantes au sujet du fonctionnement du moulin. Avec Firmin, cela n'avait jamais été possible. Le père Bonnefoy se réjouit d'avoir chez lui un auditeur aussi attentif et il ne ménagea pas sa peine. Habituellement, les artisans boulangers ne se souciaient guère du travail de leurs fournisseurs, en autant que leur rendement se révélât satisfaisant. Le meunier lui décrivit tout avec force détails, émaillant ses renseignements de «regarde bien, cela pourra t'être utile plus tard» et de «tout bon boulanger doit savoir que...»

—La première chose qu'il nous faut apprendre à reconnaître, c'est le comportement des divers types de grains, dit-il tout haut en en humidifiant un plein récipient afin que le son produit fût plus gros. Il le versa dans la trémie, une sorte de grand entonnoir en bois. Le grain glissa vers un trou où les meules, l'une dormante et l'autre courante, s'en emparèrent pour le broyer avec avidité. Un nuage de fine poussière dorée s'en éleva.

— Prends garde, petit, éloigne-toi un peu, sinon ça va te happer par les hardes et, quand on va te retrouver de l'autre côté, je puis te garantir que tu n'auras pas fière allure dans le pain. Tiens, regarde mes doigts. J'avais dix ans quand ça m'est arrivé. Et le fils d'un de mes collègues a mal calculé ses distances : il a été fauché par une verge. Pas aisé, ce métier, c'est moi qui te le dis. Mais je n'en ferais pas d'autre.

La mouture grossière était dirigée vers la bluterie. C'était un panneau mobile muni de soies conçues pour séparer la farine de la semoule et du son. Grâce au blutoir, le meunier pouvait obtenir différents niveaux de mouture. On récupérait également la semoule qui était issue d'un broyage grossier du blé dur, de même que le son, déchet de cette mouture. Le blutoir avait l'aspect d'un imposant coffre en bois. À cause de sa taille, il était logé dans un hangar accolé au moulin.

— On ne travaille pas de même façon les bleds* et une seule sorte de grains, dit Bonnefoy. Il faut aussi tenir compte du taux d'humidité qu'il y a dedans. Nous devons reconnaître quel bluteau fait quelle mouture et quels produits on peut tirer de chacune. Il y a aussi la manière de nettoyer les grains et de les étuver avant de les moudre. Un bon meunier doit savoir fabriquer des mélanges dont l'apport est avantageux pour le peuple et être capable de bien conserver ses farines. Et encore, ce n'est pas tout...

Tout en prêtant l'oreille aux propos du meunier, Louis l'aidait à manipuler les sacs. Il était fasciné par l'ingénieux mécanisme du moulin et le processus de transformation sophistiqué sans lequel le métier de boulanger n'aurait jamais pu prospérer.

Un mouvement derrière lui le fit se retourner. Églantine se tenait sur le seuil de la minoterie et le dévisageait. La brise agitait ses jupes et quelques boucles folâtres qui s'étaient libérées de sa longue natte.

— Ce n'est pas un métier facile, petit, quoi que puissent en dire les mauvaises langues, disait Bonnefoy. Je dois veiller à ne jamais laisser mes meules tourner à vide. Pas même à la fonte des neiges lorsque tous les moulins hydrauliques fonctionnent à plein régime jour et nuit et que je dois me faire une couche sous l'escalier, sur l'une des passerelles d'en bas, le plus près possible des meules.

Louis ne se rendit pas compte qu'il s'était mis à dévisager Églantine à son tour. Il tenait devant lui un sac qu'il s'apprêtait à soulever à deux mains par son ouverture tortillée. Sa tunique s'était graduellement parée, au niveau du dos et de la poitrine, de deux pennons sombres produits par la transpiration. Bonnefoy disait encore:

— Il faut avoir du grain à moudre, sinon c'est la catastrophe. Autrement, les meules se brisent et ensuite le système entier d'engrenage s'en trouve endommagé. Les grains sont la nourriture du moulin. Ils agissent comme lubrifiant. Ça ne t'intéresse pas du tout, ce que je raconte.

— Si, si... Excusez-moi, dit Louis, qui s'empressa de ranger son sac dans le coin qui lui était destiné. Lorsqu'il se retourna à nouveau vers la porte, la blonde Églantine avait disparu.

Bonnefoy eut une quinte de toux. Il alla ouvrir une fenêtre et se pencha à l'extérieur pour cracher. Louis l'entendit crier :

— Hé, Edmonde, tu veux bien m'enlever cette grosse abrutie d'oie de ma ligne de tir? Mais qu'est-ce qu'elle fout là, au beau milieu de la passerelle? Un peu plus et mon crachat lui tombait sur le bec.

Il revint vers Louis en s'essuyant la moustache à l'aide d'un mouchoir.

— C'est de famille, cette toux, dit-il. On finit tous par l'attraper tôt ou tard et après, plus moyen de s'en débarrasser[44].

Effectivement, l'atmosphère du moulin, saturée de bruits et de poussière de farine, chargée de l'odeur des grains moulus, était difficile à supporter à la longue. Les particules en suspension faisaient tousser et desséchaient la gorge. Mieux valait qu'on s'y habitue jeune. Bonnefoy poursuivait.

— Ce n'est pas pour rien que ta famille fait commerce avec la mienne depuis longtemps. Les moulins à rotation un peu forte comme le mien font de la meilleure farine. Les meules affleurent mieux le blé, le mouvement dilate mieux la farine et en nettoie mieux le son que les moulins faibles. En outre, je produis du son si doux et un gruau si sec que même un noble à l'estomac fragile pourrait les digérer sans malaise.

Il rit et se servit un peu de petite bière pour s'éclaircir la gorge.

— Tu en veux? Sers-toi. Reposons-nous un brin.

— Merci.

Ils prirent place sur un coffre pour siroter leur breuvage.

— Tu sais que tu me plais bien, jeune Ruest. Mais, plus je te regarde, moins je trouve que tu ressembles à ton père.

— Tant mieux.

Louis se rembrunit et le meunier se tut. Il venait de commettre une bévue, sans savoir laquelle. Il se racla la gorge et dit, afin de détourner autant sa propre attention que celle de son client vers un sujet moins délicat:

—Tu vois les vannes, juste là? C'est pour éviter que la salle des meules soit inondée quand il pleut à verse et que la Seine en devient impétueuse. On doit avoir l'œil à tout, depuis l'eau jusqu'au feu. Tu sais comme moi que notre marchandise, même si elle est entreposée dans un espace bien aéré, peut fermenter et prendre feu à la moindre étincelle, n'est-ce pas?

—Oui.

—Eh bien, regarde un peu ceci: c'est un frein que j'actionne pour ralentir la rotation des meules si par malheur ça se met à trop chauffer. Plus il fait chaud, plus il nous faut surveiller ce frottement des pièces. Tout peut se mettre à flamber comme de l'amadou en un clin d'œil... Ah, tiens donc, voici le rhabilleur de meules qui s'amène.

Bonnefoy sortit sur la passerelle reliant le moulin à la rive. Un chariot descendait cahin-caha sur la sente riveraine en remuant de la poussière. Louis se demanda comment le meunier avait fait pour l'entendre.

—Suis-moi, petit, on va avoir de l'ouvrage.

À sa propre surprise, l'adolescent aimait bien se faire appeler petit par cet homme râblé qui lui arrivait aux épaules.

—Comme ton père le sait, je fais venir mes meules de La Ferté-sous-Jouarre, en Seine-et-Marne. On y exploite un granit d'excellente renommée. Holà, bien le bonjour, l'ami. Vous viendrez bien vider un gobelet et bavarder avec nous avant de commencer? Permettez-moi de vous présenter Ruest fils.

—Très heureux, dit le rhabilleur de meules en descendant de sa charrette.

Ses hôtes l'avaient rejoint. C'était un homme noueux comme le fût d'un saule. Il confia les rênes à un garçon d'étable et prit ses outils. Les trois hommes se dirigèrent vers le moulin, Louis fermant la marche. Il prêta une oreille distraite à leur échange:

—Deux mois et demi, c'est trop, mon vieux. Il était temps que vous arriviez pour le nettoyage. Je commençais à craindre que l'aspect et l'odeur de mon produit n'en pâtissent.

—C'est que je suis débordé par le temps qui court. Voyez-vous, on dirait que tous les meuniers de la ville se sont donné le mot pour me solliciter en même temps avant l'hiver.

—Ils veulent sans doute comme moi vous faire revenir en février ou mars en prévision des crues du printemps.

Les deux hommes entrèrent. L'arrivée de la charrette avait attiré un groupe d'invités désœuvrés remorqués par Églantine. Louis se retourna et les vit. L'une des jeunes filles, provocante et délurée, se déhancha et demanda, tout haut:

—Hum, c'est lui, le mauvais garçon dont tu m'as parlé, Églantine?

—Pas si fort, dit l'interpellée qui rougit jusqu'à la racine des cheveux. La poitrine de Louis se gonfla de fierté orgueilleuse. Il voulut leur en mettre plein la vue et souleva à lui seul un sac de cent kilos dont il se chargea. Il leur jeta un coup d'œil malicieux.

—C'est Coquelicot, son nom. Pas Églantine. Parce que rouge comme elle est...

—Mufle, dit Églantine.

Elle reporta à nouveau le regard sur son amie.

—Crois-tu vraiment que j'aie envie de demeurer en présence d'une créature aussi puérile? Partons.

—Non, attends. Moi, il me plaît bien. Pas vraiment séduisant, mais j'aime bien son allure rebelle.

—Bon. Reste si tu veux. Tout ce qui porte des braies* t'attire, de toute façon. Mais moi, les portefaix ne m'intéressent pas.

Bonnefoy appela, du fond de la minoterie:

—Hé! Ruest, viens un peu par ici. À moins bien sûr que tu ne préfères aller conter fleurette à ces jolies jouvencelles?

—Tu aurais tort, elles ne te laisseraient pas en sortir indemne, dit le rhabilleur de meules.

—Dis donc, petit, est-ce ma bière qui t'a mis le feu aux joues? Tu es tout rouge.

—Euh... ça doit être à cause de ce sac. J'ai un peu chaud.

Les deux hommes eurent un rire entendu. Bonnefoy poursuivit:

—Comme de raison... Va poser ça là. Bois un bon coup et amène-toi, on a quelque chose à te montrer.

Quand Bonnefoy recevait des meules neuves, dont le seul transport requérait des heures de travail acharné, sa première tâche consistait en une opération de correction appelée riblage. Il s'agissait de vérifier et de corriger la surface des meules; car, malgré un soigneux polissage effectué sur le lieu même de production, elles comportaient encore d'inévitables petites aspérités qui risquaient de compromettre la qualité de la mouture. Après avoir mis le moulin en marche pour faire tourner les meules l'une sur l'autre, à sec ou en y versant de l'eau, on finissait par apercevoir des points de frottement anormaux. Ils étaient corrigés au marteau et on répétait le riblage plusieurs fois en rapprochant de plus en plus les meules. Une fois qu'elles étaient au point, le meunier passait au rodage en versant du sable fin entre elles. Ce souci de la perfection allait faire la renommée des meuniers français.

Ce jour-là, le rhabilleur de meules n'était venu que pour nettoyer ces pierres imposantes, la gisante et la tournante, d'acquisition récente. Chacune pesait une tonne. Le nettoyage s'avérait nécessaire avant le délai normal de deux mois lorsque Bonnefoy s'en était servi pour moudre de l'ail sauvage. Dans ce cas précis, les meules devaient être lavées à grande eau avec une brosse de chiendent. Ce travail exigeait force et dextérité. Bonnefoy et Louis observèrent l'homme qui avait entrepris d'évaluer les points d'usure, toujours inégaux. Il étala de l'ocre rouge sur toute la meule afin d'en repérer les irrégularités plus facilement une fois qu'elles auraient tourné un peu. Il y passa une règle de deux mètres de long et leur désigna les parties décolorées par le frottement qui lui indiquaient les surfaces à niveler. Cela avait l'air si simple. Il se mit au travail. Le moulin était devenu silencieux comme une bête énorme qui acceptait de se laisser docilement soigner.

Louis écoutait les deux hommes bavarder sans retenue en sa présence, le prenant parfois à partie. Il se sentait des leurs. C'était un sentiment grisant que d'être considéré comme un adulte, un égal. Pour la première fois de sa vie, il se sentait devenir un homme.

—Saleté de burin. Le manche m'a lâché. Encore heureux que j'aie prévu le coup, dit le rhabilleur.

Il achevait de creuser les nouvelles stries qui allaient permettre de mieux attaquer le grain. Il vérifia les filières*.

Bonnefoy fut occupé avec des clients tout le reste de la journée. Des collègues de la guilde étaient également attendus avec leur famille, sans compter que de la parenté allait sans doute arriver à l'improviste pour célébrer la Saint-Martin[45]. Installés à une petite table, si frêle qu'elle en semblait gênée, au pied du muret qui s'étirait depuis le moulin de la rive, quelques invités bavardaient. L'un d'eux suggéra soudain :

—Il n'y a pas de meilleur endroit pour une bonne partie de moulin. Qu'en dites-vous, Ruest ?

—Je ne connais pas ce jeu.

—Si c'est là ton seul empêchement, je puis te l'apprendre.

—Ah... je veux bien.

Églantine ricana :

—Bonne chance, va. S'il est aussi bon professeur que joueur, tes moulins ne vaudront pas mieux que celui du diable.

—Calomnies, dit le joueur en riant.

Une planche de jeu fut disposée. Sur le dessus avaient été gravés trois carrés concentriques reliés par une croix. Des cases rondes avaient été prévues pour que chaque joueur y déposât un à un ses neuf pions en alternance. Le but du jeu était de créer un alignement horizontal ou vertical de trois pions appelé moulin. Tout en jouant, il fallait empêcher les autres joueurs d'en faire. Une fois tous les pions posés, on regardait combien de moulins avaient été réussis. Pour chacun, le propriétaire enlevait un des pions de son adversaire. Le professeur expliqua :

— Mais tu n'as pas le droit d'en retirer d'un moulin déjà réussi. Après cela, on continue le jeu et, avec les segments restants, on essaie de faire d'autres moulins. Chaque nouveau moulin permet d'enlever un pion adverse.

Louis écoutait attentivement, faisant occasionnellement un signe de tête. C'était tout à fait passionnant et ingénieux de pouvoir s'amuser ainsi avec de simples petits bouts de bois.

— Il t'est possible de déplacer un moulin existant et de le refaire ailleurs, disait le joueur. Le jeu se terminera si l'un de nous réussit à capturer sept des neuf pions de l'autre. Les copains jouent une variante du jeu qui permet d'ouvrir ou de fermer des moulins, tant que les trois pions sont bien là.

Deux adolescents vinrent se poster derrière le jeune artisan.

— Autre variante pour te donner une chance si tu finis par n'avoir plus que trois pions : tu auras le droit de sauter des cases sans suivre les segments. Ça te permettra de faire des moulins en trois coups seulement et de bloquer les miens très rapidement.

La partie commença entre quatre garçons, incluant Louis. De plus en plus animée, elle commença à recevoir des greffons de spectateurs féminins, si bien qu'Églantine elle-même se résolut à rejoindre le groupe qui entourait la table.

Louis prit goût à ce jeu dès les premières minutes. Il gagna la partie et céda sa place pour que d'autres puissent aussi jouer.

— Si on jouait à autre chose ? proposa l'un des garçons après une heure.

— À la marelle, dit Églantine.

— C'est comme voulez, dit Louis.

— Mais c'est un jeu de filles, dit-elle en prenant un air coquin.

— Ah bon. Je l'ignorais.

— Quoi ? Ne me dis pas que tu ne connais pas la marelle ? dit l'une des filles.

— Si, enfin... un peu. J'ai vu des enfants y jouer, mais moi je ne sais pas.

—Ça alors!

L'un des garçons fit remarquer :

—Mais à quoi t'attendais-tu, triple buse? Il n'a pas à connaître un jeu de filles. La soule*, ça, c'est un vrai jeu. Pas vrai, Louis? Tu ne dis rien?

—Ça me convient, dit-il en haussant les épaules.

—Tu ne connais pas ça non plus? Dis donc! N'avais-tu pas au moins un cerceau ou un esteuf* comme tout le monde? À quoi joues-tu alors?

Vaguement honteux, Louis posa les yeux sur le pion qu'il avait dans la main.

—Parfois je vais pêcher des grenouilles du côté d'Arcueil avec la bande. On trouve là-bas un fourré et un beau marais. Lorsque je passe par Vincennes, je vais me plonger dans la Marne. Et il y a ceci, maintenant, dit-il en montrant le jeu du moulin. J'aime bien y jouer.

—Mais quand tu étais plus petit?

—Je... je ne jouais pas, mais c'est pas grave, puisqu'il y avait la boulangerie. Des fois, aussi, j'attrapais des bestioles et je m'amusais avec, pour voir.

— Tu leur faisais quoi?

Il leur expliqua, avec beaucoup de conviction :

—Je prenais des rats dans le temps. Mais les chiens, c'est bien mieux. Il faut qu'ils me voient venir avec le couteau. Ils le sentent et ils ont très peur. C'est ça qu'il faut. Si on peut en trouver un, je vous montrerai. On aura aussi besoin de poix et d'huile noire.

—Ah ouais! s'exclamèrent les adolescents, ravis.

—Pouah! Non, je n'y tiens pas. Quelle horreur, dit Églantine. Elle frissonna de dégoût.

L'un des coins du pion avait commencé à produire une écharde, et Louis tirait dessus machinalement avec l'ongle du pouce. Il l'échappa et se pencha pour le ramasser. Lorsqu'il se redressa, il se cogna la tête contre le plateau de la table. Les pions sursautèrent sur la planche de jeu et Louis reparut en se frottant la tête. Des cheveux raides se hérissèrent entre ses doigts. Les garçons pouffèrent de rire, mais se gardèrent de s'esclaffer comme les filles. Les yeux sombres décochèrent de furieuses flammèches. Mais la joyeuse pagaille qui s'ensuivit empêcha tout incident fâcheux, et les moulins disloqués allèrent se perdre dans l'herbe haute.

*

Une fois que l'on s'était un peu éloigné des pales du moulin, la

Seine ressemblait à une paisible grand-mère dont les gestes doux astiquaient patiemment sa parure de galets ronds. Le long de la berge que le crépuscule rendait somnolente, un grand adolescent se coulait silencieusement parmi les hautes herbes avec l'agilité d'un félin en chasse. On eût pu le croire impliqué dans un jeu de traque rendu de façon très convaincante. Il s'était fabriqué une fronde rudimentaire avec une retaille de cuir; elle était déjà armée d'un caillou prêt à lancer. Suivi de loin par un groupe furtif, le garçon rejoignit un repli de terrain où croissaient en rangs serrés des tiges grossières coiffées de leur aigrette argentée comme un plumail* précieux. Sous les pieds nus de l'homme d'armes improvisé, le sol avait la dureté de la tuile. Lui arrivant aux épaules, les tiges murmuraient autour et consentirent à lui servir de cachette. Il y eut un éternuement d'animal. Le groupe s'arrêta. Louis s'abrita derrière l'épais rideau d'herbes. Auparavant, il s'était entièrement frotté avec des fougères afin de couvrir son odeur. En écartant légèrement et très lentement les foins comme des tentures, il l'aperçut de dos. Louis s'avança à peine, sans quitter le couvert où il s'était dissimulé.

C'était un grand chien brun qui était venu s'abreuver dans une flaque oubliée par la Seine.

Le chasseur se redressa et son bras tendu au-dessus de sa tête se mit à faire des moulinets. Le chien leva la tête et s'interrogea sur le léger bourdonnement qu'il entendait. L'instant d'après, il gisait, assommé par le caillou.

Le groupe s'élança à la suite de Louis. Les jeunes, admiratifs, acclamèrent le chasseur et encerclèrent son gibier terrassé.

—J'espère que ça ne l'a pas tué. Non, ça va, on l'emmène. Il respire encore, dit Louis, qui examina la petite blessure sur la tête de l'animal.

Le malheureux chien passa un sale moment. Un tonneau vide fut roulé au pied du muret par les garçons excités. Les filles, d'un commun accord, décidèrent de se tenir prudemment en retrait. Solennel, Louis attendait avec une torche et un petit seau de poix qu'il avait subtilisé près d'un quai où reposait ventre à l'air une barque en réparation. Il avait ajouté à ce mélange une huile sombre, épaisse et nauséabonde, elle aussi dérobée un peu plus tôt.

—Personne en vue. On peut y aller, dit l'une des filles aux allures de garçon manqué.

Le tout ne dura que quelques minutes, mais l'effet fut des plus spectaculaires. Louis se chargea du chien qui s'était réveillé. Personne d'autre ne voulait le faire, ce qui n'avait rien d'étonnant. Il força la bête à entrer dans le tonneau qu'il redressa. Terrorisé, le chien tournoyait à l'intérieur en geignant, tandis que Louis versait dessus le contenu de son seau. Les garçons, subjugués et vaguement effrayés, reculèrent à leur tour.

—Il bluffe. Il n'osera jamais, dit l'un d'eux sans conviction.

Louis jeta le seau de côté et, d'un geste indifférent, lança sa torche dans le tonneau. Un cri horrible se mêla au soudain rugissement des flammes qui éclairèrent un instant la cour et les visages avant de s'assagir quelque peu sous un panache de fumée âcre.

—Putain, dit l'un des garçons d'une voix tremblante.

À la fois horrifiés et fascinés, ils observèrent Louis à la dérobée.

—On va se faire gronder, dit Églantine, qui essayait de diminuer l'impact de cette scène macabre en y substituant un autre souci, certes louable. Louis se tourna vers elle et dit :

—Tu n'as qu'à te taire et les parents n'en sauront rien. Les volets sont fermés et la fumée ne s'en va pas de ce côté.

—C'est vrai, ils n'ont rien remarqué. Personne n'est sorti voir, renchérit l'un des garçons.

—Il n'y a qu'à pelleter de la terre dedans pour l'éteindre.

—Ce pauvre chien sans défense, dit Églantine qui battait en retraite vers la passerelle.

Louis se mit à la suivre. Il s'arrêta à sa hauteur pour dire :

—Eh bien, il est un peu tard pour les regrets, hein, Coquelicot ? Il n'y en a plus, de pauvre chien.

Églantine recula et dit :

—Je ne t'aime pas.

La jeune fille ne pouvait exprimer autrement le malaise qu'il suscitait. Elle ne pouvait expliquer ce qu'elle comprenait peut-être d'instinct. L'enfant Louis avait jadis été vaincu par la force supérieure de son père, mais sa défaite n'était pas restée sans conséquences ; elle avait éveillé chez l'adolescent une cruauté et une insensibilité qui le poussaient à accomplir ce qu'il avait été obligé de subir passivement.

Églantine savait en son for intérieur que les lueurs cruelles dans le regard de Louis étaient alimentées par une impuissance du cœur, par l'impossibilité d'émouvoir l'autre, de le faire réagir, de s'en faire aimer. C'était certes attristant, mais elle ne put s'empêcher de trouver cela méprisable.

—Éloigne-toi de moi, Louis *Ruin**, dit-elle.

Un coup de poing en pleine figure fait moins pleurer qu'un mot, un seul, lancé à un moment précis et de telle manière. Louis encaissa en silence. Nul ne remarqua l'affaissement presque imperceptible de ses épaules. Cela ne dura qu'un instant. Les perles noires de ses yeux vacillèrent. Lui qui était persuadé de haïr Églantine se rendait compte qu'il l'aimait, car l'aversion qu'elle lui portait toujours était son triomphe à lui. C'était un signe qu'elle le voyait, qu'il existait pour elle. Comment eût-elle pu soupçonner qu'il se montrait odieux précisément à cause de son désir d'être remarqué d'elle, d'en être aimé comme Églantine, elle, était aimée? Et il échouait lamentablement.

Soudain, il se redressa et dit, d'un ton détaché:

— Oh, va au diable, Coquelicot! T'es qu'une pimbêche... Quelqu'un a faim? Moi, oui.

*

Au fil des ans, la citadelle de Louis s'était perfectionnée. S'il n'avait pas ce qu'il est convenu d'appeler des amis, il s'était plus ou moins consciemment mis à exercer sur les autres un ascendant dont il s'était forgé une nouvelle arme, plus subtile que celles qu'il avait utilisées depuis son enfance. Il était devenu un être secret, mystérieux et fascinant. S'il permettait à certains de s'approcher, lui restait là où il était et prenait soin de garder ses distances. Il avait édifié autour de lui des remparts que nul encore n'avait osé franchir.

À l'instar des admirateurs qui reproduisent par-dessus leur identité celle de leur idole, plusieurs garçons se mirent à voir en Louis un modèle à imiter, du moins partiellement. Mais ils se contentèrent d'adopter certains traits physiques sans endosser des comportements extrêmes qui heurtaient un peu trop leur sensibilité. Ils se prirent à comploter des escapades nocturnes ou d'autres activités illicites, des actes que Louis ne commettait sans doute pas lui-même. Néanmoins, dès ce premier soir, certains d'entre eux se mirent inconsciemment à reproduire quelques-uns de ses gestes et même cette façon qu'il avait de fixer ses interlocuteurs. La jeune fille qui avait joint dès le début cette petite clique de durs s'était même mis de la gomme de pin dans les cheveux afin d'avoir comme lui une petite mèche qui retroussait. Mais l'effet ne fut pas le même.

— Cette maison ressemble à un nid de guêpes que l'on a dérangé, dit la mère Bonnefoy tandis que la salle du rez-de-chaussée était envahie par une bande d'adolescents qui sentaient la fumée. Elle façonnait avec dextérité de minuscules boules de pâte blonde qui allaient devenir l'une des nombreuses friandises offertes aux visiteurs.

— Moi, je file me changer pour ne pas recevoir notre monde en linge de corps. Ce serait de très mauvais goût, dit le père.

Trois tabourets reposaient les pattes en l'air sur la table comme de petites bêtes désirant qu'on s'arrête pour leur gratter le ventre.

— Où est donc passée cette gueuse de chemise?

Un tabouret oublié l'attendait pour lui faire un croche-patte.

—Bon sang de merde!

La mère Bonnefoy alla se planter en haut de l'escalier, les mains sur les hanches et ordonna:

—Edmonde, tu as oublié de me monter cette grosse caisse qui est sur la passerelle. On va l'avoir dans les jambes. Bouge-toi un peu, ma fille. Les gens ne tarderont plus à arriver, maintenant.

La servante obtempéra et dut s'aplatir contre le mur en planches chaulées pour descendre un escalier envahi par une rangée d'adolescents chantants.

—N'oublie pas de me rapporter mon pâté et le cruchon de lait qu'on a mis au frais dans la rivière. Miséricorde, et moi qui allais oublier mes beignets.

—Puis-je vous être utile? demanda Louis qui s'était glissé près de l'âtre.

—Non, non, mon garçon. Merci. Bientôt, il va y avoir trop de monde ici. On va se marcher sur les pieds. Églantine. Églantine.

—Je suis juste là, Mère.

—Bien. Écoute. Le souper est bientôt prêt. Thibaut, veux-tu bien me dire ce que tu fabriques? Sors de cette chambre, enfin! Lâche mon gâteau, Églantine. Mais dis donc, d'où nous arrives-tu, toi? J'ai envoyé Edmonde te chercher tout à l'heure. Étiez-vous partis chanter la Marion*? Il n'y avait pas un chat dans la cour.

—On est allés se balader, c'est tout.

—Il y avait un chien dans la cour, dit Louis.

—Ah bon, dit la mère Bonnefoy distraitement.

Églantine lança un regard horrifié à Louis, qui souriait innocemment. La mère Bonnefoy dit:

—Les planchers sont balayés et toutes les paillasses sont déjà bourrées de foin frais. Il n'y aura plus qu'à les installer en haut pour la nuit lorsqu'on aura fini de manger. Il faudra aussi en dérouler ici, sinon nous allons manquer de place. Edmonde, y a-t-il suffisamment de carreaux et de couvertures pour tout le monde?

—Oui, m'dame.

—Il va falloir deux paillasses mises bout à bout pour Louis, dit l'amie à la mèche gominée en poussant Églantine du coude.

—Très drôle, dit la jeune fille qui s'appropria un beignet endommagé. La pâte encore très chaude fondait dans la bouche.

—S'il n'y a plus de plats à gratter, je m'en vais, dit l'un des cousins d'Églantine. Dites donc, où est passé l'oncle Thibaut?

—J'achève de me battre avec ces damnés lacets, voilà où j'en suis, grogna le meunier depuis la chambre.

Une charrette équipée d'une lanterne descendit sur l'aire de la berge. L'arrière débordait d'enfants et de jeunes gens qui se déversèrent dès que le véhicule se fût immobilisé. Les parents descendirent du siège comme deux ours penauds. Un minuscule garçonnet, coincé entre leurs gros manteaux, avait effectué le voyage avec eux. Les jeunes, hirsutes et le visage rougi par le grand air, saluèrent bruyamment la mère Bonnefoy qui était allée leur ouvrir la porte du rez-de-chaussée et les attendait à l'autre bout de la passerelle agitée. Elle avait eu tout juste le temps d'enlever son tablier maculé et de confier la friture de ses derniers beignets à Edmonde.

—C'est la famille d'un collègue de mon père qui habite à la campagne, expliqua Églantine à Louis, qui fit un signe d'assentiment.

—Vous avez dû vous faire secouer par la route et les quatre vents, là-dedans, dit la mère Bonnefoy.

—Bah, on a déjà commencé à boire. On a rien senti, dit un jeune homme dégingandé en brandissant un cruchon de vin.

Un tonnerre de rires s'éleva dans la maison qui s'emplit de manteaux, de heuses* et de voix.

—Les enfants, restez donc habillés et allez vous dégourdir dehors un peu, dit la matrone qui venait d'entrer.

Ils ne se firent pas prier. Ils s'en allèrent tous spontanément former un cercle investigateur autour du mystérieux tonneau noirci et rempli de terre boueuse. Louis eut un haussement d'épaules sous le regard plein de reproches qu'Églantine lui destina.

La chambre des maîtres servit à improviser un dortoir pour les bébés et les tout jeunes enfants que la fébrilité des lieux rendait maussades. On en installa là une demi-douzaine qui parvinrent à somnoler derrière la porte close. Les adultes s'empilèrent dans la grande salle, autour des tables qu'on avait dressées.

—Toute la tribu est arrivée, dit la mère Bonnefoy. Nous allons faire manger les jeunes en haut, sinon on ne s'entendra pas. Cher Philippe, vous prendriez bien un peu d'hypocras?

—Je l'ai flairé en mettant les pieds dans cette maison et je commençais à me demander si vous n'aviez pas décidé de vous le garder.

—Ma fille, je te charge de servir tes amis, d'accord? J'ai mis un tonnelet d'hypocras à chauffer pour vous aussi.

De mauvaise grâce, Églantine se dirigea vers l'âtre où le vin frémissait et produisait d'agréables rubans de fumée aromatique dans son chaudron en cuivre. Sans y penser, elle servit Louis en premier, à la façon désinvolte d'une reine.

—Merci, dit-il en acceptant le breuvage offert. Leurs mains

s'effleurèrent. Églantine baissa les yeux et s'empressa de disparaître parmi les jeunes hôtes avec d'autres gobelets.

Edmonde circulait parmi les convives avec un plateau décoré qui proposait fièrement une variété de petites bouchées. Louis mordit dans un délicieux roulé de fromage frais et d'abricots épicés. Il n'avait jamais rien goûté d'aussi délicat. Il ne chercha pas à se mêler aux jeunes qui refluaient peu à peu vers l'escalier menant à l'étage; il n'alla pas non plus parmi les adultes. Il resta plutôt seul, debout près du feu. Cette maison chaleureuse, exubérante, pleine de monde, cette atmosphère de convivialité bon enfant, tout cela était trop nouveau pour lui.

—Il y en a deux autres qui arrivent à pied, lança une voix d'enfant haut perchée par-dessus le tumulte.

La mère de l'un des gamins qui traînait les pieds sur la passerelle s'en alla le rejoindre en protestant :

—Miséricorde, petiot, tu ressembles à un porcelet qui s'est roulé dans la fange. Les autres doivent être aussi sales. Va leur dire de rentrer.

—Oh, Mère...

—Tout de suite.

—Il y a des pâtés et des tartes qui vous attendent, annonça la mère Bonnefoy depuis la porte restée ouverte.

—Et des beignets?

Le garçon disparut en un clin d'œil et ramena avec lui un troupeau échauffé qui se bousculait dans l'escalier. Edmonde protesta en s'élançant vers lui.

—En bas! Restez en bas. Vous allez m'étendre de la boue partout avec vos semelles crottées. Mais où êtes-vous donc allés patauger, pour l'amour du ciel?

Les enfants abandonnèrent partout des pelotes de terre et d'herbe avec leurs vêtements rendus humides par la bruine que produisait le moulin. Deux mamans se portèrent au secours d'Edmonde, afin d'éviter que ce désordre de champ de bataille ne se propage dans toute la maison.

—Dis donc, petiot, est-ce qu'ils arrivent, les deux, là, ceux dont tu parlais?

—J'en sais rien, moi. Hé, redonne-moi mon écharpe, gredin.

Les enfants renoncèrent avec un peu de regret à la campagne qu'ils venaient d'entreprendre contre les Anglais. Ils se consolèrent vite dans la salle de l'étage chauffée par des braseros, où les rejoignirent les deux mères chargées de ballots de linge brossé à étendre. La nourriture et les boissons que l'on monta furent englouties dans un joyeux tintamarre faisant écho au bavardage des adultes au rez-de-chaussée.

— Louis, tu n'as rien mangé encore. Tiens, dit Églantine qui lui offrit un petit pâté au fromage.

Un bon vin avait remplacé l'hypocras. Il avait donné des couleurs à la jeune fille et ravivé le scintillement de ses yeux. Il semblait également avoir relâché sa réserve, car elle dit encore :

— Il y a d'autres hors-d'œuvre sur la table. Sers-toi. Il faut que j'aille voir aux jeunes en haut, ça crie un peu fort tout à coup.

— Bien, dit-il, un peu surpris. Il parvint à se faire un peu oublier en prenant place sur un coffre dans un coin et entreprit d'écouter un débat enflammé mené par Bonnefoy qui mâchait des hors-d'œuvre avec enthousiasme.

— ... Une croisade d'un genre nouveau commence en effet dans le monde. Elle est sans doute moins poétique que celles de nos pères, mais, pardieu, quelle aventure! On n'a désormais plus besoin de se mettre en quête de la sainte lance, ni du Graal, ni de l'Empire de Trébizonde[46]. Les trésors qu'on s'en va chercher sont des épices, et les chevaliers sont des marchands.

Louis goûta cette façon cartésienne de voir les choses.

— Attention au pichet, Thibaut, dit la mère Bonnefoy que les gesticulations de son mari rendaient un peu nerveuse à cause de la proximité de sa plus belle vaisselle. Elle tenait beaucoup à cet objet précieux en céramique sans bec verseur, d'une chaude teinte légèrement orangée décorée d'un délicat feuillage d'oliviers. À proximité, il y avait aussi une luxueuse carafe en verre. De plus, la table était garnie de tasses. Elles n'étaient pas émaillées à l'intérieur et ressemblaient à des fleurs, avec leur rebord en six lobes. L'hôtesse s'était mise en frais.

— Il y avait bien un début de querelle en haut, dit Églantine, qui revint s'asseoir aux côtés de Louis.

Il tourna la tête et la regarda sans dire un mot. Il se demanda comment il avait fait jusque-là pour ne pas remarquer à quel point Églantine était jolie. Les longs cheveux bouclés de la jeune fille étaient blonds comme le blé mûr qui ondulait au soleil et que son père savait si bien transformer en farine grâce à la force de l'eau. Son teint pâle était pareil à celui des princesses de légende. Ses joues semblaient aussi douces que des fruits mûrs, dont elles devaient aussi avoir le parfum. Ses iris, d'un bleu gris parsemé de particules ambrées, détaillaient l'adolescent avec un intérêt soupçonneux. Il remarqua que le rebord de son jupon de mollequin* dépassait légèrement de ses jupes. De seulement la regarder lui procurait d'étranges frissons de plaisir qui n'avaient rien à voir avec ceux qu'il connaissait; ils ressemblaient plutôt à ceux qu'il éprouvait après certains rêves.

Églantine, quant à elle, était troublée par le contact presque charnel de ce visage farouche, de ce regard d'inconnu émaillé d'inquiétantes lueurs viriles. Il lui faisait peur et, inexplicablement, l'attirait tout à la fois. Elle qui n'avait jamais beaucoup apprécié ses visites s'était soudain mise, contre toute logique, à espérer sa présence. Le gamin mal fichu et détestable de ses souvenirs, qui avait toujours eu le don de l'exaspérer avec ses mauvais tours, n'existait plus. Pourtant, il semblait avoir été remplacé par quelque chose de bien pire encore. L'épisode du chien aurait dû suffire à la tenir éloignée pour le reste de son séjour. Or, il n'en était rien. Elle ne comprenait pas ce qui lui arrivait. C'était comme si elle n'avait jamais vraiment vu le garçon auparavant. Il n'était plus pareil.

—Tu... tu ne t'ennuies pas trop? lui demanda-t-elle.

—Non.

Il but une gorgée de vin.

—Tu m'en veux, n'est-ce pas? demanda la blonde Églantine avec hésitation.

—Mais non. Ça m'est égal.

—Ce que je t'ai dit tout à l'heure... ce n'est pas vrai.

—Qu'as-tu donc dit, déjà?

Elle fronça les sourcils.

—Es-tu insouciant à ce point-là? Je t'ai insulté.

—Ah, bon.

—Ce n'était pas vrai.

—Très aimable. Merci bien, dit-il.

—Mais toutes ces choses méchantes, pourquoi les fais-tu?

Louis ne s'était pas attendu à une telle question; le mur de sa forteresse se fissura. Sans même en avoir conscience, Églantine se faufila par la brèche. Il baissa la tête et regarda son gobelet qu'il tenait à deux mains sur ses genoux.

—Je ne sais pas.

Il était soudain pris d'un remords des plus incongrus et se demandait pourquoi. Ce n'était après tout qu'un vieux chien errant, déjà à demi crevé de faim. Mais il se sentit soudain indigne de se trouver là, lui, le mauvais garçon, avec ses jeux méchants, dans cette maison où palpitait avec exubérance une vraie famille unie et son bonheur. Qui était-elle, cette jeune fille pleine de joie de vivre? Pourquoi se souciait-elle tout à coup de lui? Ce qui était survenu lors des funérailles de sa mère lui revint en mémoire et il se hâta de regarder ailleurs. Églantine dit doucement:

—Moi, je crois que je sais. Ta mère te manque, n'est-ce pas?

Elle posa la main sur son bras. Le cœur de Louis s'arrêta. Ce fut comme s'il était passé sans transition d'un tourbillon étourdissant à un autre allant en sens contraire.

—Pourquoi tu me demandes ça?

Elle s'émut du trouble qu'elle causait.

—Je comprends qu'elle te manque, c'est tout. Mais je crois aussi que tu pensais à autre chose, là.

Pour se rassurer elle-même, elle rit gentiment. Le rire d'Églantine chantait comme un ruisseau de printemps. Le jeune artisan boulanger sourit à son tour et fut tout surpris de ne pouvoir s'en empêcher.

—Te joindrais-tu à nous, cher Louis? demanda soudain la mère Bonnefoy en posant une main affectueuse sur l'épaule de l'adolescent qui sursauta.

—Oh... si. Si, bien sûr, dit-il.

—À la bonne heure, dit le meunier. Je ne t'oublie pas, Ruest. La commande de Mathieu sera vite faite et, celle de Godard, je la ferai demain. À propos, veux-tu bien me dire à quoi ton père a pensé, de me faire livrer autant d'avoine et d'épeautre?

—L'idée est de moi, dit l'adolescent, étourdi par le vin et les émotions, et prenant place à table.

Églantine, la mine boudeuse, resta derrière et croisa les bras. Edmonde en était à servir le bouillon de porc salé et le boudin blanc.

—Mais l'avoine est la plus médiocre des céréales panifiables, tu sais cela, n'est-ce pas? Elle donne une farine grossière, lourde et compacte. Il y a des gens qui n'en cultivent que pour l'élevage de leurs chevaux. Seuls les paysans savent s'en contenter quand ils n'ont plus rien d'autre.

—Je sais cela, maître, mais j'en ai tout de même acheté parce que son prix n'a pas encore trop monté, et j'ai idée que nous serons bientôt très contents d'en avoir, à cause de la guerre.

—Voilà qui n'est pas bête, dit Mathieu.

—J'ai aussi convaincu Père d'investir davantage dans le seigle, dit Louis. À poids égal, le seigle donne plus de farine que le froment.

Louis avait cru bon utiliser cette farine pauvre en gluten pour confectionner des pains denses qui allaient se conserver longtemps. Rien ne l'empêchait d'associer seigle et froment afin de blanchir la couleur bise de la pâte et d'ainsi l'enrichir de gluten, ce qui allait faciliter la fermentation, avec une quantité réduite de levain. Cette technique produisait de délicieux pains de méteil. Le froment avait beau être le blé-roi, c'était une céréale capricieuse et fragile, donc plus sujette à subir les fluctuations du marché, surtout en temps de guerre.

—J'admets que c'est là faire preuve de prévoyance. Maintenant, il ne te reste plus qu'à bouleverser les habitudes alimentaires de ta clientèle noble et raffinée.

—Je n'ai pas dit que j'allais faire ça, dit Louis, maussade.

Curieusement, il lui déplaisait d'avoir à évoquer des choses qui concernaient sa propre famille. C'était déplacé en ce lieu. Il expliqua néanmoins :

—Tout notre froment sera réservé à la boutique. Une bonne partie des autres grains est pour ma famille et moi-même. On s'y fait. Les pains de méteil sont aussi bons que les autres si l'on sait bien s'y prendre. Seules les habitudes alimentaires de ma belle-mère en seront bouleversées.

Les hommes s'esclaffèrent.

—Quelle impertinence, dit la mère Bonnefoy.

—Tes camarades te réclament, Louis, on dirait, dit le meunier. Tiens, va partager ce pichet de bon clairet avec eux. Il est aussi délicat qu'un pétale.

Une fois que Louis et les jeunes eurent décidé d'un commun accord de baser leur quartier général sous les combles, les autres se retrouvèrent à nouveau entre adultes. La mère Bonnefoy baissa la voix pour commenter :

—Il s'améliore, depuis un certain temps. J'admets qu'il est convenable, bien qu'assez mal élevé.

—Je suis formel, dit le meunier, ce garçon a du cran. Il est industrieux et devrait faire un époux fiable.

—C'est quand même un rustre.

—Peut-être, mais il n'en reste pas moins qu'il est issu d'une excellente famille, et notre fille a besoin d'une poigne solide pour museler son tempérament qui, comme tu le sais, est plutôt volage.

—Thibaut, n'oublions pas la promesse que nous lui avons faite. Elle a beau avoir seize ans...

—Presque dix-sept. À cet âge, la plupart des filles sont établies et sont déjà mères, rappela l'épouse de Mathieu.

—Je le sais bien. Nous l'avons un peu trop gâtée, celle-là, en lui promettant un mariage d'amour. Espérons que ce jeune Ruest sera assez dégourdi pour la séduire.

*

— Oyez-moi ça, annonça la voix faussée d'un adolescent, Madeleine est allée au petit coin. Elle va revenir avec du tissu plein son corsage.

Des rires gras fusèrent sous le toit pentu. La personne concernée, sœur du garçon, était une fillette de douze ans. Le visage rouge d'indignation, elle ressortit de derrière le paravent qui abritait un seau d'aisance. Sa poitrine avait effectivement une allure suspecte. Elle protesta :

— La ferme, espèce d'idiot. C'est mon corsage qui est trop serré.

— À d'autres. Tu as les seins croches.

— Je me demande bien pourquoi ça existe, des frères.

Tout le monde riait aux éclats, même Louis qui ne rechignait plus autant à s'intégrer au groupe de jeunes fêtards. La meunerie avait depuis longtemps perdu son apparence civilisée, hormis l'espace réservé aux rouages du moulin dont chacun se tenait prudemment éloigné. Ce qui suivit n'améliora certes pas l'état du grenier : l'adolescent ricaneur prit tout le monde à témoin et attrapa sa sœur qui avait tenté de fuir en direction d'un tas de carreaux. Il immobilisa la fillette et fourragea dans son corsage.

— Allez, vas-y, Charles ! l'encouragea quelqu'un.

Un autre renchérit :

— Fais-lui montrer le reste, tant qu'on y est !

Les cris stridents de la fillette dominaient de plus en plus les rires, tandis que son frère triomphant déployait fièrement un long ruban d'étoffe chiffonnée. Tout ce tintamarre fit monter Bonnefoy. Un carreau avachi tournoya à l'horizontale juste devant lui. Il le regarda passer en souriant et dit, d'un ton légèrement sarcastique :

— Philippe Auguste n'a rien vu à Bouvines[47]. S'agit-il d'une bannière ? demanda-t-il à la ronde en avisant l'objet de la dispute fraternelle.

— Qu'est-ce que c'est, Bouvines ? demanda un garçonnet qui riait de voir sa grande sœur humiliée bouder dans son coin.

— C'est une bataille. Peu importe. C'est trop politique pour une veille de fête. Allons, les enfants, dépêchez-vous de vous installer pour la nuit. Saint Martin attend après nous.

Deux mères, Edmonde et Églantine aidèrent la marmaille à venir à bout de cette tâche. Elles peignèrent les cheveux emmêlés, nettoyèrent les minois tachés et rafraîchirent les vêtements froissés. Louis leur prêta main-forte pour étendre les paillasses. Églantine en était à panser l'orgueil féminin de Madeleine assise avec elle lorsqu'elle leva des yeux étonnés sur Louis qui était venu la rejoindre. Elle sourit de le voir cerné par des enfants excités qui enfilaient en grelottant leur accoutrement de nuit tout froid. Il s'avança vers elle. La fillette, soudain intimidée par ce grand garçon, bondit, baissa les yeux et croisa les bras sur sa poitrine plate. Ne sachant que dire à l'enfant pour excuser son intrusion, il l'ignora, ce que cette dernière interpréta comme un jugement. Elle retourna derrière le paravent du petit coin et utilisa le ruban d'étoffe froissée pour éponger ses larmes.

— Tu l'as mise mal à l'aise, je crois, dit Églantine.

Il jeta un coup d'œil au paravent et haussa les épaules. Tout le monde était trop occupé pour se soucier d'eux. Il en profita pour isoler Églantine qui se retrouva coincée entre le mur et lui. Elle ne parut pas le remarquer. Il dit :

— Tant pis. Pour une fois, je n'y suis pour rien.

— C'est ce que tu crois. Elle cherchait à se vieillir un peu pour attirer ton attention. Tu lui plais, lui dit-elle d'un air taquin.

— Moi ?

— Allons donc, nigaud. Ne me dis pas que tu n'as rien remarqué ?

— À vrai dire, non.

Il n'osa pas lui avouer que depuis un bon moment il n'avait d'yeux que pour elle.

— Elles ont bien repoussé, tes nattes, dit-il.

Il tendit la main vers l'un des pinceaux retroussés qui ornaient ses tresses blondes et brillantes comme de la soie.

— Comme c'est étrange. Il y a peu encore, tu étais très différent de ce que tu es devenu. Je t'ai toujours cru taré. Il me semble que rien n'est comme d'habitude.

Louis ne nia pas. Le coin de ses lèvres se retroussa.

— C'est le vin.

— Voyou !

En riant, elle le repoussa d'un coup de hanche et demanda :

— Dis-moi, est-ce que tu as une petite amie ?

— Non.

— Moi, j'ai des prétendants, tu sais, dit-elle fièrement. Tous des meuniers d'une réputation irréprochable. Mais je n'en aime aucun, tu comprends ? On ne peut épouser un homme dont on n'est pas amoureuse, n'est-ce pas ?

Fasciné, Louis opina avec empressement. Comme toutes les jeunes filles de son âge, Églantine nourrissait un idéal romantique très élevé. Elle s'empressait d'étayer son récit d'enjolivures afin d'en faire un mélodrame plus consistant pour son interlocuteur. Elle se pencha en avant et dit, sur un ton de confidence :

— Il y en a même un qui a essayé de m'embrasser. Sur la bouche.

—Non! dit Louis, qui s'efforça d'avoir l'air indigné.

C'était ce qu'elle semblait attendre de sa part. Il se prit à s'imaginer en prétendant. Mais lui, il réussissait à embrasser ces lèvres veloutées et désirables que l'excitation rendait légèrement lustrées.

—Si, dit Églantine. Heureusement qu'Edmonde me chaperonnait. C'était un veuf de soixante-trois ans, tu te rends compte?

—C'est que tu es bien jolie. Moi, j'ai grand plaisir à te regarder.

—Merci, dit Églantine, qui baissa les yeux en rougissant, un sourire pudique aux lèvres.

Il demanda timidement:

—Est-ce que... est-ce que moi, je te plais, maintenant?

—Mais oui, répondit-elle tout bas sans le regarder.

—Puis-je te toucher?

Étonné de sa propre audace, il attendit en tremblant un peu. Elle leva sur lui ses yeux pailletés d'or et acquiesça en silence.

Gauche, il la prit par les épaules. Avec une douceur que personne ne lui connaissait, il l'enlaça. Il se surprit lui-même lorsque sa main se leva et serra la nuque d'Églantine. Il sentit avec délices combien elle était délicate et fragile, tiède sous sa paume. Louis relégua sa méfiance aux oubliettes. Il se pencha vers le visage en forme de cœur et ferma les yeux une seconde pour déposer sur ses lèvres un baiser pudique. Une émotion nouvelle se propagea en ondes chatoyantes à travers tout son corps. Églantine, toute molle, se moula davantage contre lui. C'était merveilleusement étourdissant. Jamais il n'avait expérimenté quelque chose de semblable. Sa citadelle fut à nouveau secouée et des fragments de maçonnerie s'en effritèrent. Il n'en eut cure. Les prunelles de la jeune fille étincelaient, translucides comme une eau ensoleillée. On pouvait y lire tout ce que l'humanité cherche à exprimer depuis la nuit des temps sur l'amour, sans y être jamais tout à fait parvenue.

—Je ne comprends pas, dit Louis à voix haute.

—Quoi?

—Non, rien. C'est juste que... j'ignorais qu'on pouvait être aussi content.

Un silence subit, émaillé de chuchotements, les ramena soudain à la réalité de leur entourage. Les adolescents, regroupés par trois ou quatre, contraignaient les plus jeunes à se tenir tranquilles afin de ne rien manquer. Ils jetèrent au couple des regards en biais, remplis de sous-entendus moqueurs, comme seuls savent faire les gens entre deux âges. Louis repoussa Églantine et marcha vers eux, les poings serrés.

—Non, mais, de quoi vous mêlez-vous? Je m'en vais vous étriper, moi.

Mais son courroux fut stoppé net par un tonnerre d'applaudissements et de sifflements.

*

Couché sur le dos, les yeux ouverts, Louis n'arrivait pas à dormir. Cela ne lui était plus arrivé au moulin depuis sa toute première visite. Dans l'obscurité relative, il parvenait à distinguer les lentes palpitations des braises qui, elles aussi, somnolaient dans leur réceptacle en fer posé sur un trépied, cernées de toutes parts par les formes immobiles des dormeurs. Le vacarme n'était pour rien dans son insomnie, il le savait. Elle était davantage due à la promiscuité et au vin d'Argenteuil, du moins tenta-t-il de s'en persuader. Il fut ainsi tenu en éveil, attentif, pendant les premières heures de la nuit. Il tourna la tête vers la trappe d'où montait le ronronnement des deux meules qui tournaient au ralenti. Il savait que la symbiose entre le meunier et son moulin était telle que le moindre bruit anormal jetterait immédiatement le maître Bonnefoy hors de son lit, comme s'il était lui-même atteint d'un malaise. Louis ne pouvait détacher son attention de l'incessant tic-tac des engrenages du moulin. Ce bruit régulier battait comme le cœur d'un homme.

Une forme blanche se faufila sans bruit derrière le paravent qui abritait le seau d'aisance. Louis s'assit et attendit. Lorsque la forme ressortit, faiblement éclairée par un croissant de lune finement ciselé, il se recoucha et ferma les yeux, feignant le sommeil. La forme blanche passa près de lui en ondulant. C'était Églantine. L'ourlet de la robe de nuit dévoila un bref instant à ses yeux à nouveau ouverts le galbe crémeux et fuselé des jambes et, plus haut, le creux interdit que protégeait un blanchet* immaculé. Il fallut un certain temps à Louis pour se rendre compte que les battements de son propre cœur s'étaient substitués à ceux du moulin.

Pendant longtemps encore, son regard intense scintilla, alimenté par une lumière tout autre que celle des braises et du clair de lune.

*

— Aouf !

Quelque chose de lourd s'affala en travers de Louis, dont la poitrine se vida de tout souffle. La lumière en biais du petit matin lui envahit les yeux, et des rires encore enroués fusèrent. Il empoigna l'objet par réflexe. Il lui fallut quelques secondes pour se rendre compte qu'il s'agissait de la petite Madeleine.

162

—Excuse-moi, c'est mon frère qui m'a poussée, dit-elle, misérable, n'osant pas bouger.

Il s'assit brusquement en se pâmant, les yeux exorbités, et se hâta de tirer sa couverture jusqu'à sa taille avant même de songer à relâcher la fillette. Il espéra que personne n'avait remarqué sur son vêtement les traces trop révélatrices d'une émission nocturne.

Charles, le frère de Madeleine, riait à gorge déployée. Il ne vit pas le carreau arriver et le reçut en pleine figure. Une pagaille générale s'ensuivit. Louis se jeta avidement dans la mêlée et bientôt le duvet de quelques carreaux éventrés se mêla à la poussière de farine.

*

Au cours de l'avant-midi, Louis apprit que sa mouture allait être prête tôt après le souper. Il en éprouva une nostalgie si grande qu'il sentit le besoin de s'isoler. À la tombée du jour, la cour était déserte. Il prit pour refuge un grand noyer qui poussait en haut de la berge. Quelques branches accessibles de l'arbre centenaire étaient encore chargées de beaux fruits vernis dont personne ne semblait se soucier. Laissant une jambe se balancer dans le vide, l'adolescent cassait des noix à l'aide de deux galets plats et dégustait sans y prêter attention les fragments de chair pâle qu'il récoltait parmi les vestiges d'écales réunis dans la paume de sa main. Pour se changer un peu les idées, il entreprit de grimper plus haut dans l'arbre afin d'y récolter d'autres noix qu'il déposa soigneusement dans son mouchoir dont il allait pouvoir ensuite faire un petit baluchon à emporter.

—C'est mal, ce que tu fais là, dit une voix douce.

Il se retourna. Églantine dévoila sa présence en quittant le buisson derrière lequel elle s'était cachée pour l'espionner.

—Pourquoi voles-tu ces noix? demanda la jeune fille.

—Parce qu'elles me font envie.

—N'es-tu pas un artisan? Avec ton salaire, tu pourrais en acheter.

Affronter l'implacable logique féminine n'était pas une mince affaire pour Louis, d'autant moins qu'il était réticent à lui avouer qu'il ne gagnait pas un sou. Cela ne fit qu'amplifier son désir de s'établir à son compte dès que possible. Églantine dit encore:

—Je t'ai cherché partout, tu sais. Où étais-tu passé?

—C'est encore toi! rugit Edmonde, la servante.

Elle les rejoignit en se dandinant comme une grosse poule

scandalisée sous le regard moqueur de quelques autres domestiques qui s'étaient réunis dans l'aire menant à la passerelle. Elle désignait Louis qui les regardait du haut de son perchoir.

— Descends de cet arbre, et plus vite que ça. Que je t'y reprenne, à essayer de voler des noix, et je te mènerai au maître en te tirant par les oreilles!

— C'est Bonnefoy qui va avoir peur, dit le chasse-mulet en ricanant.

La grosse branche céda sous le pied de Louis. Il s'agrippa à une autre, qui se rompit à son tour. Le grand adolescent atterrit au pied de l'arbre les quatre fers en l'air, accompagné d'une grêle de noix qui avaient quitté l'abri de son mouchoir.

— Laissez-nous, leur ordonna Églantine, péremptoire.

Ils obéirent avec un zèle inaccoutumé.

Louis fut empoigné par le col de sa tunique et appuyé contre le tronc de l'arbre. Saisi, il se laissa faire et demanda:

— C'est vrai? Tu m'as cherché partout?

— Oui. Tu casses tout, mais je me rends compte que je t'aime, Louis Ruest.

Elle l'embrassa avec fougue. Le reste des noix s'échappèrent du mouchoir qu'il tenait toujours.

Églantine se détourna et s'enfuit vers la maison sans remarquer le volet qui se refermait prestement à l'étage.

Un cri de joie ébréché répandit dans le ciel encore clair une volée de moineaux qui s'était installée pour la nuit dans les haies longeant le muret.

*

Personne ne vint à la rencontre de Louis et du chasse-mulet avec une lanterne. C'était couru d'avance. Firmin ne les attendait pas plus à la boulangerie. Il faisait noir dans l'arrière-boutique; on n'y avait même pas laissé une chandelle. Le cœur de Louis s'emplit de plomb. Il s'empressa de se mettre au travail afin d'oublier sa belle-famille qui ne s'était même pas dérangée pour l'accueillir. «À quoi d'autre m'étais-je attendu?» songea-t-il, se reprochant tristement sa faiblesse d'avoir un instant cru que les choses avaient pu changer comme par enchantement pendant son absence, et cela uniquement parce qu'il lui avait été donné de goûter quelques jours de bonheur. Il entreprit de décharger et d'entreposer seul les sacs de mouture qui pesaient chacun entre cinquante et cent kilogrammes. Il se souvint de l'époque, pour lui déjà lointaine, où l'enfant malingre et dénigré qu'il avait été traînait péniblement les sacs jusqu'au pied de l'escalier.

Tout le monde était déjà au lit lorsque Louis sortit, l'esconse à la main, pour escorter son père qui n'allait pas tarder à quitter la taverne.

*

La période morne qui suivit ces événements marquants disparut dans un abîme sans laisser de traces. Les jours de travail sans histoire se succédaient paisiblement, comme si le repos hivernal imposé à la nature devait l'être aussi à l'âme humaine.

Clémence fut la première à remarquer le changement. Elle ne décelait plus en Louis ce bouillonnement de révolte, cette rage depuis longtemps contenue qui éclatait de façon inattendue à la moindre provocation. Personne n'arriva à discerner la cause de ce changement, car il ne disait rien. Personne ne lui en parla non plus.

Ce fut cet hiver-là que Firmin cessa de se payer un remplaçant pour se décharger de la corvée du guet obligatoire. Il y envoya plutôt son fils[48]. Si Louis ne s'objecta pas à cette exigence, il en négocia tout de même les conditions avec son père qui dut lui céder à contrecœur : dès la fin décembre, le jeune artisan commença à être rémunéré pour tous les menus travaux qui ne concernaient pas directement son apprentissage à la boutique.

Les guetteurs montaient à leur poste aux remparts en gravissant une échelle qui était aussitôt retirée derrière eux. Toute tentative d'abandonner leur tâche à la faveur des ténèbres était ainsi évitée. Louis aimait suivre du regard les lumignons lents des sergents à cheval et des sergents à pied qui, commandés par un chevalier de guet, se répandaient dans les rues somnolentes. Il y avait un arrière-guet, ou reguet, qui sillonnait les rues sombres de la ville, torche à la main, s'arrêtant à chaque carrefour pour scruter les ombres et écouter le moindre son que la nuit amplifiait. Ces hommes montaient aussi aux remparts pour s'assurer que les guetteurs ne s'étaient pas endormis.

L'endroit que Louis préférait était un poste de garde en pierre ; il ressemblait, en miniature, aux deux tours de Notre-Dame que l'on eût réunies par un chemin de ronde. De cette hauteur, il dominait les toits dont les ardoises luisaient sous les nombreuses étoiles. Cela évoquait pour lui de précieux souvenirs d'enfance.

À la tombée de la nuit, alors que les citoyens fatigués s'enfouissaient sous leurs couvertures, la bande de Hugues allait se ravitailler en étudiants à la Sorbonne et se répandait dans les rues pour y semer la pagaille. Certains décrochaient des enseignes tandis que d'autres s'en allaient par les rues désertes en criant «Tuez! Tuez!», simulant une attaque pour le seul plaisir de voir apparaître aux fenêtres des visages blêmes de frayeur. Ils multipliaient les blagues de mauvais goût et déclenchaient de spectaculaires bagarres dans les tavernes.

Louis était trop heureux de pouvoir rester dans son coin tranquille à regarder poindre l'aube sur la ville. Il lui eût déplu d'avoir à appréhender les copains. Peu à peu, alors que la nuit filait en douce, surgissaient d'un brouillard qui rasait le sol les structures quasi dématérialisées et audacieuses des églises gothiques.

Ce fut après une nuit passée sur les remparts qu'il crut percevoir, apporté par la brise matinale, l'un de ces premiers chants d'oiseaux précurseurs du printemps.

*

Mars 1348

Le ciel était bas, sans horizon. Toute la matinée il avait annoncé une pluie dont on n'avait pas vu une seule goutte. «Peu importe le temps qu'il fait», se dit Louis en souriant aux nuages avec indulgence.

Des chats qui s'accouplaient dans une ruelle crièrent et feulèrent en se séparant.

—Merde, ça fait un grabuge de tous les diables, dit Samson à Louis, qui n'avait rien remarqué.

—Hé, ho, laisse-le un peu. Tu vois bien qu'il a la tête ailleurs. Il n'entend pas un traître mot de ce qu'on dit, signala Hugues en donnant au nain une tape amicale.

—Ouais, je vois ça, répliqua Samson, boudeur.

Louis avisa une grappe de fleurettes malingres, en forme de clochettes, que le vent agitait dans son vase de terre cuite minuscule. Le bocal était posé négligemment sur le rebord d'une fenêtre. Quittant précipitamment la bande, l'adolescent traversa la rue pour aller replacer le vase, car il menaçait de tomber. Du bout des doigts, il effleura tendrement quelques ténus pétales blancs, déjà un peu flétris. Il dit, comme pour lui-même:

—Mais, ma parole, j'avais bien vu. Les gars, venez voir ça.

—Merde, le Long, on dirait que t'as jamais vu de muguet. Et depuis quand t'intéresses-tu aux fleurs?

Le petit bouquet précoce avait une allure assez pitoyable. Nul ne savait d'où il pouvait bien venir, si tôt en saison, ni pourquoi il avait été mis là. Peut-être par charité.

— M'est avis qu'il est amoureux, celui-là, dit Samson d'un air entendu.

Louis trouvait le bouquet splendide. Il jeta un coup d'œil alentour et en cueillit une tige pour la mettre dans les cheveux d'Églantine.

— Touché, Samson, dit Hugues.

— Attendez-moi, je reviens, dit Louis.

Et il disparut derrière le muret menant à la passerelle d'un certain moulin. C'était le troisième soir de suite qu'il s'y rendait, sans autre objectif que de manifester sa présence à la porte. Les deux premières fois, il s'était contenté de gratter à l'huis assez fort pour être entendu dans le vacarme de la minoterie. Ce soir-là, il allait cogner et c'était décisif : si, de l'autre côté de la porte, on frappait aussi en réponse à ses coups, Louis allait être officiellement autorisé à courtiser Églantine.

Il vérifia une dernière fois qu'il avait bien dans sa poche les dragées qu'il lui destinait. Ces friandises avaient été soigneusement emballées dans un délicat mouchoir brodé qu'il avait trouvé dans les affaires de sa mère et qu'il n'avait eu aucun scrupule à voler à Odile, en même temps qu'un joli petit ruban de soie dont il avait ficelé son minuscule présent.

Son cœur battait la chamade. Il eut l'impression que son poing serré cognait trop fort à la porte. Il retint son souffle et y colla l'oreille. Le bois qui résonna juste à sa hauteur le fit presque bondir en arrière ; on eût dit qu'Églantine avait attendu son arrivée, qu'elle s'était postée sur le seuil pour l'attendre. La porte s'ouvrit. Ils restèrent plantés là tous les deux et se dévisagèrent, soudain intimidés. Il n'y avait personne d'autre en vue dans la meunerie. Églantine ouvrit grand la porte et se déplaça, en disant :

— Entre.

— Merci.

Guindés comme ils ne l'avaient jamais été auparavant, ils se firent à nouveau face, ne sachant que faire pour briser cette réserve inopportune. Louis inspira profondément et prit son courage à deux mains pour rompre la glace :

— J'ai un cadeau pour toi. Tiens, dit-il.

Et il lui remit son petit paquet après avoir accroché la grappe de muguet fatiguée dans ses cheveux.

— Oh, c'est ravissant !

Églantine admira le présent un peu avant d'en dénouer le ruban.

— Des petites douceurs, dit-elle avant d'en goûter une.

— Elles sont parfumées à l'anis, précisa-t-il, au moment où elle avait déjà pu s'en rendre compte par elle-même.

—J'adore l'anis. Et la musique.

La jeune fille s'approcha et prit les mains de Louis. Elle dit, d'une voix émue:

—Tu es comme une musique pour moi. Tu sais, l'une de ces mélodies que l'on est incapable d'oublier, même après ne l'avoir entendue qu'une seule fois. C'est parce que ce sont des mélodies que l'on a en soi. Depuis toujours.

—Alors... alors cela veut vraiment dire que... tu acceptes? demanda-t-il, incrédule.

—Ai-je l'air de quelqu'un qui refuse? Louis, toute notre vie sera une mélodie.

Des larmes brouillèrent la vue du jeune prétendant. Les deux amoureux s'étreignirent.

—J'aime bien la musique, moi aussi, dit Louis d'une voix rauque en clignant des paupières.

Il ne s'était jamais vraiment soucié de musique auparavant, et chez lui personne ne chantait plus. Mais parce qu'Églantine l'acceptait, lui, parce qu'elle était si gentille et qu'elle aimait la musique, il se sentit lui aussi disposé à l'aimer.

—Églantine...

C'était la première fois qu'il prononçait son nom à voix haute, comme pour se gaver de sa présence. Ce nom lui était devenu si plaisant à l'oreille qu'il s'en voulut de l'avoir déjà appelée Coquelicot. Un tel sentiment de plénitude déferla en lui qu'il crut défaillir. Le monde semblait n'avoir pas tout à fait existé avant cette minute. Il demanda:

—C'est vrai que tu m'aimes? Tu m'aimes vraiment? Je suis mauvais.

Églantine lui prit le visage à deux mains et lui sourit:

—Non, tu ne l'es plus. Parce que je t'aime.

Jamais de sa vie il n'avait éprouvé une telle satisfaction. Une vie pleine, durable et bien réelle s'offrait à lui, comme un fruit mûr sur sa branche. Il n'avait qu'à tendre la main pour y goûter. Mais il se garda bien de le cueillir tout de suite; il désirait d'abord admirer le fruit, il se délectait rêveusement de sa beauté, de sa perfection, savourant déjà sur sa langue son jus tiède. Il songea que s'il précipitait les choses et rompait cette bienheureuse attente, quelque chose allait voler en éclats, quelque chose qu'il ne souhaitait pas perdre.

Les Bonnefoy trépignaient de joie derrière la porte close de l'étage. Fripon, le meunier, sourit à sa femme et chuchota:*

—Notre princesse a enfin trouvé son roi.

Pour les convenances, ils durent se résoudre à envoyer Edmonde au rez-de-chaussée afin de séparer le jeune couple.

La température, cette vilaine farceuse, avait choisi ce lundi pour exhiber sa première véritable journée de printemps. Presque toute la neige avait déjà fondu et certains cours d'eau avaient semé les retailles de leurs sculptures grisâtres dans les champs avoisinants. Mais, ce jour-là, le soleil avait enfin daigné montrer sa figure bien nettoyée à l'aide de sa touaille* de nuages.

—Donne, je m'en occupe, dit Louis.

Un peu surpris d'être intercepté à la fin de ses livraisons, Hugues se dépêtra de sa hotte presque vide et la lui remit, en disant:

—Ça va à la taverne du Cerf royal.

—Je m'en charge. Tu peux partir. À demain.

Louis remit quelques pièces au jeune livreur et prit la hotte par ses courroies. Il disparut dans une ruelle. «Attends un peu qu'il voie de quel bois je me chauffe», se dit-il en marchant d'un bon pas.

Une heure auparavant, Firmin s'était fait livrer à sa table un pâté et des rissoles dont il ne restait plus à présent que des vestiges[49]. Un cruchon de vin presque vide trônait devant lui. Il était seul et ne remarqua pas Louis lorsqu'il entra dans le réduit enfumé par un âtre nourri au bois trop vert. L'arrivée sur sa table d'un gros pain qu'il n'avait pas commandé fit détaler les pensées distraites du boulanger parmi les fumées stagnantes. Il se redressa.

—Qu'est-ce que tu fous ici, toi?

—Je viens prendre un gobelet avec vous, dit Louis.

—Tu n'as pas l'âge.

—Oui, je l'ai. Mais, même si je ne l'avais pas, est-ce que quelqu'un ici le saurait, à part vous?

—Petit salaud. Qu'est-ce que tu veux, hein?

—Je vous l'ai dit: vous payer un gobelet.

Le jeune artisan alla remettre le contenu de sa hotte au tavernier et revint avec un cruchon plein. Il prit place devant son père et le servit en premier. Firmin dit:

—Il y a anguille sous roche, ça, c'est sûr. Mais du diable si j'arrive à savoir ce que c'est.

Louis prit une bonne gorgée de vin et posa son gobelet. Il regarda son père droit dans les yeux et demanda:

—Qu'allez-vous faire, si j'accède bientôt à la maîtrise?

—Comment? Aurais-tu déjà l'intention de présenter ton chef-d'œuvre à la guilde? Mais tu es trop jeune et tout juste bon à jouer les mitrons.

—Dites plutôt que je l'étais. Parce que pendant toutes ces années vous avez tout fait pour m'empêcher d'apprendre convenablement.

—Ho! Là, tu déraisonnes...

—Mais votre petite combine ne vous a pas donné le résultat que vous attendiez, n'est-ce pas, cher Père? Sans moi, c'est vous qui êtes tout juste bon à jouer les mitrons.

Firmin fut, pour une fois, dûment mouché. Il soupira et se frotta les tempes avec lassitude. Le chaume de sa tête se hérissa. Louis poursuivit:

—Cela dit, la question n'est pas là. Je vous demande quels sont vos projets pour l'avenir.

—Bon, bon, ça va, j'ai compris. Je te les dirai, mais seulement si tu me dis d'abord quels sont les tiens.

Louis sirota un peu de vin et s'essuya la bouche du revers de sa manche.

—Marché conclu. Je vais me marier.

—Ah, c'est donc ça. Mordieu, j'aurais dû y penser moi-même. Avec qui?

L'adolescent fronça les sourcils. Il se prit soudain à redouter la bassesse et la vulgarité de son père comme une souillure qui risquait d'entacher la beauté de ses souvenirs encore récents. Firmin, cette ébauche d'humanité grossière, primitive, était incompatible avec tout ce qu'il avait vécu chez les Bonnefoy. Il réalisait à présent dans quelle mesure Firmin l'avait maintenu en arrière depuis l'enfance.

—Allons, ne sois pas si pudique avec ton vieux père qui en a vu d'autres. Nomme-moi l'heureuse jouvencelle que tu veux trousser.

Puisqu'il fallait bien en venir là, Louis s'efforça de prendre un air détaché en disant:

—C'est Églantine Bonnefoy, la fille du meunier.

—Par la boudine de saint Cucufat[50], c'est qu'il a l'air sérieux.

—Je suis sérieux.

—Ah, le petit salaud. Tu m'as bien eu. Alors là, j'avoue que tu n'as vraiment pas manqué ton coup. J'en suis pantois. Buvons un coup, que je me remette les idées en place.

—À la vôtre, dit Louis, ravi du tour que prenait la discussion.

—C'est Bonnefoy qui va en faire, une tête, affirma Firmin. Au fait, le sait-il?

—Je crois que oui.

—Sacredieu, je n'en reviens pas. Voilà qui est bigrement habile. Bonnefoy!

Il se claqua une cuisse, alléché par la perspective de leur partenariat d'affaires que cette alliance profitable pouvait accroître. Son enthousiasme fut toutefois de courte durée, car certaines préoccupations bien légitimes se frayaient péniblement un chemin parmi les vapeurs abrutissantes du vin.

—Mais es-tu donc persuadé que les Bonnefoy vont vouloir de toi? Une fille de meunier n'épouse guère qu'un meunier.

—Pas forcément, vous le savez aussi bien que moi. On en connaît qui ont épousé des laboureurs aisés, des artisans ou des commerçants comme nous.

—Ouais, peut-être. Mais des commerçants prospères.

—Nous sommes prospères. Enfin, nous pourrions l'être. Cela dépend essentiellement de vous.

—Ah! non. Tu ne vas pas commencer à me rebattre les oreilles avec la très chrétienne tempérance. Je travaille dur et le vin est ma seule distraction.

—Qui a parlé de tempérance?

Louis avisa le tavernier et leva la main.

—Eh! un autre.

Firmin hoqueta et ricana bêtement.

—Veux-tu bien me dire où tu as eu toute cette monnaie de billon*?

—C'est ma paye.

—Et tu m'en refiles une part au lieu de tout planquer comme ta folle de mère! Bon Dieu, enfin j'ai la preuve que t'as quand même un peu de jugeote.

Firmin lui donna quelques tapes amicales sur le bras. Louis se laissa faire et dit méchamment:

—Vous êtes plein, aucun doute là-dessus. Vous débordez.

Firmin ne répondit pas. Le vin agissait insidieusement. C'était là ce que Louis voulait.

Le boulanger se pencha en avant et dit d'un air sentencieux, en pointant son fils du doigt:

—Bien. Tu peux la foutre tant que tu voudras, ta belle, ça m'est égal. Dans la mesure où je te vois devant le four à l'aube comme d'habitude.

—N'ayez pas de souci. J'y serai.

—Ouais. Mais j'ai idée que tu n'y vaudras pas cher. Comme le dit si bien le proverbe: on ne peut être à la fois au four et au moulin.

*

Tout ne se déroula pas comme Louis l'avait prévu. Ils rentrèrent

171

aux petites heures de l'aube en titubant tous les deux, chacun de leur côté. Cependant, l'esprit de Firmin était clair. Plus clair même que lorsqu'il était en pleine possession de ses facultés.

Une fois que tout le monde fut levé et à pied d'œuvre au rez-de-chaussée, le boulanger monta s'isoler dans la chambre conjugale et dit à Louis de l'attendre à la porte. Tout en fouillant rageusement dans l'armoire, il se dit: «J'ai tenu parole. Je n'en ai jamais soufflé mot. "Il" ne voulait pas. Quel gâchis. Salaud! Tiens, la voilà, ma revanche.»

Il posa un papier sur le lit et appela:

— Tu peux entrer. Et ferme la porte.

Firmin s'assit sur le lit et tira le parchemin à lui. Le sceau brisé qui s'y rattachait encore par un bout de ruban ressemblait à une crotte sèche.

— Ton passé, ton présent et ton avenir. Tout tient là.

Il roula le parchemin et le brandit comme un petit bâton.

— Tu comprends, à l'époque, j'ignorais ce qui allait advenir de toi. Et comme ta mère ne m'avait pas donné d'autre héritier, j'ai agi en conséquence.

Le sceau, au bout de son ruban, s'agita comme une chose vile.

— Il ne fallait pas que je te le dise tout de suite. J'avais promis. Mais toi, il faut que tu insistes pour connaître «mes projets», comme tu dis, avec tes grands airs. Tu veux savoir ce qu'est ce papier? C'est une copie de mon testament. Et, oui, il est question de toi dedans.

L'adolescent fit un signe de tête affirmatif sans lâcher la poignée de la porte. Firmin offrit à Louis un méchant sourire, mais, comme ce dernier n'avait aucune réaction, il reprit:

— Il va sans dire que je m'attends à un peu plus de reconnaisance de la part de mon très cher fils.

Louis haussa les épaules et dit:

— Vous n'en avez pas besoin.

— Tu as bien raison. C'est vraiment pas de chance. Voici: à mon décès, inutile de chercher à mettre tes mains de rapace sur mon patrimoine. Je bénéficie d'une rente viagère qui s'éteindra avec moi. Au mieux, tu demeureras un sous-fifre toute ta vie. Au pire, on te flanquera à la porte. Ce n'est pas de mon ressort. Parce que la boulangerie est une censive. En d'autres termes, la maison, la boulangerie et le travail des employés – tout appartient aux moines de l'abbaye de Saint-Germain-des-Prés qui ont si charitablement su prendre soin de ta pauvre mère. Rappelle-toi comme elle les aimait, ces moines.

Louis accusa le coup en silence.

— L'Odile ne sait rien de tout ça et toi, tu vas fermer ta gueule. Facile ça, parce que tu es bien trop orgueilleux pour aller lui raconter ta défaite, hein?

Firmin le regarda, ses yeux mi-clos voilés par la pénombre de l'aube.

— Te crois-tu donc si important? À ta place, j'éviterais d'avoir une aussi haute opinion de moi-même, le Ratier. Écoute: tu n'es qu'une erreur. Enfonce-toi bien ça dans la tête.

*

1er mai 1348

Les marronniers en fleurs semblaient défier l'avenir avec leur joli tulle rose qu'ils agitaient sous la moindre brise. Églantine s'était installée sur la surface polie du muret afin de peigner ses longs cheveux blonds et d'en accélérer le séchage au soleil. Le matin même, elle avait trouvé un peu de muguet sur le rebord de sa fenêtre. Les fleurettes reposaient à présent sur son giron. De temps à autre, elle caressait tendrement, du bout des doigts, les menues clochettes d'un blanc crémeux. Cinq mois s'étaient écoulés depuis ce soir où Églantine avait trouvé une poignée de châtaignes enveloppées dans un morceau d'étoffe, placée aux creux des racines d'un certain noyer. Depuis lors, pas une semaine n'avait passé sans que l'arbre lui eût dévoilé ce genre de petits cadeaux qui s'étaient ainsi multipliés: trois figues, un peu de ce précieux sucre de canne importé de Chypre, quelques bâtonnets de cannelle... Elle sourit avec attendrissement à l'évocation de ces présents. «Typiques d'un garçon! Ils ne songent qu'à leur estomac, ceux-là», se dit-elle. Mais elle connaissait déjà suffisamment l'esprit pratique de Louis pour ne pas ignorer qu'il considérait ces cadeaux utiles comme étant beaucoup plus appréciables que des bijoux ou des fleurs. Ses petits bouquets n'en étaient devenus que plus précieux.

— Tu n'as rien de plus profitable à faire? maugréa le meunier qui passait par là. La jeune fille se contenta de lever vers lui un visage malicieux:

— Si, Père. J'attends Louis. Je m'en vais au mai avec lui.

— Ça non, ah, non! Je te l'interdis.

— Mais je suis une fille à marier, que je sache. Il y avait une branchette de bourgeons et du muguet à ma fenêtre. Je veux y aller.

— Tu ne bougeras pas d'ici, petite insensée.

— Voyons, mon mari, intervint la mère Bonnefoy. Laissons-la donc y aller. L'hiver a été si long. C'est la fête des jouvencelles, après tout.

— Des jouvencelles? Parlons-en! Moi, j'y ai toujours vu davan-

173

tage de ribaudes, de voleurs et de goliards* ivres! Une meute déchaînée qui saccage tout!

—Je ne cours aucun risque, car Louis sera là.

—Et Louis, bien sûr, est au-dessus de tout soupçon, dit le meunier en bougonnant.

—Ils s'en vont danser, c'est tout, Thibaut. C'est là un plaisir inoffensif et bien de leur âge, puisque les enfants y trouvent peu de chose à faire et que les femmes mariées n'ont pas la possibilité de bien s'y amuser, à cause des convenances.

—Si j'y allais avec la servante? Elle pourra nous chaperonner, proposa soudain Églantine.

—Excellente idée, dit la mère.

Le meunier réticent dut battre en retraite, car il ne se sentait pas de taille à affronter deux femmes déterminées. Quant à la grosse Edmonde, la servante, cette tâche imprévue lui plut tant que la jeune fille put bientôt partir en sa compagnie, un panier d'osier se balançant à son bras.

Un cruchon de bon cidre pour acheter le silence de la domestique et le tour fut joué: Églantine put se perdre «accidentellement» dans la foule des fêtards aussitôt qu'elle eut franchi le pont aux Meuniers tendu de velum.

Des jeunes gens s'étaient chargés de planter un petit arbre au beau milieu de la place de Grève où l'avant-veille avait eu lieu une pendaison que Louis avait vaguement vue. La place de Grève servait aussi de lieu d'embauche, et d'aucuns cherchaient à profiter de l'aubaine, car il y avait foule. Les branches bourgeonnantes de l'arbre étaient chargées de fleurs de lys, de rubans et de décorations. Plusieurs danseurs l'encerclaient et chantaient sans même attendre les premiers accords des ménestrels qui s'étaient ménagé une place avec peine. Des porcs entiers rôtissaient sur leur broche. Un ivrogne s'était endormi, appuyé contre un fût de vin. En passant, Louis trébucha dans ses jambes. Le soiffard se retourna en grognant. Louis et Églantine pouffèrent de rire et échangèrent un sourire complice lorsqu'ils avisèrent sur la tête d'un badaud, presque sous le nez de l'adolescent, un chapeau dont la calotte ressemblait à une coquille de noix velue. Louis se mit à souffler dessus doucement. La personne qui le portait n'eut pas conscience des simagrées que faisait la petite plume qui y était accrochée.

Le jeune couple se lassa vite de la cohue et se mit bientôt en quête d'un lieu plus propice aux tendresses de mai. Ils quittèrent donc la place de Grève et longèrent la Seine. La rive, ce jour-là, était inhabituellement calme. C'était comme une faveur de la Providence, en dépit des bacs de toutes tailles qui étaient de plus en plus nombreux sur les eaux miraculeusement étoilées. Peu à peu, le chant des merles et des rossignols se broda au vacarme de la fête dont ils s'éloignaient. La ville entière paraissait rénovée sous les rayons du soleil. Les ardoises des toits brillaient comme si chacune d'elles avait été polie des heures durant. Sur la berge en friche du fleuve, les ajoncs, les églantiers et les ronces étaient parsemés de sous dorés que l'astre du jour, par distraction, avait laissé tomber de sa bourse. Tout près, un tout jeune lilas arborait fièrement une seule grappe de fleurs. C'était l'Éden au sixième jour.

Tel un gros bourdon charmeur, Louis tournait autour de son Églantine et se demandait avec délices sur quel pétale il allait pouvoir se poser. Ils bavardaient gaiement, main dans la main, de tous ces petits riens qui faisaient de certains moments des friandises dont on ne se repaissait jamais.

Églantine ne prêtait guère attention à la direction que prenait leur promenade. Ou, si elle la remarqua, elle ne le manifesta pas.

*

Le moindre bruit se trouvait accentué par le silence de la boulangerie désertée. La famille s'était éparpillée en ville pour la fête. Personne n'allait rentrer avant la nuit. Églantine fut intimidée par cette maison austère et se colla davantage contre Louis tandis qu'il lui faisait brièvement visiter les lieux. Ils s'engagèrent dans l'escalier de bois dont les degrés incurvés en leur milieu prouvaient leur usage ancien. Des milliers de passages avaient communiqué au bois une patine crayeuse.

—La chambre des maîtres, dit-il en montrant une porte close qu'il n'ouvrit pas. Églantine avisa les couches disparates qu'il y avait dans l'autre pièce. Elle demanda :

—Et toi, où dors-tu ?

—Là-haut.

Un délicieux frisson se répandit dans le corps de la fille du meunier tandis que le jeune artisan l'invitait à escalader l'échelle. Il la suivit de près et l'enlaça de dos afin d'ouvrir la trappe à sa place. Elle eut le temps de sentir un objet dur contre ses reins. Elle frissonna davantage.

—As-tu froid ? lui demanda-t-il doucement.

—Oui, un peu.

Ce n'était pas vrai. Il le savait. Mais peu importait. Une fois sous les combles, il contourna Églantine pour prendre son aumusse* dont il l'enveloppa.

—Merci, dit-elle.

Dans la vaste pièce au plafond pentu, il y avait une couche et une caisse. Quelques chevilles avaient été fixées au bout desquelles pendaient des vêtements. Un petit brasero, actuellement inutilisé, garantissait un peu de chaleur en hiver. Louis s'était en outre aménagé un coin pour faire sa toilette. Le foin frais qu'il avait étendu sous les combles avait produit une poussière dorée qui allait demeurer encore longtemps en suspension à la lumière blafarde de l'unique petite fenêtre. Églantine dit:

—C'est dépouillé.

—Avec la farinière* en plus, ça me suffit. Surtout qu'il y a toi, maintenant.

Églantine lui sourit et demanda, un peu inquiète:

—Tu... tu ne l'as jamais fait auparavant, n'est-ce pas?

—Non.

—J'ignore ce qu'il faut faire.

—Moi, je saurai.

Elle le regarda longuement, comme pour lire sur son visage l'assurance qu'avait eue sa voix. Elle se douta qu'il devait y avoir beaucoup pensé. Tellement qu'il savait.

Il s'avança vers elle. Il lui enleva l'aumusse et lui prit doucement les épaules. Églantine baissa la tête. Il revit la lourde natte blonde qu'il lui avait jadis coupée. L'or en fusion de ce souvenir s'échappa entre ses doigts tandis qu'il entreprenait de dénouer ses tresses d'or brûlé. Il recula un peu pour la regarder avec une admiration étonnée. C'était une femme. Une femme que l'on devait cueillir comme une grappe de lilas sensible parmi ses feuilles en forme de cœur. Ils s'enlacèrent. Sans s'en rendre compte, Louis imprima à leur étreinte un mouvement de danse à peine ébauché.

—Il y a de la musique dans ma tête, dit-il.

Louis laissa ses doigts rugueux errer sur l'étoffe de la robe légère tandis qu'il baissait la tête pour permettre à leurs regards de parler encore à leur place. Églantine lui caressait les épaules. Elle eut envie de lui dire: «C'est notre amour qui chante», mais elle trouva ces mots trop banals. Elle n'avait pas envie de parler, sans doute parce que lui-même parlait peu. Sans y penser, elle se mettait à son diapason. Ses doigts s'immiscèrent dans l'abondante chevelure de Louis lorsqu'il se pencha pour l'embrasser. Elle sentit une main puissante, une main de boulanger, lui enserrer la nuque. Il la plaqua brutalement contre lui et libéra ses mains qui se mirent à explorer maladroitement sa silhouette que ce contact brusque semblait rendre encore plus frêle, plus désirable. Les doigts menus d'Églantine butinaient ses cheveux et papillonnaient sur sa peau. Ils le firent frissonner de plaisir.

— Tu vois, toi aussi tu sais quoi faire, dit-il tout bas.

Ses mouvements à lui devenaient de plus en plus désordonnés. C'était enivrant. Au fur et à mesure que le couple se goûtait avec plus de convoitise, les caresses devinrent plus audacieuses.

— S'il te plaît, attends, dit-elle soudain, hors d'haleine. Elle tâcha de ne pas poser les yeux sur le renflement qu'il dévoilait à demi. Il dit:

— Attendre quoi? J'ai assez attendu.

Elle était plus âgée que lui de deux ans et avait derrière elle l'expérience de quelques flirts sans suite, contrairement à lui qui n'avait jamais rien vécu de tel. Cependant, les gestes de l'adolescent recelaient le ferment d'une virilité dominatrice qui rassurait et angoissait tout à la fois. Il était déconcertant, d'une exquise maladresse que son ardeur rendait un peu brutale. Il manifestait une ardeur charnelle à la fois rustique et divine.

— Non, rien, dit Églantine.

Il l'entraîna vers sa couche en défaisant ses braies. Il entreprit de dénouer le cordon qui fermait l'amigaut* de la robe d'Églantine. Encore une fois, elle l'arrêta d'un geste.

— Louis, nous n'avons pas le droit. Et puis j'ai peur. J'ai entendu des histoires.

Vaguement menaçant, possessif, Louis lui empoigna les cheveux et demeura penché au-dessus d'elle. Son regard de jais s'envenima.

— Ne crains rien. Je suis là. Laisse-toi faire, dit-il.

Elle ne put avoir la certitude que cet aveu avait tisonné chez lui le désir d'une manière à peine supportable. Si elle lui avait demandé d'arrêter, il l'eût sans doute violée. Mais elle ne le lui demanda pas. Elle s'efforça d'oublier le feu dans le tonneau et répondit:

— D'a... d'accord.

Après l'avoir menée à sa couche sur laquelle il la fit s'étendre, il tira sur les cordons de son corsage. Il la dépouilla de ses vêtements par secousses frénétiques et avides tandis qu'elle s'efforçait de communiquer un peu de douceur à ses caresses en soulevant sa tunique à lui, dévoilant son dos courbé au-dessus d'elle. Elle ferma les yeux. Sa bouche entrouverte laissait voir deux dents blanches et brillantes. De longs cils, animés d'une vie propre, semblaient ne s'être posés au bord des paupières que pour qu'on les vît tressaillir sous les assauts de sensations troublantes. Louis se pencha davantage et, sans y réfléchir, y passa la phalange de son index afin de les apaiser. Une main molle se leva et fit un lent mouvement circulaire, comme pour chasser un insecte importun ou bien pour diriger un orchestre symphonique. En retombant, elle accrocha le bras de Louis qui sourit. Les dents légèrement irrégulières de l'adolescent accentuaient son allure de jeune loup.

Louis repoussa leurs penailles, bisette, batiste et coutil entremêlés. Il lui fallut plusieurs coups de pied pour se débarrasser de ses sabots ombrageux n'appréciant pas le traitement qui leur était imposé. Il s'étendit sur Églantine, l'écrasant de tout son poids aux creux de sa paillasse. Sa langue se mit en quête de l'encoche du nombril pendant que sa main remontait le long d'un mollet duveté d'or fin, pour atteindre des boucles courtes qui avaient la blondeur du froment avant la fauchaison. Il la força à tourner la tête et se pencha pour goûter la peau de sa gorge. Églantine gémit de plaisir. Son corps chaud ondulait sous celui de Louis dont les reins s'enflammèrent. Il haletait, son visage niché dans le cou de cygne qu'elle lui offrait. L'ardeur d'Églantine brûlait sa sève. Faire l'amour. Maintenant, ils comprenaient tous deux ce que cela voulait dire. C'était une chose qui n'avait attendu qu'eux pour exister.

La paillasse de Louis s'effondra sous des coups de reins émerveillés ponctués de grognements et de cris, mi-souffrance, mi-extase. Les fantasmes jusque-là imprécis de leur adolescence se concrétisèrent et ils boulèrent dans le foin épars. Fou de désir, Louis la pénétra profondément en réalisant à demi l'offrande qu'elle lui faisait.

*

— Tu me donneras du pain et moi, je te donnerai des enfants, dit-elle avec une lueur moqueuse dans ses yeux de myosotis.

Le monde qui avait basculé reprit sa position d'origine. Ils se séparèrent, à regret. Un peu de sang s'écoula discrètement entre les brins serrés de leur couche parfumée. Il dit :

— Quelque chose est... sorti de moi. Crois-tu que je t'ai mise enceinte?

— Qu'importe, puisque nous allons nous marier.

Il caressa du bout de l'index la petite rougeur qu'il lui avait faite à la base du cou.

— Tiens, j'ai baisé. Je suis un boulanger médiocre.

Elle sourit affectueusement.

— C'est faux. Tu es le meilleur. Et moi je veux bien être la pâte que tu pétriras. Un jour, tu garniras même la table du garde des Sceaux! Tu crois qu'on se verra à la Saint-Honoré[51]?

178

—Sûrement, oui. Lorsque j'aurai présenté mon chef-d'œuvre et que je serai maître, je donnerai le plus beau banquet que Paris ait jamais vu. Avec du pain de froment pour chacun des convives et des mets épicés et tout. Tous les gloutons de la ville viendront s'empiffrer à mes dépens, et moi, j'aurai plaisir à les regarder. Avec toi à mes côtés.

—Oui, avec moi à tes côtés.

—Nous aurons une étagère remplie de toutes les épices d'Orient. Et du sucre. Et des limons.

—Je te coudrai des habits de soie.

—Nous aurons le plus beau jardin du pays. Un vrai grand jardin avec tout ce qu'il faut pour manger et soigner, et des fleurs pour faire joli. Il y aura une fontaine, aussi.

—Tiens, des fleurs? dit Églantine, étonnée par cette description poétique venant d'un Louis habituellement si cartésien.

—Oui. Des fleurs et des arbres...

L'adolescent cligna des yeux. Il découvrait soudain que ce jardin intérieur qu'il cultivait depuis sa plus tendre enfance était fait pour abriter une femme aimée. Adélie sourit à son fils et caressa les églantines qui poussaient désormais au pied de la fontaine.

Chapitre V

Mementomori∗

*G*ênes, *été 1347*

Tiki le chien avait perdu son maître. Depuis l'aube, il arpentait les rues encombrées de fêtards dans l'espoir de retrouver parmi eux le marin à qui il appartenait. Mais la partie était loin d'être gagnée pour la pauvre bête. La ville était en liesse. On était enfin parvenu à la débarrasser des troupes tartares du khan Djanibek. Les Génois ne s'étaient pas attendus à recevoir du secours des puissants guerriers mongols dits de la Horde d'or. Ensemble, ils avaient fait place nette et à présent, depuis plusieurs jours, ils célébraient l'événement pêle-mêle avec force libations.

Les Mongols s'étaient hâtés de jeter les cadavres de l'ennemi vaincu par-dessus les murailles de la ville fortifiée. Car, même morts, ces guerriers les apeurèrent : ils pourrissaient à vue d'œil. C'était comme s'ils lançaient une malédiction sur les vivants depuis outre-tombe.

Le chien du marin contourna un monceau de ces cadavres pour aller se hasarder dans les faubourgs. Un gros rat attira son attention et il le prit en chasse. Mais la bestiole, prudente, se déroba juste à temps. Elle se réfugia dans la casaque d'un mort, et Tiki ne la revit plus.

Dépité, il passa son chemin. Il s'arrêta à une mare où il put boire et se reposer un brin avant de poursuivre ses recherches. Mais il fallait se rendre à l'évidence : même en ce lieu pourtant plus calme, il y avait trop d'odeurs étrangères. Il se gratta. Les quais, peut-être. Une taverne du port. Là, les odeurs lui étaient familières. Peut-être que là-bas il allait pouvoir flairer une piste.

Ce fut une bonne idée. Tiki retrouva son maître, qui lui prodigua des démonstrations d'affection avant de lui faire servir une platée d'abats. Comblée et repue, la bête se blottit aux pieds du marin qui partageait un dernier souper et de la bière avec des connaissances avant son départ pour Marseille. Tiki se gratta et sentit avec délices la main de son propriétaire lui frotter le dessus de la tête.

—Ah, cher vieux sac à puces. Mais où étais-tu donc passé? Je croyais t'avoir perdu.

Le lendemain, lorsqu'il s'embarqua avec ses compagnons, le marin se gratta à son tour.

—Tiki m'a refilé ses puces, on dirait, dit-il en riant.

Cela n'avait rien de surprenant pour quiconque était habitué à la promiscuité, dans ces nefs dont la propreté était très relative.

Après un lent périple en mer de Crimée, la flotte dont faisait partie le navire de Tiki accosta à Marseille. C'était la Toussaint, soit le premier jour de novembre 1347. Les marins se répandirent à travers la ville pour se dégourdir les jambes et rendre visite à des amis.

Aucun d'entre eux ne revint sur les quais. Nombreuses furent les nefs qui restèrent au mouillage comme des coquilles creuses. Tiki le chien, laissé à lui-même, hurla à la mort avant de se coucher à son tour.

La malemort était arrivée.

Avignon et Arles furent touchées deux mois plus tard. Le 16 février, Narbonne fut atteinte. En mars, ce fut le tour de Carcassonne. La Grande Faucheuse, avec dans les replis de sa robe noire le bacille de la peste, se mit à monter vers le nord à la vitesse d'un cheval au pas.

*

Paris, été 1348

Le gourdin s'abattit sur un gros rat brun dont la patte glabre avait gratté frénétiquement un flanc pelé jusqu'à la dernière seconde. Après quoi le bout du bâton souleva la bête morte et la projeta plus loin comme un palet.

—Ils sont encore plus dégoûtants ici qu'ailleurs, dit Louis aux gars de la bande.

Les rats d'égout pullulaient en certains endroits, alors qu'en d'autres on voyait davantage de petits rats noirs qui étaient plus communs. Les garçons avaient passé cette magnifique journée d'été à se chamailler sans malice et à se balader tranquillement. Ils avaient tout leur temps. Au coucher du soleil, ils avaient atteint le quartier Saint-Jacques. Une sorte d'atmosphère de vacances flottait dans l'air. Ou aurait dû y flotter. Quelque chose clochait. Quelque chose d'oppressant. Mais on s'efforçait de ne faire semblant de rien, de se persuader que tout allait bien. Il faisait si beau et c'était l'été. Ils n'avaient pas voulu remarquer cette vieille femme qui, haletant bruyamment, s'était arrêtée un peu plus tôt pour prendre appui contre le mur sclérosé d'une maison. Ils n'avaient pas non plus vu ce jeune portefaix dont le visage était couvert de tavelures rouges, et ils s'étaient efforcés d'oublier au plus tôt le regard fiévreux et désespéré qu'il leur avait lancé. La bande l'avait dépassé et, peu après, ce garçon avait roulé sous son fardeau. Nul ne l'avait entendu tomber.

Bouclier dérisoire, que cette indifférence factice.

—Que vas-tu faire, maintenant? demanda Hugues à Louis.

—Je n'en sais rien.

Le travail s'était mis à diminuer graduellement à la boulangerie au cours de l'été, si bien que le jeune artisan pouvait désormais s'offrir une journée de congé en plus du dimanche. Cela n'était jamais arrivé auparavant.

—Toujours pas de nouvelles de ta famille?

—Non.

—Ça fait quatre jours qu'ils sont partis.

—Je sais. Il faut que j'aille à leur recherche. Mais je n'ai aucune idée d'où ils ont bien pu aller ni pourquoi

—Alors, on y va ensemble.

—Allez-y sans moi, les gars. Je ne me sens pas bien, dit Samson, qui s'assit sur un muret bas.

—Ça va pas, compère? demanda Aubert.

—Oh si... je suis juste fatigué.

—Bien. Repose-toi un peu. Tu veux manger? Le Long nous a fait du pain.

—À vrai dire, je n'ai pas très faim. Partagez-vous ma part.

Hugues s'assit à droite de Samson et la Gargouille à sa gauche. Ils entreprirent de grignoter les miches que Louis avait sorties de sa besace.

—Mais qu'est-ce qui te prend, l'ami? Tu as laissé ton appétit chez les ribaudes?

Louis prit place parmi eux, au pied du muret le long duquel ils avaient tous fini par s'asseoir côte à côte. Hugues dit:

—C'est vrai qu'il a guère bonne mine, notre Samson, hein! Ce matin tu étais blême à faire peur. Maintenant tu es rouge comme un coquelicot.

—Un coquelicot. Ça me rappelle qu'il me faudra aussi passer chez les Bonnefoy, dit Louis d'un ton léger. Samson dit:

—C'est la faute au soleil, sans doute. Il tape fort. Ça me démange jusque dans la nuque. Regardez donc si j'ai quelque chose, là.

—Ouais, il y a bien une petite rougeur, confirma la Gargouille après avoir vérifié.

—Saleté de moustiques.

—Tu es sûr que tu n'en veux pas un peu? Tu maigris, depuis quelque temps, il me semble, remarqua Louis qui proposait de nouveau à Samson un quignon de pain entamé.

—Non, merci. Je sais. C'est arrivé tout d'un coup. Mes braies ne me tiennent plus aux hanches.

—Elles n'y ont jamais tenu bien longtemps, surtout au bordeau*, dit Aubert.

—T'es petit du reste, mais pas de là, hein?

Ils s'esclaffèrent. Hugues donna une claque amicale dans le dos du nain qui eut un rire contraint. D'habitude, il était le premier à rigoler un bon coup d'une blague grivoise.

—Dis donc, ça ne va pas du tout, toi.

Samson commença à s'agiter nerveusement. Enfin il se leva.

—Je ne sais pas ce que j'ai. Je n'arrive plus à trouver de position confortable.

—Moi, je crois savoir celle qu'il te faut...

—Eh... Regardez un peu là-haut, dit Louis d'une voix blanche en pointant le ciel.

La plaisanterie de Hugues lui resta en travers de la gorge. Un silence rempli d'émoi les pétrifia tous sur place. Dans le firmament qui entretenait avec insouciance les dernières effilochures cuivrées de son couchant, une plume invisible avait tracé un long trait incandescent d'allure malsaine et menaçante. C'était une comète à queue noire comme nul n'en avait jamais vu.

—Doux Jésus, miséricorde! s'écria depuis l'autre côté de la rue une commère qui triturait un torchon humide entre ses mains glacées d'angoisse.

—C'est un mauvais présage. Je n'aime pas ça, dit Aubert tout bas.

Sans quitter ce phénomène des yeux, Louis se leva lentement.

—J'ai entendu dire, dit Hugues, que dans les pays d'oc des gens sont morts par milliers. Et, quelque part chez les Sarrasins, la terre a tremblé si fort que cela a fait périr tous les poissons. Il y a eu du vent qui a rougi l'air et jauni les cieux pour engendrer grenouilles et serpents hideux.

—Mais la ferme avec tes fables! rugit Louis. On dirait un sort que tu nous jettes. Qui t'a dit que cela viendra jusqu'ici, hein? De qui le tiens-tu? De personne. Alors, ta gueule. Il faut qu'on aille aux nouvelles.

La comète et sa bannière de feu les ensorcelaient. Il leur fallut à tous un certain temps avant de s'apercevoir que le petit Samson, pris de vertige, s'était écroulé au pied du muret.

—À l'aide, dit-il d'une voix faible.

Immédiatement, le groupe consterné fit cercle autour du nain recroquevillé qui s'était mis à geindre.

—Ça me brûle, ah!

Où as-tu mal? demanda Hugues qui s'accroupit à côté de lui. Dis-nous où ça te brûle, Samson.

—À l'entrejambe... Non, ne me touche pas. Ça... ça se déchire!

—Calme-toi. Cesse de te tortiller ainsi qu'on te retire tes braies. Par le sang Dieu, tu es brûlant de fièvre.

—Son cœur bat trop vite, dit Louis, qui lui avait involontairement tâté le pouls au niveau du poignet en essayant de l'éloigner du muret. Il lui soutenait la tête. Ils parvinrent enfin à lui enlever ses braies. Au niveau de l'aine enflée couverte d'une toison châtain clair, du côté droit, se nichait une petite tumeur.

—On dirait une châtaigne, dit Hugues, qui n'osait y porter la main. Samson haletait.

—Qu'est-ce que j'ai? Mais qu'est-ce que c'est que cette saleté?

—Mon père a déjà eu une bosse semblable, dit Louis en se penchant pour mieux voir. On lui a préparé un emplâtre fait avec de la mie de pain et du lait. Après deux jours, c'était guéri.

—Tu as dû attraper ça au bordeau*, Samson. Je t'avais dit de ne point toucher à cette ribaude de Marseille.

—Voilà où elle te mène, ta boudine, renchérit Aubert.

Samson n'écoutait plus. Il n'était plus réceptif qu'à sa panique et à cette souffrance déchaînée qui ne lui laissait soudain plus un seul instant de répit. Alors qu'il aurait voulu hurler, seuls des râlements s'échappaient de sa gorge. Il était vidé de ses forces. Son visage était en train de jaunir et se couvrait de tavelures.

—Ce n'est pas d'un prêche, dont il a besoin, mais de secours, dit Louis. Cela grossit.

—Si on y appliquait une compresse chaude?

—N'y touchez pas! hurla Samson.

Louis eut un mouvement de recul. Incrédule, il regarda ses doigts: ils étaient couverts de sang.

—Sapristi, le Long, tu as dû lui accrocher sa piqûre.

185

—Mais non, sombre crétin. Ça ne saignerait jamais autant.

Samson se tordit de douleur. Un peu de sang affleura à ses lèvres.

—On fait quoi, là, merde?

La tumeur avait viré au noir et était maintenant de la taille d'un œuf de poule. À gauche, la chair luisante se tendait et se mettait à enfler presque à vue d'œil. Les adolescents s'entre-regardèrent, tâchant de se convaincre mutuellement que c'était autre chose. Sans-Croc se mordait les doigts de ses gencives édentées. Les lèvres de Samson étaient scellées. Il savait que, s'il ouvrait la bouche, ce serait pour admettre ce qu'il craignait le plus, ce qu'il voulait à tout prix éviter de confirmer, de rendre réel.

—Tiens-le bien, Gargouille, dit Hugues d'une voix qu'il voulait assurée. Le Long...

—Oui, dit Louis.

—Regarde.

La tumeur était devenue spongieuse et commençait à exsuder du pus.

—Que fait-on? demanda-t-il encore.

—Ça va bien finir par crever! Mais il serait plus promptement soulagé de tout ce pus si l'on essayait d'ouvrir cette grosseur...

—Non! hurla Samson, les yeux exorbités.

—Bonne idée. J'ai ce petit couteau. Tu crois qu'on devrait...

—Non! Ne me touchez plus. De grâce. Allez-vous-en.

—Voyons, tu déraisonnes, Samson. On va tout de même pas te laisser ici.

—C'est la morille*. Partez, je vous dis! Éloignez-vous.

L'aveu était tombé, fatal, irrémédiable.

Le nain sanglota. Résigné, exténué, il avait cessé de se débattre. Il dit:

—Je ne voulais pas y croire. Mais j'ai aussi deux pommes dures sous les aisselles. Ne restez pas ici.

—L'abbaye. Les moines sauront quoi faire, dit Louis.

Les garçons parvinrent à improviser une civière avec leurs chemises nouées ensemble. Ils y roulèrent le petit corps flasque de leur ami. Samson n'eut aucune réaction.

Lorsqu'ils franchirent la grille des Bénédictins, Samson étouffait. Du sang noir lui sourdait du nez et de la bouche.

—Par ici, vite, dit l'infirmier. Il lui faut une saignée pour le débarrasser du sang impur. Nous allons ensuite mûrir les apostèmes avec des oignons cuits pilés, mélangés à du levain et du beurre. Et, une fois qu'on les aura ouverts, ils pourront être traités comme des ulcères.

Hurlant, Samson se jeta en bas de la civière et se mit à courir en tous sens.

— Il a perdu l'esprit, dit Hugues.

L'infirmier n'arriva pas à le rattraper. Samson se projeta contre un timon de charrette et s'y ouvrit le crâne. Il tomba sans bruit entre les brancards osseux qui pointaient vers le ciel.

*

— Il était trop tard, mes amis. J'en suis profondément navré, dit l'infirmier aux garçons.

Encore en état de choc, ils avaient été isolés dans une chambrette de l'aile dévolue aux soins des hommes. Trois autres moines étaient avec eux pour venir en aide au vieillard si le besoin s'en faisait sentir, et l'abbé avait été prévenu de la présence parmi eux du fils Ruest. C'était sans doute la raison pour laquelle on leur portait rapidement assistance en entourant leur personne de maintes précautions. Le vieux moine dit encore:

— Votre ami sera porté en terre par les fossoyeurs de la ville et nous prierons pour le salut de son âme. Maintenant, il importe d'abord et avant tout de veiller sur votre salut à vous. Ne touchez plus jamais à un pestiféré.

— Mais nous ne savions pas... commença Hugues.

D'un seul coup d'œil, Louis lui intima l'ordre de se taire.

— Tenez. Lorsque vous rentrerez, lavez-vous avec grand soin à l'aide de ceci. C'est du vinaigre à la sauge. Après quoi vous brûlerez vos hardes. Je vous donne également cette autre bouteille. Elle contient du vin à la sauge. Usez-en sagement. Pas plus de deux fois le jour. Deux, c'est bien compris? *Salvia salviatrix*, l'herbe qui sauve. Il n'y a rien de tel. Nous avons de l'onguent aussi. Sauge, romarin et thym. La sauge apaise toux et maux d'estomac, mais elle éloigne aussi de façon très efficace les vapeurs de pestilence. Soyez vigilants et propres de votre personne et de votre entourage. Lavez soigneusement les seaux d'aisance. L'hygiène, voilà la clef. De l'eau propre et fraîche. N'en utilisez jamais de sale ou stagnante, même s'il vous faut marcher une lieue pour trouver un puits d'eau claire. La malemort se développe dans la crasse. Évitez les tas de fumier, les mouches et les viandes mornées*. Ah, et n'allez point à la pêche.

Les adolescents opinaient à chacune de ces paroles sacrées. Ils s'y accrochaient avec l'énergie du désespoir. De la sauge. C'était donc aussi simple! Dire qu'un peu de sauge aurait peut-être pu sauver le malheureux Samson. L'infirmier reprit:

187

—Méfiez-vous des symptômes. Ils peuvent prendre de un à dix jours avant de se manifester et ne sont pas toujours pareils. Au premier soupçon, filez à l'Hôtel-Dieu. Oui, à l'Hôtel-Dieu. J'ai déjà trop de patients, ici. Et encore, où que vous alliez maintenant, seuls les plus hardis ou les plus saints consentiront à administrer des soins à des pestiférés. Bon. Je disais que, s'il y a un bubon et qu'il éclate, le malade a des chances d'en réchapper. Sinon, c'est la mort assurée en cinq jours, huit tout au plus. Je l'ai constaté. Mais prenez garde. On en a vu certains mourir au bout de quelques heures à peine, comme ce fut, hélas, le cas pour votre malheureux ami : la peste peut corrompre les voies respiratoires et, en pareils cas, la fin est foudroyante. Ils se mettent à cracher comme lui une abondance de pus et de sang jusqu'au trépas.

En voyant les jeunes voyous blêmir et frissonner d'appréhension, l'infirmier se détourna d'eux avec la satisfaction du devoir accompli. Ébranlés comme ils l'étaient, nul doute qu'ils allaient tenir compte de toutes ses mises en garde.

—Voyons, mon cher frère, il est inutile d'alerter davantage ces jeunes gens éprouvés qui, à mon humble avis, sont déjà inquiets en suffisance, dit l'un des moines.

—Le Seigneur, dans Son infinie sagesse, sait qu'il faut laisser la nature faire son œuvre, dit un autre moine, un costaud qui n'avait pas l'air à sa place dans un monastère. Les forts survivent.

—Le frère Pierre a raison, dit le premier moine. Venir au monde sans déficience héréditaire ou congénitale est déjà en soi une chance considérable.

—Vivre en est une bien plus grande encore, dit l'infirmier. Le petit enfant est confronté à la variole, puis, adolescent, à la fièvre typhoïde ou aux écrouelles. Et n'oublions pas la méningite, la rougeole, la rubéole, la coqueluche, les oreillons, la scarlatine, la varicelle et la diphtérie...

—Putain ! Oh... pardon, dit Hugues, confus.

—Atteindre l'âge adulte est par conséquent une preuve de bonne résistance aux maladies, dit le frère Pierre comme si de rien n'était.

—Oui, peut-être, mais, bon, tout danger n'est pas écarté pour autant. N'oublions pas le tétanos, le feu de saint Antoine, la rage, les infections de plaies, les abcès, le typhus ou même une simple grippe...

—Vous aimez bien les calamités, vous, on dirait, dit Louis.

—Non, je n'aime pas ça du tout. Seulement, il faut connaître ces choses. Surtout dans mon métier. Je disais donc que contre la peste nous recommandons, voyons voir... je récite cela par cœur, n'est-ce pas... certaines semences potagères telles que la citrouille, le concombre, l'endive ou la laitue. Le pourpier est excellent aussi, tout comme le sont les éléments parfumés: rose ou santal. Et l'aloès. N'oublions pas l'aloès. On doit y ajouter de la casiafistule, un peu de sucre d'orange et de la pomme maciaine avec des grenades aigres. En prévention, prenez des gargarismes à base de lavande.

— Bien entendu. Nous trouverons tout cela chez nous, dit Louis.

— Qu'est-ce que c'est, le santal? demanda Aubert.

— Je n'en sais rien et cela m'est égal. Avec quel argent pourrons-nous acheter tout ça chez l'apothicaire, hein?

— Y a qu'à le piquer, dit Hugues.

— Chut!

Mais l'infirmier, tout absorbé par l'élaboration de ses mystérieuses et coûteuses concoctions, n'entendit rien.

On finit par autoriser les jeunes gens à quitter l'enceinte de l'abbaye. Alors que les autres étaient déjà sortis, Louis fut intercepté à la grille par frère Pierre, qui lui remit une troisième bouteille.

— Le père abbé te fait remettre ceci. C'est de l'eau camphrée. Verses-en sur un mouchoir et noue-le autour de ta tête lorsque tu circules en ville. Il m'a en outre chargé de te dire de bien veiller à sortir le moins possible. Tiens-toi loin des personnes atteintes et tâche d'éviter de respirer le même air qu'elles ainsi que leur puanteur. Chaque respiration est susceptible de te contaminer.

— Bien. Merci.

— Va et que Dieu te garde.

*

Louis ne trouva aucun des siens ni à l'Hôtel-Dieu ni ailleurs. Il courait par les rues de Paris où tout n'était plus que chaos et hideur. De certaines maisons aveuglées par leurs contrevents lui parvenaient des cris mêlés de sanglots qui s'amalgamaient au son des cloches de la ville pour s'élever vers un ciel aveugle où il ne semblait plus y avoir de Dieu pour les recueillir. On trouvait partout des gens prostrés, le regard fou ou figé. Il devenait de plus en plus difficile de distinguer les morts des vivants. Les charrettes des maraîchers avaient abandonné leurs potagers et ne se consacraient plus qu'au transport de cadavres au cimetière des Saints-Innocents. Après avoir fait la tournée des tavernes que Firmin fréquentait habituellement, Louis dut se résoudre à renoncer à poursuivre ses recherches. Cela devenait trop dangereux.

À un carrefour, près du moulin des Bonnefoy, il aperçut un porc qui secouait du groin les haillons d'un mort.

Ce fut Edmonde qui le reçut. De la porte entrouverte, à l'autre bout de la passerelle dont l'extrémité reliant le moulin à la rive avait été sciée, elle lui dit :

— Ils sont partis de bon matin pour aller passer quelque temps chez des amis à la campagne. Tout va bien. Reviens plus tard.

Louis jeta un coup d'œil à la roue du moulin, qui tournait au ralenti. Sans savoir pourquoi, il fut persuadé que la servante mentait. Il avait l'impression que les Bonnefoy étaient là, qu'ils s'étaient barricadés derrière leurs volets fermés. Sans doute valait-il mieux ne pas insister. Il tourna donc les talons en enfonçant le nez dans son mouchoir camphré.

Moins d'une heure plus tard, après avoir erré sans but, il était de retour dans la rue où il avait vu le porc. La bête était toujours là, à quelques pas seulement du mort qu'elle avait flairé. Elle tournait en rond à petits pas rapides. Louis s'arrêta. Le porc ne le vit même pas. Tête basse, il émettait des grognements essoufflés, mais ne ralentit pas la cadence. Et soudain il s'effondra. Mort.

Il était plus que temps de rentrer et de faire ce que les moines lui avaient prescrit.

*

Louis s'était barricadé dans l'arrière-boutique. Il s'y était fait une couchette et ne quittait la pièce que pour aller nettoyer ses affaires dans la cour. Les réserves de nourriture et le puits étaient sains, mais les gens, avertis par les médecins des risques encourus, ne venaient plus lui acheter de pain : la pâte pouvait avoir été pétrie par des mains malades. Le four demeura donc éteint. L'adolescent se contentait de faire sa propre cuisine au feu de l'âtre. Ses réserves de bois, de nourriture et de petite bière étaient abondantes. Il n'allait pas avoir besoin de sortir avant longtemps. Le seul travail physique auquel il s'astreignit, dès les premiers jours de son isolement, fut de cheviller aux volets des fenêtres et à la porte de devant plusieurs fortes planches afin d'en condamner les ouvertures. Il se dit que, si un membre de la famille finissait enfin par se présenter, il valait mieux le faire grimper par une corde à l'étage plutôt que de prendre le risque de se faire contaminer par quelque intrus désespéré.

Après cela, afin de limiter ses besoins d'air, il laissa son corps au repos le plus possible. Il se contentait de manger et de se laver deux fois le jour. Le reste du temps, il demeurait étendu ou assis. Parfois il se levait et faisait le tour de la pièce pour se dégourdir les jambes. Ou il se rendait à l'étage et fouillait dans les affaires de son père. Il faisait presque noir dans la chambre, car il trouvait inutile de gaspiller une chandelle.

Cette séquestration était interminable, infernale. Elle lui rappelait son enfance et les punitions de Firmin. Il se consola en se disant que, là au moins, il n'avait de comptes à rendre à personne et n'avait pas à souffrir de privations. Cette solitude lui pesait moins qu'elle l'eût peut-être dû. Il fut incapable de savoir combien de temps avait passé depuis le jour où il s'était enfermé, car la maison stagnait dans une obscurité constante. La seule chose qu'il remarquait était la diminution graduelle et cyclique des bruits à l'extérieur. Il se disait alors que la nuit était sans doute tombée, car, à l'occasion, des cris, des sanglots ou le passage d'une charrette secouaient encore la rue de sa torpeur.

La famille ne se manifestait toujours pas. Il s'interdit d'appréhender le pire. En outre, il s'inquiétait pour Églantine. Comment allait-elle? Où était-elle, maintenant? Allait-elle essayer de venir le rejoindre? Il espéra que non, même si elle lui manquait. Il ne fallait pas qu'Églantine commît d'imprudence en se lançant, seule et sans protection, par les rues infectées.

Un jour, sans savoir pourquoi, il tira sur une planche qui faisait un peu de jeu dans le fond du grand coffre de ses parents. Un bout de bois mince s'en délogea. Intrigué, il tâtonna dans le creux ainsi découvert et eut la surprise de trouver, niché dans une sorte de double fond, un petit livre à couverture de cuir. Il l'emporta au rez-de-chaussée afin de voir ce que c'était à la lueur de l'âtre.

C'était un missel de facture plutôt modeste. Louis n'en sut rien, bien entendu. Pour lui, les caractères s'alignaient sur les pages, incompréhensibles, telles des rangées de petites fourmis affairées. Mais il y avait quelques enluminures.

À partir de là, Louis consacra plusieurs heures par jour à détailler chacune des précieuses illustrations, à essayer de se rappeler quel récit biblique elles évoquaient. Ce livre lui était d'un précieux secours: il lui occupait l'esprit et lui évitait de perdre la raison.

L'adolescent se trouvait à l'étage lorsque survint un grattement à la porte de la boutique. Il sursauta. Ce n'était qu'un tout petit bruit, mais il eut l'impression qu'il avait ébranlé la maison. Il s'était depuis trop longtemps habitué au silence. C'était peut-être un chien. Mais le grattement fut suivi d'un coup violent, puis d'un autre. Des voix râlaient.

Louis se mit en quête de son gourdin et appela du haut de l'escalier:

— Qui va là?

Personne ne répondit. Les coups redoublèrent et les planches chevillées à l'huis finirent par céder. La porte s'ouvrit à demi. Louis se cacha derrière le mur pour regarder. Mais il n'arriva à distinguer que quelques formes vagues, car il faisait nuit dehors. Le rez-de-chaussée se peupla de respirations laborieuses et la porte se referma sans bruit. Il y eut un râlement, puis plus rien. Louis serra à deux mains son gourdin et entreprit de descendre lentement.

— Qui est là? Répondez.

Ils étaient plusieurs, il en était sûr, mais personne ne bougeait. Peut-être étaient-ils effrayés. Il recula jusque dans l'arrière-boutique afin d'y allumer une chandelle aux braises mourantes de l'âtre. Un nom lui échappa:

— Odile.

Le visage que sa petite flamme dévoilait ne s'éclaircissait pas. Il semblait noir de crasse. Lorsqu'il s'anima enfin, des yeux fous scintillèrent. Le petit Gérard s'était accroché à ses jupes et elle tenait dans ses bras sa fillette de cinq mois.

— Prends-la, s'il te plaît. Pars et emmène-la avec toi, dit Odile d'une voix méconnaissable, en lui tendant le bébé emmailloté.

Il était inerte et flasque.

— Non. Je ne peux pas, dit-il en reculant, horrifié.

Le bébé était déjà mort depuis plusieurs heures. Peut-être même depuis un jour entier. La femme prostrée se déplaça légèrement. Gérard tomba à la renverse avec un bruit mat et ne bougea plus. Odile se mit à sangloter.

— Elle ne prend plus le sein et j'ignore pourquoi. Elle doit avoir très faim. Nous étions allés en ville nous faire soigner. Nous avons passé des jours à chercher.

— À chercher quoi?

— Je... je ne sais plus. La maison. Nous cherchions la maison. Nous étions perdus...

— Où sont les autres?

Il manquait Bertrand, Firmin, Clémence et Amaury. Odile mit un temps pour répondre, comme si elle émergeait lentement de la folie pour un ultime instant de lucidité. Elle répondit:

— Te fatigue pas. Eux aussi sont morts.

Louis n'avait pas le choix. Il lui fallait partir.

Odile se tut et demeura prostrée dans son coin.

Il ne fallut que peu de temps à Louis pour faire ses bagages. Dans un seul sac, il entassa quelques provisions sèches, ses remèdes, des vêtements de rechange et de quoi faire du feu. Il enveloppa soigneusement le pot de levain dans deux morceaux de laine épaisse et l'enfouit parmi ses vêtements de rechange. D'un coup du revers de la main, il renversa le bocal qui contenait les économies de Firmin. Le pot se fracassa en vomissant sa réserve de pièces que l'adolescent recueillit une à une parmi les fragments de terre cuite. Ce récipient-là n'avait pas le droit de survivre.

Trop de temps avait passé. Ses vivres étaient pratiquement épuisés. Il ne restait plus dans un sac qu'un peu de seigle noirci par l'ergot. Sans savoir pourquoi, il ne voulut pas toucher à ce grain qui semblait lui aussi atteint de la peste. Partir. Laisser, à tout jamais peut-être, le four éteint derrière lui. Il n'avait pas le choix.

De retour dans la boutique avec une esconse, Louis vit qu'Odile était demeurée là où il l'avait laissée. Elle ne respirait plus. Son visage d'un rouge sombre se striait de noir à vue d'œil. L'adolescent fut pris de nausée et s'empressa de nouer autour de sa tête son mouchoir camphré.

En franchissant le seuil de la boulangerie, il trébucha sur une forme qui y était étendue. Dans le jour qui commençait à poindre, il put distinguer le visage de Bertrand. Le jeune homme s'était revêtu des pièces d'armure disparates qu'il avait pu accumuler au fil des ans. Son épée d'entraînement, hors de son fourreau, était tordue par les coups qu'il avait infligés à la porte. Il reposait maintenant, mains jointes sur la poitrine, la visière de son vieux heaume relevée sur son visage pétrifié. Nul ne saurait où il avait trouvé la force insensée de traîner avec lui, sans doute sur des lieues, l'effigie en pierre d'un lion terrassé sur laquelle il avait posé les pieds, se transformant ainsi en un gisant de chevalier qui allait pour l'éternité monter la garde à la porte de la boulangerie[52].

Des fumées mornes dérivaient dans la rue déserte qu'aucun son ne perturbait plus. Les cloches des églises s'étaient tues. Des fenêtres et des portes restées ouvertes béaient sur une pénombre sépulcrale. Les premières rues dans lesquelles Louis déambula s'étaient entièrement dépeuplées. Pendant un moment, il crut la ville tout entière dévastée.

Une charrette guidée par un fossoyeur au visage émacié tourna cahin-caha à un carrefour. Les bras et les jambes noircis des cadavres que l'on y avait jetés pêle-mêle, nobles, roturiers et inconnus de passage confondus dans la mort, étaient secoués comme des fagots. L'homme portait des gants de cuir et un habit rouge reconnaissable de loin, rendu poussiéreux par la chaux vive qu'il avait dû pelleter dans les fosses communes. Il avait passé des semaines à les combler de morts aussitôt qu'on avait fini de les creuser. Lui et ses collègues ne suffisaient désormais plus à la tâche et la pestilence s'était mise à couver sous les énormes monticules. Depuis peu, les fossoyeurs s'étaient mis à allumer hors les murs de gigantesques bûchers. Les morts leur pleuvaient dessus depuis le haut des murailles. La fumée que Louis avait vue et qui flottait au-dessus de la ville telle une malédiction provenait de là[53].

Des volailles oubliées étaient en train de crever de faim dans les cours, parmi des grappes empourprées de coquelicots qui semblaient défier le malheur. Une chèvre égarée bêlait tristement, tête basse. Et, au beau milieu d'une rue, Louis vit Sans-Croc, égaré, oublié de tous, qui pleurait en se dandinant d'une jambe sur l'autre. Alors que l'adolescent s'apprêtait à rejoindre l'infirme, il aperçut la morve brunâtre qui coulait du nez du malheureux et dégouttait sur sa chemise. Louis recula et fit demi-tour.

*

Le moulin s'était tu. Sa roue à aubes n'émettait plus ce clapotis familier que l'on pouvait aisément percevoir depuis la berge du fleuve. À l'aide d'une barque abandonnée qui prenait l'eau, Louis parvint à s'y rendre. Après avoir amarré la barque à l'un des pilotis, il gravit lentement l'escalier, comme s'il redoutait d'y surprendre quelque malfaiteur aux aguets.

L'intrus était bien là. Louis ne le vit pas tout de suite. Il l'attendait, lui souriant de toutes ses dents fêlées et brunâtres, il le scrutait de ses orbites vides depuis le linteau de la porte au-dessus duquel il avait été accroché. C'était un *mementomori**.

— Non!

Un coup de gourdin abattit le morbide cerbère dont le crâne tomba aux pieds du vivant. L'os occipital se brisa en touchant terre. Il ressemblait à de la terre cuite cassée. Comme un forcené, Louis se jeta contre la porte obstinée qu'il voulut enfoncer; mais une seule poussée l'ouvrit, si simplement que Louis hésita avant de pénétrer dans la maison.

L'adolescent marcha dans la minoterie pétrifiée par la même atmosphère de fin du monde qu'il avait vue en ville. Le cœur du moulin s'était arrêté. Le plancher était jonché de débris provenant du système d'engrenage qui avait dû tourner à vide pendant un certain temps avant de se briser. Des rongeurs avaient semé leurs crottes partout et, dans un coin, une famille de souris nichait au creux d'un sac de blé percé. L'air de la meunerie était, pour la première fois sans doute, entièrement exempt de sa fine poussière d'or. De la vaisselle abandonnée s'empoussiérait sur la table de l'étage. L'une des luxueuses carafes orangées de la mère Bonnefoy gisait, ébréchée, au centre d'une flaque de vin sirupeux dans laquelle des insectes s'étaient englués. Le postérieur et la queue nue d'un rat affairé dépassait du col artistement touché de vert. Un torchon à demi plié avait été laissé sur un banc. On eût dit que les habitants du moulin avaient été poussés à prendre la fuite en vitesse, au beau milieu d'un repas. Si la flaque de vin avait été plus récente, Louis aurait pu aisément se laisser persuader que les Bonnefoy allaient surgir de la cachette où ils s'étaient terrés pour l'accueillir. Que la belle convivialité d'antan n'attendait plus qu'un visage familier comme le sien pour pouvoir renaître enfin. Que toute cette horreur allait être balayée d'un coup par enchantement sous l'assaut de leur chaleur humaine. Mais le vin avait séché depuis longtemps. Louis sanglota dans son mouchoir camphré.

Un autre gros rat lui fila entre les jambes depuis l'entrebâillement de la porte qui ouvrait sur la chambre des maîtres. Louis s'y glissa, furtif.

D'autres rats détalèrent en couinant. Le meunier et sa femme étaient là, couchés dans leur lit, partageant pour l'éternité l'ultime étreinte que la vie leur avait consentie. Ils grouillaient d'asticots profanateurs. Des mouches vrombissaient et se prenaient dans les courtines. Louis tomba à genoux, pris de nausée. Il se traîna à reculons hors de la chambre en collant davantage son mouchoir contre son nez. Des larmes brûlantes diluèrent à la fois le camphre et ses souvenirs dorés, tout jeunes encore. Jamais plus il n'y aurait ici de ces agréables soupers en famille ni de ces tendres promenades le long des berges de la Seine au couchant. Il n'y avait plus de Bonnefoy.

— Églantine.

Une forme blanche se faufila par la porte de l'escalier restée entrouverte.

— Églantine, non, attends!

Aucun doute possible : cette chevelure dorée, si vivante, si belle, c'était celle d'Églantine, et elle était vivante. Il se lança à la poursuite du fantôme qui avait disparu sans bruit dans la grande pièce du rez-de-chaussée et avança dans la salle des meules où la poussière dérangée produisait des volutes grisâtres dans la lumière blafarde. La forme blanche gisait en haut de l'escalier menant à l'une des passerelles comme un tas d'étoffe souillée.

— C'est moi. N'aie pas peur, je suis là, dit-il doucement. Il s'accroupit à ses côtés et la força à se tourner vers lui. Le visage d'Églantine, malgré sa rougeur anormale, demeurait frais et jeune.

—Oh, Louis! Pourquoi es-tu venu ici? Il n'y a plus rien à faire. C'est... c'est trop tard.

—Tout va bien, mon aimée, ma mie. Ne t'en fais pas. Je viens te chercher. Nous partons. Tiens, sens mon bras, c'est du vinaigre. Écoute. J'ai vu les moines. Ils vont t'aider. Et je t'ai apporté des remèdes. Oui. Juste là, dans ma besace.

Il posa son sac et entreprit de couper au bas de sa propre tunique un morceau d'étoffe qu'il imbiba d'eau de vie. Il en donna également à boire à la jeune femme, qui s'étouffa.

—As-tu des grosseurs?

—Oui. Sous le bras gauche et... entre les jambes. Louis, crois-tu que tu peux vraiment me guérir?

Il entreprit tendrement de déshabiller Églantine tandis qu'il disait, en reniflant :

—Fais-moi confiance. Tu es ma femme et je t'aime. Je ne laisserai pas cette saleté de morille te prendre à moi, tu entends? Je ne la laisserai pas faire. Nous allons nous battre ensemble, Églantine. Tu es d'accord?

Elle fit un faible signe d'assentiment. Il expliquait tout ce qu'il savait, tandis qu'il tamponnait doucement, sans aucun signe de dégoût, chaque tumeur avec le fragment de tissu froid. Les bosses de l'aine étaient déjà noires et légèrement suppurantes.

—À l'Hôtel-Dieu, j'ai entendu dire que le roi Philippe a ordonné aux médecins de Paris d'écrire un gros livre tout plein de remèdes contre la peste. Ils en ont même nommé quelques-uns devant moi. Des émeraudines*. J'en ai! Je suis allé au bois en chercher.

Églantine ferma les yeux. Il poursuivit :

—Les cordeliers ont un très vieux livre qui appartenait à une commanderie templière. Les Templiers ont voyagé dans des terres foraines*, tu sais, là où les maisons sont toutes en or et où il pousse des oranges dans les arbres. Tu n'as qu'à étirer le bras pour en cueillir, tu te rends compte?

Louis était pleinement conscient qu'il parlait d'abondance pour éviter de prêter trop d'attention aux râlements d'Églantine et aux stries qui apparaissaient sur son visage.

—Le roi veut faire interdire de tuer les chats parce qu'il paraît que les rats propagent la morille, tout comme les pouties* et l'eau sale. Plus tard, je laverai ta chambre à l'eau de rose si tu en as. Sinon, j'ai du vinaigre; cela convient aussi. Et il te faudra des jonchées d'herbes spéciales. Je saurai trouver, ne t'inquiète pas.

—Je t'aime, Louis. Je n'ai plus peur, puisque tu es là.

Églantine lui prit la main et lui sourit. Il essaya de sourire à son tour.

—Ils ont dit que les purges et les saignées n'aident pas. Mais le plus difficile sera de te débarrasser de ces grosseurs. Le temps presse. Acceptes-tu mon aide, ma mie?

Elle ne répondit pas et tira un peu sa main vers elle.

—Il n'y en aura pas pour longtemps. Après, on s'en va chez les moines.

Il prit une alène dans sa besace. Églantine se mit à hurler dès la seconde où elle en sentit le picot. Il se hâta d'éponger un flot de liquide verdâtre et putride.

—Voilà. Il y en a déjà une de partie, ma mie. Déjà une. Hardi!

Frissonnant, il portait déjà l'alène sur le second bubon, mais une main faible, résignée, se posa sur son bras. Convulsée, Églantine tira à nouveau sa main vers elle et la posa sur son abdomen un peu enflé.

—Tu as mal au ventre?

Églantine ne répondit pas. Son teint était passé du rouge au blanc cireux. Seules des marbrures presque écarlates étaient demeurées. Il sembla à Louis qu'elles s'assombrissaient. Il n'était plus question d'attendre davantage. Il la couvrit de son aumusse et la souleva aisément. Elle ne pesait guère plus qu'une enfant.

Louis courut à travers Paris qui n'existait plus. La grande aumusse masculine dont la jeune femme était enveloppée amplifiait sa vulnérabilité. Il y avait trop de taches. Trop de taches partout pour que la scène n'évoque pas un meurtre. Il n'eut que vaguement conscience de croiser, à quelques reprises, de petits groupes de gens affolés qui leur lancèrent toutes sortes de projectiles en criant:

— Au fou! Morille*! Morille!

Louis trébucha contre les rigoles où flottaient des rats morts qui tournaient leur panse gonflée vers le ciel.

—Tiens bon, ma mie. On y est presque, suppliait-il à intervalles réguliers, le souffle court.

Sur le rebord d'une fenêtre, il eut le temps d'apercevoir une plante en pot qui achevait de faner. Cela lui rappela le muguet précoce d'un mars déjà lointain.

—Le monastère est là, mon aimée. Juste devant. Je vois la porte.

Églantine émit un gargouillis. Des bulles de sang noirâtre lui affleurèrent aux lèvres.

En vain, Louis s'écorcha-t-il les jointures contre la même porte qui lui avait un jour refusé l'entrée de l'abbaye pour un autre être aimé. Les portes des hôpitaux où il se rendit demeurèrent elles aussi fermées.

On n'ouvrait plus aux morts.

*

Des ombres silencieuses se dérobèrent sur leur passage jusqu'aux portes de la ville. Ces ombres n'étaient personne. Il n'y avait pas de gens. Seulement des morts en sursis. Tout n'était plus qu'un bouillonnement d'existences sans perspective, flottant déjà comme des cendres vivantes jetées sur l'onde.

Louis franchit les portes avec Églantine dans ses bras. Les fossoyeurs n'étaient que des ombres rouges qui cessèrent de s'animer en les voyant arriver.

— Le malheureux, dit l'un d'eux avec affliction en s'avançant vers ce jouvenceau encore sain qui venait peut-être de se sacrifier pour conduire lui-même sa bien-aimée au bûcher. Quel gâchis.

— Nous sommes arrivés, Églantine, dit Louis avec douceur.

Elle ne l'entendit sans doute pas. Son regard était devenu fixe depuis un bon moment déjà.

Louis s'avança vers les flammes et étendit les bras. Églantine tomba parmi les premiers fagots qu'un fossoyeur s'empressa d'arroser d'une huile noirâtre avant d'y mettre le feu. Sur sa poitrine désormais privée du contact de sa fiancée, il sentit un souffle froid et moite, comme issu d'une fosse, une froidure qu'aucune chaleur n'allait jamais plus pouvoir apaiser.

Au moment où les flammes avides commençaient à dévorer la robe blanche d'Églantine, Louis put voir son visage encore intact. Il put voir la petite main qui se posait sur son ventre et sur le fruit qu'il étouffait.

Alors seulement Louis comprit. Il tomba à genoux et hurla à la mort.

La main ferme d'un fossoyeur refusa au feu une troisième proie, vivante celle-là. Louis fut repoussé en arrière et éloigné à coups de manche de pelle.

Chapitre VI

La malédiction

Qu'allait-on retenir de cette époque? Tout grand événement de l'histoire possède ses repères et ses balises. Chaque guerre a ses actes de bravoure. Mais il n'y avait plus de héros. La mort, cette abstraction que l'on repoussait d'instinct vers un avenir imprécis, était subitement devenue un fait quotidien. Elle frappait sans discernement. Que l'on fût bien nanti ou non n'y changeait rien; elle n'épargnait plus personne. Dans sa hâte horrible et violente de se propager, elle semait l'effroi. Les gens prenaient conscience de leur précarité et une nouvelle perception de l'être humain et de son existence se faisait jour. L'imaginaire collectif en fut bientôt atteint à son tour et le Destin changea d'habit pour endosser celui de la Fatalité. Des survivants angoissés, coupables d'être encore là, ne se sentaient plus à leur place dans ce monde mis en pièces. Cette incertitude entraîna une régression de l'âme humaine qui ne sut plus comment penser et oublia comment aimer. En permanence assaillis par l'effroi et l'angoisse, les gens se trouvaient subitement privés d'élan créateur; ils avaient désappris à concevoir des projets d'avenir. Ces millions de gens n'avaient-ils existé, pleins de vie et de rêves, que pour disparaître dans la noirceur anonyme, béante, d'une gigantesque fosse commune? Qu'allait-on retenir d'eux, de leurs visages, de leurs accomplissements, de leurs espoirs et de la grandeur de leur âme qu'un seul bacille était parvenu à anéantir? La vie humaine avait-elle donc si peu de valeur?

Il ne savait plus où il se trouvait. Probablement un peu dépassé le bois de Boulogne[54]. Mais il n'en était pas sûr, à cause des nombreux vignobles désertés qu'il avait traversés. De temps à autre, au cours de ses errances, il avait pu apercevoir une vache abandonnée aux pis gonflés, beuglant de douleur dans son enclos, ou une meute de chiens errants se disputant la carcasse d'un mouton. Puis, plus rien. L'hiver était venu et avec lui la famine, car les récoltes avaient gelé sur pied.

Mais lui avait continué à marcher. «Fuis la ville», lui avait commandé son instinct. Ce qu'il avait fait comme tant d'autres qui espéraient échapper ainsi au fléau. Mais il n'y avait rien nulle part. Ni en campagne ni en forêt. Il n'avait plus personne. Ni femme ni enfant.

Une cime d'arbre fut avalée par des nuages en exil. Tout comme lui, le vent ignorait où aller, car il n'y avait plus ni ciel ni terre. Le peu de neige tombée la veille crissait sous ses pas comme du verre pilé. Il faisait trop froid depuis trop longtemps[55]. La froidure lui avait engourdi le cœur. Elle avait éteint à la fois le bûcher et la morsure du gel. Louis n'avait plus mal. Il ne pensait plus. Ses jambes étaient devenues insensibles. Il avait réintégré le cocon sécurisant de son enfance. Même les mots mille fois répétés: «Ma femme! Mon enfant!» n'éveillaient plus de chagrin. Dormir. Cela seul importait.

Lorsqu'il s'écroula, Louis ne sentit rien. Il fut surpris de voir au-dessus de lui les penailles* noirâtres d'un grand chêne. Le feuillage de ces arbres, habituellement d'un beau roux cuivré en hiver, ressemblait à des chauves-souris déchiquetées et noires qui bruissaient au bout des branches.

Louis ferma les yeux et s'endormit.

Au bout d'un moment, pour une raison connue de lui seul, le soleil fatigué se hâta de récurer la neige, et les anges apparurent.

Il devait y en avoir une vingtaine au moins. Celui qui marchait en tête était blond et beau comme le soleil qui s'était manifesté pour lui. Il portait une crosse surmontée d'une croix effilée. Sa longue robe était aussi frappée d'une croix rouge comme le tabard d'un Templier de jadis. D'autres croix rouges apparaissaient, sur des chapeaux ou sur des manches, parmi la masse mouvante de ces anges qui traversaient la clairière et s'avançaient dans sa direction en chantant un hymne d'une voix fervente. Louis s'était réveillé. Encore somnolent, il les regarda approcher d'un œil vide, sans étonnement ni curiosité, car il avait dépassé le stade de l'émerveillement ou de la peur. Malgré les brumes de l'inconscience qui doucement lui enveloppaient l'esprit, il sentit que quelque chose n'allait pas. Certaines voix chevrotantes n'étaient pas vraiment agréables à entendre. Était-il possible que des anges chantent faux?

Louis se sentit entouré de présences silencieuses. Quelques-unes seulement s'avancèrent prudemment jusqu'à lui. Une odeur épouvantable le contraignit à tourner la tête. Il vit une bure attachée par une corde de chanvre, des pieds couverts de croûtes et chaussés de sandales éculées, des formes s'appuyant sur des baliveaux récemment écorcés dont l'aubier luisait comme s'ils avaient été enduits de miel. Les anges de Dieu étaient-ils donc des moines?

— Il n'a pas l'air commode. Tu crois que c'est la morille, Godefroy? demanda une voix masculine.

— Ça m'étonnerait. On dirait plutôt qu'il est en train de se laisser crever de froid.

L'ange blond s'accroupit et dit:

— Eh bien, mon fils, que fais-tu là tout seul à noqueter* de la sorte?

L'adolescent leva péniblement les yeux le long de la crosse qui se terminait par la poigne velue d'un bûcheron et une croix d'allure bizarre. Il lui sembla aussi que ces visages hirsutes, crasseux, ne pouvaient appartenir à des anges du bleu paradis. Et ils sentaient mauvais. L'homme à la crosse posa sur lui son regard analytique de meneur.

— Quel est ton nom?

— Ne savez-vous pas qui je suis, puisque vous venez me quérir?

Les membres du groupe s'entre-regardèrent, un instant interdits. L'homme à la crosse sourit d'un air moqueur.

— Bien sûr, bien sûr, mon fils. Nous venons te quérir. Je suis Magister. Et voici mes ouailles. Sois le bienvenu parmi les nôtres.

— Où sont vos ailes? demanda l'adolescent d'une voix lente, pâteuse. Il n'arrivait pas à garder les yeux ouverts.

— Ce mendiant déraisonne, dit une voix de femme.

Magister se retourna et dit:

— Un instant, ma belle. Moi, je le trouve au contraire très lucide.

Tout sourire, il s'adressa à Louis:

— Nous ne sommes pas des anges, mon fils. Pas encore. Mais nous en deviendrons bientôt. Je suis un presbytérien* qui a renoncé à la vanité de ce monde pour sauver des âmes perdues comme la tienne. La nef de mon église est désormais le ciel étoilé, et ma chasuble est un cilice. Je partage la misère des humbles. Viens partager ta misère avec tes frères. Dis-moi ton nom.

— Louis. Fatigué...

— Laisse-nous conduire ta destinée, Louis-Fatigué. Nous nous occupons de tout.

Ce disant, Magister souleva la besace de l'adolescent en glissant le bout de sa crosse dans la courroie. Il la tendit en direction du groupe. Le sac disparut entre des mains avides. Magister expliqua:

— Tu vas désormais partager tes effets avec nous, qui sommes ta nouvelle famille.

— Faut que je dorme un peu. J'ai très sommeil.

—Allons, allons, mon fils. Ce n'est pas le temps de dormir. Tu viens avec nous. Il faut en outre te préparer à la cérémonie d'accueil. En route. Que caches-tu là, sous ta tunique?

—Rien.

—Ne mens pas à ton maître, Louis. Mentir est une faute très grave que tu devras expier pour sauver ton âme.

L'homme lui asséna sur l'épaule un coup de crosse qui le contraignit à émerger de sa dangereuse somnolence, causée par sa trop longue exposition au froid. Il s'assit, mais celui qui se prénommait Godefroy le repoussa contre le sol dur. La tunique soulevée par la crosse de l'étrange prêtre exposa l'abdomen plat de l'adolescent. Une plantureuse femme blonde se passa la langue sur les lèvres à cette vue.

—Un pot. Quel enfant étrange. Et si c'était un sorcier? dit un homme aux mains bandées.

Louis répliqua, d'une voix lasse:

—C'est mon levain. Il n'y a pas de sorcellerie là-dedans. Je suis boulanger.

Depuis son départ de la maison, il avait porté le petit bocal contre sa peau pour que les précieux ferments ne gèlent pas. Son seul espoir était que la souche vénérable, dernier témoin d'un passé prospère, fût encore bonne. Il dit, en se rasseyant:

—Rendez-le-moi.

—Ne me donne pas d'ordres, jeune prétentieux. Le Gros, approche. Tiens, voilà pour toi, dit le prêtre.

Il tendit le pot de terre cuite à un gros barbu qui s'était jusque-là tenu à l'écart avec une jeune fille dont les longs cheveux sales lui couvraient presque le visage. L'homme remercia vaguement en s'inclinant et se hâta de se fondre à nouveau parmi le groupe, comme s'il cherchait à se soustraire le plus vite possible aux prunelles incandescentes du captif. Il ordonna à sa jeune compagne:

—Tais-toi.

—Oui, Père, dit-elle, gardant humblement la tête baissée. Tout comme son père, elle eut le vague pressentiment que de voir Louis tomber entre leurs griffes était la pire chose qui pouvait arriver. L'homme marmotta:

—L'idiot. Qu'est-il venu faire ici? Faut toujours qu'il se mette dans le pétrin. Eh bien, tant pis pour lui. Pas envie de compromettre mes chances avec Magister à cause de lui, moi. Tout ça, c'est sa faute, pas la mienne.

—S'il vous plaît, laissez-moi aller lui parler.

—Non mais tu rêves! Pas question. Tu ne bouges pas d'ici. De toute façon, quoi qu'il advienne, on n'y peut rien.

— C'est à moi. C'est mon levain maintenant Vous n'auriez pas dû partir. Dites-leur! appela Louis qui se leva en titubant.

Le gros homme se faufila parmi le groupe en bousculant certaines personnes, traînant la jeune fille de force. Elle se laissait docilement faire, mais son regard affligé s'accrochait à Louis qui se débattait en criant :

— Vous n'êtes qu'un lâche, un sale lâche!

Le groupe se resserrait subtilement autour de lui. Il commençait à remarquer certains détails qui lui avaient échappé jusque-là. Il crut aussi entendre quelques plaintes et des bruits de coups vers l'arrière de la troupe. Magister arborait un collier d'aspect louche, composé d'anneaux disparates, sans doute volés ou arrachés des doigts de trépassés. En regardant sa crosse de plus près, Louis remarqua que les branches de la croix étaient aiguisées comme le fer d'une guisarme. C'était un poignard déguisé dont les quillons formaient les traverses de la croix, et le manche, avec sa lame, le support. Le chef spirituel à la barbe jaune et crasseuse, ainsi que deux acolytes, semblait vigoureux. Ils avaient l'air de manger à leur faim. Derrière eux, six autres personnes bien portantes s'étaient disséminées à travers le groupe, deux femmes et quatre hommes. Cependant, l'un d'entre eux portait des stigmates et boitait en s'appuyant contre une canne crochue. Les treize individus restants étaient faméliques et couverts de cicatrices sanglantes et d'ecchymoses. Leurs vêtements étaient en lambeaux. Il y en avait de tous âges, depuis les adolescents jusqu'aux vieillards.

Ce groupe de vingt-deux hommes et femmes ressemblait davantage à un ramassis de pèlerins misérables qu'à un groupe de bandits. Pourtant, même les bandes de malfaiteurs évitaient de se retrouver face à face avec eux au détour d'un sentier. Ils faisaient partie d'une nouvelle secte de fanatiques née de la misère humaine, qui inspirait davantage de crainte que de dévotion. Ils s'appelaient eux-mêmes les Pénitents[56].

Magister s'avança en souriant.

— Tu me parais vigoureux, l'ami, dit-il. Sois donc des nôtres. La Providence saura t'en récompenser dans ce monde-ci tout comme dans l'autre.

— Je connais de vrais moines. Ils ne vous ressemblent pas.

— Les moines dont tu parles ne sont que des pleutres qui se terrent derrière les murs épais de leur couvent. En as-tu vu te venir en aide, Louis? Non, bien sûr que non.

Son visage devint radieux de lire l'incertitude sur le visage de l'adolescent. Magister ignorait qu'il avait, tout à fait par hasard, visé juste, du moins en partie. Mais il avait de l'intuition. Il reprit :

— Tandis que nous, nous sommes là. Nous venons à toi, car tu nous as appelés.

— Pourquoi ne les aidez-vous pas, eux? demanda Louis en pointant les membres maltraités du groupe.

— Parce qu'ils ont soit désobéi, soit tenté de quitter notre congrégation. Mais ne laisse pas les apparences altérer ton jugement, Louis : car ceux qui te paraissent bien portants souffrent, eux aussi. Tous, nous nous offrons en sacrifice pour implorer la clémence du Tout-Puissant.

Louis recula d'un pas.

— Vous pouvez vous passer de moi. Dieu ne m'écoute pas.

— Ne te montre pas ingrat envers le Seigneur. Tu sembles impénétrable à la morille. C'est là une bénédiction et un privilège.

À ces mots, un peu de glace se mit à fondre en Louis, et l'eau lui monta aux yeux. « À quoi peut bien me servir une bénédiction comme celle-là, je me le demande », se dit-il amèrement.

Celui qui portait les stigmates aux mains s'était discrètement rapproché du prêtre.

— Juste ciel. C'est lui, dit-il.

— De quoi parles-tu, le Saint? demanda Magister.

— Le démon de la malemort.

— Que dis-tu là?

— J'en ai entendu parler. C'est vrai qu'il correspond à la description, intervint la grande blonde, qui s'approchait à son tour pour expliquer. Ce sont les fossoyeurs qui l'ont vu en premier. Un jouvenceau grand comme un homme. Comme celui-là. Il transporte des pestiférés dans ses bras jusqu'aux bûchers. Et, alors qu'ils expirent, il les jette dans les flammes.

— Ils l'ont vu faire des dizaines de fois, renchérit le Saint, et pourtant, la morille l'épargne, lui.

— Elle épargne aussi les fossoyeurs. Enfin, certains d'entre eux, fit Magister, dubitatif.

— Certains disent que ce n'est qu'un faible d'esprit qui ne se rend pas compte du danger, rétorqua Godefroy. Un de ces jours, il y en a un qui finira par le retrouver tout raide dans sa charrette.

— Mais il y avait ses yeux, Magister, reprit le Saint, illuminé par quelque révélation connue de lui seul. Ce n'étaient pas ceux d'un homme. C'étaient ceux d'un suppôt de Satan.

Ils se tournèrent vers Louis, qui était éberlué d'apprendre la façon dont des témoins anonymes avaient perçu ses derniers moments avec son aimée. Leur imagination déchaînée par l'horreur quasi permanente avait fait prendre à cet adieu désespéré les proportions d'une fable. Voilà comment naissaient les dragons des légendes ainsi que leurs vainqueurs. Et Magister était tout disposé à assumer le rôle du vainqueur dans cette légende-ci. Il profita de l'aubaine. Cela allait lui permettre d'exercer encore plus d'ascendant sur les bonnes gens impressionnables, qui avaient besoin d'exemples concrets.

Louis ne chercha pas à les contredire. Il était inutile de raisonner avec de tels fanatiques. Alors que les chefs discutaient entre eux sur ce qu'il convenait de faire, l'adolescent recula très lentement, d'un pas à la fois. Soudain, il tourna les talons et se mit à courir sur ses jambes flageolantes.

—Rattrapez-le! ordonna Magister.

À l'instant même où l'ordre était donné, le fugitif eut deux hommes et une femme à ses trousses.

Si Louis ne s'était pas trouvé à un stade avancé de sous-alimentation et d'épuisement, il les eût sans doute semés. Mais ils parvinrent non sans mal à lui couper toute retraite en le cernant. La femme arriva par-derrière et le frappa à la tête d'un coup du manche de son scorpion*. Louis roula inerte dans la neige fondante.

—Bien joué, Desdémone, dit Godefroy qui les rejoignit en compagnie de l'autre homme.

—Il m'a l'air obstiné, celui-là. J'aime bien, dit-elle.

Elle empoigna Louis par une cheville et le traîna jusqu'au groupe, où il fut encerclé par les deux autres qui le surveillèrent pour parer à toute nouvelle tentative d'évasion.

—Ah, Lucifer. Tu croyais donc pouvoir échapper à un homme de Dieu? explosa Magister.

Louis s'était rassis, pris de nausées. Le crucifix hypocrite oscillait au-dessus de la tête de l'adolescent, qui dit:

—Je ne suis pas un diable. Laissez-moi partir.

—Ah, vraiment? Tu n'es pas le diable? Alors, prouve-le-moi. Prouve-moi que tu es un serviteur de Dieu et agenouille-toi devant moi.

—Ça non. Je ne me mettrai à genoux devant personne, surtout pas devant un imposteur. Vous n'êtes pas un vrai prêtre.

Desdémone ricana avec délices.

—Soit. Que d'orgueil! Libre à toi de contester mon autorité divine. Mais, ce faisant, tu viens de nous montrer ton vrai visage, vassal de Satan. N'est-ce pas, mes frères et sœurs?

Il prenait le groupe à témoin. Personne ne répondit, sauf les bien portants qui abondèrent dans le même sens. Il se tourna de nouveau vers Louis.

—Prie très fort, Louis, dit-il. Veille et prie sans relâche. Demande l'intercession du Très-Haut. Car demain tu seras introduit au sein de notre communauté. Après quoi je procéderai à un exorcisme pour le salut de ton âme. Je puis te garantir qu'alors, que tu le veuilles ou non, tes genoux sauront fléchir.

Le faux prêtre se détourna.

— Magister, attends, dit Desdémone.

La vigoureuse femme blonde s'approcha en joignant des mains charnues dans une fausse attitude de dévotion. Elle demanda :

— Puis-je l'avoir cette nuit ?

Magister rit doucement.

— Ah, ma bonne amie. Tu sais bien que je ne puis rien te refuser. D'accord. Sois sa marraine. Va, et veille bien sur lui.

Desdémone eut besoin de l'aide des deux hommes pour maîtriser Louis et lui lier les poignets dans le dos à l'aide d'un bout de sa chemise.

— Prenez garde, il faut le ménager pour demain. Et je le veux intact, leur dit-elle, le regard animé d'une lueur malsaine, alors qu'ils maintenaient le prisonnier immobilisé devant elle.

— Apaise-toi maintenant, mon Louis. Je vais te donner du bouillon chaud à boire.

Elle passa la main dans les cheveux fournis de l'adolescent. Ils avaient allongé ces derniers mois, et les mèches humides avaient récolté quelques feuilles brunes dont elle le débarrassa, en même temps qu'elle repoussait vers l'arrière une mèche folâtre qui tombait dans les yeux de son nouveau protégé. La femme se pencha et voulut lui baiser les lèvres. Ses dents gâtées lui donnaient une haleine fétide. Louis détourna son visage, dégoûté, refusant avec véhémence la seule pensée que cette bouche malodorante pût effacer sur ses lèvres le souvenir des derniers baisers d'Églantine. Desdémone éclata de rire et lui asséna deux gifles retentissantes. Elle lui prit le menton entre ses doigts.

— Je vais te réchauffer, moi, tu vas voir.

Puis, aux hommes :

— Tenez-le bien.

Desdémone se passa une langue avide sur les lèvres et dénoua les braies de l'adolescent. Elle y glissa la main et lui pétrit les organes génitaux. Louis se débattit en vain. Il se sentit envahi, souillé jusqu'au tréfonds de son être où étaient conservées les précieuses images enluminées par la poussière du foin de sa couche et par les cheveux blonds de son aimée. Desdémone sourit et lui demanda :

— Es-tu encore puceau, mon beau petit démon ?

—Lâche-moi! Ne me touche pas avec tes mains sales!

Il tenta de la repousser à coups de pied, mais Godefroy, ricanant, le fit trébucher.

—Allez, petit, laisse-toi faire un peu. Je suis sûr que tu vas aimer.

Desdémone en profita pour serrer davantage.

—Réponds-moi, ordonna-t-elle.

Mais Louis, farouche, refusa de dire un mot. Il ne voulait pas profaner la mémoire d'Églantine en parlant d'elle à cette affreuse putain.

—M'est avis qu'il l'est, dit le comparse de Godefroy.

La main de Desdémone ressortit du vêtement pour frapper de nouveau Louis au visage. Elle lui accrocha le nez avec l'une de ses grosses bagues et il se mit à saigner.

—Emmenez-le avec les autres pour qu'il aille aider à dresser le camp dès qu'on aura trouvé une bonne clairière. Je m'en occuperai après.

*

On l'avait ligoté en position assise au poteau central de la tente de Magister, sa «chapelle privée», disait-il. L'abri servait parfois aussi aux membres privilégiés de la secte. Quant aux membres mineurs ou aux prisonniers, ils dormaient à la belle étoile, serrés les uns contre les autres, sous la surveillance de deux gardiens qui se relayaient toutes les trois heures.

La nuit était peuplée de plaintes étouffées, certaines de jouissance, d'autres de douleur, à l'occasion ponctuées d'un grognement d'homme.

Il était difficile de comprendre comment une telle secte d'illuminés pouvait avoir tant d'ascendant et prendre autant d'ampleur. C'était aussi déconcertant que de voir une nuée de petits papillons de nuit, tous pareils, tournoyer autour d'un seul lumignon. Mais le pire, c'était de découvrir que son père et sa sœur étaient eux aussi devenus de ces papillons.

Louis s'en voulait pour son état de faiblesse passagère qui, du refuge sécurisant qu'elle avait été, était sans transition devenue le piège qui avait permis sa capture. Il ne cessait de se demander ce qui avait bien pu se produire pour que Firmin et Clémence soient là. Il avait l'impression de vivre un cauchemar où la cruauté de son père se matérialisait de la pire façon. Par le biais des membres tentaculaires de la secte, Firmin était à nouveau parvenu à l'atteindre. Il le tenait encore une fois à sa merci. C'était affreux. Ce ne pouvait être vrai.

Oubliant qu'il avait voulu mourir, il se disposa à attendre la prochaine occasion de récupérer son levain et de s'enfuir. Cette fois, il se jura bien qu'il allait reprendre suffisamment de forces pour ne pas manquer son coup. Ce nouvel objectif, même s'il n'allait, en définitive, que le ramener sur le sentier errant et solitaire qu'il venait de quitter, l'encouragea. Là, au moins, il pourrait décider de mourir comme un homme dans toute son intégrité, ou de rester debout et d'attendre, de tenir bon jusqu'à ce que chaque chose en ce monde reprenne enfin sa place, pour qu'il puisse à nouveau remettre son levain au chaud sur la tablette cirée du fournil. Mais il se rendait compte à présent que, s'il voulait réellement faire cela un jour, il fallait que Firmin soit neutralisé, et pour de bon. Il n'y avait de place au monde que pour l'un d'entre eux.

Il ferma les yeux et appuya la tête contre le piquet de la tente. Une chandelle à flamme d'or se mit à répandre sa fortune sur le large rebord d'une fenêtre connue où, auprès d'un petit pichet rond empli à ras bord de miel, une pile de matefaims tendres attendait Églantine. Louis était ceint d'un tablier propre. Il expliquait à sa femme comment, dans sa jeunesse, il en avait préparé de la même façon pour sa mère. Églantine l'écoutait en souriant. La joie de vivre des Bonnefoy avait changé d'adresse; elle avait désormais élu domicile chez lui et se diffusait sur de nouveaux visages. Y compris le sien. Louis roulait entre ses doigts un fragment de crêpe qu'il donnait à sucer au bébé. La main douce d'Églantine s'élevait pour lui peigner les cheveux par en arrière, exactement comme Adélie avait coutume de le faire.

Une odeur désormais vaguement familière mais non moins écœurante s'immisça dans le rêve de Louis et le brisa. Mais la main dans ses cheveux, elle, était toujours présente. Elle le caressait encore. L'adolescent ouvrit les yeux et sursauta. Accroupie devant lui, Desdémone lui souriait. Il refusa le bol que la prostituée portait à ses lèvres.

— J'apprends que tu as essayé de t'échapper deux autres fois. Ce n'est pas gentil de faire ça à ta marraine, dit-elle.

Elle écarta les jambes sans cesser de sourire.

— Va au diable, dit-il.

— Oh, la bonne idée. C'était mon intention. Je m'en viens coucher avec toi.

Elle entreprit de lui éponger le nez pour nettoyer le sang qui y avait séché. Louis tourna la tête dans un sens et dans l'autre, mais ne put l'éviter. Ce qu'elle venait de lui dire, bien plus que les supposés soins qu'elle lui prodiguait, lui faisait perdre le souffle.

— Plutôt mourir, parvint-il à cracher dans le mouchoir froissé qu'elle serrait dans sa main.

— Quoi, c'est ça que tu veux? demanda-t-elle.

Sa main et son mouchoir se plaquèrent sur le visage de Louis. Il étouffa. Gagné par la panique, il se débattit d'instinct. La blancheur relative du mouchoir disparut pour être remplacée par le visage défait de Desdémone. Une fois qu'il fut à nouveau capable de respirer, il dit:

— Oui.

— Est-ce que tu me trouves répugnante à ce point-là?

Louis n'osa pas répondre la vérité ni admettre que, même en l'absence de cette vérité, il n'eût pas voulu coucher avec elle et trahir ainsi son amour encore neuf, aussi irrémédiablement perdu qu'il fût.

— Attends au moins de me connaître. Tu ne sais pas de quoi je suis capable. Regarde, je vais te montrer.

Elle se mit debout et se dévêtit entièrement. Après quoi, elle s'agenouilla devant lui et défit ses braies. Il n'y avait aucun moyen d'éviter les attouchements qu'elle entreprit de lui prodiguer d'une main experte. Elle prit son membre flasque entre ses mains en coupe et se l'enfouit goulûment dans la bouche. L'adolescent écarquilla les yeux et s'en voulut de se montrer réceptif aux attentions de cette femme vulgaire, qui ne comprenait pas. Il dut se faire une raison: il n'y avait peut-être qu'un seul moyen de se sortir de ce guêpier.

— Si j'accepte de coucher avec toi, me laisseras-tu partir?

— Tu vois, aucun homme ne me résiste, pas même les beaux petits rebelles comme toi.

Obnubilée par ses propres fantasmes de débauche, elle n'avait même pas entendu sa question. Elle se laissa choir sur lui et l'enlaça des bras et des jambes.

Assis avec les autres autour du feu, Magister rit comme un dément lorsqu'il vit que les pans de sa tente s'étaient mis à onduler et que le vent n'était pas en cause.

— On dirait bien qu'il l'a montée solidement, hein, le Gros. Je parle de la tente, cela va de soi.

Des rires gras éclatèrent. Au rougeoiement fumeux du foyer, toutes les faces, glabres ou non, paraissaient barbouillées de sang.

— À ce rythme-là, ils en seront quittes pour recevoir tout ce gréement sur la tête.

— Peu importe. Avec la belle Desdémone, il ne s'en rendra même pas compte.

Le Gros opina et ricana à son tour. Il lança en l'air une petite noix qui lui retomba directement dans la bouche. Sa face velue, congestionnée, lui donnait l'air sournois d'un sanglier et d'affreuses soies brunâtres dépassaient de ses oreilles dont les lobes étaient croûteux. Comme les autres membres du groupe, il était sale à faire peur. Des poux évoluaient ostensiblement sur sa peau, qui n'étaient sans doute qu'un avant-goût de la vermine grouillant sous sa chevelure hirsute.

— Ah, vraiment, c'est pain bénit que nous ayons mis la main dessus, pas vrai, le Gros?

Louis ne put dormir de la nuit. Desdémone le contraignit à des ébats qu'elle seule pouvait apprécier.

*

— Debout!

Un coup de pied dans les côtes projeta Louis, nu, hors de la tente. Un autre fut destiné à ses vêtements entremêlés à ceux de Desdémone.

Magister recula d'un pas. Tout le groupe s'était rassemblé et attendait.

— Ne remets pas ta tunique. Les braies suffisent, dit l'ancien prêtre. Qu'on me donne l'escourgée*.

Il tendit la main vers Godefroy qui lui remit un fouet à lanière simple.

— Tu auras droit à quelque chose de mieux plus tard, dit-il en souriant à l'adolescent. Approche!

Le visage blême de terreur, Louis refusa.

— Desdémone, dit le prêtre.

La putain fit avancer son protégé d'une poussée du pied dans les reins. Louis plongea tête la première entre les jambes de Magister, qui ne s'attendait pas à le voir se redresser aussi vite. Il le fit tomber, mais cette manœuvre fut inutile; l'adolescent fut rapidement maîtrisé par les chefs du groupe qui le couvrirent d'injures. Derrière, les autres prisonniers chuchotaient entre eux.

— À genoux, suppôt de Satan, toi qui oses porter la main sur un homme de Dieu, dit Godefroy.

Louis fut ligoté à un arbre dans cette position, le dos tourné vers eux.

— Que d'ardeur. Et en plus, il m'a foutie* par deux fois, chuchota Desdémone au Gros.

— Pourquoi pas? En autant qu'il ne t'a pas refilé une chaude-pisse.

— Que l'initiation commence, ordonna Magister qui frappa le premier.

Ce fut ensuite au tour de Godefroy. Louis se mordit les lèvres pour ne pas crier. Cette lanière ne produisait pas du tout le même effet que la ceinture de Firmin : il sentait les traits brûlants se transformer presque instantanément en boursouflures. Certaines se fendirent. Le fouet passa ainsi de main en main afin que chaque membre du groupe puisse donner à la nouvelle recrue son coup rituel. Ceux qui étaient détenus passèrent en dernier. Certains devaient être poussés, d'autres étaient contraints d'appliquer un second coup s'ils s'efforçaient de ménager l'adolescent au dos bientôt couvert de zébrures dont plusieurs saignaient. S'il sursauta à chaque coup reçu, il supporta tout vaillamment, retenant ses cris. Sa lèvre inférieure avait été fendue par ses incisives.

On le remit ensuite à Desdémone qui se chargea de lui lier poignets et chevilles avec une corde de chanvre bien serrée. Ses liens furent réunis entre eux par une longueur de corde lui permettant tout juste de marcher à pas prudents. Le couple se joignit aux autres prisonniers. Personne parmi eux n'était ainsi entravé.

— Il ne faut plus que tu nous résistes, le prévint-elle.

Le groupe s'ébranla en direction de Paris.

Tandis qu'ils pataugeaient tous en chantant dans la boue des ornières à demi fondues, Louis tourna la tête vers sa voisine. Il remarqua ses pieds nus et deux orteils qui avaient gelé et qui commençaient à noircir.

— Magister va me les couper ce soir, dit-elle tout bas. Ne les laisse pas te prendre tes sabots.

C'était Clémence, sa sœur par alliance. Louis sursauta.

— Je vous ai cherchés partout. Comment avez-vous abouti parmi ces fanatiques ?

— C'est Père. Il les a entendus prêcher en ville et a voulu qu'on les suive.

— Il a fait ça ? Mais c'est dément. Il a tout laissé tomber... pour ça ? Tu sais, pour Odile et les autres ?

— Oui, je sais. Quand ils ont vu que la petite avait la morille, ils les ont chassés. Bertrand a choisi de suivre Mère. Ils étaient tous déjà atteints. Mais moi, Père m'a forcée à rester parce que j'étais saine.

— Où est Amaury ?

— Mort.

— Silence, vous deux, intervint Desdémone. Elle enfonça son poing entre les omoplates de Louis. Son voisin, celui que Magister avait surnommé le Gros, lui sourit d'un air niais. C'était Firmin. Il se plaqua contre le dos de sa belle-fille et la fit avancer plus vite en se déhanchant de façon obscène. Il dit :

— Par la mort-Dieu ! Les chicots qui me restent dans la bouche me font de plus en plus souffrir. Il est temps que je prenne une bonne cuite. Parce que, comme on dit, la meilleure médecine, celle qui guérit de tous les maux, c'est bien encore de boire... Salut, fiston. Comme c'est bon de se retrouver en famille, hein?

— Tiens. Stimule-moi un peu ce fainéant, dit Desdémone en tendant son fouet à Clémence qui le prit d'une main réticente, n'osant pas désobéir. Firmin éclata de rire et s'en alla rejoindre Magister à l'avant de la file.

*

Fermenti pessimi
Qui fecem hauserant,
Ad panis azimi
Promissa properant;
Sunt Deo proximi
Qui longe steterant,
Et hi novissimi,
Qui primi fuerant[57].

*

Ils s'entassaient par groupes vacillants devant le portail des bénédictins. Magister dit tout bas, en jetant un coup d'œil du côté de Firmin :

— Je tiens de source sûre que ces moines sauront se montrer charitables. Allons, prêchons le faux pour savoir le vrai.

Et, d'une voix de stentor, le saint homme rugit en brandissant bien haut la croix de sa crosse :

— Repentez-vous, pécheurs! Repentez-vous pendant qu'il en est encore temps!

Déjà les premiers badauds commençaient à s'assembler autour d'eux. Artisans désœuvrés, malades, infirmes, matrones, tous des citadins que la curiosité attirait malgré une certaine crainte. Aucun moine n'était en vue dans les cours : ils devaient tous s'être barricadés à l'intérieur et faisaient semblant de ne pas remarquer la présence de ces bigots errants sur leur seuil.

Magister avait le sens du spectacle. Chaque pause qu'il faisait dans sa harangue amplifiait l'effet dramatique de ses paroles et, en moins de vingt minutes, une foule considérable était réunie autour de son groupe. C'était toujours cela de pris, même si son but réel ce jour-là n'était pas d'accueillir des adeptes potentiels.

—Amis, oyez mes paroles. Voyez la misère de mes compagnons. N'est-elle pas garante de notre honnêteté? N'en éprouvez-vous point pitié comme le Seigneur en a pitié dans Sa grande miséricorde? Une obole. Une obole seulement et cette pauvrette aura des sabots à se mettre. Une autre piécette et nous pourrons partager entre nous un gros pain.

Il continua ainsi, jusqu'à ce qu'il se mette à pleuvoir, même depuis les fenêtres des maisons environnantes, plusieurs gouttes de bronze.

—Grâces vous soient rendues de votre bonté...

Les pièces d'un brun doré allaient se perdre dans la boue piétinée où le faux stigmatisé, celui que Magister nommait le Saint, allait les ramasser en se penchant humblement. Ses bandages avaient disparu. Il permettait aux curieux d'admirer et même de toucher ses plaies vives au creux des mains, sur le dessus des pieds et au côté. Saisis de respect pour cet homme souffrant qui exhalait jusqu'à l'odeur de sa sainteté, les gens reculaient en lui livrant passage. Effectivement, ses plaies sentaient les roses.

—Le Seigneur a céans besoin de votre secours, frères, reprit Magister d'une voix vibrante. Cette pestilence qui tombe sur nous en plus des Anglais est le fait du Malin. Priez! Priez pour le salut de votre âme, car la fin est proche. Priez et joignez-vous à nous afin qu'ensemble nous puissions enlever le mal du monde. Il nous faut l'aller chercher et le retrancher comme un membre malade, atteint d'une pourriture abjecte!

Un éclair d'acier passa dans son regard extasié, fascinant. Ses cheveux et sa jeune barbe blonde se changèrent en or pur sous un rayon de soleil qui le frappa d'une façon on ne peut plus opportune. Il leva sa crosse en un geste solennel de malédiction. On eût dit un ange vengeur.

—Les juifs. Des rats humains. La voilà, votre engeance[58].

Quelques personnes filèrent discrètement et produisirent un certain remous. La foule subjuguée n'osa pas arrêter les fuyards. On échangea quelques regards gênés.

—Mes frères, si vous aimez votre Père céleste, aidez-Le à guérir le monde qu'Il a créé si bellement. Donnez-nous vos circoncis. Nous nous chargerons de nettoyer votre cité de ce pus. Voyez, nous sommes vos mires*!

Magister et ses acolytes n'ignoraient pas que là se trouvait la véritable mine d'or. Pour protéger leurs juifs des sévices ou, le cas échéant, quelques maisons du pillage, les habitants du quartier n'hésitaient pas à se cotiser pour offrir un don substantiel au groupe. Cela ne fonctionnait pas avec toutes les hardes de

Pénitents, souvent davantage assoiffées de sang que de butin, mais le groupe de Magister avait jusque-là consenti à se laisser détourner de ses noirs desseins, et cela lui avait fort profité. L'inconvénient majeur du procédé tenait cependant au temps et à l'énergie qu'il exigeait de la part des membres. «Cependant, cette fois-ci, ce sera aisé», se disait le chef avec satisfaction.

Six Pénitents un peu trop vigoureux s'étaient mêlés à ceux qui avaient subi des mauvais traitements bien réels. Ils arboraient fièrement leurs faux cilices qui contribuaient à parfaire l'artifice en détournant un peu l'attention. Ces mystiques entonnèrent une complainte morne en se frappant. Louis remarqua comment ils se passaient la lanière dans la main avant chaque coup et il s'aperçut que leur paume avait été abondamment badigeonnée d'ocre rouge, ce qui leur permettait de se ménager tout en faisant croire le contraire. Mais il fallait tout de même un peu d'authenticité pour rendre le spectacle crédible. Ils se contentaient habituellement d'appliquer le scorpion à l'un des misérables choisi au hasard. Ses supplications et ses gémissements triplaient la taille de la foule. Mais ces démonstrations exigeaient beaucoup de temps; il n'était pas rare que la nuit tombe à leur départ.

Magister tourna la tête. Aujourd'hui, ils allaient faire fortune en un rien de temps. L'un des membres du groupe lui en avait fait la promesse. Il sourit et tâcha de ne pas porter le regard trop fréquemment du côté de l'abbaye Saint-Germain-des-Prés. Il s'avança vers la foule et pointa son crucifix en forme de dague sur chacun des assistants à tour de rôle.

—Point de juifs? Vous en êtes bien sûrs? Ils sont pourtant comme les rats, ils pullulent dans toutes les cités. Toi, vieil homme? Non? Bas les braies que je vérifie tes dires.

Le pauvre vieillard barbu à qui cette demande était adressée n'eut d'autre choix que d'obtempérer, car personne n'osait se porter à sa défense. Il n'était heureusement pas circoncis. Les quelques autres hommes qui attirèrent ensuite l'attention du prêtre ne l'étaient pas non plus.

—C'est là grand dommage. Oui, vraiment. Ces canailles que vous avez laissées devant moi regagner leurs taudis crasseux étaient des juifs. Vous m'avez menti et, à travers moi, au Créateur.

Les Pénitents en santé encerclèrent sans dire un mot une dizaine de bourgeois cossus.

—Vous devrez donc expier dans la souffrance.

Il planta sa croix dans le sol, entre les pieds d'un homme qu'il reconnut comme étant l'un des bienfaiteurs du monastère. Firmin affichait un sourire béat.

— Grâce, mon Père, dit l'homme d'une voix tremblante.

Il se laissa tomber à genoux et reprit:

— Ces moines sont devenus comme vous de pauvres mendiants, s'ils ne le furent pas auparavant. La majeure partie des revenus de l'abbaye est désormais consacrée au secours que l'on doit apporter aux malheureux habitants de Paris. L'abbé Antoine lui-même pourra vous confirmer ce fait.

— Ainsi, ce gros moinillon n'a pas encore engraissé le sol du cimetière. Le Gros! appela Magister.

Firmin, ravi, accourut servilement jusqu'à eux. Depuis quelque temps, ce fidèle dont le rôle était pourtant mineur menait une vie de satrape*. Et voilà que l'heure de la grande récompense arrivait enfin. Ce dont il s'était entretenu la veille avec le maître allait bientôt lui conférer un grand pouvoir au sein de leur communauté.

— Oui, mon Père?

— Les murs de cette enceinte sacrée ont l'oreille fine. C'est bien ce que tu m'as dit, n'est-ce pas?

— Oh! ça oui, mon Père. Je puis vous le garantir.

— C'est bien ce que je pensais. Ils sont poreux, friables, prêts à s'effondrer dans leur décadence comme les murailles de Babylone.

Le prêtre se tourna vers ses complices et dit:

— Relâchez ces bourgeois. Ils ne nous servent à rien. Godefroy!

Firmin dut reculer pour céder sa place au gaillard.

— Je vais maintenant procéder à l'exorcisme d'un jeune païen qui a grandi à l'ombre de ce monastère sans presque jamais avoir ouï la Parole divine. C'est scandaleux. Godefroy, va me quérir ce ferment satanique et mène-le au pilori de ces moines infâmes.

Le gardien s'en alla empoigner Louis par sa tunique déchirée et l'arracha aux mains caressantes de Desdémone. Une fois qu'il l'eut amené à Magister, l'assistant prit soin d'exhiber aux spectateurs l'adolescent qui se débattait tandis que le maître poursuivait:

— Voyez, mes frères, ce jouvenceau trop grand. Sa tête effrontée dépasse la plupart des nôtres comme celle d'une herbe malsaine qui, dans un champ, domine en taille et en vigueur les bons épis. Eh bien, ce même jouvenceau dédaigné de vos bons moines s'est dévoué au service de Lucifer en échange de quoi il jouit d'une immunité presque totale. D'aucuns l'ont vu transporter des pestiférés sans être lui-même touché, puisqu'il est vassal de Satan et qu'il jouit de sa protection.

— C'est faux, je n'ai rien fait! J'ai juste..., cria Louis avant qu'une main charnue ne se plaque sur sa bouche.

Godefroy le poussa devant lui jusqu'à un vieil homme qui recula avec horreur. Magister fut très satisfait de l'effet produit par ses paroles. Il reprit :

— Le voici, votre ange de la malemort. À votre avis, dois-je recourir à l'exorcisme afin de délivrer de l'emprise du démon cet enfant trop grand dont les prunelles mêmes semblent couver des feux infernaux ?

Encore une fois, nul ne répondit.

*

— Est-ce là une sorte de sacrifice visant à apaiser la Providence ? demanda l'évêque qui observait la scène depuis la fenêtre prudemment entreclose d'une dépendance. L'abbé, dont le visage poupin était étonnamment blême, lui répondit :

— Comment le saurais-je ?

— Peut-être ne s'agit-il que d'une simple vengeance contre un individu resté sain. Quoi qu'il en soit, père abbé, je vous défends d'intervenir, peu importent la pitié et l'attachement que vous éprouviez pour ce garçon. Cela n'est pas de votre ressort. Le Saint-Père saura nous dire ce qu'il convient de faire de ces manifestations de dévotion quelque peu... exagérées. Nous devons d'abord nous assurer qu'il n'y a rien de politique là-dessous.

— *Fide et obsequio*[59]. Je me soumets bien humblement à la volonté de l'Église, monseigneur. Sans doute vaut-il mieux que je n'assiste pas à cela.

Il ferma complètement les volets, privant du même coup l'évêque d'un spectacle auquel il semblait vouloir accorder une attention des plus suspectes. Ce dernier tâcha d'ailleurs de ne pas trop afficher son mécontentement devant l'abbé qui, étrangement, eut le cœur de sourire. Car la curiosité malsaine de l'illustre ecclésiastique l'avait empêché de remarquer le frère Lionel, ombre furtive qui s'était tapie dans la cour que bordait la muraille.

*

Godefroy bouscula Louis jusqu'à l'une des faces du petit édifice octogonal abritant le pilori, contre laquelle il l'assomma presque avant de commencer à l'attacher. Une corde de chanvre mordit les poignets de l'adolescent et maintint ses poings serrés à la hauteur de

---

59. Fidélité et soumission.

la poitrine, contre un anneau solidement vissé au mur. En tournant la tête vers la droite, Louis put voir la cour déserte par le portail. Même le frère tourier était absent. À gauche, il aperçut Firmin qui assistait à la scène, les bras croisés, l'air satisfait. Il n'y avait rien à espérer de ce côté-là. Le cauchemar se réalisait. C'était Firmin qui agissait à travers eux. Louis se fit le serment de ne pas s'abaisser au point de demander à son père d'intercéder en sa faveur.

—Je ne suis pas possédé! Lâchez-moi, scélérats! Voleurs! Je n'ai rien fait, protestait-il en vain.

Magister dit, d'une voix vibrante :

—Soyez sourds à la voix du Séducteur qui utilise celle de ce malheureux, mes frères. Évitez également son regard de braise, car il vous perdrait! Le Malin est entré dans le corps de ce bel enfant et nous allons l'en extraire. Voici les hameçons qui plongeront dans sa chair pour y pêcher la créature démoniaque, pour notre salut à tous!

On arma Magister d'un scorpion qu'il brandit à la place de sa crosse. Les lanières munies d'hameçons lui effleurèrent le bras de leur caresse froide. Il prononça au hasard les extraits du rituel d'exorcisme dont il parvenait à se souvenir et meubla ses trous de mémoire avec quelques déclinaisons latines. Personne n'y prêta attention. Les hurlements de Louis couvrirent tout. Son dos fut lacéré dès le premier coup. Des gouttes écarlates se mirent à pleurer des crochets pointus. Pendant les premiers instants du supplice, Louis garda les yeux rivés sur la cour dans le vain espoir qu'un moine allait apparaître, qu'on allait faire cesser ce cauchemar. Mais personne ne venait. Firmin était là qui souriait, trop aveuglément dévoué à Magister pour venir à son secours.

Désespéré, la gorge en feu, Louis se mit à tirer en se tortillant. Il se sentit coincé entre les serres d'un oiseau de proie gigantesque mais invisible qui s'amusait à le déchiqueter à coups de bec et de griffes. Il n'y avait rien qu'il pût faire pour adoucir le supplice, personne vers qui se tourner pour demander grâce; Desdémone elle-même semblait se délecter du spectacle qu'il offrait. Le chat à neuf queues* frappait sans répit en ne tenant aucun compte des positions que Louis prenait. Les lanières multiples l'atteignirent au flanc, à une cuisse, puis à la poitrine.

Peu à peu, en dépit des coups rythmés et du brasier qu'ils allumaient au creux de sa chair, le monde autour de lui devenait diffus. Le son de ses propres plaintes s'affaiblissait. Son corps commençait à se disloquer de l'intérieur. Il s'éloignait, enfin. Il sentit vaguement le contact des pierres rugueuses du pilori contre son dos sanglant. Il put se rendre compte qu'il s'était à demi affaissé et que ses bras retenus par les liens se tordaient. Mais cela n'avait plus aucune importance, parce que c'était fini. Il tombait, tombait, dans un puits sans fond. Tout devint noir. Sa souffrance cessa brusquement. Elle n'avait jamais été. Il n'exista plus.

Aucun moine ne s'était encore montré.

— Ranime-le-moi, le Gros, ordonna Magister.

L'ancien boulanger aspergea son fils avec un seau d'eau froide qu'il était allé remplir à une fontaine.

Louis sursauta, le souffle coupé d'avoir été remis au monde par son père. Firmin le souleva par l'aisselle pour le remettre debout. Le regard sombre, d'abord imprécis, chercha celui de l'homme qui était responsable de toute cette douleur. Lorsqu'il le trouva, il redevint clair. Louis ne dit rien. Il ne supplia pas. Mais, dans ses yeux, Firmin vit la terrible question : « Pourquoi ? »

Firmin le lâcha et recula parmi les adeptes de la secte. Louis était à nouveau seul. Seul avec son mal, avec ces morsures empoisonnées qui l'atteignaient au plus profond de son être et qui ne venaient plus seulement du scorpion.

— Mère, appela-t-il faiblement avant d'être happé de nouveau par l'inconscience, ses bras maintenus en l'air par les liens rougis.

— Grâce... mon Père, pour cet enfant innocent, dit enfin la voix hésitante du bourgeois qui était resté.

Magister consentit à faire une pause. Il demanda :

— Vaut-il donc quelque chose ?

L'homme regarda Firmin.

— À vrai dire, je n'en sais rien, dit ce dernier en souriant.

Magister fit un vague signe de tête. Il se planta devant le supplicié et le toucha.

— Tourne-toi, Louis. Regarde ton maître.

L'adolescent rouvrit péniblement les yeux. Ses bras couverts de sang se tordirent un peu.

— Louis, quelqu'un demande merci pour toi. Mérites-tu ma grâce ?

Louis déglutit et serra les mâchoires. Il était piégé, quoi qu'il pût répondre. Car un oui voulait dire qu'il acceptait de s'humilier et de se soumettre, alors qu'un non signifiait que les tourments allaient se poursuivre. Or, il ne pouvait concevoir ni l'un ni l'autre. Magister reprit, d'une voix douce :

— Le démon se meurt en toi, mon fils. Je vais devoir te fouetter encore un peu pour l'achever. Crie merci et tu seras sauvé, car cela me montrera que Lucifer a bel et bien quitté ton corps.

« Parce qu'il me faut bien le ménager un peu si je veux qu'il rapporte », se disait-il.

Les yeux de Louis avaient tendance à se révulser et il dodelinait de la tête. La terre autour de lui s'était teintée de rouge. Le monde s'éteignait et réapparaissait sans cesse. C'était étourdissant. Il n'arrivait plus à saisir ce qu'il percevait comme des marmonnements de la part de l'homme penché au-dessus de lui. Le scorpion lui mordit une épaule à deux reprises. Il se raidit. Seule une plainte lui échappa. Une limace rouge glissa en direction du sein.

— Crie merci, Louis.

Le prêtre l'empoigna par les cheveux pour l'empêcher de perdre à nouveau conscience. L'adolescent cligna des yeux et put distinguer son tortionnaire. Sa bouche ouverte ne laissa passer qu'un souffle tremblant.

— Je t'écoute, dit Magister.

— Pardon, Églantine, dit Louis.

Personne ne comprit ce qu'il avait voulu dire. Desdémone grimaça en entendant ce nom. Louis s'effondra contre la grille. Un second seau d'eau le ranima à peine.

Quelque chose brilla au haut de la muraille du monastère, à un endroit que le lierre avait envahi. Cela tomba dans les broussailles en produisant un son mat. Une ombre disparut derrière l'un des bâtiments de service que protégeait le rempart.

— Bigre, c'est que ça brillait comme de l'or, dit Godefroy. Il avait pu distinguer le grand moine qui avait lancé l'objet.

— Ça suffit, dit Magister. Béni soit Dieu, l'âme de notre brebis égarée est purifiée.

Louis, inconscient, fut détaché et remis à Desdémone.

— Il est plus solide que je ne le pensais, dit le prêtre à Firmin avec un sourire satisfait.

Le père de Louis lui avait ramené des buissons une tiare qui eût suffi à lui acheter une charge d'évêque.

*

Les jours qui suivirent la prestation de Magister, Louis fut traité avec tous les égards. La nuit, il fut installé sous la tente et, le jour, il voyagea dans une litière que les prisonniers avaient fabriquée pour lui. Il ne se souvint de rien, pas même d'avoir été grossièrement recousu par Godefroy qui possédait quelques notions de médecine. La fièvre ne commença à reculer qu'à la fin du cinquième jour. Firmin jubilait. Tel que prévu, il était désormais devenu un membre influent de la communauté. On ne prenait plus ses suggestions à la légère.

— Nous sommes riches, désormais, dit Magister alors qu'ils s'étaient installés autour du feu pour souper.

Le vin était bon et les victuailles, abondantes, du moins pour eux. Magister avait instauré un jeûne expiateur pour les autres.

— Nous voilà prêts à prendre le départ pour Avignon. En chemin, nous vendrons une par une les gemmes de cette tiare. Ainsi, personne n'en reconnaîtra la provenance. Une fois que nous serons là-bas, je me mettrai au service du pape. Notre fortune est faite, les amis, et tout cela, c'est grâce à toi, le Gros. Je te fais la promesse que tu en seras le premier récompensé.

Pendant ce temps, Desdémone tournait en rond dans le camp. Elle n'arrivait à fixer son attention sur rien. Louis lui manquait trop. Elle l'avait veillé presque sans arrêt et avait pansé ses blessures avec une tendresse qu'elle n'avait jamais éprouvée lorsqu'il était conscient. Cela lui fit réaliser qu'elle s'était mise à l'aimer vraiment, du moins d'un amour primaire. C'était autant que pouvait aimer une créature de son espèce, un être en quelque sorte incomplet, sculpture à peine dégauchie encore prisonnière de sa masse de glaise. Quelque chose en lui l'attirait, elle, la femme au-delà de la putain. Quelque chose d'évolué qu'elle ne discernait qu'intuitivement. Son cœur bondit de joie lorsqu'elle entra dans la tente ce soir-là pour constater que Louis était conscient et qu'il s'était assis sur la couche prêtée par Magister.

— Ça va? lui demanda-t-elle, un peu gênée.

— Oui.

Il n'avait pas envie de répondre autre chose, même s'il ignorait aller bien ou non. Desdémone lui rapporta un bol de bouillon et vint s'accroupir à ses côtés. Louis l'accepta d'une main tremblante et le but avidement.

— Savais-tu qu'il y en a parmi les prisonniers qui t'appellent le preux saint Louis, désormais? Tu as fait montre d'un grand courage en refusant de demander grâce. En cela, tu as gagné l'admiration de tous. Mais Magister n'apprécie pas. Fais attention, d'accord? Évite de défier ainsi ton maître.

— Ce frère frappart* n'est pas mon maître. Je n'ai pas de maître, dit Louis en rendant le bol vide à Desdémone.

— Ces yeux-là non plus ne t'aident pas. Tu fixes trop. Regarde à terre.

Mais le regard de Louis, obstiné, vrilla les prunelles de plomb sans aucune profondeur de son interlocutrice. Il s'était juré, à l'autre bout de sa vie, de ne plus jamais regarder à terre. Par l'ouverture de la tente, il put distinguer son père qui était assis au coin du feu avec Magister et ses favoris. Pendant un long moment, il fut comme hypnotisé par la scène; cet amas de crasse puante qui avait forme humaine, ce pochard malicieux qu'une hilarité vulgaire enlaidissait, il se prit à rêver de le détruire. Une telle haine se mit à bouillonner dans les veines de Louis qu'il en oublia la présence de Desdémone. Elle se rappela à lui en lui posant une main sur l'épaule. Louis grimaça, mais ce n'était pas la douleur.

— Tant de noble hardiesse! Tu me rends folle de désir.

Jamais il n'avait pensé qu'un jour il éprouverait de la reconnaissance pour avoir reçu des plaies profondes: Desdémone dut se résoudre à mettre ses envies en berne, car des ébats trop précoces auraient pu rouvrir les blessures de son protégé.

— Je voudrais me laver, dit Louis.

— Il n'y a, hélas, pas assez d'eau ici, mon chéri.

Elle glissa la main sous le drap et ajouta, d'une voix rauque:

— Tu sens assez bon pour moi. Guéris bientôt, que tu me prennes encore comme tu sais si bien le faire.

Louis ferma les yeux. Il contraignit son corps à ne pas sentir les caresses, au risque de s'attirer les foudres de cette amante jalouse qui s'était imposée à lui. Il laissa les visages d'Adélie et d'Églantine se superposer dans son esprit et s'amalgamer au parfum des fleurs. Son jardin. Louis découvrait avec délices qu'il pouvait encore le voir. La fontaine était là et n'avait pas changé. Elle se mit à murmurer doucement sous la frondaison d'un chêne. Un écureuil invisible y échappa un gland et se lança dans une longue suite de protestations. Petit Pain l'écoutait avec intérêt, le museau en l'air et ondulant sa longue queue dorée. Cela fit rire les deux femmes assises sur un banc de pierre non loin de là. Elles portaient des robes blanches, et leurs ombrelles refermées reposaient près d'elles. Des rosiers poussaient le long d'une barrière qu'on n'avait mise là que pour faire joli, car ils étaient en sécurité dans leur jardin. Aucun intrus n'y avait accès. Firmin ne pouvait ouvrir la barrière. Il n'était pas là. Louis s'assit aux pieds d'Églantine. Une petite main caressa ses cheveux légers, lavés de frais. Les dalles chaudes du trottoir lui communiquaient une tiédeur langoureuse tandis qu'ils discutaient tous les trois, oublieux du monde. Un pétale de rose rouge transporté par la brise vint se poser doucement sur son avant-bras droit. Il baissa les yeux.

— Tu m'écoutes, quand je parle? demanda la voix rude de Desdémone.

Louis vit sur son avant-bras la petite plaie qu'elle avait vicieusement rouverte avec l'ongle de son pouce. Son rêve, encore une fois, se brisa. Il dit, avec amertume:

— On m'enlève tout ce que j'aime et toi, roulure, tu veux baiser.

Furieuse, Desdémone se releva.

— Ça, tu vas le regretter, c'est moi qui te le dis.

Elle sortit en laissant les pans de la tente ouverts.

*

Sa menace eut l'effet qu'elle avait escompté. Un peu plus tard en soirée, Magister demanda qu'on lui emmenât Louis. L'adolescent fut contraint de venir s'asseoir au coin du feu, entre Firmin et lui.

— T'es son père, toi? demanda avec mépris la bouche écarlate, comme blessée de Desdémone, dont les lèvres étaient sûrement peintes.

Elle triturait une chique énorme[60].

— Alors, petit, ça va mieux, on dirait. Voyons cela.

Le faux prêtre retroussa sa chemise.

— Pas mal. Tu as fait du beau travail, Godefroy. Bien, Louis, il est temps que tu reprennes la place qui t'est dévolue. Moi, j'ai besoin de ma tente. Dès ce soir, tu retourneras dormir avec les autres.

Occupée à servir, Clémence offrit à son frère par alliance un regard compatissant.

— Il y a la litière, fit remarquer la prétendue marraine de Louis.

Magister mordit pensivement dans un morceau de viande rôtie qui avait l'air d'être du lièvre. Firmin dit à Louis :

— Chaque chose à sa place. Tu voulais la mienne et tu as tout perdu. Fais-toi donc une raison. Tu es fait comme un rat dans une nasse.

Louis garda les dents serrées sur toutes les insultes qu'il aurait souhaité lui lancer.

— Je n'ai pas tout perdu. Il me reste le plus important.

— Ah oui? Quoi donc?

— Vous le savez très bien, quoi.

— Dis toujours.

— Le levain. C'est moi qui l'ai emporté. Pas vous.

— Peut-être bien, mais tu ne l'as plus.

Firmin haussa les épaules avec indifférence.

— Et il doit être gelé, à l'heure qu'il est.

— Quoi, vous ne l'avez pas sur vous?

— Ta gueule. Tout le monde est en train de crever. En ville et au-dehors et partout. À quoi ça nous servirait, cette saleté de levain? Alors, ta gueule.

Magister intervint :

— Toute réflexion faite, Desdémone a raison. Tu me parais assez remis, puisque te voilà à nouveau capable de contester l'autorité paternelle. Il n'est donc plus question de te faire trimballer comme une mauviette par tes compagnons, c'est compris? Ils ont trop à faire. Tu marcheras. Et gare à ton dos, car nos lanières continueront à stimuler les retardataires sans distinction.

Louis ne dit rien. Il se sentait encore fiévreux et espéra qu'il allait pouvoir s'en tirer sans plus de dommages en attendant de pouvoir fuir. Il aperçut Desdémone qui lui sourit innocemment. Il ne put en supporter davantage et dit:

— Bon, je m'en vais dormir tandis que j'en ai encore le droit.

Louis se leva lentement et tituba sans aide jusqu'au bienheureux anonymat du groupe qui s'était fondu pour la nuit dans l'obscurité. Personne ne le rappela. Il préférait de loin la compagnie de ces misérables à celle, fielleuse, des dirigeants de la secte, ou aux désirs envahissants de Desdémone. Parmi eux, au moins, il allait pouvoir fermer les yeux et, par un effort minime d'imagination, enfouir son visage malpropre au creux de la poitrine parfumée d'Églantine.

Magister le regarda partir et jeta un coup d'œil affectueux derrière lui au soi-disant moine dont les stigmates avaient été bandés avec des bouts d'étoffe tachés. Le Saint montait la garde, assis sur un rocher. Pendant un long moment, Louis l'observa en silence. L'homme entretenait lui-même ses plaies en se gratifiant de grandes rasades d'eau-de-vie pour tenir le coup. Il les incisait avec d'infinies précautions à l'aide d'une lame très fine imbibée d'alcool. Un peu d'eau de rose frottée autour de ses plaies, et le tour était joué.

Firmin s'était installé avec Clémence qu'il était allé chercher. Il discutait en mâchant longuement le repas qui lui avait été offert et en prenant grand soin de ne pas gaspiller la moindre parcelle de viande. Son regard restait accroché à la place laissée vacante par son fils.

— Magister ne l'a pas manqué, on dirait. Un peu plus et il avait les os à l'air comme ça, fit-il remarquer en brandissant sa cuisse de volaille à demi dévorée.

L'homme ventripotent avait écarté les jambes et fait asseoir entre elles sa belle-fille. Il la forçait à s'appuyer contre lui en lui triturant un mamelon qu'il avait mis à nu. La jeune fille résignée se laissait faire. Elle suivait cependant d'un œil avide la main de son geôlier qui portait la volaille à sa bouche sans songer à lui en offrir une seule bouchée. Elle chercha à attirer un peu l'attention sur elle sans toutefois se compromettre et risquer de recevoir des coups:

— Moi, je l'ai trouvé changé, le Louis. On dirait presque déjà un homme.

— Merde! Je pense bien, avec la taille qu'il a, répondit Firmin en ricanant. Et buté comme un âne, avec ça. N'empêche que j'en suis plutôt fier. Vous avez vu comme il a tout encaissé sans demander grâce?

— Vrai, dit Godefroy. Pourtant, Magister l'a quasiment crevé. Si je n'avais pas eu mon alène et du crin, c'est la pelle qui lui aurait servi. On aurait été obligés de creuser un sacré grand trou pour le foutre dedans.

— Faut croire que je l'ai bien dressé, dit Firmin.

Il lança l'os de volaille dans le feu et donna une claque sur le sein dénudé de l'adolescente, avant de le lui pétrir durement. Elle gémit. Il tourna la tête pour cracher avec impatience un morceau de cartilage et gratta ses fanons hérissés de poils grisâtres. Il pensait à son frère. Et à ce pot de terre cuite qu'il conservait dans la tente. Enfin, ses yeux porcins se portèrent au-delà du feu, là où devait être étendu à même la terre son fils agité par les frissons de la fièvre.

— Une tiare, dit-il en soupirant.

Il entreprit de se curer les dents avec l'ongle de son pouce.

— Peut-être bien qu'il aurait fait un bon boulanger. Hélas, je n'ai plus rien à lui donner.

*

Magister exorcisa Louis dans trois paroisses différentes au cours des semaines suivantes. Comme le scorpion était devenu trop dangereux pour la vie de l'adolescent très affaibli, il eut recours aux verges et aux tisons. Les membres de Louis se couvrirent de brûlures que Desdémone soignait le soir venu. À la demande de la femme, on évita de le défigurer. Cependant il se voyait de moins en moins capable de la satisfaire en échange de ces trop rares faveurs. Furieuse, Desdémone lui serrait les testicules et l'écoutait gémir en se terrant contre lui. Elle ne les relâchait que pour les endolorir davantage par de grandes tapes assénées du plat de la main. Elle lui triturait et lui pinçait le sexe et, bientôt, elle se mit à se moquer de lui en essayant de le nouer ou de le frapper avec une baguette.

Louis ne connaissait aucun répit. Il était constamment torturé et humilié. Son état d'épuisement et la surveillance dont il était l'objet rendaient impossible toute nouvelle tentative d'évasion. Étrangement, tandis que les tortures devenaient de plus en plus vicieuses, sa captivité avait graduellement cessé de l'affecter autant. On eût dit que, ne pouvant trouver refuge ailleurs qu'en lui-même, il avait fini par reprendre d'anciennes habitudes qu'il avait crues depuis longtemps jetées aux oubliettes. Le *preux* saint Louis s'était peu à peu apaisé et, avec lui, toute velléité de défi. Le courage, la noblesse de sentiments, c'étaient là de bien belles valeurs, mais elles ne pouvaient être pratiquées que par ceux qui avaient le droit de vivre. Lui devait se contenter de survivre. La défiance constante qui l'avait si bien servi lorsqu'il s'était agi de se faire une place dans le monde ne pouvait pas opérer ici, car le monde qu'il avait commencé à connaître et à apprécier n'existait plus. Les tourments qu'il subissait n'étaient plus des batailles à mener une à une pour gagner la guerre. Non, s'il voulait survivre, il fallait qu'on oublie jusqu'à son existence. Il faisait donc en sorte de ne plus causer aucun remous. Même lorsqu'ils allaient en procession et qu'il suivait, entravé, ce n'était pas lui qui marchait, c'était son corps. Lui n'était plus là. Il n'était plus rien. Et force lui fut d'admettre que dès lors tout devint plus supportable, cependant que les coups se faisaient moins nombreux. Il ne s'accordait de rares réveils de conscience que pour tisonner la haine qu'il vouait à Firmin. La seule chose dont il était incapable de faire abstraction, c'était la faim. À l'heure des rations, il devenait une bête. C'était chacun pour soi. Celui qui voulait vivre devait satisfaire ses propres besoins personnels sans considération pour le groupe. Le groupe n'était rien. Si quelqu'un tentait de voler sa part, il s'en repentait amèrement. Il était déconcertant de voir comment un être aussi famélique pouvait trouver la force de se battre pour sauver sa maigre pitance. Les gardiens s'en amusaient beaucoup et faisaient exprès pour lancer les rations au hasard dans cette meute humaine. Louis se mit à voler sans remords les rations des autres. Nul n'osa l'affronter. Certains même le laissaient tristement faire ou lui remettaient leur ration dès qu'il se plantait devant eux. Mais les gardiens le dénonçaient. Magister le battait et l'astreignait au jeûne, souvent pendant plusieurs jours d'affilée. Mais, dès qu'il réintégrait le groupe, Louis recommençait. À quelques reprises, il vola même les rations de sa sœur. Les restrictions de la conscience ne résistent pas aux crampes de la famine. Cette fureur de vivre à tout prix protégea peut-être Louis de la dépression et de l'anxiété auxquelles son époque était si propice.

Certains des chefs qui se hasardaient à lui adresser la parole trouvaient qu'il ne réagissait pas assez vite à leur gré. Ce fut ainsi qu'il se retrouva un jour étendu face contre terre, le pied de Magister posé contre sa nuque.

— Firmin, ne m'as-tu pas un jour confié que ton fils était plutôt lent d'esprit?

— Ah ça, oui, mon père. Il n'est pas futé pour un sou.

— Bien. Je me demandais, aussi.

Puis, à Louis:

—Supplie le Très-Haut, mon fils, et tu obtiendras miséricorde pour toi-même et pour tous ceux qui souffrent. Obéis-moi ou ce soir tu seras près de Lui, je t'en fais serment. Les gens de bien éprouvent de la pitié pour les simples d'esprit comme toi. Allez, rends-toi à la ville quêter notre subsistance. Il en va de ta misérable dépouille.

Magister s'éloigna. Louis se redressa devant son père, le visage barbouillé de boue.

—Tu n'es plus si faraud, maintenant, pas vrai? lui dit le gros homme.

Deux heures plus tard, Louis était de retour de la petite bourgade où l'avait escorté Desdémone. Il portait une pleine poche de nourriture qu'il dut remettre en entier aux dirigeants. Il fut longuement et inutilement fouillé par sa marraine, qui lui dit:

—Je te trouve moins séduisant depuis quelque temps.

Le fait était qu'il avait l'air d'un crevard. Il avait beaucoup maigri, et des cercles noirs s'étaient dessinés autour de ses yeux. Il était exténué et tenait à peine sur ses jambes. Et il ne lui résistait plus. Mais au moins il avait cessé d'être pour ses pairs cette espèce d'homme-putain envers qui les rares faveurs de la femme avaient suscité trop de dangereuses jalousies.

Il dit à Desdémone, d'une voix sans timbre:

—J'ai très faim.

Mais Magister avait entendu. En mordant avec appétit dans un beau fromage à croûte dorée, il s'interposa:

—Et puis quoi encore? Hors de ma vue, misérable impie. Va te reposer. Profites-en, car demain la route sera longue.

S'il avait espéré des supplications, Magister fut déçu. Louis ne réitéra pas sa demande et s'en alla.

Ce fut cette nuit-là que mourut le premier prisonnier. Seul Louis s'en aperçut, car les chefs s'étaient généreusement abreuvés des vins corrosifs qu'il leur avait ramenés. Ils étaient soit trop saouls, soit trop somnolents pour remarquer quoi que ce fût. Quant à ses compagnons d'infortune, épuisés comme ils l'étaient, ils dormaient tous à poings fermés. Ce fut donc un peu par hasard que Louis se serra contre un corps raide qui ne le réchauffa pas. Il s'assit et regarda le visage que l'obscurité ne lui permit pas de distinguer. Il ne sut même pas s'il s'agissait d'un homme ou d'une femme. Il tâta son pouls et regarda alentour. Seules quelques braises subsistaient devant la tente de Magister. Personne n'allait venir.

*

226

Firmin sortit de la tente et chancela jusqu'à la bordure du boisé où il s'isola pour uriner. La nuit était belle et tiède. Il se soulagea en soupirant d'aise. Une odeur alléchante de viande grillée attira son attention, et, dans les brumes de l'alcool, il se demanda avec amusement comment il pouvait encore avoir faim. «Comme c'est étrange. Il me semble qu'il n'y avait pas de feu à cet endroit tout à l'heure», se dit-il distraitement. Effectivement, un feu poussif avait été allumé en retrait du camp. L'odeur venait de là. «On dirait du porc», pensa-t-il en avançant. Il faillit mettre le pied sur un quartier de viande crue.

—Holà, appela-t-il tout bas, et il prit appui contre un arbre pour ne pas trébucher sur le sol inégal.

Un peu de viande achevait de rôtir sur une branche écorcée posée sur deux fourches grossières fichées dans le sol. «Ça doit être aux gardiens», se dit-il en regardant à nouveau la viande crue, une sorte de gigot dont l'un des côtés était parsemé de fins poils noirs. Un couteau de pierre reposait à côté. Il était couvert de sang. L'homme chancela un peu.

—Oh! meeeerde!

Au moment où il réalisait ce que c'était, un visage émacié surgit de l'obscurité. Un regard noir, glacial, se posa un instant sur lui. L'ogre brandissait une sorte de massue blanchâtre. Firmin recula, horrifié.

—Non!

Louis l'assomma avec un des bras du mort qu'il avait commencé à dévorer.

*

Godefroy et Firmin mirent peu de temps à retrouver Louis. Ils furent de retour au camp avant l'aube avec leur captif qu'ils transportaient, lié à un baliveau, comme un gibier ramené de la chasse. Le camp était sens dessus dessous. Plusieurs avaient vomi à la vue de l'horrible boucherie qu'il ne s'était même pas donné la peine de cacher. Il fut jeté à genoux devant Magister et contraint de s'incliner, face contre terre. Il ne résista pas.

Magister n'était pas sans savoir qu'aucun châtiment, si cruel fût-il, n'allait plus atteindre une telle créature. Pour la première fois de sa vie, il se sentit dépassé par les événements qu'il avait lui-même provoqués.

Peu avant le retour du fugitif et de ses gardiens, le chef de la secte avait appris de source sûre, à savoir quelques prisonniers fiables et un gardien, que Louis n'avait pas commis de meurtre. La victime, un homme assez âgé, était depuis plusieurs jours si gravement affaiblie qu'elle avait indubitablement péri de faim quelques heures avant que son corps ne fût partiellement dépecé. Il s'adressa à Louis de sa voix pleine de fiel.

—Louis, oh, Louis... Moi qui t'ai recueilli et soigné, comment peux-tu faire une chose pareille? J'en suis fort marri!

Il fut accordé à l'adolescent de se redresser pour qu'il pût répondre. Il se contenta de rire. C'était tout ce que Magister méritait.

—Faites-le taire, ce mécréant, fit le faux prêtre entre ses dents serrées.

Louis roula sans bruit sous une grêle de coups de trique.

—Qu'est-ce qu'on en fait, Magister? On le tue? demanda Godefroy.

—Non. Ce monstre doit vivre et expier sa faute. Qu'il crève de faim. Séparez-le des autres aux repas.

*

Il s'étonnait d'être encore capable de reconnaître la voix aimée. Parfois, il était persuadé d'en distinguer le murmure parmi les bruits diffus qui parasitaient le camp. Il se tenait à la barrière entreclose du jardin, l'âme aux aguets. Elle était là, tout près, il en était sûr. «C'est là que je serai», lui avait un jour promis sa mère.

Pour une fois, lorsque Desdémone se manifesta un soir, son rêve ne fut pas interrompu. Elle lui posa sur les épaules un vieux manteau. L'adolescent était adossé contre un arbre, séparé des autres, car c'était l'heure de la ration. Depuis trois jours, les gardiens ne se donnaient plus la peine de l'attacher: il demeurait prostré là où on le laissait et ne bougeait de sa place que lorsqu'on revenait le chercher.

Il ne réagit pas immédiatement aux attentions de sa marraine. Il finit par poser sur elle un regard imprécis et déglutit. Ce fut tout. Elle lui caressa la joue. Il ne vit pas que les prunelles de plomb se remplissaient de larmes. Elle se releva et partit. Il ne bougea pas.

Quelques minutes plus tard, elle était de retour avec Clémence. Toutes deux s'accroupirent auprès de lui. Desdémone lui prit la main. Le feu qui couvait sous les paupières de Louis s'était éteint.

— Oh, Louis, pourquoi fallait-il qu'on en vienne là? dit Clémence.

—Le père, répondit-il péniblement.

—On ne peut pas laisser faire ça. Louis, m'entends-tu? demanda Desdémone.

Le regard fixe et inexpressif, il fit un vague signe de tête.

— Elle s'en vient. Je l'attends, dit-il.

— Je... je ne comprends pas. Qui attends-tu? demanda Clémence.

Louis ne dit rien.

— Il est en train de mourir, dit Clémence, des sanglots dans la voix.

Desdémone s'adressa à lui, non sans une certaine douceur:

— Jure-moi une chose, Louis. Jure-moi de me dire la vérité et je promets d'intercéder en ta faveur.

Il acquiesça de nouveau et se passa une langue épaisse sur les lèvres. La femme demanda:

— Savais-tu que l'homme que tu as... enfin, savais-tu que c'était mon ancien amant?

Clémence fut scandalisée par l'incongruité de cette question en un moment pareil. Elle protesta:

— Quoi? Mais qu'est-ce que...

— Non, dit Louis faiblement.

— Il faut le croire, il dit la vérité, implora Clémence.

— Je le crois, dit Desdémone, visiblement soulagée d'un grand poids.

Cela devait être important pour elle. Elle tapota la joue de Louis:

— Je t'ai donné son manteau. Y a-t-il autre chose que tu désires?

— J'ai soif, dit-il.

Elle lui ramena de l'eau qu'elle lui fit discrètement boire à la louche en lui soufflant, à l'oreille:

— Pas un mot à quiconque, d'accord?

— D'accord. Mais... tu veux bien les rappeler, s'il te plaît?

— Qui, ça?

Le regard de Louis devint un instant plus précis. Il vit à qui il parlait. Il ne répondit pas et prêta l'oreille. Il ne les entendait plus.

Desdémone lui glissa une galette rassise dans la main. Les deux femmes s'en allèrent.

Sa soif étanchée, Louis se rendit compte qu'il n'avait plus faim. D'instinct, il chercha un endroit où cacher sa galette et introduisit le bras dans la manche du manteau. Cela lui donna une idée. Alors seulement il comprit pourquoi les voix aimées étaient parties. Mère et Églantine ne voulaient pas qu'il meure. Pas tout de suite. S'il tenait bon encore juste un peu, il serait sauvé. Il porta la galette à ses lèvres gercées.

*

Les longues marches entre chaque agglomération étaient épuisantes pour les prisonniers malgré la lenteur des processions. Il n'était pas rare qu'un arrêt soit ordonné afin de stimuler un retardataire, parfois sous les yeux mêmes des quelques inutiles de fin de cortège qu'il leur arrivait de ramasser en ville et de traîner pendant deux ou trois lieues.

C'était là sa chance. En dépit de sa faiblesse extrême, il était parvenu à concentrer toute son attention et il avait élaboré une stratégie suffisamment cohérente. Il avait également deviné que Magister n'allait sûrement pas manquer de passer près d'un gibet qu'ils avaient entrevu l'avant-veille à deux lieues d'une bourgade, afin d'accroître l'impact dramatique de ses dévotions. La suite lui donna raison.

L'adolescent ralentissait et feignait de trébucher. Vu son état, on ne soupçonna rien. Les geôliers le laissaient à nouveau tranquille. Alors qu'ils marchaient devant les fourches patibulaires auxquelles étaient pendus plusieurs cadavres, Clémence vit son frère se pencher pour recueillir quelque chose qu'il se hâta d'enfouir sous son manteau. Elle jeta un coup d'œil furtif en arrière : Desdémone était tout près. Elle avait la tête tournée vers le gibet. Peut-être avait-elle décidé de ne rien remarquer. Difficile à dire avec elle. Clémence regarda à nouveau Louis. Il se contenta de lui faire un signe d'assentiment.

Il lui était étrange de constater à quel point la présence de Clémence se mettait à compter pour lui. Dans l'isolement complet où il était du reste du monde, ce nouveau lien tissé entre eux devenait solide, indestructible. Mais, au fait, s'agissait-il vraiment d'un lien nouveau? De tous les membres de sa belle-famille, c'était Clémence dont il s'était senti le plus proche dès le moment où son père s'était remarié. Non seulement étaient-ils presque du même âge, ils aimaient se retrouver ensemble aux travaux de la boulangerie qu'ils accomplissaient dans la plus parfaite harmonie. Déjà, il la considérait comme une sœur, qui lui rappelait quelquefois la douceur timide de sa mère et atténuait les violences de sa révolte, les manifestations du monstre en lui. Il sentait de façon ténue que l'adolescente lui rendait ses sentiments fraternels. Pourtant, lorsqu'il songeait à elle, une ombre passait sur ses pensées. Les temps anciens n'étaient plus. Les conditions misérables dans lesquelles ils s'étaient retrouvés ne nourrissaient que la cruauté, sinon la haine. Et, dans les brumes de sa faiblesse, Louis se prenait à regretter les fois où, sous l'emprise de la faim impitoyable, il avait récemment utilisé la force pour ajouter aux souffrances de la jeune fille. Il se reprochait aussi de ne pas prendre sa défense contre les assauts lubriques de son père, quitte à y laisser ses dernières forces. Il serrait alors les poings en se promettant l'impossible. Ce monde sans pitié était responsable du lien embryonnaire mais très puissant qui subsistait entre Louis et Clémence; il était à la fois devenu une partie d'elle et avait fait d'elle une partie de lui.

Alors même que se développait sa sympathie pour Clémence, Louis sentait grandir son désir de détruire Firmin. C'était comme si sa survie en dépendait. Chaque fois qu'il apercevait son père, une rage de vivre se mettait à bouillonner en lui. Firmin allait voir qui était le plus fort. Il allait regretter ses brutalités et sa cruauté. Et, de plus en plus, il englobait Magister dans ses rêves destructeurs. Lui seul, avec Firmin, représentait un réel danger. S'il réussissait à atteindre Firmin ou Magister en premier, il allait éviter d'être atteint par eux. Des autres, il ne se souciait pas. Même de Desdémone et de Godefroy, il considérait qu'il n'avait rien à craindre de leur part, puisqu'ils n'agissaient que sous les ordres du maître.

Louis se savait bien outillé pour exercer sa fureur vengeresse. Ce qui éveillait la peur chez ses compagnons, c'était cela même qui avait subjugué les enfants de la rue qu'il avait côtoyés, mais sous une forme que la misère avait amplifiée. Louis mettait une espèce de passion implacable à se battre. Il savait se transformer en une sorte de machine, en une meule de moulin qui écrasait tout ce qu'elle happait sans aucun discernement. Lorsqu'on le poussait dans cet état second, seule sa rage importait. Les autres n'existaient plus.

Louis ignorait encore qu'il était surveillé de très près par ceux-là mêmes dont il se souciait le moins.

Ce jour-là, alors que la horde passait devant le gibet, dans le regard complice de Louis, Clémence acquit la certitude instinctive que seule sa sollicitude permettait à l'adolescent de demeurer sain d'esprit. Elle l'avait touché à temps. Clémence ignorait s'il l'aimait ou non. Le véritable amour requérait à la fois liberté, indépendance d'esprit et une certaine forme de créativité. Or, il lui semblait bien que tout cela s'était irrémédiablement étiolé chez Louis. Il avait trop souffert. Pourtant, la jeune fille sentait bien quelque chose, une sorte de symbiose discrète qui le reliait à elle, comme, peut-être, à ses compagnons d'infortune. Oui, il était sauvé de la démence par cette infime parcelle d'amour qui était demeurée intacte en lui, par ce jardin dont il avait fait son sanctuaire. Sans connaître toutes ses pensées, Clémence ne s'y trompa pas.

*

L'hydromel faisait la fête dans les estomacs creux. Les chefs étaient déjà passablement ivres lorsqu'ils décidèrent, un soir, de dresser le camp dans un cimetière. Personne n'y trouva à redire. Ce genre d'endroit avait de tout temps été un repaire de bandits et de filles de joie. Mais Magister ne put s'empêcher d'être sensible à l'atmosphère lugubre du lieu. D'une voix vibrante d'émotion, il dit:

— Mes frères, soyons prêts au trépas sans égard à nos biens terrestres, qui ne nous sont que prêtés, ni à notre enveloppe charnelle, qui bientôt ne sera plus rien. N'ayons plus de souci que pour le salut de notre âme. Éloignons-la, par notre saint renoncement, de ce monde méprisable et des tourments éternels de l'enfer qu'il préfigure. Donnons-nous volontiers à la mort, et nous aurons la vie.

Le camp fut plongé dans un silence craintif et solennel. Les femmes geôlières sanglotaient doucement tandis que les hommes tâchaient de se débarrasser de la boule qu'ils avaient dans la gorge avec force rasades. Les prisonniers eux-mêmes se sentirent comme hypnotisés. À la lueur du feu, les croix bancales et les pierres moussues devenaient encore plus présentes. Elles reprenaient vie.

Louis se leva et se coula jusqu'à l'une d'elles, à demi penché. Magister l'aperçut et le rejoignit. Il le serra amicalement contre lui. Un peu étonné, Louis se laissa faire. Ils admirèrent la pierre tombale en silence. Elle était de facture récente. On y avait représenté un transi[61] se dressant pour interpeller un vivant. De l'écriture se déroulait au-dessus de leurs têtes. Magister demanda doucement:

— Sais-tu ce qui est écrit là, Louis?

— Non.

— Il est écrit: « *Itel com tu es itel fui.* »[62]

Ces mots ne produisirent pas les sentiments de contrition escomptés par Magister. Pris d'une poussée de joie comme il n'en avait pas eue depuis longtemps, Louis éclata de rire: «Voyons un peu l'effet qu'aura cette sage parole sur toi, Frappart», se dit-il. Dressé, il se pointa le nez avec le pouce et tira la langue au transi. Magister le sentit se dérober sous sa main. L'adolescent amaigri, couvert de guenilles grisâtres et effilochées, entreprit une danse désordonnée autour de la pierre tombale. Tout le monde le regarda faire avec un étonnement presque révérencieux, y compris Magister. Un Louis livide, ressemblant à un spectre vêtu de haillons, n'en continuait pas moins à défier la mort avec une

---

62. Tel tu es, tel je fus.

comptine ridicule et en riant aux éclats. Et il n'avait même pas bu. C'était admirable.

S'il n'avait pas été ivre, Magister l'eût sans doute contraint à cesser ses simagrées. Mais le vin avait exacerbé sa sensibilité; il était devenu influençable et plus vulnérable. Le faux prêtre se mit à danser avec son mouton noir. Il fut bientôt imité par les autres membres de la congrégation. La folie se répandit parmi les membres bien portants du groupe comme une traînée de poudre. Tous, ils s'abandonnèrent à cette espèce de transe débridée, inexplicable, à cette danse macabre. Seuls certains des prisonniers n'y participèrent pas, trop exténués qu'ils étaient par la faim et les mauvais traitements.

Après plusieurs minutes, Louis aussi dut s'arrêter, car il n'en pouvait plus. Il s'assit au pied de la pierre tombale et se frotta la jambe avec inquiétude: elle commençait à enfler. Cela risquait de tout compromettre. À moins qu'il n'utilisât ce phénomène également. Peu importait: il y avait si peu à perdre.

— Mon beau petit démon, dit Desdémone qui vint le rejoindre en titubant, un cruchon à la main.

La situation de l'adolescent devenait précaire; mais il était désormais trop tard pour reculer. Desdémone se pencha vers lui. Elle le contraignit à se lever.

— Viens là, viens danser avec ta belle. Mais Dieu que tu empunaises*, ce soir. Qu'as-tu donc fait? Serais-tu malade?

— Mais nooooon, dit-il en se frottant contre elle d'une façon obscène. Elle rit et se mit à lui pétrir les testicules.

— Jeune bouc. Même à demi mort, tu continues à archonner*.

Tout en continuant à danser, Louis répondait aux caresses de Desdémone en lui donnant de furieux coups de hanches. Seule l'énergie du désespoir lui en donnait la force. Il fallut à la prostituée un certain temps avant de réaliser qu'il ne l'étreignait que d'un bras.

— Serais-tu blessé, mon chéri?

— Non, pourquoi?

— Ton bras.

— Oh, ça. Ce n'est rien. Je n'ai pas mal du tout. Seulement, je n'arrive plus à le bouger.

— Quoi? Fais-moi voir ça.

Sans prévenir, elle retroussa sa manche et découvrit un membre flasque, livide, couvert de taches gangreneuses. L'haleine coupée, elle émit un petit cri horrifié et s'éloigna d'un bond. Un seul mot parvint à lui échapper:

— Lépreux[63].

Sous le choc, elle ne comprit pas ce qu'elle vit par la suite, ni ce qu'il lui advint : Louis s'approcha, tout sourire, en brandissant son bras malade. La seconde suivante, Desdémone gisait à ses pieds, assommée. Déjà, le bras sain de son amant était réapparu comme par magie à la manche de son manteau.

— Que veux-tu, j'ai pris goût à me servir de ça, dit-il. Par chance, je n'ai pas faim !

En transe, les danseurs ne s'étaient rendu compte de rien.

— Un bras de pendu. Il a ramassé le bras d'un pendu au gibet, murmura Clémence aux autres prisonniers qui regardaient, subjugués.

Survint alors quelque chose d'inattendu. Louis n'avait l'intention que d'utiliser son subterfuge pour éloigner les ivrognes et régler son compte à Firmin avant de disparaître dans la nature ; or, il n'eut même pas à se préoccuper des autres. Alors qu'il s'affairait à rattacher le bras mort à la manche du manteau, les prisonniers derrière lui se regroupaient. Galvanisés par le courage que Louis avait démontré, ils avaient soudain retrouvé leur combativité. Ils voulaient vivre. Ils se répandirent en silence à travers le camp. Louis les vit s'élancer tout autour de lui et cligna des yeux.

Les fanatiques dansaient toujours. Ils eurent à peine le temps de voir ce qui leur tombait dessus. Plusieurs furent désarmés avant même d'avoir eu le temps de réagir.

— À mort ! À mort !

Certains prisonniers plus faibles s'égaillèrent maladroitement dans la forêt sans demander leur reste. Une femme hystérique entreprit d'éventrer Godefroy à l'aide d'une pique. Mais la plupart se contentèrent de saccager le camp pour voler de la nourriture avant de prendre la fuite.

Louis courut jusqu'à Godefroy qui gisait, inerte, et s'empara de sa dague volée qui datait des croisades.

Desdémone s'était réveillée et avait roulé derrière un monument. Elle regarda son captif disparaître dans la tente de Firmin. Une ombre titubante passa au-dessus d'elle, traînant une crosse qui laissait dans la terre piétinée un sillage irrégulier. C'était Magister. Elle se laissa choir par terre et feignit d'être blessée. Le chef spirituel parvint à disparaître derrière un charnier sans être intercepté.

Louis mit tout sens dessus dessous à l'intérieur de la tente. Même la paillasse éventrée ne révéla rien. Il haleta, désespéré.

— C'est ça, que tu cherches ? demanda une voix derrière lui.

Firmin s'avança et jeta un pot à ses pieds. C'était son levain. Louis fit front.

—Tiens, le veautre* des fanatiques. Salaud!

—Surveille ta langue, jeune insensé. Magister est un saint homme. Il nous a tous sauvés de la peste.

—Vous avez abandonné la boulangerie...

—Il n'y en a plus, de boulangerie. Fini! Tout va bientôt brûler dans les feux de l'enfer. Il n'y aura plus personne pour acheter du pain. Tu ne comprends donc vraiment rien, toi, hein? Ne vois-tu pas que c'est la fin du monde?

—J'ai essayé de quitter un enfer et vous m'avez fait retomber dans un autre.

—Tais-toi, blasphémateur!

—Que s'est-il réellement passé devant l'abbaye, Père?

Soudain mal à l'aise, Firmin chercha à éluder la question.

—Tu n'es pas lépreux pour de vrai?

Louis se pencha pour ramasser le pot de levain et le mit sans y penser sous sa chemise. Il se retourna brutalement et fit face à son père. Firmin se cogna le nez contre sa poitrine et ce fut seulement à ce moment-là qu'il prit conscience de son infériorité. Le regard noir de l'adolescent vrilla le cœur de son père qui, éberlué, bavait un peu. Louis recula vers la sortie.

—Attends. Où tu vas? C'est toi qui es derrière tout ça? Cette folie?

—Que vous importe? Écoutez-moi bien: je vous jette un sort. Puisque c'est la fin du monde, je vous reverrai dans l'autre où, j'espère, vous serez à jamais tourmenté par Mère et par tous les petits que je vous lui avez fait perdre.

Firmin recula, livide. Il manqua de trébucher sur un piquet de la tente en sortant. Louis le suivit et dit:

—Avez-vous la frousse, cher Père? Vous avez bien raison. Attendez de voir ce que je vais vous faire.

—Quoi?

—C'est votre tour, maintenant. Il faut expier. Pour Mère et moi.

Il fit un pas en avant. Firmin s'appuya contre la toile de la tente et bredouilla:

—Mais qu'est-ce que tu racontes?

—Vieux rat. Vous le savez. Pensez-y un peu. Le cuir à aiguiser votre rasoir, cela ne vous dit rien? Et la ceinture? Et le gourdin? Si j'avais tout cela ici, comme je vous en ferais tâter. De la même manière que vous lui en avez fait tâter, à elle. À moi aussi. Je vous jure que ça vous rafraîchirait la mémoire. Mais qu'importe: mes poings me suffisent.

Louis frappa dans la paume de sa main et écarta légèrement les

235

jambes pour se mettre en position. Firmin transpirait abondamment. Il ne cherchait même pas à préparer sa défense. Il savait que c'était inutile, alourdi comme il l'était par un copieux repas trop bien arrosé. En dépit de tout ce qu'il avait subi, Louis demeurait grand, altier, impressionnant pour son âge. L'ancien boulanger n'en perçut que davantage sa propre médiocrité. Il dit, d'une voix fluette :

— Écoute, Louis... Tout ça, c'est du passé, hein! C'est vrai, quoi. Il y a des années de ça. Je ne t'ai plus touché, après. Je t'aurais laissé prendre la relève si j'avais pu. T'es un bon gars, tu sais.

— Ah!

Louis leva les yeux vers le ciel. Firmin vit le souffle court de son fils s'élever en petits nuages dans l'air d'encre. Il sursauta lorsque Louis l'empoigna par sa mante neuve :

— Et Mère?

— Je ne savais pas, moi! Elle n'a jamais dit un mot. Eh... EEH!

Louis avait soulevé son père d'un bras parfaitement sain. L'autre pendait juste à côté et lui donnait l'air d'un monstre. L'adolescent le projeta dans la tente qui s'effondra mollement sous son poids. Firmin s'empêtra dedans tandis que Louis se penchait déjà au-dessus de lui. Certaines de ses blessures s'étaient rouvertes sous l'effort. Mais, galvanisé par la rage, il ne s'en soucia pas.

— Vous ne saviez pas. Vous ne saviez pas que, de traiter ma mère comme ça, c'était mauvais. Vous ne la méritiez pas. Vous ne méritez pas de vivre.

Firmin haleta. L'affreux vacarme du camp ne lui parvint plus aux oreilles. Seulement celui de cette révolte qu'il n'avait jamais voulu entendre. Celle d'un fils malheureux qui ne comprenait pas. Une rage si longtemps réprimée que Firmin était bien près de percevoir comme une clameur s'amplifiant pour le frapper en plein visage : celle d'un enfant qui, avant même d'avoir su ce qu'était le mal, avait aimé en causer. Dans son refus d'aimer, Firmin avait semé une haine inextinguible qui ne pouvait engendrer que la destruction. C'était la loi de la nature humaine voulant se faire elle-même justice : «Tu ne m'aimes pas, alors moi non plus, je ne t'aime pas. Je te déteste. Je vais tout faire pour te détruire.» C'était sans espoir de rémission. Mais admettre que c'était lui, Firmin, qui avait mal agi et non sa défunte épouse, c'était admettre qu'il avait eu tort sur toute la ligne. Et cela, l'ancien boulanger n'y était pas prêt. Il se releva et dit crânement :

— Pauvre petit morveux qui joue les grandes âmes! Tu dis que tu veux venger ta mère, mais au fond tu ne songes qu'à ton petit cul qui mérite juste un bon coup de pied.

— Essayez, pour voir, dit Louis.

Firmin s'avança et contourna l'adolescent. Louis tourna sur lui-même pour suivre son père des yeux. Firmin ricana.

— Pensais-tu que j'allais réellement te mettre mon pied au cul? Remarque que c'est pas l'envie qui manque.

Il fit demi-tour et s'éloigna en crachant par terre. Louis le rattrapa. Il lui plaqua les mains sur les épaules et dit:

— Vous m'avez mal compris, je pense.

— Comment?

— Vous avez violé Mère.

— Violé? C'était ma femme.

Tout autour d'eux, des combats isolés faisaient toujours rage. Nul ne se souciait plus de la tente effondrée qui paraissait déjà saccagée. Louis dit:

— Faux. Elle n'est plus votre femme. Vous n'avez plus rien. Vous n'avez même plus la vie, à partir de là, tout de suite.

— Qu'est-ce que tu dis? Tu divagues ou quoi? Tu dis la bonne aventure, maintenant? Va te coucher, petit vaurien.

La lueur blafarde de la lune surgit de derrière un petit nuage argenté et éclaira le visage souriant de Louis.

— Je vais vous tuer.

La dague brilla dans sa main.

*

Le guet n'était pas intervenu pour arrêter les fugitifs. Les hommes avaient été prévenus de ce qui se passait et n'avaient reçu pour instruction que celle d'empêcher le désordre de se propager au-delà du cimetière. Clémence et Desdémone s'étaient retrouvées à la sortie de la ville. Elles attendaient. Louis n'apparaissait toujours pas aux portes.

— Mais qu'attend-il pour sortir? haleta Clémence.

— La dernière fois que je l'ai vu, il était entré dans la tente du Gros.

— Pour son levain. Bon Dieu, son intransigeance causera sa perte.

— Si je retournais voir? proposa Desdémone.

— Tu es folle. Nous avons déjà eu de la chance de pouvoir prendre la fuite en dépit des vigiles.

Elle chuchotait, tandis que des rires gras trahissaient la présence de fugitifs parmi les vignes. Le bon vin de Magister avait changé de mains.

La nuit avançait, et Louis ne se montrait toujours pas.

— Viens. Il faut qu'on s'en aille, dit Desdémone.

*

— Ici, Magister! cria Firmin de toutes ses forces. Magister! Je l'ai trouvé, le Malin!

La dague de Louis traça deux éclairs meurtriers sans l'atteindre. L'adolescent détala. Il n'avait plus le temps. L'homme à la crosse surgit de nulle part, ainsi que deux autres disciples qui prirent le fugitif en chasse. Un troisième homme, blessé, roula entre les jambes de Louis qui s'affala dans un nuage de poussière. En un instant, Magister arriva, prêt à lui fracasser le crâne avec son crucifix.

— À mort le perfide!

La crosse s'abattit sur le sol. Le crucifix s'éleva à nouveau, cette fois à la manière de l'arme qu'il était en réalité. Louis sauta sur ses jambes et brandit la dague. Le bras mort tomba de son manteau. Les deux combattants s'affrontèrent en silence. Magister dit enfin:

— Ah, Louis. As-tu donc perdu tout respect des pauvres défunts? C'est toi le responsable de cette pagaille, n'est-ce pas?

— C'est lui, Maître. Je l'ai vu délivrer les martyrs, dit Firmin.

Il le tenait enfin.

Louis ne répondit pas. Il serrait contre sa poitrine le précieux levain d'une main et pointait sa dague de l'autre.

— Tu as décimé ma communauté. Ces ingrats sont retournés à l'obscurité de leur cloaque. Ils auront ce qu'ils méritent. Je prierai pour le salut de leur âme...

Sa voix tremblait de rage contenue et il serra les mâchoires.

Louis l'interrompit:

— Qu'ont-ils besoin de vos prières! Vous auriez dû les nourrir quand il était encore temps. Je m'en vais. J'emporte votre démon avec moi.

Un rat audacieux vint renifler le bras du pendu aux pieds de Louis.

— Le Ratier, murmura Firmin.

Ses yeux suivirent l'hésitation de la lame meurtrière que tenait Magister. Il lui fallait trouver quelque chose, vite. Et soudain, il sut.

— La dague, Maître. C'est celle de Godefroy. C'est lui qui l'a si ignoblement occis!

Il n'en fallut pas davantage pour faire enfin réagir le prêtre. En un éclair doré, le crucifix chercha le ventre de Louis, qui put à temps l'éloigner d'une parade. Un duel inégal s'ensuivit. Magister, d'abord empêtré dans sa longue hampe, s'en débarrassa. Le crucifix devint ainsi une arme redoutable dans sa main. Étant donné son inexpérience et sa faiblesse, Louis se retrouva bien vite en état d'infériorité et ne fut en mesure que de se défendre. Avec un sourire cruel, Magister s'amusa à le fatiguer avec d'incessantes offensives qui, toutes, auraient pu le blesser.

—J'admire ta vaillance, Louis. Quel dommage que tu doives périr. Mais, après tout, n'était-ce point là ton vœu initial?

La dague de Godefroy s'éleva dans l'air. Avant qu'elle ne fût retombée, Firmin avait frappé Louis à la tête par-derrière avec la crosse abandonnée. Le gros homme se laissa tomber sur son fils et lui serra le cou comme un forcené pour lui cogner la tête au sol. Il exulta lorsqu'il sentit la vigueur de son fils l'abandonner. Il se releva et dit à Magister:

—Voilà. C'est la seule façon d'en venir à bout.

*

Il ne restait plus du nouveau campement forestier qu'un feu de braises volontairement entretenu. Un jour entier avait passé. Les rares fidèles qui restaient à Magister s'étaient éloignés discrètement, excepté quatre hommes qui devisaient à voix basse près du foyer. Un cinquième individu était ligoté à un arbre. On l'avait déshabillé sans remarquer le pot qui était tombé de sa chemise et qui avait roulé dans l'herbe piétinée.

—Je voudrais l'y voir crucifié, dit Firmin.

—C'est hors de question, répondit Magister. La crucifixion est un châtiment sacré. Cette créature infernale qui a osé porter la main sur un homme de Dieu ne mérite pas la même mort que le Christ.

—C'est prêt, dit le gros homme qui avait retiré du feu un tisonnier porté au rouge. L'idée était de lui et nul n'y trouva à redire. On laissa Firmin seul.

Magister souriait. «Plus l'homme est vil, plus il obéit», se disait-il.

Firmin s'approcha de son fils, ce rebut d'humanité destructeur, cet être sulfureux. Il avait le front de lui opposer le regard troublant de la bête abattue qui se savait mortellement frappée, mais qui ne s'y résignait pas encore.

—Tu voulais me faire peur, à moi? Vois donc où ça t'a mené.

Ses joues grasses furent prises d'un tremblement nerveux. Il dit d'une voix saccadée, humide de sanglots retenus:

—Je n'ai jamais voulu de toi. Jamais. Toutes ces années où je t'ai enduré, où j'ai été pris avec toi... Je te l'ai dit: tu es une erreur. Maintenant, je tiens enfin ma chance de me débarrasser de toi, et de ma honte!

Le fer rouge s'abaissa sur les parties génitales de Louis. Une odeur âcre de chair brûlée s'éleva dans la nuit en même temps qu'un cri terrifiant qui tenait autant du vagissement du nouveau-né que du hurlement d'agonie.

Le silence qui revint s'étendit sur la sylve comme une encre noire.

Firmin échappa le tisonnier comme si sa main brûlait. Il vit devant lui le corps de Louis que les convulsions disloquaient.

—Recule! recule! dit gentiment Magister en posant une main sur l'épaule de son disciple.

—J'ai pas fait ça, moi? dit le tortionnaire d'une toute petite voix.

—Partons. Vite. Pelletez de la terre sur ce feu qu'on en finisse. Inutile de le détacher, il se meurt.

Magister ne voulait plus s'approcher de cette vision de cauchemar. Les yeux blancs de Louis brillaient sur eux comme une malédiction.

*

Desdémone et Clémence s'étreignirent en tremblant. Toute la journée, elles avaient suivi le cortège de loin. Elles n'avaient rien pu faire.

—Pourquoi s'est-il attardé comme ça? Pourquoi n'est-il pas venu avec nous? dit la prostituée, ravagée par de profonds sanglots. Elle dit encore:

—Ce levain... il y tenait beaucoup. Mais, après avoir tant combattu, on ne risque pas sa vie pour un pot.

— Ce n'est pas cela. C'est Père qui l'a retenu.

— Aura-t-il seulement eu le temps de savoir qu'il nous a tous sauvés?

En larmes, Clémence dit, tout bas:

—Dieu te garde, mon frère.

Chapitre VII

Fide et obsequio
(Fidélité et soumission)

*P*arfois le brouillard était blanc et soudain, sans raison apparente, il était noir. Sa couleur importait peu puisque sa présence avait tout annihilé. Plus rien n'existait ni n'avait d'importance, depuis l'identité de celui qui l'avait généré jusqu'aux membres rigides du corps inconnu qui y dérivait doucement depuis l'éternité. Le brouillard noir ou blanc entourait ce corps d'un bienheureux engourdissement. Objet lourd et insensible, il ne souffrait pas, il ne ressentait rien. Les paupières ne s'abaissaient plus pour abriter les yeux fixes et l'intérieur vacant qu'ils révélaient.

Lorsque les premières images se mirent à resurgir, ce fut le choc. Elles firent l'effet d'un coup de tonnerre dans sa tête. Et il eut à nouveau peur, et il eut à nouveau mal.

Cela commença avec l'image de la pluie. Une pluie froide, morne, incessante, une pluie telle que l'on n'en voyait que certains jours trop doux pour appartenir à l'hiver, mais qui contenait pourtant toute la froidure de cette saison. Il y avait aussi du brouillard. Mais il était fait d'une étoffe sale, d'un gris vaguement bleuté. Dans l'image qui s'imposait graduellement à lui, il était étendu sur une sorte de brancard, sous le poids humide d'une couverture de laine. Ses cheveux adhéraient à son crâne comme une plante morte. Trois personnes l'accompagnaient, une à chaque extrémité de la civière et une troisième qui marchait à côté de lui. Une quatrième était sortie de nulle part, à ce qu'il lui semblait. Impossible de savoir qui elles étaient : les silhouettes étaient trop imprécises dans l'air crépusculaire. Ou c'était à cause du brouillard qui allait s'épaississant. Il tourna la tête en direction d'une grille derrière laquelle d'autres silhouettes,

241

toutes pareilles, se regroupaient. Il percevait des voix, mais n'arrivait pas à saisir ce qu'elles disaient. Le brouillard l'enveloppait, l'éloignait: Louis était moribond.

La seconde image vint elle aussi comme un éclair: il se revit étendu, complètement nu, sur une table autour de laquelle d'autres silhouettes imprécises s'activaient en conversant à voix basse. On lui souleva la tête afin de lui faire boire quelque chose. Peu après, il eut mal, très mal. Un cri, la vague impression qu'un autre que lui se débattait avant d'être avalé par le néant ponctué de brouillard noir ou blanc.

La dernière image était déconcertante, parce que d'une tout autre nature. Elle était stable, apaisante. Elle revenait régulièrement pour écarter sans rudesse les pans floconneux de son inconscience. C'était un visage. Ce visage, il le reconnut: c'était le sien. Nimbé par les brumes de la fièvre, cette sorte d'alter ego vieilli de vingt ans l'avait veillé sans relâche. Il n'y avait aucun échange de paroles. Ce visage se trouvait seulement là, parfois, surtout lorsque le brouillard était blanc, jusqu'à ce que le néant revienne l'engouffrer.

Un beau matin, les rayons du soleil caressèrent son visage. Le brouillard se dissipa tout doucement. Louis reprit conscience de lui-même, de son corps, de l'endroit où il se trouvait. C'était trop à la fois: cela lui donna un peu de vertige. Il tourna la tête. Une fenêtre aux volets ouverts béait sur un jardinet en fleurs. Au bord de la croisée, une jolie petite plante jaune, tout imprégnée de soleil, poussait courageusement dans une fente de la pierre, palpitant sous la brise tiède. Il tourna à nouveau la tête. Il était seul dans une chambrette aux murs chaulés de frais. Une porte fermée, un banc, un coffre faisant office de table de chevet. Sur ce coffre, des fioles et une chandelle dans son bougeoir. Tout était propre et clair. La première impression qu'il ressentit en fut une de profond bien-être.

Une autre impression, plutôt discrète, commença par susciter de l'inquiétude en lui: il constata qu'il était incapable de bouger. Ses bras et ses jambes étaient lourds; ils refusaient de lui obéir. Il lui fallut un certain temps avant de réaliser qu'il était solidement attaché à son lit, mais qu'on avait fait en sorte d'utiliser des liens en tissu dont le contact sur la peau ne causait pas le moindre malaise. Ce qui le ramena à cette couche dans laquelle il reposait: il s'agissait d'un moelleux matelas de plumes. On l'avait en outre couvert d'un drap frais ainsi que d'un édredon rembourré. Le carreau sous sa tête était bombé et confortable. Il se sentait vêtu d'une tunique légère. Tout cela sentait bon et propre. Une odeur maternelle de tilleul au miel flottait dans l'air, de même que celle, plus ancienne peut-être, des plantes aromatiques dont on avait dû faire des fumigations contre les épidémies. Il crut effectivement reconnaître le parfum caractéristique des fleurs d'encens, de l'hysope et de la marjolaine.

*

Les deux femmes et le garçon se trouvaient à Melun, à mi-chemin entre Fontainebleau et Saint-Germain-des-Prés, lorsque frère Pierre était enfin parvenu à les rejoindre. Les Pénitents n'avaient pu trop s'éloigner de Paris, à cause de la lenteur imposée par leurs processions, de la faiblesse grandissante de leurs prisonniers et de leurs arrêts fréquents. Pierre avait prodigué à Louis quelques soins de stricte nécessité. Ils avaient ensuite poursuivi leur route jusqu'au monastère sous la pluie battante, où le trio avait confié la civière aux moines qui avaient été prévenus par le frère tourier.

Il était très touché. On se hâta de l'étendre sur une table et de le dévêtir afin que l'infirmier pût l'examiner. Tout de suite, Louis se raidit et poussa un hurlement désespéré. Son corps, arqué d'une façon surnaturelle, terrifiante, retomba et fut secoué d'affreux spasmes rythmiques, si violents que l'infirmier dut le retenir pour l'empêcher de tomber de la table. L'agonisant était pourvu d'une force physique surhumaine. Ses paupières mi-closes laissaient entrevoir des yeux blancs, et ses mâchoires serrées à outrance lui scellaient la bouche. De l'écume blanche se mit à couler à la commissure de ses lèvres, alors que de sourds grognements s'échappaient de sa gorge.

Louis était atteint de haut mal*.

La première nuit, il n'eut pas moins de soixante-dix accès de convulsions. Il n'avait pas le temps de reprendre conscience entre deux crises.

— Il est au plus mal, annonça l'infirmier à l'abbé durant la première nuit. Je ne peux rien faire. Si cela continue, son cœur ne tiendra pas le coup.

Il ne put que lui prodiguer les soins les plus urgents. Les crises étaient si sévères que Louis se souilla à plusieurs reprises.

L'un des moines s'offrit pour le veiller une partie de la nuit.

Au moment où toutes ces calamités s'étaient abattues sur les populations, les gens avaient oublié la peste. On n'avait plus vu sévir d'épidémie depuis très longtemps. Or voilà que la maladie était revenue en force, cette année-là, et qu'elle entraînait avec elle une suite de malheurs que nul n'avait pu prévoir. Peut-être était-ce là le châtiment mérité par l'arrogance des hommes. Lionel ignorait tout de l'ampleur des dommages subis par cet extérieur désormais inconnu de lui et duquel ce pauvre garçon avait été arraché. Il savait seulement que la présence du démon s'y manifestait d'une façon jusque-là inégalée.

Satan était rusé: il savait profiter des circonstances. L'époque s'était montrée propice à la rupture d'un équilibre devenu précaire. La surpopulation, qui avait entraîné de graves carences alimentaires, avait engendré la déficience physique. L'indigence du peuple avait été aggravée par les misères de la guerre, par les exodes et par l'entassement derrière les murailles des villes assiégées. La Faucheuse n'avait eu qu'à envelopper les nations dans les pans de son noir manteau. L'abattement moral, Lionel en était persuadé, avait contribué à cette grande mortalité. «Nous sommes faits à l'image du Créateur, se disait-il. Or, lorsque notre vie vient à perdre cette parcelle divine, celle-là même qui nous permet d'être cocréateurs, nous renonçons, et la vie s'en va. »

Au matin, l'infirmier épuisé conclut qu'il n'y avait plus rien à perdre et qu'il fallait de suite risquer le tout pour le tout. Il informa l'abbé de sa décision qui fut immédiatement approuvée. On donna à Louis de puissants sédatifs. Les crises s'estompèrent suffisamment longtemps pour permettre aux moines de l'opérer.

Plusieurs heures plus tard, Antoine reçut des nouvelles fraîches:

—Ses génitoires* n'ont pas subi de dommage irréparable, mon père. Cependant, le *ductus deferens*[65] m'a donné beaucoup de souci. La brûlure était grave. Nous avons fait pour le mieux. De ce côté-là, il s'en tirera aussi bien que le sire de Joinville[66].

—Très bien. Il ne nous reste plus qu'à prier pour lui.

—Les convulsions l'ont repris au réveil, sans qu'on puisse les attribuer à l'état de mal, cependant. Je soupçonne la présence de lésions internes. Je ne saurais en être certain, mais j'ai tout lieu de croire que son état est dû à un traumatisme subi à la tête plutôt qu'aux organes.

—Toujours aucun symptôme de morille?

—Pas pour le moment, mon père. J'ai nettoyé et examiné ses plaies. J'ai dû en recoudre plusieurs. Les autres ont été cautérisées. Nous avons isolé le patient dans une chambrette, certes pour limiter le risque de contagion, mais surtout parce que son état inspire trop de crainte.

*

Ses brefs instants d'éveil demeuraient crépusculaires. Il avait vaguement conscience qu'une silhouette se tenait assise à sa droite, patiente et silencieuse. À chaque fois que sa conscience émergeait, cette forme était là et n'avait pas bougé.

Brusquement, un matin, il s'avéra que la période d'existence lunaire avait pris fin. C'est alors qu'il sut. Qu'il se souvint, plutôt! Il devait tenir bon. Vivre. Vivre pour se venger! Ses paupières semblèrent émietter les lueurs. Le moine qui le veillait les vit ciller sur ses yeux mi-clos. La première parole que le malade prononça fut:

—J'ai soif.

«Comme Notre-Seigneur en croix. On ne refuse rien à un martyr qui se meurt», se dit le moine in petto.

Il s'approcha avec un bol de verre dans lequel baignait une petite éponge. Une main se glissa derrière les épaules de Louis et le souleva tendrement. Un peu d'eau citronnée fut exprimée de l'éponge qu'il tenait au-dessus de la bouche assoiffée. Louis recueillit avec reconnaissance un mince filet d'eau claire et fraîche, qui ne se tarit que lorsque sa soif fut étanchée.

—Merci, dit-il.

Le moine reçut le remerciement d'un sourire et le recoucha. C'était lui. Son alter ego. Son retour à la réalité avait fait reprendre à ce moine son apparence propre, même s'il subsistait dans ses traits quelque chose de vaguement familier.

Il regarda de nouveau par la fenêtre. Quelque part, hors de vue, un oiseau chantait gaiement sans trêve. Un nuage rondelet se prélassait dans son pan de ciel bleu, et Louis le regarda passer impunément au-dessus d'un clocher qui ne fit aucune tentative pour l'épingler. Il y avait un autre bâtiment aux fenêtres ouvertes au-delà d'une jeune pelouse dont le vert émeraude commençait à parsemer le chaume doré de l'automne précédent. Il tourna la tête vers le moine et demanda:

—Où suis-je?

Mais le grand moine ne répondit pas. Il se contenta de lui sourire. Peut-être était-il muet. Louis n'insista pas.

Un second moine entra. Sa bure noire était protégée par un tablier blanc.

—Ça va mieux, mon garçon, on dirait. Sais-tu où tu te trouves?

—Chez Églantine.

—Tu es à Saint-Germain-des-Prés, petit. Tes amis et le frère Pierre t'ont amené ici.

—Mes amis?

—Deux jeunes femmes et un autre garçon. Sais-tu quel jour nous sommes?

—Non.

—Essaie de me le dire.

Louis fronça les sourcils. Il avait pourtant bien vu dehors, mais il ne savait plus. Tout n'était que chaos dans sa tête. Il répondit :

—Quelque part en janvier. Il faut que j'aille au four aider mes parents.

—Non, Louis. Écoute. Nous sommes mardi, le septième jour d'avril de l'an 1348 qui se termine[67]. En pleine semaine sainte. Tes parents ne sont pas ici. Tu as compris ? Non ? Ça ne fait rien. Repose-toi.

—Toute cette eau par terre. C'est drôle, on dirait qu'elle frémit. Elle ne montera pas jusqu'ici ?

—Il n'y a pas d'eau par terre. Tout va bien, ne t'inquiète pas. Tu reviens de loin, mon garçon. Mais tu ne pouvais choisir meilleur moment pour revenir à la vie, puisque le Christ ressuscite dimanche. En attendait, pas question de ce sempiternel hareng du carême pour toi. Tu as besoin de reprendre des forces.

Laissé à lui-même, l'adolescent entreprit de mettre de l'ordre dans sa mémoire disloquée, ce qui exigeait de lui beaucoup d'efforts. Il était souvent interrompu par de brèves siestes ou de courtes absences, ainsi que par d'autres épisodes d'amnésie plus ou moins prolongés au cours desquels le brouillard se manifestait à nouveau. Mais, à force d'insistance, il finit par se faire une idée assez précise de son passé récent. Et sa conclusion fut que quelque chose n'allait pas. Ses souvenirs les plus récents étaient pleins de neige et de pluie glacée. Or, l'hiver s'en était allé sans laisser de traces. Quelque chose manquait. Plusieurs mois de son existence avaient disparu dans un abîme. Que s'était-il donc produit ? D'où lui venait cette soif insatiable de vengeance ?

Perplexe, il évoqua longuement ses derniers souvenirs. Il y avait cet homme blond qui portait la barbe. Louis se battait avec lui. Un autre, gros et sale, les regardait faire avec un sourire narquois. Non, ce n'était pas ça. Ou peut-être que si... Le pan d'une tente qui battait au vent. Un pot de terre cuite enveloppé de linges humides qui roulait par terre jusqu'à ses pieds. C'était peut-être ça aussi. Mais qu'est-ce que c'était ? Une grande femme blonde qui riait, penchée au-dessus de lui, et qui l'embrassait goulûment avant de s'empaler sur son membre érigé en l'étouffant sous son poids. Il frissonna de dégoût. Mais non, ce n'était pas cela non plus.

Un feu. Tout lui revint. Le craquement du feu. Les jambes des hommes qui se tenaient autour. Et, derrière son dos à lui, le fût du chêne contre lequel il était plaqué par ses liens. Le feu. Les brandons et l'odeur du fer porté au rouge. Une main charnue, protégée par un morceau de cuir, serrant un tisonnier qui s'approchait dans la nuit. Il reconnaissait cette main. Et le visage velu de celui à qui elle appartenait. Trahison. La douleur. Atroce. Fulgurante. Et son cri méconnaissable qui sombrait, avalé par le non-être.

Louis retomba, en proie aux convulsions.

— Le démon s'agite encore en lui, dit l'infirmier à l'un des frères qui entrait.

*

Assis dans son lit, le dos appuyé contre ses oreillers, Louis eut amplement le temps de faire le point. Il commença par une soigneuse auscultation de ses quinze années de vie dont le souvenir était enfin restauré dans son intégrité par son début de rémission. C'était quinze ans d'abus dont il voulait ardemment se dépêtrer, et ce, même s'il n'avait guère connu autre chose. Sans savoir pourquoi, il songea au jour où il avait annoncé à Firmin son intention de se marier. Ce jour-là, l'une des première fois de sa vie, il s'était senti un homme devant son père. Firmin en avait été amoindri, il s'était mis à perdre son ascendant sur lui à un point tel qu'il avait été obligé d'avoir recours à son ultime défense, un testament qu'il ne savait pas lire lui-même et qui allait un jour faire de l'abbaye, celle-ci, justement, celle de qui dépendrait son avenir à lui.

Le chien frappé par une main hostile se méfiera ensuite de toutes les mains, y compris de celles qui ne désirent que le caresser. Toute main qui se lève, peu importe son dessein, est immédiatement jugée agressive, et la bête mord. En contrepartie, la douleur et le chagrin qui en résultent chez la personne bien intentionnée n'émeuvent pas le chien : pour lui seul le mal existe, les caresses ne sont qu'une façon hypocrite d'endormir la méfiance pour mieux dominer par les coups plus tard. Ainsi et peu à peu, le chien s'isole de la personne devenue elle aussi méfiante. Il a de moins en moins l'occasion de voir sa théorie faussée par une quelconque expérience bénéfique. Les occasions se font de plus en plus rares d'abattre les préjugés et de rétablir sur des bases objectives des rapports de cordialité.

*

Louis commença par observer les moines. Il les laissa faire.

Mais il était comme une bête sauvage. Il ne réalisait pas pleinement que c'étaient eux qui l'avaient sauvé et soigné.

L'abbé procéda à une étrange cérémonie au cours de laquelle il l'aspergea avec un goupillon. Il lui demanda de réciter un *Pater Noster*. Comme Louis ne connaissait pas cette prière, l'abbé la lui dicta phrase par phrase. Louis l'apprit par cœur avec une grande aisance. Enfin, il lui fit faire le signe de croix et ce ne fut qu'après en avoir terminé avec tout cela qu'Antoine l'informa qu'il venait de procéder à un exorcisme. Louis manifesta de l'étonnement du fait qu'il n'avait pas eu à subir de châtiments. L'abbé expliqua:

— Ce Magister est un imposteur. Tu aurais tort de retenir quoi que ce soit de ce qu'il t'a dit ou de ce qu'il t'a fait. Le nom même qu'il s'est donné est un blasphème.

Louis se demanda si le faux prêtre était parvenu jusqu'à Avignon avec ses acolytes. Il était persuadé que son père était encore avec lui. Firmin n'allait pas renoncer au statut qu'il s'était nouvellement acquis, tout incertain qu'il pût être.

L'adolescent concentrait toute son attention sur le périple des Pénitents afin d'empêcher une autre pensée, lancinante, de resurgir. En vain. Elle ne cessait de tempêter pour remonter à la surface. Parfois, exténué d'avance, Louis s'y abandonnait en éprouvant une souffrance que nul remède ne pouvait apaiser. Cette pensée se répandait dans ses veines comme un poison: «S'il a été capable de me faire tout ça, se disait-il, c'est peut-être vraiment parce que je ne vaux rien. Je suis une erreur, qu'il a dit. Peut-être que c'est pour ça que je les ai tous perdus... mon chat, Mère, Églantine, notre enfant. Je ne les méritais pas.»

Comme pour se protéger de l'averse glaciale que subissait son âme, il se recroquevillait pour attendre la rafale suivante.

«Ce qui m'arrive, peut-être que je le mérite. Sont-ils morts par ma faute, parce que je n'avais pas le droit de les aimer? Qu'ai-je donc fait? Je ne comprends pas.»

Pour toute réponse, le silence.

Ces réflexions obsessives étaient si pénibles que Louis se trouva dans l'obligation de tourner contre lui-même le système défensif qu'il avait jusque-là utilisé contre le monde extérieur. C'était ce qu'il appelait son éteignoir. Il en éprouva un tel soulagement qu'il se persuada que ce système fonctionnait à volonté, même si ce n'était pas vraiment le cas.

*

Un mois entier s'écoula avant que Louis pût être tiré de sa recluserie*. Au cours des dernières semaines, ses crises d'épilepsie s'étaient graduellement espacées d'elles-mêmes jusqu'à cesser tout à fait. Cependant, certains malaises persistèrent plus longtemps : fatigue, absences, difficulté à se concentrer, maux de tête et anxiété. Parfois, sans aucune raison apparente, son cœur battait la chamade et le plongeait dans une angoisse à peine supportable. Il arrivait que ses jambes se dérobent sous lui sans prévenir. Il se réveillait plusieurs fois la nuit en criant. Il suffisait d'un rien, une voix ou une odeur, pour que la souffrance de sa captivité encore récente se rappelle à lui avec toute son acuité. Quelque chose sur ses traits était en train de changer, de durcir. Il ne s'en aperçut pas, car il n'avait aucune occasion de voir son reflet. Il ne put donc constater que ses yeux, très brillants, demeuraient presque toujours largement ouverts et que cela lui donnait un air un peu égaré. Un air furieux, surtout, même quand il ne l'était pas.

— Il est tiré d'affaire. Un peu plus et il devait réapprendre à marcher, dit l'infirmier à Antoine, tout fier de voir son patient arpenter seul sa chambre en prenant appui contre le mur. Sa guérison se déroulait mieux que les circonstances ne l'avaient laissé prévoir.

Ainsi Louis reçut-il la permission d'aller prendre l'air quotidiennement dans le jardin, en autant qu'il fût accompagné d'un frère. C'étaient toujours les trois mêmes qui se portaient volontaires pour cette tâche, de même qu'ils s'étaient relayés à son chevet lorsque l'abbé avait interdit à l'un d'eux d'y passer tout son temps. Il s'agissait de Pierre le robuste, Lionel le muet et Lambert le ricaneur. Tous trois semblaient avoir pris Louis en affection en dépit de la réserve qu'il manifestait à leur égard.

L'abbé lui rendait visite régulièrement pour prendre de ses nouvelles.

— Il a un appétit d'ogre, mon père, lui dit l'infirmier. Il mange tout ce que je lui donne. Absolument tout. Même la salade de pissenlits, la soupe d'orties tendres, la mongette ou le chervis que j'ai habituellement bien du mal à faire ingurgiter aux jeunes. C'est d'autant plus étonnant que le malaise dont il est atteint occasionne très fréquemment des problèmes de digestion. Toujours est-il que je me suis amusé d'une petite farce à ses dépens. Mais, je vous en prie, ne lui en dites rien. Hier, je lui ai fait servir un énorme monticule de purée de navet et une triple portion de porc. Que Dieu me pardonne, mon père, ce n'était qu'un vilain tour. Il y en avait suffisamment pour quatre, là-dedans. Eh bien, il a tout dévoré jusqu'à la dernière bouchée. Il n'a même pas bronché en voyant arriver ce monstrueux repas.

Antoine avait le feu aux joues. L'infirmier, penaud, se méprit sur la signification de cette rougeur. L'abbé déployait toute sa volonté pour ne pas éclater de rire. C'était vraiment trop inopportun. Il finit par réussir à prendre la parole.

— Bien, bien, en voilà, une bonne nouvelle. C'est là un signe indéniable que notre miraculé prend du mieux. Je ne vois aucun mal à ce qu'il ait un bon appétit. Seulement...

Ses yeux pétillèrent de malice.

— Veillez à ce que cela ne se reproduise plus. Sinon, je me verrai dans l'obligation de divulguer ce que je viens d'apprendre à Louis, et j'ai comme vous la forte impression qu'il ne sera pas content de passer pour un goinfre.

— Il se met effectivement en colère pour des riens. Il faudra que je veille à ne pas lui donner trop de nourriture épicée. Son foie produit trop de bile jaune[68].

*

Même si le clergé avait la réputation de négliger l'hygiène, hormis le lavage des mains qui, lui, était courant, et même si la règle bénédictine ne prévoyait que deux bains par an et un rasage par trimestre, la pratique des bains était inégalement partagée. Louis se baigna à chaque jour et nul n'y trouva à redire. C'était un besoin instinctif d'effacer sur lui toute trace de violence. Et il aimait la propreté.

L'adolescent entreprit sa convalescence dans l'adorable fouillis que constituait l'un des coins ombragés du jardin qui donnait sur l'hôtellerie. Il ressentit bien vite le besoin de s'occuper les mains et on commença à lui confier quelques menus travaux, tels que la fabrication de patenôtriers* à partir de dés en os retaillés qui avaient été abandonnés par leurs propriétaires repentis. Au fur et à mesure qu'il se rétablissait, ses tâches devenaient multiples et variées.

Lambert l'initia au jardinage et commença à lui inculquer quelques connaissances de base sur les propriétés de certaines plantes médicinales. Cela l'intéressa beaucoup. Le frère Pierre, quant à lui, mit l'adolescent à l'ouvrage du côté de l'entretien et de la réfection de certains bâtiments utilitaires qui avaient été négligés du fait que la communauté avait considérablement rapetissé au cours de cette dernière année. Même si rien n'y paraissait, Louis semblait apprécier la compagnie sobre et cartésienne de Pierre. Le convalescent fut même affecté aux cuisines à quelques reprises, ce dont il raffola. L'abbé en conçut d'ailleurs une certaine inquiétude, car Louis semblait une proie décidément trop facile pour le péché de gourmandise. Lionel n'eut pas autant de succès avec les livres: à chaque fois qu'il avait invité un jeune novice à lui faire un brin de lecture, Louis s'était endormi. Même les épopées antiques et tumultueuses n'arrivaient pas à capter son attention. Louis préférait de loin le *longbow** du frère Pierre aux plumes d'oie bien taillées. L'apprentissage de la lecture et de l'écriture ne l'intéressait pas. Dépité, Lionel l'envoya donc faire du ménage dans la bibliothèque.

—Je suis allé sur la Grande Île* dans mes jeunes années, dit le frère Pierre à Louis, tandis qu'ils installaient tous les deux une sorte d'établi sur une pelouse ensoleillée.

La veille, l'adolescent avait aperçu le *longbow* dans une remise. Après qu'il eut mené sa petite enquête à son sujet, Pierre avait été consulté par le jeune convalescent. Il avait été enchanté de l'intérêt que Louis portait à cet objet dont il ne pouvait s'empêcher d'être fier.

—C'est là que j'ai appris le maniement du grand arc gallois et comment on le fabrique, dit-il. Tu vois, celui-ci appartient à l'abbaye. C'est moi qui l'ai fait et je l'ai donné. Mais je sais aussi comment fabriquer des arcs plus petits. Pour la chasse.

Le moine fit une pause, le temps de jeter à Louis un regard significatif. Comme plusieurs de ses confrères, Pierre n'était pas sûr d'aimer ce qu'il voyait naître dans le regard de Louis. On eût dit qu'il reprenait des forces au détriment d'autre chose, de quelque chose d'essentiel qui allait en s'étiolant.

Un jour, le couvercle d'un coffre s'était accidentellement refermé sur les doigts de Louis. Pierre s'était précipité pour l'ouvrir, mais Louis n'avait pas bougé. Il l'avait regardé, l'air étonné, comme s'il ne s'était aperçu de rien, comme si, par quelque sortilège, l'adolescent avait pu apprendre à éteindre la douleur, et l'image même de ce qui l'avait causée.

Louis ne riait ni ne pleurait jamais. On ne pouvait savoir avec certitude s'il aimait faire quelque chose ou non. Il ne disait rien. Aussi quand il voulut apprendre le tir à l'arc, le frère Pierre accepta d'emblée. Après tout, vouloir était ce qui se rapprochait le plus d'aimer, dans son cas. Pourtant, il demanda, en soupirant:

—Es-tu certain de vouloir apprendre ceci?

—Oui.

—La vocation des archers de France n'est pas des plus enviables.

—Qui vous a dit que je désirais être archer? Vous l'avez dit vous-même, c'est pour la chasse.

—Je crains que cela ne te soit plus nuisible qu'utile. Le braconnage est interdit.

—Je saurai être prudent.

—Très bien. Je n'ai aucune envie de te refuser ce que tu demandes, va savoir pourquoi. Peut-être parce que tu es opiniâtre. J'admire cela, moi, l'opiniâtreté. Peut-être ai-je tort. Mais se battre comme je t'ai vu le faire pour survivre, bon, ce n'est pas donné à tout le monde. Il faut être aimé de Dieu.

Gêné, Louis se racla la gorge. Le frère Pierre se reprit :

—Qu'est-ce qui me prend de te faire un sermon ? Je n'en fais jamais. Le soleil doit taper trop fort. Viens un peu par là.

Pierre se frotta l'arrière de la tête. Ses cheveux couleur de fer étaient si ras tout autour de sa tonsure qu'ils n'en furent aucunement dérangés. Il dit :

—Eh oui, nous aurons besoin de tout ça pour fabriquer un bon arc à main. Tout ce bazar que tu vois là. C'est devenu un art presque aussi complexe que celui de fabriquer un instrument de musique. Tu comprends, on ne les fait plus comme il y a deux ou trois cents ans, avec de l'if, de l'ormeau ou de l'érable massif. Les techniques ont beaucoup évolué. L'arc est devenu une arme puissante dont, à mon avis, le *longbow* est la forme la plus achevée. Tiens, prends ceci. C'est de l'if, le bois des druides. Ne va pas répéter ça, surtout, je risque de passer pour un païen. Comme je le disais, les ancêtres ont très bien su utiliser l'aubier pour fabriquer leurs arcs. Sais-tu pourquoi ?

Louis fit un signe de dénégation et, les bras chargés de matériaux hétéroclites, il suivit Pierre dehors jusqu'à l'établi temporaire où s'était posée l'une de ces jolies petites mouches en livrée métallisée, véritable bijou ailé. Ils posèrent leurs affaires et Pierre reprit :

—L'aubier étant la partie jeune de l'arbre, il possède la propriété d'être plus souple et extensible que les couches plus profondes. Pour nos arcs composites, on en taille une couche épaisse qui va être posée sur la face externe de l'arc, celle qui doit être la plus flexible. Retournons.

Ils revinrent quelques minutes plus tard avec d'autres objets, parmi lesquels des bocaux remplis de matières gluantes. La petite mouche s'envola pour continuer ailleurs ses méditations sur l'été.

—L'avant aussi est en aubier, poursuivit Pierre. Mais pour la partie centrale on emploie le bois dense du cœur de l'if. Seigneur, on ne pourra pas tout faire aujourd'hui. Je compte sur toi pour ranger tout à l'heure... À moins que tu ne m'accompagnes aux vêpres ?

—D'accord.

—Le dos d'un arc composite est renforcé par une couche de

matériau résistant à la tension. Le mieux, c'est un tendon. Mais attention, il ne faut pas prendre un petit bout de n'importe quoi, sinon, tôt ou tard, l'engin finira par te péter en pleine figure. C'est un tendon comme celui-ci, qu'il faut. Il n'y a rien de tel. C'est ce grand ligament qu'on prend là, chez les mammifères.

Il désigna sa nuque, faisant référence à la colonne cervicale.

— Sur la face concave, il te faut une matière qui se comprime mieux que le bois. Essaie d'étirer une bonne branche : rien à faire, ça ne cède pas. Mais pèse dessus, comprime-la juste un peu et tu vas l'entendre claquer en un rien de temps. D'où la présence de la corne sur notre établi. Tu ne dors pas encore ?

— Non.

— Je devrais te lire un des livres du frère Lionel. Le choix des colles, ça, c'est malaisé. Veille à n'utiliser que de la colle de sabot d'excellente qualité. Au moindre doute, fais-la boire au marchand. Je plaisante. Bon. Une fois tout cela assemblé, on n'a pas encore fini. Il y a la corde, comme de raison, mais il faut aussi tailler et chauffer les extrémités pour les incurver légèrement dans le sens contraire des fibres. Ensuite, on badigeonne l'arc avec un mélange de suie et d'huile de lin que l'on devra mettre à bouillir. Cet enduit empêchera le bois de sécher. C'est aussi ce qui va donner sa couleur à ton arc. Habituellement, cela donne un beau doré.

— J'en ai déjà vu un noir.

— Si c'est ce que tu veux, on le fera comme ça. C'est très facile, on ajoute davantage de suie au mélange d'huile, et le tour est joué. Bien. Après, on ajuste aux extrémités deux pièces de corne où fixer la corde tressée avec du bon chanvre et trempée dans la colle... C'est presque l'heure des vêpres.

Pierre leva les yeux afin d'évaluer la course du soleil.

— Au fait, j'y songe : savais-tu que le frère Lionel a une horloge[69] dans la bibliothèque ?

— Une quoi ?

— On y reviendra. Je veux te dire ce qu'il nous reste à faire. Ainsi nous serons prêts demain : nous pourrons recouvrir ton arc de cuir, de parchemin ou d'écorce de bouleau en bandes placées obliquement. Ces finitions servent à deux choses : d'une part elles protègent l'arc, la corne et les tendons. D'autre part, elles y maintiennent un certain taux d'humidité pour éviter qu'il ne devienne trop sec.

La cloche de l'église abbatiale commença à sonner.

— Nous y voilà. Oh, j'oubliais. Même le meilleur arc a besoin d'un minimum d'entretien : il faut le frotter à la cire d'abeille aux quinze jours. C'est, grosso modo, le savoir théorique dont nous avons besoin. Mais le plus difficile reste à venir : l'entraînement. Tu viens à l'office ?

— Et les flèches ?

— Je te montrerai. Mais il nous faudra d'abord ramasser des rameaux de frêne bien droits. Penses-tu pouvoir dérober quelques plumes d'oie à notre bon frère Lionel ?

Il éclata de rire et donna une petite tape amicale sur l'épaule de son élève. Louis ne rit pas. Peut-être n'avait-il pas compris. Ils prirent la direction de la chapelle.

*

Le bibliothécaire muet étonna le frère Pierre en se révélant un élève très doué. Il promettait de devenir un archer hors-pair. Mais quoi, le *Poverello* d'Assise n'avait-il pas été chevalier avant que d'aller servir son vrai Seigneur ? Le moine athlétique ne trouvait donc rien d'anormal au fait de voir le doux frère Lionel délaisser un moment sa plume et ses grimoires pour venir s'exercer avec eux dans le petit Pré-aux-Clercs. « De prendre un peu l'air ne peut que lui faire du bien », disait-il. Pierre éprouvait beaucoup de fierté pour la progression de ses deux élèves. Ce qu'il ignorait, cependant, c'était que Lionel n'aimait pas tirer à l'arc. Ses livres lui manquaient dès l'instant où il les mettait de côté. Il n'assistait aux leçons d'archerie et n'y participait que pour Louis, parce que l'adolescent ne venait presque jamais le voir à la bibliothèque.

Louis consacrait plusieurs heures quotidiennement à l'exercice. Bornoyer* pour viser le bersail* à vingt toises* n'était pas tout : il existait toute une science du maintien de l'archer, de sa façon d'armer et de la rapidité avec laquelle il savait le faire. Il fallait tenir compte du vent, de la tension de la corde, de l'humidité ou de la sécheresse ambiante, bref, d'une quantité de facteurs auxquels on n'accordait guère d'attention au vu des gestes gracieux et souples d'un bon archer, qui avait néanmoins appris à évaluer tout cela en un clin d'œil et à agir en conséquence sans que rien n'y parût.

En moins d'un mois, Louis acquit suffisamment d'habileté pour atteindre du premier coup des cibles mouvantes. Il y mettait un acharnement qui frôlait la frénésie, à un point tel que Pierre vit à cet apprentissage un stimulant, un puissant vecteur de guérison. En effet, il n'y avait pas à douter que Louis se portait de mieux en mieux. Lionel, que l'on avait affecté au lancer des projectiles, arrivait chaque jour aux vêpres avec des courbatures aux épaules et aux bras.

Lorsqu'il apprit que Pierre et Louis s'étaient par-dessus le marché mis au behourd*, l'abbé Antoine décida que le moment était venu d'intervenir.

*

Louis s'adonnait à l'exercice avec une diversité et une fluidité de mouvements, avec une aisance également qui n'étaient pas sans évoquer les arts martiaux.

—Il a ça dans le sang, dit un Pierre essoufflé et admiratif à l'abbé qui était venu les voir.

Antoine décida de les regarder faire un moment. Louis était totalement concentré. Il ne parut même par remarquer sa présence ni même l'interruption que son arrivée avait occasionnée. Il reprit là où Pierre avait laissé. Leste, il lia par la gauche, puis par la droite, et fit une parade. Il utilisait sans hésiter le plat de sa lame en bois pour éloigner son adversaire ravi et, le prenant par surpris, enchaînait avec un corps à corps. D'un geste en apparence incongru, il empoigna par sa lame en bois l'épée de son professeur.

—Très bien. Très, très bien. Tu l'as prise juste où il fallait, dit ce dernier.

Pour arriver à cette précision, il fallait que Louis ait déjà pris le temps de connaître avec précision les techniques d'affûtage des différentes parties de la lame.

Pierre prit son adversaire de vitesse et porta un coup de taille qui eût été dangereux avec une véritable épée. Mais Louis bloqua correctement à l'aide de son bouclier, qu'il permutait aisément avec son épée, car le moine avait insisté sur l'importance de cette technique. Savoir manier l'épée de la main gauche allait donner l'avantage à son élève, car si une blessure survenait au bras droit, il n'allait pas se retrouver désarmé. De plus, non seulement cela avait un effet de surprise qui déstabilisait l'adversaire, mais certains mouvements, tout à fait exclusifs aux gauchers, donnaient du mal aux droitiers lorsque venait le temps de répliquer.

Très souvent, l'adolescent se faisait stopper net dans ses élans par son professeur. Il écoutait avec une grande patience ses explications au sujet de tel travail du poignet ou de tel jeu de jambes. L'escrime était une science qui relevait presque de la danse, où la finesse et le raffinement jouaient un rôle essentiel[70].

—Pour lui, cela devient une forme de contemplation, dit Antoine, tout bas.

Pierre s'arrêta. Louis fit de même et tint son épée de bois

devant lui, plantée en terre. On l'eût dit dans une attitude de recueillement. Pierre marcha vers l'abbé.

—C'en est une, et à l'état pur, dit-il en jetant un coup d'œil vers son élève.

Antoine murmura:

—Pardonne-moi d'interrompre ta leçon, mon fils. J'aurais besoin de m'entretenir un moment avec lui.

—Mais bien sûr, allez-y. Vous n'avez pas de permission à me demander, mon père.

—Merci bien... Puis-je prendre un peu de ton temps, mon fils? dit-il en s'adressant à Louis.

Le convalescent lâcha le manche de son outil et rejoignit l'abbé rondelet. En silence, ils marchèrent de concert jusqu'au potager.

«Comment aborder le sujet avec lui tout en n'ayant l'air de rien?» se demandait le petit homme rougeaud. Remettre en question les motivations de quelqu'un, c'était violer l'un des tabous sacrés de la politesse, à ses yeux, et le moine, dans ce cas précis, jugeait la politesse primordiale, puisqu'elle avait pour rôle de minimiser l'éveil de l'agressivité. Le tempérament fougueux du jeune homme n'avait certes pas à être provoqué. Il regarda Louis, dont le maintien racé et altier semblait ignorer tout malaise. Prétexter ses récentes blessures pour restreindre chez lui la pratique d'un sport exigeant allait donc être inutile, sinon quelque peu malhonnête.

—Il me faut admettre en toute franchise que, le jour de ton arrivée ici, je ne croyais pas que tu en réchapperais. Ta guérison tient du miracle. Le Seigneur a intercédé pour toi. Tu sais cela, n'est-ce pas?

—Oui.

—Éprouves-tu de la reconnaissance d'être en vie et de te trouver sur la voie de la guérison?

Louis ne répondit pas tout de suite. Antoine regarda le frère Lambert qui s'était accroupi dans le potager, entre deux rangs de jeunes plants qu'il entretenait avec grand soin. Un soleil printanier réchauffait agréablement le dos couvert de bure noire, alors qu'une brise douce folâtrait dans les cheveux du jardinier. L'abbé cessa de marcher et fit face à Louis.

—J'ai beaucoup prié pour toi.

—Merci. Je vous en suis reconnaissant.

—Que tu sois en mesure de pratiquer toute cette activité physique, c'est là une grâce bien spéciale.

—C'est vrai.

— Dis-moi, que comptes-tu faire lorsque tu seras complètement rétabli? As-tu des projets?

L'adolescent cligna des yeux et regarda ailleurs.

— Non, je n'en ai pas.

— Louis, te plais-tu parmi nous?

— Oui.

Si Antoine fut persuadé que son interlocuteur avait menti à sa première question, il fut également persuadé qu'il avait dit la vérité à la seconde. Et il avait deux fois raison. Louis se plaisait à l'abbaye. C'était propre et apaisant. Personne ne lui cherchait noise. Il aimait apprendre le jardinage avec Lambert. La compagnie de ce plaisantin était stimulante, même si Louis ne se montrait jamais amusé de ses facéties. Personne ne s'en doutait, mais c'était là ce qu'il préférait, hormis les moments passés à la cuisine. Le maniement des armes ne l'intéressait que pour une raison bien précise que lui-même ne pouvait pas évoquer clairement et qui constituait précisément l'essentiel de ses projets. Mais oui, Louis aimait vivre à l'abbaye. Il aimait même la chambrette qu'il occupait dans l'aile de l'hôpital. Pour la première fois, il découvrait ce que pouvait être réellement la vie, il se plaisait à laisser les jours filer dans le calme, sans avoir rien à appréhender. Il travaillait et se reposait dans une atmosphère qui favorisait le développement de talents et d'habiletés que son vécu avait jusque-là occultés. Ce mode de vie était très attrayant, même s'il se savait incapable d'en retirer tous les bienfaits.

La voix d'Antoine l'arracha à ses réflexions:

— Permets-moi de te demander quelque chose, mon fils. Mais, d'abord, je tiens à ce que tu saches que tu n'es contraint en rien. Tu es tout à fait libre des choix que tu feras et personne ici ne te jugera pour ça.

Il fit un signe d'assentiment.

— Louis, entends-tu l'appel de Dieu?

— L'appel?

Il regarda en direction de l'église. Antoine reposa sa question autrement, se souvenant que Louis était de ceux qu'il fallait aborder d'une façon directe, sans figures de style:

— Désirerais-tu être des nôtres et te faire moine?

L'adolescent écarquilla les yeux et ne sut que dire. Antoine lui tapota le bras et se hâta d'ajouter:

— Je ne te demande pas une réponse immédiate, mon fils. Prends tout le temps qu'il te faut pour y réfléchir. Rien ne presse.

— D'accord, dit-il en reculant hors de portée.

—Le Seigneur saura te guider si tu Lui demandes de t'éclairer sur ce qu'il convient de faire.

—Non, je veux dire... d'accord. C'est d'accord. Je veux me faire moine.

Ce fut au tour d'Antoine d'être surpris.

—Tu en es sûr?

—Oui.

—N'est-ce pas là une décision un peu rapide?

—Non. J'aime le monastère.

—Ce n'est pas tant le monastère qu'il faut aimer, mon fils, mais Dieu.

—J'assisterai aux offices et je travaillerai fort pour Dieu.

Antoine ne put s'empêcher de sourire à ces mots d'enfant issus de la bouche d'un homme. C'était d'une adorable simplicité. Une simplicité sainte.

—Très bien, alors... répondit-il

—Est-ce que ça veut dire que je pourrai passer tout le reste de mes jours ici?

—Mais bien entendu!

C'était une perspective étourdissante à laquelle Louis n'avait jamais songé. Il avait toujours cru que seuls les gens riches, savants et importants pouvaient devenir moines. Passer sa vie entière à l'abri derrière ces murs, dans ce lieu propre et empli d'une quiétude qui lui était encore inconnue deux mois auparavant... ne plus avoir à lutter pour survivre... tout un avenir constitué de belles journées tranquilles, ponctuées de travail et de prière, avec la certitude de pouvoir manger à sa faim et de dormir la nuit, à l'abri dans sa cellule. Et, pour avoir tout cela, il n'avait qu'à accepter de se donner à Dieu. Un peu nerveusement, il dit:

—Merci.

—Merci, mon père, corrigea Antoine en souriant.

— Oui. Mon père.

Louis se demanda s'il allait un jour être capable de dire cela sans penser à Firmin.

Antoine ajouta:

—Lorsque tu seras prêt, tu iras voir le père Bernard. C'est le maître des postulants. À partir du moment où ta candidature sera acceptée, tu commenceras à vivre comme un bénédictin et ce, pour une durée d'un an. Pendant cette période probatoire, tu seras tout à fait libre de partir si tu venais à sentir que cette vie n'est pas faite pour toi. Après quoi, si tu le décides, tu deviendras novice et prendras l'habit pour une nouvelle année. À ce stade, tu seras encore libre. Tu pourras prononcer tes vœux temporaires, ce qui fera de toi un profès. À ce moment-là, il te restera trois ans avant de prononcer tes vœux définitifs. Tu ne deviendras donc réellement moine qu'au bout de cinq ans[71]. Telle est l'importance de l'engagement contracté. Il faut que tu sois absolument certain de ta vocation religieuse. Va, maintenant. Va voir Bernard.

L'abbé regarda Louis se diriger vers l'un des bâtiments annexes. Il se réjouissait beaucoup plus qu'il n'en avait l'air de la décision prise par l'adolescent. S'il avait été décontenancé sur le coup tant elle avait été subite, il ne doutait aucunement de sa valeur. Louis n'était pas de ceux qui prenaient les choses à la légère. Il aima sa foi toute simple qui, il le savait, était pour lui inextricablement liée à un minimum de besoins matériels. Il avait traversé tant d'épreuves. Pourtant si Antoine ressentait de la joie, c'était surtout parce qu'en prononçant le vœu d'obéissance, Louis allait se voir contraint de museler des tendances qui avaient fort besoin d'être réprimées. C'était le but premier qui l'avait incité dans sa démarche. Car l'abbé n'était pas sans savoir que le miracle guérisseur de Louis avait pour nom *esprit de vengeance*. Le maître des postulants allait faire en sorte de restreindre la trop grande place prise par l'escrime et le tir à l'arc dans sa vie, y compris l'objectif que cet apprentissage impliquait. Louis allait devoir se montrer sociable en plus d'effectuer les travaux qui allaient lui être assignés. Son intégration à la communauté allait lui faire le plus grand bien, de cela Antoine était persuadé.

*

Louis ne tarda guère à suivre les directives de l'abbé. Il lui tardait de concrétiser sa décision et il fut bientôt admis parmi les postulants.

Le père Bernard était un moine très âgé. Il représentait la figure paternelle et bienveillante dont avaient besoin les candidats, souvent très jeunes, dont la vocation religieuse était encore incertaine ou fragile. Les coups de sa férule se faisaient aussi rares qu'ils étaient fréquents chez le père Thomas, le maître des novices. Mais si Bernard était reconnu pour son indulgence, le père Guillaume, prévôt[72] de la communauté, était tout de même informé immédiatement par lui de toute inconduite des candidats.

Or, peu de temps après, le père Bernard fut précisément mandé chez le prévôt, qui venait tout juste d'apprendre, de la bouche du cellérier[73], que quelqu'un était entré par effraction dans son office. Le moine avait précisé :

— Hier soir, j'ai aperçu le frère Lambert et Louis qui rôdaient alentour.

Le joyeux frère Lambert fut appelé sur-le-champ. Il s'était de sa propre initiative substitué à Pierre pour meubler les temps libres de Louis. Il l'emmenait partout, depuis le jardin jusqu'aux clochers de l'église. Le prévôt n'ignorait pas que le cellérier était reconnu pour son fichu caractère. Il avait poursuivi, de son ton accusateur :

— Je voulais vous en parler sans plus attendre. J'en ai assez de voir ce grand escogriffe traîner chez moi pour épier mes moindres mouvements. De grâce, mon père, affectez-le aux cuisines. Après tout, n'est-il pas le fils d'un boulanger ?

Lambert rit et répondit :

— Il sera cent fois pire aux cuisines, mon père : les plats n'auront pas le temps d'atteindre le réfectoire.

— Parlons-en, de sa gourmandise. Il est insatiable. Pourtant la règle de saint Benoît ne dicte-t-elle pas que tous, sauf les malades, doivent s'abstenir de viande ?

— C'est effectivement un garçon très curieux et énergique, dit Bernard. Et il a effectivement bon appétit. Cependant, je me dois de vous rappeler qu'il est en convalescence.

— Mais il n'est plus malade. Le moment est venu pour lui de se conformer à la règle s'il souhaite se faire moine.

— Vous avez tout à fait raison et il le fera. Comme nous, il est d'ores et déjà tout à fait libre de manger moins. Or, il n'en manifeste pas encore l'envie. Mais cela viendra. Chaque chose en son temps. Sachons nous montrer patients. Une application trop rigoureuse de la règle peut nuire à la démarche pleine de fraîcheur d'un jeune homme qui se dispose à faire don de sa vie à Dieu.

— Mais...

— Mais, en attendant, il est de mon devoir de vous corriger à propos de la règle, car vous faites fausse route. Tout d'abord, Benoît n'a pas parlé de viande mais de «chair des quadrupèdes», et même alors, ses exceptions comprenaient les malades ET les faibles. Par faible, le saint devait entendre «affaibli par l'effort physique». Louis est d'une nature vigoureuse faite pour l'action. J'estime donc qu'il a besoin de manger davantage de viande que vous et moi qui nous vouons plutôt à la contemplation. Nous ne devons pas le contraindre à servir le Tout-Puissant d'une manière qui ne convient pas à son tempérament sous le seul prétexte que c'est pour nous deux la bonne manière.

Le cellérier leva les yeux au ciel. Le frère Lambert suivait cet échange d'extraits doctrinaux avec un vif intérêt, un sourire amusé aux lèvres. Bernard reprit :

— Avant que vous n'abordiez aussi le sujet du vin, je veux vous rappeler que le saint dit : « Nous lisons que le vin n'est absolument pas le breuvage des moines. » Ce « nous lisons » implique qu'il ne souscrit pas entièrement à cette proscription. De plus, il dit qu'une pinte de vin par jour doit suffire à n'importe qui. Mais il nous prévient de ne pas boire jusqu'à satiété. Il est clair qu'il ne s'attend pas à voir les moines s'abstenir de boire totalement et, malheureusement trop souvent, l'eau est impropre à la consommation.

— Mais il est également écrit : « Que ceux à qui Dieu accorde le don d'abstinence sachent qu'ils recevront leur récompense », cita le cellérier, en désespoir de cause.

— C'est vrai. Nous avons en nos murs même l'admirable frère Lionel pour nous prouver ce fait. Il incarne le moine dans sa plus totale perfection. Dites-moi, mon père, est-ce que vous sauriez mortifier la chair comme le fait notre mystique pour le bien de votre âme ?

— Ah ! ah ! ah !.. Oh, pardon.

Lambert se mit une main sur la bouche. Bernard sourit avec indulgence et reprit :

— La première épître de Paul aux Corinthiens affirme : « Chacun a son propre don de Dieu, l'un de cette façon, l'autre d'une autre. » C'est pourquoi saint Benoît dit : « Pour cette raison, on ne saurait déterminer la quantité de nourriture d'autrui. »

Incapable de se composer un visage qui ne fût pas hilare, Lambert conclut :

— En guise de consolation, j'essaierai de vous mettre de côté l'une de ces tartelettes au fromage que j'ai aperçues aux cuisines. S'il en reste, bien sûr.

*

Les moines étaient déjà attablés et mangeaient en silence lorsque Louis entra dans le réfectoire et se lava les mains, les avant-bras et le visage. Il abaissa les manches de sa tunique en futaine brun sombre[74] avant de prendre place sans faire de bruit. L'eau lui vint à la bouche lorsqu'il vit le contenu de sa gamelle. Comme le calendrier n'avait aucune raison valable ce jour-là d'imposer maigre et jeûne, un beau morceau de volaille rôtie accommodé de sauce épicée avec, en guise d'accompagnement, une purée de navet semée d'herbes fraîches attendait déjà le postulant affamé. La chère modeste des moines faisait toujours figure de véritable festin pour lui. Il en oublia presque de faire le bénédicité.

— Louis! appela le prévôt, rompant la règle du silence ainsi que c'était son droit.

Les autres moines s'arrêtèrent de manger et pendant un instant il n'y eut plus le moindre bruit dans le réfectoire. Le prévôt annonça, d'une voix qui trahissait une grande satisfaction:

— La règle interdit aux retardataires de prendre leur souper.

Tout le monde attendait. Louis, qui portait déjà un peu de purée couleur or à sa bouche, dut consentir à remettre la nourriture dans son plat et à s'essuyer les doigts sur la touaille qu'il partageait avec trois autres postulants avant de croiser les mains sur ses genoux et de baisser la tête. Ce qu'il fit avec beaucoup de réticence. Le père Bernard l'encouragea d'un sourire. L'air contrit du fautif était plus vrai que nature, et Bernard n'était pas sans se douter que l'excellent menu en était la cause.

Ce soir-là, le prévôt se délecta très longuement d'une tartelette au fromage au vu et au su de tous.

*

Louis ne s'aimait pas; pas plus qu'il n'aimait les autres. Il se jugeait avec la même sévérité qu'il manifestait à l'égard de son entourage. Il avait conclu qu'il pouvait être sujet aux mêmes faiblesses que quiconque. Seulement, il avait trouvé sa force en travaillant sur la vulnérabilité des autres d'une façon presque imperceptible.

Pierre raffolait de tout ce qui concernait le combat, qu'il n'abordait jamais qu'en tant que compétition amicale. De son côté, Louis faisait en sorte de mettre ce penchant à profit sans qu'il y paraisse. Lorsque l'abbé avait pris conscience de l'importance que l'entraînement avait prise dans leur quotidien, il avait fait venir le moine dans son étude et lui avait dit:

— Notre communauté est désormais sa famille et il est de notre devoir d'encourager sa soif d'apprentissage. Mais, mon fils, je t'en conjure, détourne son attention des armes. Trouve-lui quelque autre occupation qui invite à la paix de l'âme. Dieu sait qu'il en a le plus grand besoin. Il y a en lui une chose qui m'effraie. Je ne voudrais pas être responsable de sa perte.

En dépit de cette recommandation qui avait mis un terme aux leçons du frère Pierre, Louis avait eu le temps d'acquérir les éléments de base de l'archerie et de l'escrime. Il était arrivé à un niveau surprenant de maîtrise, en une période si courte que cela avait quelque chose de surnaturel.

— C'est là, chuchota Lambert en prenant sa meilleure mine de conspirateur. Nous autres, moines, sommes des inventeurs-nés. Ou, à tout le moins, nous savons reconnaître le génie des inventeurs. C'est un moine, qui a ramené d'Extrême-Orient la recette de la poudre noire, tu sais, celle qu'on met dans les bombardes. En as-tu entendu parler?

— Bel exemple, dit Louis.

— Mais ils sont aussi les inventeurs de moult liqueurs somptueuses, mon ami, dont tu n'as même pas idée.

— Comme le vin pétillant de ce Bernard de Clairvaux?[75]

— Tout juste. N'est-ce pas curieux? Douceurs de vivre et armes de guerre émanant toutes deux d'un même creuset, celui des serviteurs de Dieu.

Les deux jeunes hommes s'étaient furtivement glissés dans l'aile occidentale du cloître, puis dans la bibliothèque, à l'insu du frère Lionel, qui était en train de cogner des clous devant un livre ouvert. Lambert pouffa de rire et souffla:

— Regarde-le! Si ça continue, il va s'aplatir le nez contre son lutrin.

L'attention des deux complices revint à l'objet qu'ils étaient venus voir. C'était un mécanisme tout à fait fascinant, composé de roues à engrenage qui ressemblaient, selon la perception que Louis en avait, à un moulin miniature dont il imitait d'ailleurs le cliquetis. Le mouvement de l'objet était assuré par la chute d'un poids attaché autour d'un cylindre. Louis demanda:

— Qu'est-ce que c'est?

— Une horloge, répondit Lambert.

— Une quoi?

— C'est pour donner l'heure de façon très précise.

— Mais il y a déjà nous, pour cela.

Le postulant fit lentement le tour de l'objet et y glissa un doigt inquisiteur. Il s'accroupit et exerça une pression sur le poids. Le pouls du mécanisme s'accéléra. Il sourit d'un air mauvais.

— Tiens, je vais faire tomber la nuit plus vite et, demain, tu auras les cheveux blancs.

— Attention, quand même, dit Lambert, soucieux.

Le moine, qui ne riait plus du tout, sursauta: un livre ouvert venait d'être planté juste sous son nez. Louis se releva hâtivement. Après quelques secondes d'incertitude, l'horloge ralentit et reprit son rythme normal.

Le frère Lionel était ravi de cette visite impromptue. Tout à fait réveillé et les yeux pétillants de malice, il pointa le livre en regardant Lambert.

— Ah, bien... hum, dit ce dernier en se grattant la gorge d'un air coupable.

— Je n'ai pas envie de dormir, moi, dit Louis.

Lambert prit le livre précieusement et résuma le texte et les plans en perspective éclatée montrés par le bibliothécaire enthousiaste :

— Tu vois, ceci explique que rien n'a jamais calculé l'heure de façon aussi fiable. Tout ce qu'on avait date de l'Antiquité. D'abord, le cadran solaire qui ne fonctionne que durant les jours ensoleillés, et ensuite la clepsydre...

— Hein ? demanda Louis en fixant Lionel des yeux.

— La clepsydre. C'est une espèce d'horloge à eau. Cela gèle en hiver et devient donc inutilisable. Tandis que ceci...

Ils regardèrent l'horloge mécanique qui, imperturbable, égrenait ses petites miettes de temps. C'était un objet magique, presque sacré.

Lionel applaudit timidement et reprit le livre, faisant cliqueter une croix de bois noirci au bout de sa cordelette de noyaux d'olives. Louis demanda à Lionel :

— Si elle s'arrête, il se passe quoi ?

*

Lui qui était du genre à préférer servir Dieu d'une manière plus concrète et qui avait toujours manqué la plupart des offices, il s'était mis à y assister fidèlement, de matines à complies. Habillé de sa tunique élimée, qui en ville aurait suscité des rires, il suivait avec les autres postulants plus jeunes et parfois indisciplinés la procession des moines vêtus de leur froc, coule* et capuce noirs et chaussés de sandales. Le père Bernard avait remarqué que sa seule présence intimidait les jeunes gens trop dissipés, et il s'en trouvait fort satisfait. Mais Louis ne faisait rien de répréhensible. Il ne leur adressait même jamais la parole.

Des chandelles veillaient sans trêve sur une nappe de l'autel. Le sacristain[76] au visage congestionné faisait face aux moines et lisait dans un livre ouvert. Les moines émaillaient de leurs répons le texte ainsi déclamé. Louis portait une attention studieuse à ces exercices. Dès la première semaine, il avait mémorisé plusieurs répons.

Il aimait les offices. D'avoir à se lever en pleine nuit pour les matines et les laudes ne le dérangeait pas. C'était doux, apaisant, et il n'éprouvait jamais de difficulté à se rendormir lorsqu'il regagnait le cocon douillet de sa cellule. Cela lui rappelait ses précieuses nuits d'apprentissage clandestin sous la douce tutelle d'Adélie.

La grand-messe dominicale était très différente. Lui qui n'avait connu qu'elle auparavant s'en trouva un peu égaré lorsqu'il y assista le premier dimanche, après toute une semaine d'offices. Le prieur conduisit les moines jusqu'aux stalles du chœur. Louis ressentit une étrange impression, de se trouver là avec les moines plutôt que parmi la foule des fidèles. Les Bénédictins et les prêtres formaient autour de lui une sorte de gangue protectrice, qui seule participait aux rites, si ce n'était quelques prières familières que les fidèles récitaient d'une voix morne. Certains d'entre eux suivaient la messe silencieusement, avec respect, tandis que d'autres circulaient, s'envoyaient la main et bavardaient.

Ce fut alors que, pour la première fois, Louis se sentit coupé du reste du monde. Tout son passé se trouvait là, dans cette foule crasseuse dont les toux et les voix chenues parasitaient les beaux cantiques. Une vague de profond bien-être déferla en lui et il se mit à chanter lui aussi, tout bas. Il leva les yeux vers les voûtes inaccessibles aux vapeurs d'encens. Tel un archange Michel invisible, le soleil y dispersait des épieux rouges, or ou bleus, dépourvus de toute impureté. L'audace technique de l'architecture franchissait les limites du possible; l'art gothique s'affirmait dans ce qu'il avait de plus léger, de plus lumineux, pour s'élever et rejoindre le firmament, la raison même de son existence. Il ne pouvait y avoir en un tel lieu de diable à terrasser. Le regard de Louis s'empêtra dans la plombure des vitraux. Il retrouva dans la nef l'emplacement du vitrail ancien qui l'avait fasciné lors de sa toute première visite à l'abbaye; ce vitrail l'avait beaucoup impressionné, et il savait à présent qu'il illustrait le sacrifice interrompu d'Isaac. Il se souvint d'avoir eu peur lors de cette visite. Maintenant, il n'avait plus peur. Il découvrait que, quoi qu'il advînt de lui désormais, rien ne pouvait être pire que ce qu'il venait de traverser. Il en éprouvait un exaltant sentiment d'immunité. Mais, le plus important, c'était qu'il y avait ici tout ce à quoi il pouvait aspirer. Ici, il n'y aurait jamais plus ni souffrance, ni faim, ni haine. Il y avait du travail en suffisance et de quoi apprendre pour meubler une vie tout entière. Enfin, comme but ultime de tout cela, il y avait un idéal, cette entité abstraite nommée Dieu dont il savait si peu de chose et à laquelle il avait choisi de se vouer. Les seules questions qu'il eût pu poser, celles qui lui revenaient sans cesse, se semaient comme des graines dans une terre aride : aucune humidité n'allait leur permettre de vivre. Par conséquent, il les gardait pour lui et concentrait son attention sur les notions de catéchèse élémentaires que le père Bernard avait commencé à lui inculquer en partant de zéro.

Louis aurait dû être en paix. Mais il ne l'était pas. Et de ne pas être en paix le tracassait.

Le célébrant s'essuya les mains avec son manuterge. Louis relégua ses pensées au tréfonds de son être. Il voulait les éteindre. Elles prenaient trop de place. Ce qu'il voulait, c'était entendre la messe et recevoir ce Jésus qui depuis toujours promettait la paix à ceux qui le suivaient. Ainsi, comme à chaque jour, il refusa de reconnaître le sourd grondement de son âme.

Un silence relatif se fit dans l'église abbatiale, car le prône commençait. Tirant profit des images matérielles que procurait l'abondante iconographie religieuse de l'église, le prédicateur savait toucher le cœur des fidèles et rendre l'histoire sainte plus accessible aux esprits simples. Louis aimait les sermons, car chacun d'eux l'aidait un peu plus à cerner le personnage de Jésus et de tous ceux qui l'avaient précédé. Mais, ce qu'il n'arrivait pas à comprendre, c'était comment un homme pouvait réussir à être si bon. Pardonner. C'était là son message. Et lui, le futur moine, il se sentait incapable de pardonner.

Tout ce qu'il laissait derrière était à revoir. «Afin de mieux pouvoir y renoncer», se disait-il sans trop y croire. Car, à vrai dire, il n'y avait rien à quoi il eût pu renoncer : tout était déjà perdu. Ceux qui lui étaient chers étaient morts et il ne se voyait pas d'amis. Il n'avait plus d'enfant. Plus de boulangerie. Plus d'avenir ni de famille.

Plus de famille. Plus de parents. Il n'avait plus rien. Non, c'était faux : il y avait encore quelque chose. Quelqu'un.

Voilà, il y avait encore pensé. Il était mauvais, nul. Tout était de sa faute.

C'était le moment de la consécration et il s'agenouilla avec les autres.

Mais non, tout n'était pas de sa faute. Il avait encore son père. Firmin. C'était lui. Sa faute à lui. Lui qui l'empêchait de trouver à l'abbaye cette paix tant convoitée. Firmin vivait toujours et il n'en avait pas le droit. C'était une aberration. Il fallait que Firmin expie. «Dieu fasse qu'un jour je l'aie à nouveau devant moi. Cette fois, je ne flancherai pas.» Les arêtes pointues de la vengeance refusaient de s'émousser sous les effets émollients des rituels. En lui, le tumulte et le feu subsistaient. Rien n'allait plus faire trembler sa main le jour où il allait enfin pouvoir prendre la vie de Firmin, dût-il pour cela renoncer à la sienne.

Quelqu'un lui prit l'épaule. Louis sursauta et tourna la tête. Il vit la main délicate du frère Lionel. Tout le monde s'était déjà relevé et il fit de même avec un peu de retard. Le moine muet lui sourit avec indulgence. Il avait senti sous sa paume la tension, le tremblement à peine perceptible qui semblait agiter le corps du postulant de façon permanente.

*

Le père Guillaume poussa avec une impatience modérée le petit panneau l'isolant du pénitent qui venait de se glisser dans le confessionnal. Il aperçut la main qui se levait pour faire un rapide signe de croix, et une voix en mue prononça, avec le soin un peu guindé d'un texte appris par cœur :

—Mon Dieu, j'ai un très grand regret de vous avoir offensé, parce que vous êtes infiniment bon, infiniment aimable et que le péché vous déplaît.

Une fois l'acte de contrition récité, le pénitent dit :

—Mon père, bénissez-moi parce que j'ai péché...

Puis plus rien. Guillaume soupira. C'était chaque fois la même chose. Il détestait confesser Louis.

—Je t'écoute, mon fils. Quelles sont tes fautes ?

Après un long silence, Louis trouva :

—J'ai trop mangé.

Il savait qu'avec cela il ne pouvait que viser juste, car le père Bernard disait toujours : « Celui qui mange une fois par jour est un saint ; celui qui mange deux fois par jour est humain ; mais celui qui mange davantage mène une vie égale à celle d'une bête. »

—Encore cela ? Ne peux-tu trouver une autre faute ? J'en ai plus qu'assez de confesser un estomac sur pattes. Ton ventre n'est pas contrit. Il semble bien qu'il ne le sera jamais, peu importe la pénitence que je t'inflige.

—...

—C'est à toi que je parle, mon fils, pas à ton ventre. Confie-moi les tourments de ton cœur et moi, je les confierai à mon tour à Dieu.

Son appétit n'allait apparemment pas suffire, cette fois. Agenouillé, Louis gardait la tête humblement baissée et les mains jointes, remuant fébrilement les préceptes qu'il avait étudiés en catéchèse. Le moine attendait.

—Je ne sais pas, mon père.

—Tu ne sais pas. Peux-tu me nommer les sept péchés capitaux ?

—L'envie, la luxure, la gourmandise, l'orgueil, l'avarice, la colère et la paresse.

— Bien, bien. Le moine qui s'engage dans l'itinéraire ardu de l'ascèse doit extirper ces vices progressivement, en commençant par les plus fondamentaux et les plus évidents pour finir par les plus subtils. Cela fait, les vertus correspondantes s'établissent par elles-mêmes dans l'âme. Bon. Le Seigneur sait déjà que tu as une prédilection pour la gourmandise. Examine chacun des six autres péchés et dis-moi si tu n'as pas cédé à au moins l'un d'entre eux.

Louis réfléchit, mais il ne trouva pas, pour son plus grand malheur, lui sembla-t-il.

— L'orgueil, Louis. L'orgueil. Te crois-tu donc sans faute?

— Pardon, mon père. J'ai péché parce que je suis orgueilleux, dit Louis d'une voix atone.

— Tu ne comprends même pas ce que tu dis. Comment veux-tu que ton repentir soit sincère? Le cheminement du moine qui désire se rendre agréable aux yeux de Dieu culmine avec la victoire sur l'orgueil et l'acquisition de l'humilité. Or, tu n'es pas humble. Tu fais seulement semblant de l'être. Le père Bernard m'a confié certaines choses. Il y a des péchés contre lesquels tu n'as nul besoin de te battre et, pour cela, je te félicite. Ce sont : l'envie, l'avarice, la paresse et la luxure.

C'était vrai. Louis ne pouvait contester cela. Il ne possédait rien et ne jalousait personne. Aucune tâche ne le rebutait. Et, depuis son arrivée à l'abbaye, il avait senti quelque chose de changé en lui. Ses rêveries érotiques perdaient de leur acuité. Peut-être était-ce dû à l'impact qu'avait sur lui son nouveau milieu de vie. L'infirmier l'avait prévenu de ne pas s'inquiéter de cette langueur, que c'était relié à la grande fatigue entraînée par le haut mal. L'infirmier avait aussi dit :

— Le sperme est un sang très pur, de sorte que le spasme sexuel est un effort coûteux[77]; le Seigneur, dans Son infinie sagesse, a fait en sorte de modérer ton activité génésique afin que tes forces soient ménagées pour ta sauvegarde.

— Mais ça sort quand j'urine. Ça ne m'était jamais arrivé avant.

— Ne t'inquiète donc pas, avait répondu l'infirmier évasivement.

Même dans sa tête, les choses changeaient. La précieuse mémoire d'Églantine s'altérait, pâlissait contre son gré pour laisser place à un implacable désir de vengeance qui, lui, avait un visage bien précis.

Louis fut brutalement ramené au présent par la voix du confesseur :

— Donc, gourmandise et orgueil. Tu dois tendre vers la perfection des vertus qui leur sont contraires.

— J'essaierai, mon père.

Jeûner. Ne pas manger et ce, tout à fait volontairement. Cela allait être difficile, mais il tenta de s'encourager en se disant que cela n'allait sans doute pas être aussi pénible que lorsqu'il était jadis confiné des jours durant sous les combles, après avoir reçu quantité de coups de bâton. Pour l'orgueil... eh bien, ça, c'était un peu plus compliqué. Il n'arrivait pas à cerner au juste en quoi l'orgueil et l'humilité consistaient. Le prévôt interrompit le cours de ses pensées:

— Qu'en est-il de la colère, mon fils?

Louis cilla.

— La colère?

— Oui.

Le père Guillaume vit les mains jointes se serrer. Elles devinrent des poings.

— Non, mon père.

Guillaume demanda, cette fois avec une grande bonté:

— En es-tu bien sûr?

L'un des poings se mit à trembler d'une façon saccadée.

— Calme-toi, mon fils...

— Non. Je ne veux pas être en colère, dit Louis en l'interrompant. Ça vient tout seul et je ne veux pas.

Il ne pouvait y avoir de pénitence de ce côté-là. Guillaume n'insista pas. Il imposa à Louis un jeûne d'une journée ainsi que dix *Pater Noster* récités avec ferveur pour l'aider dans son cheminement contre l'orgueil.

*

Louis était comme l'un de ces livres qui n'aimaient pas être ouverts. Sa reliure trop rigide en gardait jalousement les pages. Lionel n'arrivait pas à l'atteindre. Il aurait aimé pouvoir lui parler. De n'importe quoi. D'Héloïse et d'Abélard, par exemple. Louis ne semblait pas apprécier les histoires, mais le bibliothécaire était persuadé que, cette histoire-là, il l'aurait comprise. Ces personnages légendaires avaient été amants, mais en s'astreignant toute leur vie à une admirable chasteté. Car l'oncle d'Héloïse, un chanoine, avait fait castrer Abélard afin de s'assurer que la vertu de sa nièce allait être protégée. L'amant avait déjà suffisamment scandalisé la gent universitaire avec ses discours trop audacieux. Abélard avait trente-six ans, alors qu'Héloïse en avait quatorze. C'était à l'époque bénie de l'amour courtois.

Lionel aurait aimé l'aider à recommencer sur un parchemin vierge la lettre qu'une plume cassée avait gâchée. Il l'avait bien perçue, lui, la colère de Louis. C'était une révolte à genoux.

«J'aimerais que tu puisses entendre ce que je ne dis pas[78]», avait-il un jour pensé lorsqu'il avait vu le jeune postulant penché sur une enluminure qui représentait le roi du Graal, Anfortas, grièvement blessé au sexe par une lance empoisonnée au cours d'un combat singulier. Dans ce roman[79], *le meilleur chevalier du monde* savait réconcilier le roi avec lui-même. À son contact, le roi blessé guérissait, et le royaume retrouvait la prospérité. C'était là une autre histoire que le frère Lionel aurait aimé pouvoir lui lire. En outre, il avait envie de proclamer à la Vierge, comme dans la chanson de Roland: «Sœur, chère amie, tu réclames un homme mort, mais je t'en donnerai un autre bien meilleur, et je ne saurais mieux compenser ta perte, car il est mon fils et héritera de mon royaume!»

Louis avait remarqué que depuis peu le saint moine portait pour se mortifier une chemise de crin sous sa coule. Cela non plus, il ne le comprenait pas. Comment pouvait-on s'infliger volontairement de la douleur? Et pour quel motif? N'y avait-il pas déjà suffisamment de souffrance dans le monde? Ce moine n'avait pourtant rien d'un fanatique ni d'un fou. Au contraire, on le disait très érudit. Mais il ne connaissait plus rien du monde. Il s'en était retiré depuis trop longtemps. Son teint blafard était caractéristique de ceux qui se montrent rarement au soleil. Chaque fois qu'il le voyait, Louis avait envie de lui arracher son cilice et de le réveiller avec une bonne paire de baffes.

«Vain orgueil!» lui aurait dit le père Guillaume s'il l'avait entendu. En tout cas, toute pensée offensante qu'il ne pouvait clairement définir semblait devoir être rangée sous cette catégorie: cela avait tout l'air de satisfaire le prévôt.

Le père Bernard, quant à lui, se plaisait bien à suivre Lambert et Louis dans leurs explorations du domaine de la pharmaceutique. Un jour, il prit même leur défense contre ceux qui affirmaient que Louis aurait dû consacrer du temps à l'apprentissage de la lecture:

— Mon vénéré confrère et homonyme de Clairvaux affirme ceci: «Tu trouveras plus dans les forêts que dans les livres. Les arbres et les rochers t'enseigneront des choses qu'aucun maître ne te dira.»

La pharmacie du monastère, encombrée et pleine de mystère, sentait l'Orient. Louis était fasciné par l'abondance des remèdes contre la peste. Certains étaient d'un luxe extrême. Il y avait d'abord tout un assortiment de concoctions où se retrouvaient feuilles de romarin, spode, santal citrin, bois d'aloès, cardamome, amidon, camphre, sucre blanc, mucilage de psyllium dans de l'eau de rose. Un autre contenait cannelle, girofle, épi de nard, bois d'aloès, mastic*, noix de muscade, écorce de citron, grains de musc. Quantité de petits flacons soigneusement identifiés, qui avaient l'air d'autant de bijoux, avoisinaient des sachets d'épices précieuses, des bouquets séchés suspendus aux madriers par leurs tiges et de vraies gemmes à l'état brut. Il fit la découverte d'un gros cristal d'ambre dans lequel était emprisonné un insecte qui avait l'air d'attendre qu'un enchantement le libère.

— La pierre d'ambre, expliqua Lambert, réjouit les sens et tonifie le corps à cause de son arôme puissant, de l'éclat de sa couleur et de la dureté de sa substance. Réduite en poudre, elle sert à fabriquer un excellent médicament.

— Seulement si on a de quoi la payer, dit Louis.

Le moine rit. Par dérision, il prit l'air savant de l'infirmier en feuilletant un gros volume et lut en suivant le texte du doigt :

— Nous disons... contre la peste, on y ajoute : storax calamite, gomme arabique, myrrhe, encens, aloès, rose rouge, santal, musc, girofle, muscade, macis. Oh ! et là : noix de Gen, coquilles d'huîtres byzantines, karabé*, calame aromatique, semence de basilic, marjolaine, sarriette, menthe sèche, racine de giroflier. Bigre, il n'y a pas à se demander pourquoi notre cellérier est si grincheux, n'est-ce pas ?

— Comment pouvez-vous obtenir toutes ces choses ?

— Ma foi, je n'en sais rien. Des dons, peut-être. Mais tu sais, tout cela nous sert à aider l'Hôtel-Dieu dans sa tâche. Nous n'en conservons que le minimum pour les besoins du monastère. Tiens, sens-moi ça : pas mal, hein ! C'est du musc. Et nous avons du safran, aussi.

Louis n'accorda pas davantage son attention à l'énumération que lui faisait Lambert. Le moine examinait chacune des fioles et des pots pour les lui désigner consciencieusement. Les pensées du jeune postulant se mirent à errer parmi les bottes d'herbes inconnues, l'agaric, les pilules d'aloès ou de myrrhe. Tant de richesse, tant de médicaments, et la peste sévissait toujours. Des moines en étaient morts à l'intérieur même de cette enceinte. Peut-être le véritable remède se trouvait-il autre part. Peut-être que quelque chose dans le monde s'était brisé.

— Il faut respirer des aromates chauds et du camphre. Y conserver les vêtements est fortement conseillé aussi, disait Lambert.

— Je sais.

— Vraiment ? Tu savais cela ? Ah oui, bien sûr, que tu le savais. Tu as dû t'en douter un peu, puisque tu sentais le camphre lorsque tu étais en quarantaine. Dans quel état tu nous es arrivé ! Incroyable !

— N'en parlons plus.

—Tu sais, je suis bien content que tu sois rétabli et que tu aies décidé d'être des nôtres. Ouais, je suis bien content.

Lambert n'avait prononcé ses vœux définitifs que tout récemment. Quoique dans la trentaine, il avait conservé l'esprit d'un adolescent. Il donna une claque amicale sur le bras de Louis et se mit à lui lancer de petits objets un par un en les nommant d'une voix chantante :

—Cire blanche, huile de nard, huile de muscatelline*...

—Holà! Que se passe-t-il là-dedans? demanda une voix contrariée de l'autre côté de la porte. C'était l'infirmier. Lambert s'assagit subitement, et Louis rattrapa le dernier flacon de justesse. Le moine répondit :

—Rien, mon père.

Il pouffa de rire. Louis se tenait en face de lui, silencieux et sans réaction. La voix reprit :

—Sortez de là tout de suite. Non, mais, imaginez: chanter comme des ménestrels dans une pharmacie. Ça ne se fait pas. Vous pouvez être certains que j'en informerai le père Bernard.

Lambert sortit le premier en protestant :

—Louis n'a pas chanté, mon père. C'était moi. C'est entière-ment ma faute.

—Je ne veux pas le savoir. Allez. Filez tous les deux. Il va encore falloir que je remette de l'ordre dans toute cette pagaille que vous avez semée là-dedans.

—Nous n'avons rien dérangé, dit Louis.

—À d'autres. Et cesse de me répondre sur ce ton, jeune impertinent.

Ils sortirent. Les joues rouges, Lambert ricana.

—Gna-gna-gna... Il ronchonne plus que ton estomac creux, Louis. Dis-moi, es-tu encore obligé de jeûner?

—Non. J'ai dîné.

—Vêpres n'ont pas sonné et tu gargouilles déjà? Tu devrais te planquer un peu de mangeaille sous ta couche. Sans blague, ce ne doit pas être chose aisée que de nourrir ce corps de géant.

—Ce n'est pas aussi difficile que de songer à me pencher lorsque je passe les portes.

—Eh! eh! C'est bien vrai, ça. Je te parie que, le jour de ta prise d'habit, les manches de ton froc vont t'arriver à la mi-bras et tes chevilles vont dépasser. Tu auras l'air d'un épouvantail et on ira te planter dans le potager. Oh là là! Frère Louis, que d'indécence!

*

272

Le jeune postulant devait avoir deux ou trois ans de moins que Louis. C'était encore presque un gamin. Il s'appelait Gérard.

Le tout avait commencé par des riens: des boulettes de cire lancées d'une chiquenaude dans le dos de Louis ou dans ses cheveux, quelques grimaces moqueuses et, à plusieurs reprises, des remarques désobligeantes sur sa taille ou sur son «ignorance de roturier indécrottable». Quoi qu'il en fût, un beau jour, Gérard avait dépassé les bornes et s'était retrouvé à quatre pattes dans la fontaine.

Le prévôt, avait tout vu. Le groupe des postulants qui assistaient à la scène le virent arriver derrière le dos de Louis. Ils n'osèrent pas bouger. Même Gérard, tout dégoulinant d'eau froide, demeura figé dans sa posture humiliante. Le père Guillaume appela, d'une voix péremptoire:

— Louis!

L'interpellé fit volte-face. Le moine se tapota la paume avec sa férule et ordonna:

— Ce genre de comportement est indigne d'un serviteur de Dieu. Tends la main.

Louis devait obéir et humblement accepter la punition. Mais il regarda le prévôt dans les yeux et répondit calmement:

— Non.

À raison courroucé, Guillaume le saisit par l'oreille, ce qui força le fautif à se pencher légèrement.

— Vain orgueil, Louis. Tu vas tendre la main tout de suite.

Louis tendit la main. Mais ce fut pour s'emparer de la palette en bois. Le prévôt en demeura pétrifié. L'adolescent brandit l'instrument, prêt à frapper le prévôt au visage. Le malheureux moine grisonnant geignit et se protégea en levant le bras. Personne n'avait jamais porté la main sur lui. Les postulants retinrent leur souffle.

— Louis, non...

C'était la voix du père Bernard que l'on venait discrètement d'alerter.

Louis faisait peur à voir. Sa colère insensée détonnait dans ce sanctuaire d'où toute violence était exclue. Conscient soudain de la gravité de son geste, il eut honte. Tout ce qu'il avait ramené avec lui menaçait de détruire le climat de ce lieu. Il se sentit sale, réellement indigne de s'y trouver, et son bras levé s'en trouva paralysé. Le père Bernard s'avança courageusement.

— Louis...

L'adolescent laissa la férule tomber aux pieds du père Guillaume et se détourna, le regard vague. Il frôla le bon vieillard et s'en fut se cacher dans le jardin avec le tumulte qui s'agitait dans sa tête.

*

Une semaine de silence absolu. Telle fut l'une des pénitences imposées aux deux coupables, Louis et Gérard. Ils ne devaient pas parler et personne n'avait le droit de s'adresser à eux. L'idée venait du prévôt, et ce châtiment était typique. Il était normalement très difficile à supporter pour un adolescent sociable. Si la contrainte mit Gérard au supplice, Louis ne s'en plaignit pas, au contraire. Il voyait cela comme une récompense plutôt qu'une punition, puisque ses interactions avec les autres s'en trouvaient encore réduites. Mais il eut bien soin de ne pas se montrer satisfait.

Le père Bernard, lui, avait compris et il en était contrarié.

— C'est alimenter chez lui le désir néfaste d'être abandonné à lui-même. Cette lutte acharnée qu'il mène contre toute exigence de contact humain est justement une tendance qu'il nous faut dompter.

Cette seule pénitence n'étant pas suffisante, on imposa aux deux jeunes gens trois heures quotidiennes d'étude en bibliothèque, sous la supervision du frère Lionel. C'était le seul moment où Gérard était autorisé à rompre son silence, et ce n'était que pour faire lecture à Louis de certains textes sélectionnés par le bibliothécaire. Inutile de spécifier que le moine sauta sur l'occasion avec délices. Il mit la doctrine de côté et fit lire à un Gérard rougissant les extraits les plus délicieusement illicites de *Tristan et Yseult* et du *Roman de la Rose*[80]. Heureusement pour le moine, personne ne fut mis au courant de ces lectures, sinon il aurait à son tour tâté de la férule.

Mais l'initiative n'eut pas le résultat escompté par le bibliothécaire. Louis ne se montra pas sensible à la beauté sublime de ces écrits. Seul le malheureux Gérard eut, après une nuit agitée, à confesser un péché supplémentaire.

*

La salle capitulaire était meublée avec des bancs disposés en cercles concentriques. Les moines s'y regroupaient chaque matin pour y entendre une lecture sainte et la nécrologie, de même que pour réciter des prières. Venait ensuite la partie la plus animée du chapitre : la discussion des affaires courantes, la confession des fautes et les accusations d'inconduite. Tout manquement survenant au cours de la journée devait être soumis à la réunion suivante du chapitre. Il s'agissait là d'une mesure fort sage puisque, le plus souvent, les colères se calmaient avec la nuit et l'on pouvait discuter des incidents le lendemain matin dans une atmosphère de modération. La communauté tout entière pouvait alors employer sa sagesse collective à étudier les problèmes soumis.

Les postulants prenaient humblement place sur les bancs qui composaient le cercle externe et intervenaient rarement, le plus souvent lorsqu'ils y étaient expressément invités par un aîné. Ce jour-là, cependant, deux d'entre eux allaient devoir se contenter d'écouter. Situation d'autant plus pénible que l'un d'eux était directement concerné par la réunion.

Le prévôt se leva et prit la parole d'une voix de stentor :

— Comme tout un chacun, nous autres moines pouvons souventes fois ressentir les tentations des sept péchés capitaux. Il est dans la nature de l'homme d'avoir à combattre ces péchés pour tendre vers la perfection que le Seigneur attend de lui. Cependant, on imagine mal un moine cruel. Loin de moi l'idée de critiquer les sages et saintes paroles de nos pères, mais je crois que nous devrions inclure la méchanceté dans la liste des fautes majeures.

— Excellente entrée en matière, père Guillaume. Nous ne saurions que vous inviter à poursuivre, dit l'abbé Antoine.

— Merci, mon père. Il en est un parmi nous qui a la certitude que la seule façon de résoudre un problème ou un conflit est d'avoir recours à la violence.

Toutes les têtes se tournèrent immédiatement vers Louis. C'était sans équivoque. Ce dernier regarda autour de lui avec un certain étonnement, puis il fixa le père Guillaume sans manifester le moindre signe de culpabilité. Le prévôt reprit :

— Louis refuse tout effort, tout geste et tout exemple de compassion. Il veut détruire, c'est tout.

Guillaume se rassit. Le silence se fit dans la salle. Comme pour confirmer ces dires, le scintillement des yeux de Louis avait quelque chose d'inquiétant. Cependant, il ne répliqua pas.

— Bien... Quelqu'un désire-t-il prendre la parole à ce sujet ? demanda l'abbé Antoine.

Louis se mit à fixer d'une manière intimidante quiconque semblait tenté de le faire.

— Personne ? demanda encore l'abbé.

Aucune main ne se leva et il y eut quelques toussotements gênés. Le frère Lionel se tordit le cou pour offrir au jeune postulant un regard empli de sympathie. Il eut droit au même traitement que s'il avait manifesté le désir de parler. Cet échange silencieux n'échappa pas à la vigilance de l'abbé, qui dit :

— Eh bien, il semble que nous devions en rester là pour l'instant. Le frère Lionel, qui est l'un des tuteurs de Louis, m'a demandé une audience pour en discuter. Par écrit, bien entendu. J'ai décidé d'accéder à sa demande. Le sujet est donc clos pour le moment. Père Guillaume, père Bernard et Louis, vous êtes également conviés à mon étude après la réunion.

Lambert se retourna vers Louis, à qui il fit un clin d'œil.

— Deux muets. Voilà qui donnera une petite causerie intéressante, chuchota-t-il.

*

L'abbé posa un feuillet abîmé sur sa table et en approcha une chandelle avant de s'asseoir. Il invita ses trois hôtes à faire de même sur les bancs qui avaient été disposés devant lui. Il joignit les mains et s'adressa directement à l'adolescent.

— Louis, je suis tout à fait conscient que tu n'apprécies guère d'être devenu ainsi le point de mire de toute la communauté. Mais il faut que tu saches une chose : en tant que communauté, justement, nous sommes tous concernés par ton bien-être. Si tu souffres, nous aussi souffrons avec toi. Une maxime juridique dit ceci : *Quod omnes tangit ab omnibus approbari debet*, ce qui signifie : « Ce qui concerne l'ensemble doit être approuvé par tous. » Telle est la puissance du lien qui nous unit. Tout ce que nous faisons ou que nous omettons de faire vise ton épanouissement et, par extension, celui de la communauté à laquelle tu appartiens. Tu me suis ?

Le postulant concerné, plus calme, fit un signe d'assentiment. Les autres écoutaient avec la plus grande déférence.

— Bien. J'ai personnellement pu établir le constat que tes réactions spontanées et vindicatives sont dues à une souffrance intense, d'où notre très grande indulgence à ton endroit. J'y ai beaucoup réfléchi. Ton agressivité à toi diffère de celle à laquelle on s'attendrait de la part d'un individu qui est sur la défensive. Premièrement, elle intervient après que le dommage a été causé ; tu reçois des coups et tu ripostes. Quelqu'un te fait une remarque désobligeante et tu le projettes à l'eau. Bref, il ne s'agit pas de te défendre contre un danger menaçant. Il n'y a plus de danger, ici, tu le sais.

Antoine suivit des yeux le contour de l'arc-boutant qui soutenait le plafond de son office et reprit, comme s'il y avait trouvé la suite de ses réflexions :

— Deuxièmement, ton agressivité est beaucoup plus intense que celle qui procède normalement de la seule attitude défensive. Ce qui nous amène à ceci.

Antoine ramassa le feuillet qu'il agita légèrement avant de le déplier. Il approcha la chandelle et se pencha vers elle, le feuillet déplié à la main.

— C'est un message du frère Lionel qui, tout comme toi, ne peut parler. Cela se lit comme suit:

« Pierre Abélard soutient qu'il n'y a de péché que selon l'intention. Cela signifie qu'un acte n'est pas moralement répréhensible lorsque la faute est commise sans l'intervention de la connaissance du bien et du mal. On peut donc faire erreur de bonne foi sans forcément vouloir se dresser contre Dieu. »

L'abbé leva les yeux et demanda:

— Le frère Lionel a beau ne pas pouvoir parler, il sait trouver les mots justes.

L'abbé se tut un instant. Il songea à une autre lettre écrite par le frère Lionel, il y avait quatre ans déjà, et qui était destinée au curé de la paroisse Saint-André-des-Arcs à laquelle appartenait alors Louis. Ni Firmin ni Louis ne le savaient, mais c'était grâce à cette silencieuse intervention épistolaire que Firmin n'était pas tombé dans la déchéance en chassant son fils de la boulangerie. Le curé l'en avait empêché.

Reprenant le cours de ses pensées, Antoine dit à Louis:

— Réfléchis. Réfléchis et réponds-toi à toi-même. La question à te poser est la suivante: en ton âme et conscience, es-tu réellement mauvais, Louis?

« Ça y est. Ils vont me flanquer à la porte », se dit Louis qui avait adopté une posture rigide. L'abbé reprit sa lecture:

« La chute nous a fait perdre la précieuse harmonie présente dans le règne animal. Tel est le prix que nous avons dû payer pour obtenir notre terrible liberté de choix. Ainsi sommes-nous devenus une anomalie en cette terre de Nod[81] *où, depuis, nous errons sans cesse à la recherche de notre place comme si nous n'étions finalement qu'un caprice de l'univers. Pourtant, en dépit des vastes connaissances accumulées au cours des siècles, nous continuons à faire partie de la nature. Tout comme l'animal, nous demeurons soumis aux mêmes lois. Comment expliquer alors que nous soyons capables de transcender la nature? Par quelle ressource y parvenons-nous? Je crois que cette ressource réside en notre âme. »*

Il regarda encore une fois le postulant.

— Telle est notre destinée. C'est à la fois grandiose et impitoyable. Mais voici enfin le cœur du sujet: *« Nous devons avoir recours à la même ressource pour celui dont l'être est tout entier investi par la loi du talion. Il faut substituer à cette loi une autre, qui soit plus humaine. »* Sais-tu ce qu'est la loi du talion, Louis?

L'adolescent fit un signe de dénégation. Antoine lui expliqua:

— C'est le commandement de l'Ancien Testament qui disait : « Œil pour œil, dent pour dent. » Ce commandement a été depuis remplacé. Sais-tu par lequel ?

Louis fit signe que oui. Son regard s'éteignit.

— Très bien. C'est cela que je désirais te dire, mon fils. Va et réfléchis.

Pendant un temps qui parut très long aux moines, Louis ne bougea pas de sa place. Il ne regarda personne.

— Louis ? appela l'abbé Antoine.

L'adolescent ne réagit toujours pas. Ils eurent la nette impression qu'il n'était déjà plus avec eux et qu'il avait par mégarde abandonné son corps derrière lui. Enfin son regard se ranima. Il se leva et, en passant près de Lionel, il jeta quelque chose sur ses genoux. La porte se referma sur la silhouette liliale, plus tout à fait celle d'un adolescent, mais pas encore celle d'un homme. Le moine baissa les yeux. Sur son giron roula un bouton de rose qui avait bruni avant d'éclore. Lionel émit un petit bruit qui fit sursauter tout le monde. Cela ressemblait à un sanglot.

*

— Répète après moi : *Confiteor Deo omnipotenti et vobis, fratres*[82]…

Avec cette confession publique donnée en salle du chapitre, la pénitence de Louis prenait officiellement fin. Il répéta docilement les mots latins qu'on lui avait préalablement traduits afin qu'il pût en prononcer les paroles sacrées en toute connaissance de cause :

— … *quia peccavi nimis cogitatione, verbo, opere et omissione*[83]…

À en croire la légende, à l'origine, les moines étaient égaux en tout. C'était en considération de cette croyance que tous acceptaient d'emblée les paroles de Louis. Une grande dignité émanait de sa façon de les dire, et Lionel se demanda si c'était là chose convenable. Mais quoi, le doux Jésus n'eût-il pas apprécié ce maintien altier chez l'un de ses disciples ? Eût-il davantage trouvé l'accomplissement de sa gloire en se voyant entouré d'une cour assidue de mollassons plutôt que de cette fierté si belle à voir ?

— *Mea culpa, mea culpa, mea maxima culpa*[84].

---

82. C'est le début de l'acte de contrition : Je confesse à Dieu Tout-Puissant, je reconnais devant mes frères…

83. … que j'ai péché en pensée, en parole, par action et par omission…

84. C'est ma faute, c'est ma faute, c'est ma très grande faute…

– Merci, Louis. Tu peux aller t'asseoir, dit l'abbé Antoine.

À la fin de la réunion, alors que les moines sortaient de la salle capitulaire, le frère Lambert apostropha son ami en ces termes :

—Eh, Louis, aurais-tu oublié? Ta pénitence est terminée. Tu n'as donc rien à me dire, après tout ce temps?

—Non.

L'adolescent haussa les épaules et sortit. Lambert, un peu saisi, fit rire gentiment les autres autour de lui en prenant un air faussement outré :

—C'est fou ce qu'il peut ramasser comme disciples, ce Lionel. Je suis jaloux.

*

Entre le grand et le petit Pré-aux-Clercs, un canal dirigeait l'eau de la Seine jusqu'à la retenue du moulin adossé au mur[85]. Au-delà de la roue, l'eau s'écoulait par un canal souterrain jusqu'à la brasserie, la cuisine et la fontaine où les moines allaient se laver les mains avant les repas, et enfin vers les latrines près du dortoir de l'hôtellerie. Elle s'en retournait enfin au fleuve.

Depuis son arrivée, Louis avait évité le moulin. C'était trop triste. Mais, ce soir-là, après vêpres, il s'assit sur un banc près de la porte et prêta l'oreille au cliquetis familier des engrenages. Peut-être par intuition, nul n'y vint l'importuner. Le pissenlit avec lequel il jouait sema sur ses genoux son cortège de petits parachutes dont le tulle était encore trop humide pour leur permettre de prendre leur envol. La longue tige blême du pissenlit tomba à ses pieds. Il demeura assis là fort longtemps, tout seul, dans la cour.

Lorsqu'il se leva enfin et qu'il secoua son vêtement du revers de la main, sa décision était prise.

*

Tout était prêt. Sans se presser, il avait mis deux semaines à se préparer à l'insu des moines. Il avait fait preuve d'une extrême prudence, indubitablement exagérée, prétexte à retarder ce moment le plus possible. Cette nuit-là, entre matines et laudes, il se leva et se vêtit en hâte d'un froc et d'une chape qu'il était allé chercher au lavoir. Il s'accroupit et souleva la planche disjointe qui était camouflée par sa couche. Il en tira une fardelle* qui contenait des provisions, des remèdes et quelques autres objets de première nécessité. Il sortit de sa cellule paisible et ferma doucement la porte derrière lui.

C'était une belle nuit de fin d'été. Il aperçut les dernières roses du jardin qui achevaient de répandre leurs pétales à travers les rangées de plants fatigués. Il eut l'impression furtive que ces roses provenaient de sa mère et qu'Adélie n'aimait pas ce qu'elle voyait.

Il se coula furtivement vers la cuisine où il puisa à pleines mains dans un seau de suie pour s'en barbouiller le visage et les mains.

La brèche dans le mur fut aisément repérée malgré la nuit presque sans lune qu'il avait minutieusement choisie. Il alla en extraire l'arc noir qu'il avait confectionné avec l'aide du frère Pierre, ainsi qu'un carquois et les flèches qu'il avait fabriqués lui-même en secret. Il caressa un instant la courbure de l'arme. Son cœur se serra. Pierre et Lambert surtout, les deux moines amicaux, allaient lui manquer. En cet instant où il s'apprêtait à se séparer d'eux, il prenait pleinement conscience de son attachement envers eux. Leurs sympathiques petites manies et leur désinvolture étaient des choses récemment découvertes pour lui. Cela lui rappelait un peu l'accueil bon enfant des Bonnefoy. C'était précieux, apaisant, inoubliable. Mais le désir de vengeance inassouvie qui couvait en Louis comme des braises sous les cendres l'avait empêché de trouver là et dans la vie contemplative le refuge bienfaisant dont il aurait pourtant eu le plus grand besoin. Mieux valait s'en aller.

Louis leva la tête et regarda le mur chevronné de lierre. C'était du haut de ce même mur qu'était un jour tombée la tiare qui l'avait sauvé d'une mort certaine. S'interdisant tout regard en arrière, il entreprit d'y grimper et se laissa choir de l'autre côté, dans des buissons d'où jaillit un chat mécontent.

Il se releva et regarda le mur qui, de ce côté, lui opposait une paroi infranchissable. «Ce n'est pas un adieu. Je reviendrai bientôt», pensa Louis. «Non, tu ne reviendras pas», répondit le mur.

Partir, vite! Sans un regard en arrière pour ne pas donner prise aux regrets. Il avait fait son choix et ce choix lui faisait mal.

«Mon ciel sur terre existe dans des lieux inconnus,
et nous marchons sur terre à pied, nus,
dans l'humanité qui pleure dans les vents.»

Chapitre VIII

La bure et la hache

Pampelune, juin 1350

Il reposa la coupe vide sur la table et claqua la langue afin d'en chasser l'effet granuleux laissé par une lie abondante.

— Du vin de manant, fit-il remarquer à ses compagnons buveurs, une demi-douzaine d'hommes hirsutes et braillards dont la présence, même dans une taverne mal famée comme celle où ils se trouvaient, n'augurait rien de bon.

Arnaud d'Augignac[86] rota et entreprit de se gratter le côté droit en s'étirant paresseusement. C'était un jeune homme aux boucles patriciennes, au teint presque aussi délicat que celui d'une femme. Il était le second et dernier fils survivant du baron veuf Raymond III. Raymond IV, son frère aîné, était l'héritier présomptif du beau domaine familial qui était le vestige d'une prospérité datant de l'époque des grands féodaux. Arnaud n'allait pour sa part recevoir qu'un lointain petit domaine de rocailles et de ronces niché au fin fond de quelque lande normande[87], où il pleuvait le plus clair de l'année. C'était sans doute aussi bien. Ainsi, Arnaud allait-il un jour se voir enfin obligé de s'en aller là-bas avec son épouse maladive, dont l'héritier ne tolérait la présence que pour le baron. Et, même si Arnaud n'était qu'un fainéant et un jouisseur, il avait été le fils préféré du vieux veuf. Le baron avait pris Arnaud en affection comme on adopte, par compassion plutôt que par bon sens, le chiot le plus taré d'une portée. Depuis toujours, les cadets avaient été destinés soit aux métiers des armes, soit à la bure. Or, Arnaud n'avait voulu entendre parler ni de l'un ni de l'autre. Il n'avait pas non plus cherché de substitut et avait été marié de force à la fille d'un noble sans fortune. Sous la protection paternelle, il avait pu mener, en toute impunité, une vie d'enfant gâté qui avait peu à peu tourné à la débauche pour compenser une frustration grandissante : car, tout choyé qu'il était, le jeune d'Augignac n'était pas heureux. Il voulait plus.

— Il nous faut partir demain à la première heure, dit Arnaud à ses acolytes.

Le jeune noble caressa pensivement un parchemin plié qu'il avait glissé sous sa chemise comme s'il s'était agi d'une lettre d'amour. Les hommes s'entre-regardèrent. L'un d'eux se permit de discuter familièrement avec lui, ce qui donnait à penser qu'il était bien davantage pour Arnaud qu'un simple serviteur :

— Si vite ? Mais les festivités entourant le couronnement[88] ne sont pas encore terminées. Et votre père...

— Mon père va demeurer ici avec Raymond, répondit-il un peu brutalement et avec impatience. Ses affaires risquent de le retenir pendant un certain temps.

Arnaud se pencha vers eux en adoptant le ton de la confidence. Son regard en biais prit des lueurs hypocrites.

— Il n'en tient qu'à moi de profiter de leur absence. C'est le moment ou jamais d'agir, comprenez-vous ?

Les hommes s'agitèrent, émoustillés par la perspective d'une aventure, une vraie cette fois, qui allait prendre la saveur d'une quête audacieuse digne de preux. L'un d'eux, dont la barbe qui commençait tout juste à pousser le démangeait à cause des boutons qui se nichaient dessous, commença à se gratter. À l'exception de Thierry qui, en tant que valet, connaissait Arnaud depuis l'enfance, ils étaient tous plus ou moins des bandits de grand chemin qui avaient été recrutés çà et là au fil des ans. Ils s'ennuyaient et profitaient de l'immunité de leur jeune maître pour faire les quatre cents coups sur les terres du domaine et aux alentours. Thierry était quant à lui d'une autre nature. Il avait été le maître d'armes d'Arnaud et lui avait appris à monter, à chasser, à manier l'épée et à lutter. Il était aussi dévoué et fidèle au jeune Arnaud qu'aurait pu l'être un véritable ami, ce qu'il était sans doute aussi.

Arnaud dit, en tapotant sa poitrine bombée et en prenant un air pompeux :

— Cette lettre est de Friquet de Fricamp.

— Le gouverneur de Caen[89] ! s'exclama Toinot, un braconnier qui ne bénéficiait de l'immunité que parce qu'il s'était mis au service d'Arnaud.

— Lui-même. Il est allé assister au couronnement et m'a fait savoir qu'il allait passer et faire halte par chez nous sur le chemin du retour.

Il fit pensivement tourner le vin qui restait au fond de sa coupe. Les six hommes rirent sous cape. Ils avaient compris. Arnaud voyait dans cette visite l'occasion parfaite de se démarquer et de se faire connaître du jeune monarque fraîchement couronné et sûrement inexpérimenté.

— Demain, nous devrons couvrir au moins dix bonnes lieues. À ce rythme-là, nous aurons amplement le temps.

— Le temps de quoi faire?

— D'aller chercher le Templier[90], mordieu! C'est le cadeau idéal à offrir à mon roi.

— Le Templier? Vous voulez dire Beaumont? Mais il doit avoir plus de quatre-vingt-dix ans. Messire, vous ne songez tout de même pas à...

— Oh que si, j'y songe, Thierry, dit-il en adoptant un maintien évoquant la conspiration rusée. J'y songe même fortement.

— Mais ce n'est qu'une fable. Il y a des années que ce Templier vit en ermite dans la montagne. S'il avait eu un trésor à cacher[91], vous ne croyez pas que quelqu'un l'aurait trouvé depuis, gardé qu'il est par ce seul vieillard sénile?

— Aïe, sacrédié de bouton! dit l'homme qui se grattait.

— En voilà une blessure honorable! N'est-ce pas, Colin? À moins que ce ne soit la morille... Je blaguais, se hâta de dire Arnaud en voyant le jeune voyou blêmir. Mets-y un peu de vin. Ça l'empêchera de grossir à nouveau. Imaginez un peu ce qui se passerait si on réussissait à s'emparer de ce trésor, hein? S'il existe. Je suis sûr qu'il existe. On pourra faire cracher le vieux. Mais ce n'est pas tout. C'est ici que ça devient vraiment intéressant. Écoutez ça.

— Diable, ça arde, dit Colin dont la barbe clairsemée luisait maintenant d'une sombre humidité qui plus tard allait lui laisser une odeur de taverne.

— Vous savez quoi? Le mieux dans tout cela, c'est que même s'il n'y a pas de trésor, le vieux bouc me rapportera quand même une fortune.

— Ah ouais? Comment cela?

— Oublieriez-vous que notre nouveau roi est l'arrière-petit-fils de Philippe le Bel[92]?

*

Cet été-là, un second roi fut couronné, au pays d'Oïl[93], car

Philippe VI s'éteignit au mois d'août et légua le royaume de France à son fils Jean.

*

Paris, quelques mois plus tôt

D'abord, Hugues n'en crut pas ses yeux. L'ombre sans visage qui se tenait sous la lueur misérable d'un falot venait de l'appeler. Elle s'avança lentement. Saisi d'une crainte bien légitime, il recula. L'ombre s'arrêta. Il mit un certain temps à reconnaître son identité. C'eût pourtant dû être chose aisée, à cause de sa taille.

—Louis! Tu es vivant, avait-il dit.

—Il n'y a qu'un sacré va-nu-pieds comme toi pour rôder ainsi la nuit.

—Tu peux bien parler! Ce que je suis content de te voir. Tu vas bien?

—Oui. Quoi de neuf?

Ils déambulèrent avec précaution à travers quelques rues de la ville, et Hugues en profita pour donner des nouvelles à son compagnon. Il apprit ainsi que le jeune voyou était l'un de ces mystérieux amis dont les moines avaient parlé. C'était Clémence, une femme inconnue et lui qui l'avaient ramené en compagnie du frère Pierre.

—J'ai suivi les Pénitents tout le temps que tu étais avec eux et je n'ai rien pu faire pour te sortir de là, dit-il, navré.

Leurs pas, ou plutôt ceux de Louis les menèrent automatiquement à la boulangerie. La demeure était toujours déserte. Le fugitif demeura un instant silencieux et regarda la maison empoussiérée dont les fenêtres noires avaient été dépouillées de leurs volets. Tout ce qui était en bois avait dû être dérobé pour servir de combustible aux miséreux de plus en plus nombreux en ville. Hugues respecta le silence du jeune homme.

Louis se tourna enfin vers lui et demanda, en apparence imperturbable:

—Sais-tu où ils sont allés?

—Qui ça, les Pénitents? Eh bien, j'ai cessé de les suivre lorsque nous t'avons récupéré. Clémence m'a dit qu'ils voulaient rallier Avignon.

—Avignon. C'est vrai. Je les ai aussi entendus dire ça.

—As-tu l'intention de...

—Oui. Te joins-tu à moi?

—Je ne sais pas trop. Avignon, c'est loin...

—Fais comme tu voudras. Moi, je pars. Là, tout de suite. Plus rien ne me retient ici.

Il se détourna et descendit la rue Gilles-le-Queux qui l'avait vu grandir.

—Louis, attends.

Le jeune homme s'arrêta et regarda Hugues se dépêcher de le rejoindre.

—C'est d'accord. Je viens avec toi. Moi non plus, j'ai plus rien.

Ils se mirent en route. Ce fut lui, Hugues, qui tourna la tête pour jeter en arrière un dernier regard nostalgique à la boulangerie. On aurait dit que la vieille demeure les regardait partir avec un air de reproche.

*

D'après les informations qu'ils purent recueillir, le groupe de Pénitents qu'ils cherchaient n'avait séjourné qu'un court moment à Avignon. Certains avaient cru les entendre parler d'un vague pèlerinage à Compostelle. Cela n'était pas étonnant. Des milliers de pèlerins étaient bien partis pour Rome, cette année-là[94]. La peste avait rendu les gens plus dévots. Comme c'était la seule information dont les deux jeunes disposaient, ils reprirent leur errance par les chemins du Midi que le soleil estival rendait poudreux[95].

Mais, quelque part entre Avignon et le pied des premières montagnettes pyrénéennes, ils perdirent définitivement leur trace. Il semblait bien que le groupe s'était démantelé, soit sous l'effet d'une attaque extérieure, soit en raison d'une discorde parmi les membres.

Louis et Hugues délaissèrent donc les grands chemins et s'engagèrent sans but dans des sentiers à chèvres bordés de ronces et de chardons qui montaient en lacets vers des sommets chevelus. Les grands chênes et les lances bruissantes des pins leur prodiguaient leur ombre bienfaisante. Parfois, ils tombaient inopinément sur des ruines sévères qui abritaient dans leurs sombres donjons figuiers ou térébinthes. Des ruisselets chantonnaient, jalousement cachés par les pentes desséchées des montagnes. À l'horizon, rendu presque irréel par la forte luminosité, un sommet à la chape de neige éternelle se profilait.

Les deux jeunes gens ne savaient plus où aller et n'éprouvaient aucune envie de remonter vers le nord, même s'ils avaient ouï dire que la peste commençait à manifester des signes d'épuisement. Elle s'était faite plus rare dans les montagnes de ce pays, dont l'isolement avait sans doute protégé les rares habitants[96]. Ici, on pouvait mener une vie paisible.

— On pourrait descendre passer l'hiver dans la vallée et on remonterait ici pour l'été, suggérait parfois Hugues qui aimait bien rêvasser au pied d'un chêne.

Ce fut à cette époque que le jeune voyou fit la rencontre de bergers qui leur offrirent l'hospitalité, à lui et à son ami. La perspective inquiétante d'une saison froide à passer seuls dans les montagnes ne les rassurait pas. Ils n'avaient aucune idée de ce à quoi pouvait bien ressembler l'hiver en ces lieux.

Lorsque Louis manifesta l'envie de partir, Hugues s'y refusa: il avait fait la rencontre d'une petite bergère qu'il aimait bien. Ce que voyant, Louis accepta de rester encore un peu, mais il annonça que, indice ou pas, il allait pour sa part se remettre en route dès septembre.

*

Un pin courtaud tourmenté par les vents arides se penchait légèrement au-dessus d'un mince filet d'eau dans son écorchure du sol, le protégeant de ses branches tordues comme un sien trésor. À chaque été, juillet mettait le ruisseau presque à sec. Quiconque désirant alors s'en abreuver devait songer à poser, tôt le matin, un seau entre les rochers où il ne s'écoulait plus que goutte à goutte, et voir à remplacer le seau par un autre le soir venu.

Une ombre vint s'immobiliser au-dessus de ce ruban étincelant qui, au zénith, semblait marquer les pages d'un livre précieux fait de rocs et de buissons à fleur de terre. Un jeune homme s'était arrêté là pour admirer en contrebas une vallée verte et or qui exhalait ses entêtants parfums de romarin et de lavande. Pays de musique et d'épices, figé pour l'heure comme une enluminure par les crissements de plumes d'innombrables cigales. Par l'effet de la pénurie d'eau, un peu de barbe avait commencé à barbouiller la figure du jeune homme. Le vent qui s'était alangui sous la lumière crue du soleil taquinait sa chevelure et ramenait des mèches sombres sur des épaules couvertes d'étoffe d'un noir passé. Ce qui avait d'abord été un froc bénédictin avait été taillé à mi-cuisse pour former une tunique nouée à la taille par une bande de la même étoffe torsadée formant ceinture. Le costume du jeune homme était complété par des chausses de coutil couleur de terre et des heuses en peau de daim dont la facture, quoique grossière, laissait croire que l'artisan possédait au moins quelques rudiments en matière de cordonnerie. Une dague, un arc et un carquois bien garni de flèches à pointes d'acier complétaient son attirail.

Louis était intrigué par la présence d'un seau sur cette pente aride alors que, un peu en contrebas, l'eau rude et vivace coulait avec plus d'abondance. Quelques chanceux, parfois, y pêchaient même des brins d'or. Cependant lui-même n'en avait pas trouvé.

Il prit place sur un rocher chauffé par le soleil et sortit de sa besace une tranche de venaison séchée au soleil. Elle était coriace comme du cuir. Il se coupa une part de fromage de chèvre et la mangea, après quoi il se pencha et prit le seau afin de s'abreuver de l'eau volée, patiemment recueillie depuis le matin.

Le chant cuivré des cigales était toujours si omniprésent que son absence soudaine donna trop de place au silence. Louis leva la tête et regarda alentour. Il ne vit rien. Une à une, les cigales reprirent leur chant là où elles l'avaient laissé et Louis continua de manger sa collation en admirant les grands mouchoirs d'or qui avaient été étendus sur le sol de la vallée. Les sols les plus fertiles étaient dévolus à l'orge et à un peu de mil, tandis que le méteil et le seigle régnaient sur les pentes douces.

Une buse réveilla quelques échos, et trois chèvres passèrent près de Louis en bêlant. Les tintements de leurs clochettes parurent se multiplier, annonçant l'arrivée d'un troupeau. Le jeune homme se releva. Un grand chien dévala la pente à toute allure. Son propriétaire, un pastoureau, descendait de sa démarche nonchalante. Il dit, avec un fort accent espagnol :

—*Hugo* et Jacinta, ils t'attendent au camp, *Luis*.

*

Les lueurs changeantes du feu projetaient des ombres démesurées sur les parois des tentes qui avaient été montées un peu plus tôt au crépuscule. Lorsque les flammes auraient baissé, on allait mettre à rôtir sur des broches les quelques perdrix qui avaient été attrapées au cours de la journée. Pour le moment, les adultes s'étaient réunis en cercle autour du foyer et échangeaient commérages, jeux ou plaisanteries.

Cette ambiance conviviale plaisait beaucoup à Hugues, à qui la seule compagnie d'un Louis taciturne ne suffisait pas. Car, depuis sa sortie du monastère, le jeune homme brillait par une économie de gestes et de paroles encore plus accentuée qu'auparavant.

—À l'heure qu'il est, on doit l'avoir, notre nouveau roi, dit un vieux en très mauvais occitan. Les deux Français arrivaient tant bien que mal à suivre la conversation.

—Tu tiens ça de Lopez ? demanda Jacinta, la pastourelle, que l'on disait un peu sorcière. Des mèches folâtres s'étaient échappées de son chignon et luisaient, telles des flammèches autour de sa tête.

— Tout juste. Il est revenu hier de Pampelune. Paraît qu'il a vu le roi en personne passer à cheval. Imaginez : un roi qui n'a jamais mis les pieds sur ses terres de Navarre, dit-il avec dédain.

Un homme plus jeune avait entrepris d'embrocher les perdrix.

— J'ai ouï dire que l'Ermite s'est tordu la jambe avant-hier en allant quérir de l'eau, annonça-t-il.

— C'est vrai ? Le pauvre diable. Ça ne doit pas être facile pour lui là-haut. Je pourrais aller lui rendre une petite visite, proposa Hugues.

— Je t'y accompagnerai, dit Jacinta en se moulant amoureusement contre lui sous le regard scrutateur de Louis que le feu rendait cuivré.

L'une de ses longues mèches sombres lui barrait l'œil droit. Cela ne semblait pas l'incommoder. Jacinta dit doucement, à son intention :

— Je ne lis jamais dans les lignes de la main. Même quand les gens me le demandent. Parce que leur visage me parle bien davantage. Trop, parfois. Le tien est de ceux-là. Tu me mets mal à l'aise. Quelque chose manque. Ça doit être ça. Mais je n'arrive pas à savoir quoi.

— Jacinta, dit Hugues doucement.

— Ça va, j'ai compris, dit Louis, qui se leva et s'apprêta à partir.

Jacinta le rappela en se levant à son tour :

— Non, attends. Tu n'as pas compris. Suis-moi dans ma tente et je t'expliquerai.

L'expression de cette femme au teint olivâtre ne laissait place à aucun doute sur ses intentions. Elle disparut derrière le pan de sa tente où l'adolescent alla la rejoindre une fois qu'il eut reçu l'approbation de son compagnon. Sans un mot, elle l'invita à prendre place sur une natte et s'assit devant lui. Des instruments et une lampe de pierre étaient posés entre eux. La petite flamme bleutée pétillait joyeusement en s'abreuvant d'huile. Dehors, les voix formaient une tapisserie sonore qui alla s'atténuant aux oreilles du jeune homme tandis que la pastourelle prenait la parole d'une voix douce, légèrement monocorde :

— Il faut que tu saches ce que me dit ton visage. Voici : parce que tu as eu très mal, tu feras toi aussi beaucoup de mal. Une grande révolte couve en toi, n'est-ce pas ?

Elle vit ciller le regard dur de Louis dont la lampe attisait un feu qui, lui, venait de l'intérieur.

— Oui, admit-il enfin.

— Contre quelqu'un. Quelqu'un qui t'est proche.

C'était une affirmation. Il opina encore et dit :

288

—Le père.

Elle fit un vague signe d'assentiment comme si cette précision était sans conséquence.

—Bientôt, tu passeras par une mauvaise porte. Ce qui se trouve de l'autre côté de cette porte, tu ne le souhaites pas. Mais tu vas quand même le choisir. Par ce choix que tu feras, celui que tu cherches sera perdu. Relève ta manche. La dextre.

—Pourquoi? demanda Louis tout en obtempérant.

—Je ne sais pas. Je vois... comme un guerrier.

Il haussa les épaules avec indifférence. Ce n'étaient que fariboles sans intérêt. Il laissa Jacinta lui prendre la main. Elle répéta:

—Je ne lis jamais dans les lignes de la main.

Pourtant, elle abaissa les yeux sur la paume ouverte de Louis et dit, en la caressant du pouce:

—Je vois beaucoup de peines. Trop de lignes brisées.

Elle secoua la tête et regarda à nouveau le visage de Louis.

—Mais une ne se brise pas. Je vais te faire une marque. Comme la mienne. Regarde.

Elle dénuda son épaule afin de lui montrer une petite fleur d'un rouge brunâtre dessinée à même la peau. Elle était représentée tête basse, un peu triste, et l'un des pétales était tombé. Elle précisa:

—Ma destinée. Je sais que je vais perdre *Hugo*. Je lui en ai déjà fait une, une marque, à lui. C'est lui qui l'a choisie. Il voulait trois lignes sur le bras. Je ne sais pas ce que c'est. Tu vois, c'est jamais pareil. Toi, ce sera autre chose. Ça restera toujours sur toi. D'accord?

—Si tu veux. J'ai déjà des cicatrices partout.

—Tu n'as pas peur?

—Le devrais-je?

Elle lui sourit et fit un signe de dénégation.

—Non. Pas si tu es un vrai guerrier.

À l'aide d'une grosse aiguille de sellier dont les côtés étaient taillés en dents de scie, Jacinta procéda à un laborieux perçage de la peau. Le poignet qu'elle maintenait sur son giron ne se rétracta pas. La jeune femme, penchée sur l'avant-bras marqué qu'il lui avait offert, se concentrait. Elle y laissait une multitude de petites entailles à travers lesquelles le sang coulait. Louis fut incapable de distinguer un quelconque motif. À plusieurs reprises, Jacinta dut lui éponger le bras. Elle dit:

—Tu ne gigotes pas tout le temps comme les autres. On dirait que tu ne sens rien.

—Montre-moi.

—Non, attends. Je n'ai pas fini.

Jacinta s'étira et prit un pot dans lequel elle plongea les doigts de sa main libre. Elle frotta sur la plaie une sorte de pâte granuleuse à base d'ocre rouge et posa un pansement par-dessus le tout.

— Ne l'enlève pas avant quelques jours, sinon, ça risque de s'effacer. Tu auras tout le temps voulu pour voir ce que c'est[97].

Ce disant, elle lui fit un clin d'œil.

— Me voici fustigé d'avance pour ce que je ferai dans l'avenir, dit-il.

Jacinta leva vers lui des yeux infiniment tristes. Elle ne dit rien.

Lorsqu'il quitta plus tard l'abri de la voyante, la lampe avait bu ses dernières gouttes d'huile et s'endormait paisiblement en même temps que sa jeune propriétaire.

Il jeta un coup d'œil circulaire sur le camp silencieux. Le feu de braises réchauffait des formes endormies autour du foyer. Les perdrix avaient été dévorées depuis longtemps. Il marcha sur l'un de leurs petits os que quelqu'un avait jetés là. Louis leva les yeux pour admirer la voûte céleste piquetée d'étoiles si nombreuses que cela en était étourdissant. Elle ressemblait à un immense manteau de velours brodé de diamants. « Peut-être parce qu'en montagne on est plus près des cieux », songea-t-il distraitement, ce qui ramena ses pensées vers Saint-Germain-des-Prés. L'abbaye lui manquait. Terriblement. Mais il refusa de trop y penser. « Ça va passer. Et si ça passe, tout passera. Père aussi[98]. Un jour. Là-bas. Et, lorsque ce sera fait, je retournerai à l'abbaye. »

Il souleva le pansement sur son bras endolori et regarda la tache sombre sur sa peau éclairée par les rayons bleutés de la lune.

C'était l'image d'une hache.

*

La retraite de l'Ermite était assez difficile à trouver. En y dépêchant Hugues et Louis avec toutes les indications nécessaires, Jacinta leur remit une besace dans laquelle avaient été déposés un pain plat, du fromage de chèvre et des remèdes. Une outre pleine d'eau fraîche les attendait aussi. La voyante avait changé d'idée et décidé de ne pas les accompagner.

La montée fut rude, et les jeunes gens durent passer le secteur au peigne fin à plusieurs reprises avant de dénicher enfin une fente étroite au pied d'une colline sur laquelle des rochers affleuraient à la surface de la terre. L'ouverture se trouvait au fond d'une cuvette

---

98. En moyen français, passer peut signifier mourir.

bien abritée par des pentes roides sur lesquelles croissait une végétation désordonnée et résolue.

Le vieil homme fiévreux était étendu sur sa couche, dans la pénombre trop fraîche de son repaire. Il n'y avait pas fait de feu la veille et aucune lampe n'était allumée. Il gisait sur le dos, immobile, ses yeux trop brillants fixant le plafond irrégulier. Il ne parut pas remarquer l'arrivée des visiteurs. Hugues suspendit sa besace et l'outre à une aspérité naturelle qui semblait destinée à cet usage.

— Eh bien, eh bien, Papy, ça ne va pas? Il vous faut sortir un peu au soleil, allez.

Hugues aida le vieil homme à se lever tandis que Louis restait planté là à observer la scène. L'ermite se laissa docilement conduire à l'extérieur de la grotte. Non loin de là, un rocher plat pouvait servir de banc. Le soleil l'avait réchauffé, et le vieillard put s'y asseoir dès que Hugues eut ménagé un passage à travers quelques buissons bas.

Garin de Beaumont[99] avait été un guerrier redoutable. On pouvait encore le deviner en observant sa musculature, bien que le grand âge l'ait fort affaissée. Il avait perdu la plupart de ses dents, mais, grâce à celles qui lui restaient, son visage n'avait pas été déformé. Quelque chose de puissant, une sorte de grandeur inaltérable, émanait de lui. On ne pouvait savoir exactement de quoi il s'agissait tant qu'on n'avait pas pris le temps d'admirer sa longue chevelure peignée vers l'arrière et sa barbe de patriarche, uniformément blanches comme neige neuve du Nord et soyeuses comme duvet de cygne. Il prenait grand soin de sa personne et de ses simples habits de paysan; c'était là quelque chose d'admirable pour un montagnard dont les ressources en eau étaient plutôt chiches. Garin posait autour de lui un regard qui devait être du même gris que l'acier de son épée, mais sans le tranchant de l'arme. Il prit la parole dans un français impeccable:

— J'ai posé mes pièges... dans le bosquet là-bas.

— J'y vais, dit Louis.

Le jeune homme se faufila parmi les taillis bas, tandis que Hugues prenait place auprès du vieillard.

— Ça va mieux, Papy? Tenez, prenez ceci.

— Qui est-ce?

Garin suivait des yeux le visiteur inconnu dont, parfois, le dos disparaissait parmi les buissons pour s'occuper de l'un ou l'autre collet.

— Mon ami.

— Comment se fait-il que je ne l'aie jamais vu auparavant?

L'ermite prit la poudre amère que lui avait remise Hugues et la fit passer avec de l'eau en buvant à même l'outre.

—Il n'a jamais voulu venir avec moi avant.

—Ah bon. Est-ce un moine?

Hugues regarda en direction de Louis et cligna des yeux à la vue du capuce qui pendait, coincé entre le dos de Louis et son carquois.

—À vrai dire, je n'en sais rien. C'est bête, je n'ai pas pensé à le lui demander.

—Alors, c'est que vous ne causez guère, tous les deux.

Hugues se baissa pour cueillir un brin de romarin qu'il caressa un peu avant d'en grignoter la tige.

—Non, guère. Enfin... pas lui, en tout cas.

—Hum, je vois.

La chaleur bienfaisante déliait graduellement les muscles du vieillard, mais il frissonnait encore par moments. Louis revint vers eux avec une proie.

—Hum, un beau lièvre, dit Garin admirativement.

Il caressa la fourrure bariolée de la petite bête raidie que Louis posa près de lui.

—Cela nous fera un bon souper. Prépare-le, l'ami, si tu le veux bien, dit Garin.

Sans un mot, Louis prit à sa ceinture une dague rudimentaire et entreprit de dépiauter le lièvre. Le vieillard ajouta:

—Restez manger si le cœur vous en dit. Il y en aura trop pour moi. Dis donc, ton couteau me rappelle ceux que les Anciens fabriquaient. On en déterre parfois des vestiges par ici. Beaucoup plus vieux, en pierre. Le tien me paraît en bon acier.

—Il va bien, dit Louis.

—D'où le tiens-tu?

—Je l'ai pris à un mort.

Hugues toussota. La peau du lièvre tomba en froissant les herbes rares qui bouclaient autour du jeune homme agenouillé. Déjà une grosse mouche bleutée volait autour de leur tête avec obstination, attirée par l'odeur de chair crue. Garin avait été conscient du malaise provoqué par sa question. Il fit pourtant semblant de n'avoir rien remarqué:

—Tu peux garder la peau, j'en possède en suffisance. Ainsi, tu viens, toi aussi, du Nord.

—Paris.

—Moi de Reims. J'y ai passé ma jeunesse avant de partir pour la Terre sainte. J'ai quatre-vingt-douze ans, et je n'y ai plus jamais remis les pieds. La mémoire du bon pape Urbain ne me l'aurait pas permis[100].

Il rit doucement et laissa ses prunelles pâles errer sur les mains souillées de Louis.

—Le bon air et le médicament de la belle Jacinta me font du bien.

— Vous devriez descendre avec les bergers, Papy, dit Hugues.

— Voyons, tu sais bien que c'est impossible. Je me fais trop vieux pour arriver à les suivre dans leurs déplacements. Je ne veux être un embarras pour personne. Et j'aime ma colline. Nous allons bien ensemble. Elle est aussi sèche et revêche que moi.

Hugues rit. Louis leva les yeux sur l'homme et se mit en quête d'une branche inexistante à écorcer pour embrocher le lièvre.

— Ne te donne pas cette peine, mon garçon. J'ai un trou tapissé de pierres, par là-bas. Nous y ferons un feu plus tard.

Le vieillard pointait un endroit que cachait un piton rocheux à l'est de la grotte. Garin préférait la tendreté d'une viande cuite lentement sous les braises. Il reprit :

— Je me sens déjà un peu mieux, vous savez. Je jacasse comme une pie. J'aime bien reparler la langue d'oïl[101]. Cela faisait bien longtemps.

Louis fit un signe d'assentiment et chassa la mouche bleue du revers de la main avant de se rasseoir, sachant que les chiens de berger allaient s'occuper des entrailles du lièvre avant la tombée de la nuit. Garin lui demanda :

— Que faisais-tu, à Paris? Étais-tu moine?

— Postulant. Mais je suis parti et j'ai volé ce froc. Il n'y avait pas d'autres vêtements.

— C'est vrai? Tu voulais devenir moine? demanda Hugues, incrédule.

— Qu'y a-t-il de mal à ça? Je suis moi aussi un moine, dit Garin.

— Oh! Je n'y vois pas de mal, au contraire. Me voici donc en très pieuse compagnie. Ça me vaudra sûrement le paradis!

Garin rit et se leva péniblement. Hugues s'approcha pour lui venir en aide.

— Je puis vous trouver une canne, lui proposa Louis.

— Pour quoi faire? Non, non! Je n'en ai nul besoin. Prenez le lièvre et suivez-moi, tous les deux. J'ai quelque chose à vous montrer.

Ils retournèrent tranquillement à la grotte et dépassèrent ce qui à première vue avait semblé l'unique salle. Elle était munie d'une petite fosse à feu au-dessus de laquelle un trou d'échappement naturel permettait l'évacuation de la fumée.

— Je tâche de n'allumer mon feu qu'à la brune, dit Garin en entraînant ses hôtes derrière une grande couverture de cuir qui dérobait au regard une seconde salle plus petite.

Comme il y régnait une obscurité quasi totale, le vieillard se mit à la recherche de ce qu'il voulait à tâtons.

— Ça y est, j'y suis. Toi, le grand, approche. Prends garde au plafond bas.

C'était un réduit. Louis y éprouva immédiatement un sentiment d'oppression qu'il réprima de son mieux.

— Grimpe là, sur cette pierre plate. Attention, elle penche un peu. Voilà. Maintenant, touche la paroi juste devant. Bien.

Louis obéissait docilement à ces mystérieuses instructions, sans savoir qu'il portait la main sur d'admirables peintures rupestres.

— Sens-tu une sorte de brèche qui s'en va vers la droite? Tu l'as? Bon, suis-la. Lorsque tu sentiras que cette brèche en croise une autre presque verticale, arrête-toi.

— Je la sens, là.

— Parfait. Maintenant assure-toi une bonne prise et tire.

Louis comprit: ce geste lui fit déloger une pierre bosselée derrière laquelle se dissimulait une cache dans la paroi irrégulière.

— Sors-en ce qui s'y trouve.

— Il y a un trésor là-dedans, chuchota Hugues d'une voix émue.

— Un quoi? demanda Garin.

Louis en sortit avec difficulté un coffre ainsi qu'une épée ancienne. Le vieil homme prit l'arme avec déférence et laissa le coffre aux soins de ses hôtes. L'épée qu'il tenait était munie d'une lame lourde telle qu'on n'en faisait plus depuis près d'un siècle. Peu maniable, elle n'en restait pas moins redoutable lorsque convenablement utilisée.

— Retournons au soleil, dit Garin.

Une fois dehors, il tendit l'arme à Louis et ouvrit le coffre.

— C'est là tout ce qui reste de ma vie. Je désire être mis en terre avec tout ceci. Je n'ai plus de parentèle, et mes compagnons, s'il y en a qui sont encore de ce monde, sont depuis longtemps partis autre part. Le trésor qu'il y a ici en est un de gloire passée. Il ne s'agit que des souvenirs d'un vieil homme. Ce trésor n'est pas d'or, mais de fer.

Le regard clair et sagace rencontra celui de Hugues puis de Louis, qui tenait toujours l'épée.

— Les gens ont bien tort de convoiter l'or plus que le fer. Sans le fer, l'homme ne peut plus se défendre ni faire régner l'ordre. Et sans lui il n'y a plus de bons socs de charrue ni de maisons solides. Qu'achètera l'or s'il n'y a rien sur la table ni rien pour abriter cette table? Mon seul trésor, c'est cette épée.

— Pourquoi nous montrez-vous tout cela? demanda Louis.

L'ermite sourit malicieusement.

— Eh bien, les vieux comme moi ont beaucoup de temps pour réfléchir. Ils n'ont que ça à faire. Je me sens, disons... Comment dire? Un peu inspiré. Ou alors c'est la fièvre.

— C'est sûrement cela, dit Hugues en éclatant de rire. Le vieillard montra l'épée avec son menton.

— C'est ma gente Dame. Bientôt, il faudra bien qu'elle continue sa vie sans moi. Quel est ton nom?

— Louis.

— Tu sais te battre, Louis. Ça se voit tout de suite. Tu l'as bien en main. Prends-la, je t'en fais cadeau.

— Quoi? Mais...

— Ne discute pas. Prends-la, te dis-je. Elle se languit depuis des années dans sa cachette et je n'en aurai nul besoin dans mon tombeau. L'habit me suffira amplement.

Sa main ridée caressa le tabard blanc frappé d'une croix rouge qui était précieusement plié dans le coffre, par-dessus une cotte de mailles. Hugues siffla d'admiration.

— C'est trop d'honneur, dit-il à la place de son ami.

Vaguement intimidé, Louis dit:

— C'est vrai. Et je n'ai pas le droit[102].

— Que m'importent ces vaines lois d'en bas! Elles n'ont pas cours dans nos montagnes.

— Je suis touché, dit Louis.

— Tiens la garde des deux mains, que je voie si elle t'accepte.

Cette perspective changeait tout.

Garin regarda attentivement sa gente Dame et l'homme qui allait la servir. Satisfait, il opina en constatant que la noble épée acceptait Louis.

*

Quelques jours plus tard

Garin ne souffrait plus de la fièvre, mais il avait dû se résoudre à utiliser la canne que Louis lui avait fabriquée le matin même avant sa promenade. Il tardait au vieillard de retrouver les dernières cigales somnolentes, invisibles dans leur cache d'herbes folles poussant le long du sentier qui le ramenait chez lui.

Sans que personne ne le lui eût demandé, Louis resta toute la nuit chez l'ermite. Hugues n'était pas monté, ce jour-là; il devait passer la journée avec la belle Jacinta, sa petite amie. Le vieillard sourit avec attendrissement à cette idée en s'avançant vers une corniche du haut de laquelle il put admirer le paysage en contrebas. Le dessous plat et charbonneux d'un nuage était suspendu au-dessus de la vallée. Des lueurs désordonnées y palpitèrent. Longtemps après, un grondement cotonneux se fit entendre. «Il tonne encore loin», songea Garin.

Un peu plus bas sur la pente, Louis pratiquait de gracieux mouvements d'escrime.

« Je ne m'étais pas trompé », se dit l'ermite en le regardant faire. Il appela :

— Rentre avec moi, Louis.

L'adolescent interrompit ses exercices et regarda dans sa direction. Il escalada la pente et vint rejoindre Garin sans discuter. Le vieillard crut, probablement avec raison, que c'était sa façon à lui de démontrer le respect qu'il éprouvait pour le vieil homme.

« Je me demande ce que Bertrand penserait s'il voyait tout ça », se demanda Louis. Ses pensées furent interrompues par Garin qui lui entoura les épaules et lui donna une tape amicale.

— Il faut vivre en montagne pour voir comment les orages peuvent nous atteindre rapidement. Ici, il va venter et tonner. Mais nous ne recevrons que de la bruine. Les nuages se scindent lorsqu'ils atteignent cette crête, là-bas. Louis, je suis désolé que tu ne te plaises pas ici.

L'adolescent ne broncha pas. Il s'assit sur un rocher plat où l'ermite avait déjà pris place. L'omniprésente brise s'était essoufflée. On aurait dit que tout l'oxygène avait été refoulé vers la vallée pour alimenter l'énorme masse bleutée du nuage. L'atmosphère se teintait d'une luminosité inquiétante due aux sables de la lointaine Afrique qui étaient charriés et laissés en suspension dans l'air. À certains endroits, le dessous du nuage avait commencé à s'effilocher en bouts de laine grise. L'air, toujours immobile, devint crépusculaire. Louis ne quitta pas des yeux un seul instant ce phénomène laborieux et fascinant.

— Qui vous a dit que je ne m'y plais pas? demanda Louis.

— Personne. Je le sens, c'est tout.

Était-ce donc si flagrant pour que tout le monde arrive à lire en lui de cette façon? Il fronça les sourcils. Garin reprit :

— Loin de moi l'idée de me mêler de tes affaires. Cela ne me regarde pas. Il y en a qui te diront que je suis perspicace, mais tu sais, au fond, je ne suis qu'un vieux furet et, parfois, il m'arrive de m'ennuyer. Pas toi?

— Non.

— J'en connais qui t'envieraient beaucoup pour cela. Mais, d'un autre côté, c'est notre besoin des autres qui fait de nous des hommes. La vie nous est moins pénible lorsqu'on a au moins un ami. Ou une amie.

— Je n'ai pas besoin d'amis.

— Voyons, tu ne peux pas dire ça. Pas à ton âge. Tiens, Hugues, par exemple... holà!

Un éclair déchira l'opacité de la pénombre. Il fut presque immédiatement suivi d'un bruit fracassant. Le vent se leva brusquement, furieux d'avoir été dérangé dans son sommeil.

— Rentrons vite, dit Garin.

Des rafales de vent bruineux prirent d'assaut leurs vêtements et leurs longs cheveux alors qu'ils se levaient. Ils eurent froid instantanément. Heureusement, ils parvinrent au refuge assez rapidement. Les épaisses parois de la grotte atténuèrent le vacarme de l'orage en le transformant en un grondement monotone qui induisait à la somnolence. Garin s'adossa contre la peau de bête qui couvrait le mur de pierre et soupira. Louis prit place en face de lui, la pierre nue lui servant de dossier.

— Nous avons tous besoin d'amis, ou à tout le moins d'un but, d'un idéal qui nous motive. En as-tu un, Louis?

Le regard sombre du jeune homme, qui jusque-là avait été braqué sur Garin, devint diffus et se mit à errer parmi les nuages de poussière mêlée de bruine qui passaient devant l'entrée de la grotte. Apparemment sans s'en rendre compte, il se mit à se cogner doucement l'arrière de la tête contre la paroi.

— Oui, j'en ai un, dit-il.

— Mais tu éprouves de la réticence à me dire lequel.

Louis ne répondit pas. Ses yeux revinrent se poser sur le visage parcheminé du vieil homme, qui dit:

— N'aie aucune crainte, je conçois cela et n'ai pas du tout l'intention de te contraindre à m'en parler si tu n'en as pas envie. Tout ce qui m'importe, c'est la certitude qu'il s'agit de quelque chose d'unique, de quelque chose qui requiert ton être tout entier. Ce doit être un grand idéal.

Pendant un court instant, Louis était venu bien près d'interrompre Garin pour tout lui dire. Son but était certes unique. Existait-il ailleurs un autre garçon qui n'avait été mis au monde que pour être bafoué, maltraité et renié par celui-là même qui lui avait donné la vie? Et la vie que cet homme s'était ensuite efforcé de lui arracher morceau par morceau, n'était-il pas normal que le garçon trahi la voue au recouvrement de ce qui avait été perdu? Oui, Louis avait son idéal et cet idéal s'était mis à compter plus que tout, plus que ses précieux et trop rares souvenirs d'Adélie et d'Églantine; plus que la boulangerie abandonnée; plus que l'abbaye et l'existence sereine qu'il aurait pu y mener; plus que Pierre, Lambert et même Hugues. Il se rendait compte de la vraie raison pour laquelle il n'avait pas besoin d'amis, ni d'avenir ni de repos: son but était unique en ce sens qu'il avait pris toute la place. Il n'y en avait plus pour autre chose.

Et c'était loin du grand idéal qu'imaginait Garin. Alors, Louis dit, après un long moment d'hésitation, comme en réponse à l'écho des derniers mots du vieillard qui flottait toujours dans l'air poisseux :

— Pas vraiment, non.

Garin sourit.

— Tu es trop modeste. Mais c'est bien, c'est bien, la modestie. Tu sais, pendant que je te regardais t'exercer tout à l'heure, je me suis dit que tu aurais fait un Templier exemplaire.

— C'est vrai?

— Oh oui, je puis te le garantir. Toute cette obstination, cette fougue admirable... tu insuffles un peu de ta jeunesse à mes vieux jours, Louis, et je t'en remercie.

Surpris, Louis cligna des yeux et finit par abaisser le regard vers ses mains croisées sur ses cuisses. Que dire, comment réagir à ces paroles limpides, si aimables? Il ne savait plus. Il n'arrivait plus à comprendre l'émoi que les mots de Garin suscitaient en lui. C'était un peu comme si on manifestait de la gentillesse à son égard pour la première fois et qu'il n'ait jamais su auparavant que cela pouvait exister.

Enfin il releva la tête et dit :

— Écoutez, je crois qu'il vaut mieux ne pas trop vous attacher à moi.

— Ah. Tu vas t'en aller, n'est-ce pas?

— Oui.

— Parce que tu ne te sens pas bien ici.

— Je ne me sens bien nulle part. Ne vous attachez pas, c'est tout.

— Mais pourquoi donc?

— Parce qu'alors moi aussi je vais m'attacher à vous, et ce serait mal.

— Qu'y a-t-il de mal à ça? Oh, je crois que je comprends. Tu crains les rumeurs? Ou bien cela te détournerait de ton but?

— Rien à voir. C'est juste parce que, chaque fois qu'il m'arrive quelque chose de bien dans la vie, ça ne dure jamais. Non, laissez-moi finir. Vous ne comprenez pas. J'ai perdu tous ceux que j'aimais. Tous. Pensez-y bien avant de vous attacher à moi. Je porte malheur.

Garin respecta son silence, même s'il se prolongea pendant plusieurs minutes. Il finit tout de même par dire :

— Tu sais, à mon âge, ce genre de superstitions, ça n'a plus guère de sens. Quel genre de malheur pourrait-il m'arriver, à ton avis? Que je me retrouve tout à coup sourd et aveugle? Que je me casse une jambe? Même si l'une de ces choses finissait par m'arriver, je n'aurais pas à la supporter longtemps. Je me fais vieux, Louis, je n'aurais qu'à me laisser aller et c'est tout, on n'en parle plus. Tu vois bien. Il m'en coûte si peu de prendre le risque.

— Et à moi?

— Si tu te poses cette question, c'est que mon affection pour toi est déjà réciproque.

— Vieux goupil.

Garin éclata de rire et demanda :

— C'est ta petite amie que tu as perdue?

— Entre autres.

— Quand j'étais au monastère, ce que j'ai trouvé le plus difficile dans ma vocation, ce n'était pas l'obéissance ni la pauvreté. C'était la chasteté. À maintes reprises, j'ai bien failli tromper ma gente Dame.

— Des envies comme ça, moi, je n'en ai plus.

Garin se tut un long moment et ferma les yeux. Le crépitement de la rare pluie et les roulements de tonnerre s'immiscèrent entre eux.

— Je te crois. Mais je crois aussi qu'il y a une raison à cela.

— Ah ouais.

— Oui. J'ignore laquelle, mais il y en a une. C'est vraiment très curieux. Rien n'arrive sans raison. Moi, j'y vois une bénédiction. Cela te protégera. Comme un bouclier pour aller avec ma gente Dame.

— Les voyants pullulent sur cette montagne à ce que je vois.

— Hein? Ah! Mais bien sûr. Tiens, regarde, tu en es un aussi, dit le vieillard en riant.

Un coup de tonnerre fit trembler le sol près d'eux et déclencha une rafale. Garin reprit :

— Ma chasteté m'ayant privé de la paternité selon la chair, elle m'a jadis accordé en échange une paternité choisie selon l'esprit. Je n'ai jamais usé de ce privilège avant aujourd'hui. Mais, à présent, voici que j'ai soudain l'envie de m'en prévaloir. Sois donc mon fils, Louis.

Saisi, le jeune homme fixa Garin. Il ne sut que répondre. Il fallait que ce soit pour le vieillard un aveu émouvant, car il avait les larmes aux yeux. Il ne pouvait se douter que, pour Louis, le père ne représentait rien de positif, au contraire.

*

Quelques jours plus tard

Le camp était désert, sinistre. Dès qu'il y mit les pieds, Louis sut que personne n'y reviendrait plus. Il connaissait trop ce silence figé et tout ce qu'il avait d'irrémédiable. Le sol piétiné par des sabots ferrés avait bu des traces de sang qui s'étaient amalgamées aux cendres des feux éparpillés. Les pans lacérés d'une tente qui tenait encore debout claquaient au vent comme une bannière morbide. Plus loin, un petit paquet de chiffons maculés frémissait pitoyablement comme une chose vivante sous le vent qui rasait le sol. Louis se pencha pour le ramasser. C'était une poupée de son. Sa face souriante à peine ébauchée avec un peu de fil rouge se brouilla sous les yeux du jeune homme.

Des coups de vent gémissaient d'une voix monotone depuis les plus hautes cimes. Louis, qu'une rage glacée avait transformé en ombre, hurla en son âme:

«Je le savais, que ça n'allait pas durer. Je le savais. Et lui, je ne l'ai même pas prévenu.»

Regrettant amèrement de ne pas avoir repris la route seul plus vite, à temps pour laisser Hugues à sa nouvelle vie, il entreprit de déchiffrer les traces laissées par les pillards: ils étaient une demi-douzaine. Leur groupe s'était scindé en deux aux abords d'une montée. Un seul cavalier et trois hommes à pied s'étaient engagés vers la colline abrupte. Deux autres piétons étaient partis de leur côté en traînant quelqu'un de force. Tous paraissaient ensuite s'égarer dans une recherche vaine, car les traces tournaient en rond et finissaient par s'entrecroiser parmi un fouillis de végétation basse et dense qui poussait le long d'une paroi. L'un des individus avait abandonné un bout de tissu aux griffes trop possessives d'un roncier. Louis reconnut l'étoffe: elle appartenait à la tunique de Hugues. Il y avait du sang dessus.

*

Arnaud fit craquer les jointures de ses poings bagués avec une satisfaction manifeste en souriant au petit pâtre terrorisé couché à plat ventre devant lui en travers de sa selle, les chevilles et poignets attachés avec des liens de cuir. Un petit prisonnier dont la collaboration s'était avérée fort utile puisque les quatre hommes avaient à peine tâtonné pour trouver l'endroit qu'ils avaient cherché en vain des heures auparavant.

—*Indulto, indulto*[103], répétait sans cesse le garçonnet sanglotant.

—Garin de Beaumont. Je te tiens enfin, vieux traître, dit Arnaud qui ne descendit pas de son genet.

—Vieux sans doute, mais non pas traître. Que me voulez-vous? demanda l'ermite d'une voix sereine.

---

103. Grâce.

Le Templier, encadré par deux des gardes qui étaient loin de manifester l'arrogance de leur maître, se tenait bien droit devant le jeune noble. Les deux hommes restants surveillaient Hugues qui avait lui aussi été neutralisé. Arnaud épousseta avec nonchalance la manche de son hoqueton de camocas* vert ceint de cuir sombre au fermoir d'or. Une tenue d'un luxe exagéré pour une randonnée en montagne. Le jeune homme se délectait de sa victoire tout en songeant qu'il avait pu mener son projet à terme avant le retour de son père. Il ne lui restait plus qu'à espérer que le baron ne soit pas de retour au châtelet avant quelques jours encore.

—Beaucent à la rescousse[104]! railla d'Augignac en s'agitant sur sa selle. Cela rendit sa monture nerveuse et son pied pris dans l'étrier heurta le dos d'un troisième garde qui s'était rapproché de lui pour se mettre à sa disposition. Garin protesta:

—Ne profanez pas l'ordre auquel j'appartiens. Qui que vous soyez, votre voix méprisante est indigne de cet appel puisque vous vous en prenez à des enfants.

—Que de nobles sentiments pour un troupeau de boucs châtrés qui avaient amassé davantage d'or que les juifs et les banquiers lombards réunis! Les Templiers ont été exécutés par le roi de France. Ils n'existent plus. Ta vieille carcasse à elle seule me vaudra donc bien un écu ou deux de la part de mon roi!

Il se rengorgea et flatta le dos du petit berger.

—Quant à ce loyal sujet, je me ferai un honneur de le relâcher tantôt afin que tu prennes sa place sur le devant de ma selle.

Son rire gras se perdit soudain dans un hurlement de douleur: l'un des gardes qui retenaient Hugues se courba, empoignant la hampe d'une flèche qui venait de se ficher dans sa cuisse droite. L'empenne en tremblait encore lorsqu'un second projectile se planta bruyamment dans le bouclier du garde qui se tenait près d'Arnaud. Le temps de trois battements de cœur, une autre flèche, provenant d'un angle différent, atteignit ce dernier au bras.

—Là haut! Là-haut! s'écria le garde indemne qui se hâta de se protéger derrière Hugues qui se débattait.

Mais son appel à ses compagnons se perdit dans les cris porcins d'Arnaud. Il regarda avec insistance en direction du bord de la cuvette où l'on ne pouvait voir que des feuillages à peine mouvants sous la brise de midi. Deux autres flèches sifflèrent sans causer de dommage, car les hommes valides avaient suffisamment repris leurs sens pour se déplacer vivement et en zigzaguant, afin d'adopter des positions défensives. Ceux qui retenaient Garin l'entraînèrent dans sa grotte. Le garde d'Arnaud, indemne, fit bouclier de sa personne au jeune noble qui avait sauté de sa monture et qui, sans cesser de geindre, errait imprudemment au hasard d'une démarche trébuchante. Le petit berger, toujours en travers de la selle, n'osa rien tenter. Le garde d'Arnaud dut empêcher son protégé d'arracher la flèche de son bras. Celui qui était blessé à la cuisse avait claudiqué derrière le rocher qui avait servi de siège à Garin. L'homme qui tenait Hugues en otage l'entraîna jusqu'à la grotte, où il le confia aux gardiens du Templier. À lui seul revenait de mettre un terme à ce qui paraissait être une fausse manœuvre d'encerclement. Il courut de travers en direction de la pente qu'il entreprit de gravir. Des cailloux en dévalèrent joyeusement pour aller se perdre dans quelques buissons atteints de pelade. Inexplicablement, il n'y eut pas d'autres tirs à ce moment, même si le poursuivant était à découvert. Arnaud cria d'une voix faussée par la douleur à laquelle il ne devait pas être accoutumé :

— Il n'y en a qu'un, là! Je le vois! Saisis-moi cet archer du diable! Je le veux vivant!

Plusieurs flèches volèrent soudain près de la tête du garde, telles des guêpes défendant leur nid. Mais bientôt les tirs cessèrent. L'archer devait se trouver trop près de lui désormais pour le prendre comme cible, même s'il ne voyait rien dans l'enchevêtrement de végétation qui, à cet endroit bien choisi, avait deux toises de hauteur. Il avait l'impression que l'ennemi fuyait en silence juste sous son nez, faisant taire les insectes chanteurs, mais sachant utiliser la brise comme complice de ses dérobades. Il put cependant apercevoir le tireur de dos une fois, comme l'une de ces visions furtives propices à faire naître les légendes : un moine noir[105] ceint d'une bonne lame. Une chevelure sauvage dansant au vent. Il dégaina son épée. La brise reprit son souffle pendant suffisamment de temps pour permettre au poursuivant d'entendre les jurons d'Arnaud qui lui parvenaient de façon atténuée. Le mystérieux archer demeura introuvable. Complices, les feuillages denses murmuraient autour de lui et consentaient à lui servir de cachette.

— Te joues-tu de moi, hé, aumônier des biques? Montre-toi, sale couard!

Ce défi braillard ne dérangea qu'une grive un peu plus loin devant lui, vers l'est. Il grogna de satisfaction en s'élançant et faillit tomber dans le piège : une lame épaisse surgie de nulle part frappa la sienne avec une telle force que des étincelles jaillirent. Il manqua perdre son emprise. L'adversaire, un géant, se dévoila enfin et l'affronta. Il se mit à frapper de taille et d'estoc, sans relâche, sans dire un mot. «Manœuvre dangereuse puisque épuisante, surtout en armure», lui aurait dit Garin s'il l'avait vu faire. Toutefois, l'idée de Louis avait produit son effet: l'homme d'armes isolé, désemparé devant la haute stature de sa proie, qui n'avait cessé de se dérober jusqu'à cette violente attaque, se mit à parer les coups en reculant imprudemment jusqu'au bord de la cuvette. Louis l'y fit trébucher. Le garde boula au bas de la pente en produisant un nuage de poussière dans lequel le mystérieux archer disparut pour se matérialiser à nouveau juste à ses côtés. L'homme d'armes eut tout juste le temps de rouler sur lui-même pour esquiver un coup qui lui entailla tout de même l'épaule. Il n'y en eut pas d'autres: Louis s'était précipité avec une vitesse démoniaque vers l'individu bien habillé qui semblait être le chef. Arnaud leva les mains en signe de reddition lorsque la pointe de l'épée lui effleura doucement le menton. Il gémit.

—Pitié!

—Pitié de quoi? demanda Louis avec dédain.

—*Mucho ánimo, Luis*[106]! cria le petit berger depuis son perchoir.

Les autres, gardes et captifs, s'étaient regroupés à l'entrée de la grotte pour observer la scène.

—Louis, non, dit Hugues.

Mais le jeune homme n'entendait plus. Il semblait avoir oublié jusqu'au pourquoi de son intervention, car il ne parut même pas remarquer la présence de Hugues. La mauvaise lueur dans son regard fit voleter une fine poussière argentée qui ressemblait à de la cendre à leurs pieds, comme si quelque chose d'invisible venait de se consumer. Il dit doucement:

—Tu ne crois tout de même pas que je vais te laisser partir comme ça, peinard? Non, il faut du sang.

—Hé, du calme. Dis-moi ce que tu veux. Tiens, j'ai des écus. Ils sont à toi si tu me lâches.

—De l'argent? Non, merci. Ça ne m'est pas vraiment utile dans la montagne.

—Écoute. Je suis le fils du baron d'Augignac. Obéis-moi et je promets de t'emmener avec moi à la cour du roi.

—Et puis quoi encore? dit Louis.

—Mais alors, tudieu, que veux-tu?

Les yeux du géant scintillèrent.

—Je te veux du mal.

—Louis, ça suffit, arrête! cria Hugues.

---

106. Beaucoup de courage, Louis.

Le vieux Templier fut poussé hors de la grotte par son gardien qui s'avança. Louis l'aperçut et ordonna :

— Pas un geste !

D'un coup d'épée, il fit voler l'empenne de la flèche qui était toujours fichée dans le bras d'Arnaud, protégé dérisoirement par sa main valide. Le noble hurla de douleur, et du sang lui couvrit les doigts. Arnaud appela :

— Maman !

Louis, un instant interdit, cligna des yeux.

— Ta gueule, dit-il.

Un rictus tremblant se dessina sur ses traits. Il repoussa Arnaud d'un coup de pied au ventre. Le jeune noble trébucha et tomba à la renverse. Louis se jeta dessus avant de planter rageusement sa lame dans la terre, tout près du visage de sa victime. Ce fut là son erreur.

Le temps que le forcené mit à récupérer son arme et à se lever, les gardes valides l'avaient déjà encerclé. À partir de là, le combat fut bref. Louis les tint à distance en faisant tournoyer une lame redoutable, sans qu'il parût s'en rendre compte.

— Il a perdu la raison, murmura Hugues à Beaumont.

L'issue était pourtant inévitable contre trois combattants plus expérimentés que lui. Louis finit par flancher et ce fut le signal de la curée.

— Vivant ! cria encore une fois Arnaud qui se relevait en hâte et secouait du plat d'une main tremblante son habit empoussiéré.

Les hommes rengainèrent leurs armes et entreprirent de battre le vaincu à coups de poing et de pied jusqu'à ce qu'il ait cessé de remuer. Ils lui attachèrent les mains derrière le dos. Hugues et le petit berger furent relâchés. Si le second s'enfuit maladroitement en direction de la pente sans demander son reste, on dut bousculer et menacer le premier pour l'éloigner. L'un des hommes entreprit de soigner sommairement la blessure du jeune noble avec, en guise de pansement, une longue bande d'étoffe prise à même le vêtement de Louis.

— Le misérable. Il va me payer ça très, très cher, dit-il en se lamentant.

Aussitôt que Garin, résigné et silencieux, fut ligoté et jeté en travers de sa selle, Arnaud permit à ses hommes valides de piller la grotte. Ils n'y trouvèrent aucun objet de valeur et se contentèrent d'en ramener le coffre dont le contenu les déçut. D'Augignac dit :

— N'en soyez point marris, compagnons. Nous n'avons peut-être pas de trésor, mais que voilà une personne précieuse qui certes nous vaudra de la considération !

Puis, à Beaumont :

— Tu porteras tes hardes, Templier. Quant à ce démon d'archer, qu'on l'attache par les poignets à ma selle avec quelques toises de bonne corde.

Louis avait repris conscience et s'était mis debout avec difficulté. Maintenant qu'il était neutralisé, Arnaud osa s'en approcher. Il dut lever la tête pour lui parler, ce qui ne fit que l'irriter davantage, et il lui dit, d'une voix hargneuse d'enfant gâté :

— Il va t'en coûter de t'en être pris à moi, maraud. Apprête-toi à courir, mais surtout à choir et à te faire chier dessus. Tu ne vaux guère mieux que le crottin de mon genet.

Le captif tenu en respect par l'un des gardiens lui cracha en plein visage. Arnaud répliqua par un coup de poing d'autant plus facile à assener que le géant ne pouvait plus se défendre. Un filet de sang lui dégoutta le long du menton.

Défiant, Louis imita les plaintes aiguës d'Arnaud avant de répéter son geste. Un crachat sanguinolent s'étoila sur la poitrine du noble et imbiba le tissu brodé.

— Ah, sale vermine !

Il ne tarda pas à ployer sous une grêle de coups de cravache que d'Augignac, furieux et à bout de souffle, dut interrompre trop vite à son gré : Louis n'était pas tombé et plongeait un regard méprisant dans celui de son tourmenteur.

— En route ! rugit-il enfin pour se donner une contenance.

Louis eut le temps de se tourner brièvement vers Garin.

— Je vous avais prévenu, dit-il

Le Templier leva un peu la tête pour jeter au jeune homme un coup d'œil affligé. Louis eut la nette impression que cette affliction lui était destinée à lui, que Garin n'éprouvait aucune compassion pour lui-même.

Ils furent de retour au châtelet familial le lendemain après-midi, après une nuit passée à la belle étoile. Les serviteurs n'avaient encore reçu aucune nouvelle de Raymond d'Augignac, ni de son fils aîné.

Ce qu'Arnaud rapportait de son escapade sema l'émoi parmi les domestiques. Les prisonniers furent jetés ensemble dans un méchant cul-de-basse-fosse sans autre commodité qu'un peu de paille moisie. On avait ménagé Beaumont. Mais son défenseur était couvert de plaies et de crasse. Il fut enchaîné par les poignets et le cou comme une bête dangereuse. Louis n'eut aucune réaction : il avait perdu connaissance bien avant son arrivée dans la cour pavée. À présent, il semblait fixer Garin de ses yeux vaguement révulsés. Le vieillard, encore nauséeux à cause des secousses du genet, ne put réprimer un frisson.

La porte de leur geôle se referma et fit disparaître dans une obscurité totale ce visage qui n'était pas celui d'un homme.

*

Friquet de Fricamp ressemblait à un renardeau à l'affût. Il était châtain et plutôt malingre. Il avait le visage fin et blême ainsi qu'il sied à un clerc menant une existence confinée. Il portait souvent la main à sa tonsure, comme pour s'assurer qu'elle était toujours là et que son statut d'homme politique ne l'avait pas effrayée. Si le climat du Midi et les voyages à travers deux royaumes lui avaient donné quelques couleurs, il conservait toutefois par habitude les manières affectées des gens de cour. Leur servilité calculatrice faisait bien rire le jeune roi Charles de Navarre. C'était donc par l'humour mordant de son souverain que le gouverneur de Caen, une ville de Normandie plus ou moins alliée de la Navarre[107], avait découvert qu'il avait trouvé plus fort que lui en matière de ruse. Et celui qu'on appelait le Freluquet ne s'en offusquait pas. Puisqu'il existait un homme plus sournois que lui-même, cet homme-là, qui venait d'être couronné, méritait son dévouement ambitieux.

Il arriva au châtelet d'Augignac par un après-midi venteux. Son escorte d'une dizaine d'hommes en tout envahit la cour. C'était un convoi modeste pour un personnage aussi illustre qui revenait d'assister au couronnement de son roi. Il se composait essentiellement d'ecclésiastiques. Le gouverneur avait tenu à s'assurer que sa petite troupe se déplace avec rapidité.

Le baron, encore retenu à Pampelune, avait fait recommander à son fils de recevoir la délégation avec tous les honneurs dus au gouverneur. Pour une fois, Arnaud s'abstint de rechigner, se rendant de bonne grâce aux exhortations de son père. Terrines aux épices, pâtisseries safranées, délices confites et vins raffinés se succédèrent sur la table, de banquet en banquet. On organisa des joutes et des festivités où furent conviés une douzaine de troubadours. On dédaigna les chandelles de suif, jugées indignes des hôtes qui festoyaient jusque tard dans la nuit, pour puiser sans vergogne dans la réserve de vraies bougies importées à prix d'or[108]. Arnaud n'en avait cure et rabrouait fréquemment l'intendant soucieux: qu'importait la perte d'une poignée de chandelles quand la faveur royale était en jeu! Une fois cette faveur gagnée, il n'allait avoir nul besoin d'héritage pour mener la belle vie. Pas une fois il ne porta attention au regard de son hôte, qui avait tout de suite jaugé le personnage: un tel manque de subtilité de la part du jeune noble lui était presque une injure.

*

— Garde cela pour toi, compris? dit à Garin l'un des acolytes qui avait espéré passer un peu le temps avec celui qu'ils appelaient le défroqué. Pas un mot. À personne.

Avec l'arrivée de la nuit venaient aussi des nuées de moustiques qui, attirées par l'humidité souterraine, ne donnaient aux prisonniers aucun répit. Les gardes semblèrent en traîner davantage avec eux lorsqu'ils ramenèrent Louis inconscient au cachot en le traînant par les aisselles. Garin fit un signe d'assentiment au garde qui lui avait parlé. Ils se contentèrent de laisser le prisonnier étendu à même la paille souillée sans lui remettre les chaînes. Le Templier se hasarda à leur demander :

— Que s'est-il passé?

— Rien. Il ne s'est rien passé du tout. S'il crève, c'est un accident. On n'a rien fait.

— Bon sang, tu la fermes, Colin, dit l'autre garde.

Ils venaient visiblement d'avoir la frousse de leur vie.

Les deux hommes sortirent hâtivement.

Garin vint s'accroupir aux côtés de Louis et contempla le visage qui gardait encore les traces d'une obstination farouche, même dans l'inconscience. Ses paupières étaient à demi ouvertes sur des yeux blancs, et de l'écume s'accrochait à sa barbe clairsemée. Garin le regarda tristement et lui posa une main sur le front.

« *Quod per sortem*
Sternit fortem
Mecum omnes plangite[109]... »

*

Le banquet était commencé depuis une heure. À lui seul, il avait coûté une petite fortune. On avait placé à intervalles réguliers des arrangements de pastèques et de concombres catalans. Au centre de chacun avaient été disposés avec grand art de petits quartiers de ces précieux melons de Valence, dont l'importation était récente. Froids et humides selon la théorie des humeurs, ces fruits étaient consommés en tout premier lieu afin qu'ils soient mieux digérés par le vin et les autres aliments qui allaient leur succéder.

La main potelée d'Arnaud leva bien haut une coupe de cristal dont le contenu, un vin couleur rubis, fut illuminé d'attrayante façon par la lueur des bougies avant de disparaître dans le gosier avide du jeune homme. Il était déjà ivre et tituba légèrement lorsqu'il se mit debout. Il tendit sa coupe à un serviteur qui apporta un grand pichet à bec tubulaire d'où coula en abondance de ce même vin à nul autre pareil. Le jeune hôte prit bien haut la parole afin de se faire entendre en dépit du brouhaha des conversations et de la musique :

— Excellence, il me plaît fort en ce jour d'être votre hôte, à vous de même qu'à votre éminente compagnie. Votre présence honore ma modeste demeure. J'ose espérer que ces réjouissances auront su vous plaire d'égale façon.

Arnaud se gargarisa d'applaudissements. Friquet lui fit un signe de tête poli et leva à son tour son hanap. Ravi, d'Augignac fit signe à deux serviteurs qui s'effacèrent.

Presque immédiatement après, ils revinrent en transportant sur une sorte de brancard le plus gros pâté que les convives aient jamais vu : sa croûte bombée et dorée à l'œuf était anormalement élevée. Les convives applaudirent à la vue de cette généreuse pâtisserie qui avait l'air des plus appétissantes. Solennellement, les serviteurs entreprirent de découper tout le pourtour de la croûte bombée et la soulevèrent. Une nuée de petits oiseaux au ventre blanc s'en envola sous les exclamations ravies des convives. À l'intérieur de cette grosse demi-sphère de pâte se nichait un véritable petit pâté à la viande épicée dont chacun allait pouvoir déguster un infime morceau. Arnaud vit qu'il avait valu la peine de mettre le pâtissier à l'ouvrage plus tôt. L'homme avait préparé le vrai pâté et avait aussi fait cuire la fausse croûte en l'emplissant de farine par un trou de la taille de son poing qui avait été pratiqué au bord du plat. Une fois cuite, la pâtisserie avait été vidée de sa farine et on y avait placé le vrai pâté. Avant de boucher le trou, on y avait introduit chacun des petits passereaux qui, à présent, voletaient en pépiant au dessus des madriers du plafond.

Arnaud prit une longue inspiration : il avait passé des heures à concocter un petit discours que la nervosité lui fit égarer parmi les oiseaux du pâté. La crainte d'échouer et de passer à côté de la fortune qui l'attendait l'empêcha donc de servir au clerc les éloges fleuris qu'il avait prévus.

— En guise de remerciement envers vous qui êtes un noble représentant de notre justice royale... qui daigne souper à la table de son humble et loyal sujet, j'ai l'immense honneur de vous remettre... ainsi qu'à notre bien-aimé roi nouveau Charles le Deuxième, le présent que voici.

Il claqua des mains en affichant un air d'autorité inébranlable. Aussitôt, un tabard blanc frappé d'une croix rouge se dessina dans l'entrée du vaste tinel*. Cela produisit son effet : une vielle en fut passablement dérangée et prit du retard par rapport au tambourin accompagnateur qui pourtant s'était mis à bégayer. Plusieurs voix se turent simultanément, et le silence graduel finit par interrompre quelques conversations qui, obstinées, s'étaient poursuivies. Arnaud sourit à son voisin dont le statut le contraignit à demeurer imperturbable. Le gouverneur n'en songea pas moins : « La petite canaille. Il est plus sournois que je ne l'avais cru. » Arnaud clama :

— Garin de Beaumont, Templier, traître à son roi le défunt Philippe le Quatrième, dont notre bien-aimé monarque est le parent.

Les deux gardes qui encadraient le vieillard s'avancèrent jusqu'à la table d'honneur afin de présenter le prisonnier au gouverneur. Friquet se racla la gorge. Sa réaction mit le feu aux joues d'Arnaud qui fixa des yeux sa coupe de cristal en tâchant de se persuader que le vin était seul responsable de son malaise subit. Il se hâta de poursuivre :

— L'ordre des Chevaliers du Temple de Jérusalem fut aboli par l'arrière-grand-père de notre bon roi. S'il plaît encore aux autres royaumes comme l'Espagne et l'Angleterre d'en accueillir les derniers représentants qui vivent reclus tels des malfaiteurs, il me tarde, Excellence, de remettre entre vos mains le sort de celui-ci. Je me suis dévoué à le saisir alors que depuis des années la légende de son existence défiait la Couronne.

Le jeune homme avait prononcé ces mots d'un seul souffle et il ne se tut que parce qu'il en manqua enfin. Un silence embarrassé s'installa que nul n'osa rompre, sauf Friquet lui-même. Il se leva en portant la main à sa tonsure et jeta un regard circulaire aux autres tables, qui avaient été disposées en fer à cheval. Il se racla à nouveau la gorge et dit :

— Recevez toute ma gratitude, jeune d'Augignac, pour avoir si promptement mis au service du royaume votre admirable dévouement. Quoique plutôt zélé, votre geste démontre fort bien votre vassalité et j'en prends bonne note.

— Zélé, Excellence ? demanda Arnaud, soudain inquiet.

— Le terme est assez direct, j'en conviens. Mais vous me connaissez suffisamment pour savoir que je déteste me perdre en circonlocutions et en courbettes lorsque l'enjeu est d'importance. Ne m'en veuillez donc point si je vous ai froissé.

Arnaud émit un petit couic qu'il s'empressa de noyer dans une gorgée de vin. Il en voulait presque aux invités de maintenir dans la grande salle un silence de plomb que seuls interrompaient leurs deux voix accompagnées des pépiements des petits oiseaux voletant entre les poutres. Garin ne bougeait pas. Il ne chercha pas à profiter de la situation. Friquet reprit :

— Ne niez pas qu'il vous a fallu du zèle pour aller quérir au sommet des montagnes un Templier âgé qui s'était retiré du monde et, dans une certaine mesure, de son ordre, pour finir ses vieux jours en paix. Je connais moi-même la légende dont vous parlez. Il s'agit sans aucun doute de la variante locale d'une fable bien répandue. Non, ne m'interrompez point, je vous prie, jeune d'Augignac. Vous parlerez lorsque je serai disposé à vous entendre. De toute évidence, vous me demandez là de rendre la justice au nom de mon roi, et c'est bien là ce que j'ai l'intention de faire.

Garin sourit : la méthode de ce clerc lui plaisait. D'avoir été mis à sa merci ne l'humiliait donc pas. Friquet de Fricamp choisit la langue d'oïl pour s'adresser à l'accusé. Il savait qu'Arnaud et la plupart des invités étaient suffisamment instruits pour être en mesure de suivre la conversation.

— Messire de Beaumont. Vous avez revêtu la tenue de votre ordre. Y appartenez-vous toujours ?

Garin ne montra aucun signe de défaillance malgré une certaine faiblesse due à sa longue détention. Il répondit, d'une voix ferme :

— Oui, Excellence. Je n'ai pas quitté l'ordre.

— Pourquoi n'avez-vous donc pas rejoint vos compagnons dans leur exil ?

— J'ai cru un temps pouvoir aider à restaurer l'ordre en France, Excellence. Je ne me suis donc pas trop éloigné. J'ai attendu et attendu, me cachant pendant toutes ces années dans ma caverne. Pour rien.

— Personne n'y est jamais venu ?

— Oh ! si. Certains de mes anciens compagnons connaissaient mon abri et sont venus m'y trouver. C'est par eux que j'ai su à quel point l'ordre avait changé.

Il secoua tristement la tête et dit :

— Rien n'était plus pareil. Je suis donc resté. Et après, je suis devenu trop vieux pour voyager.

— Je vois. Qu'en est-il du trésor ? La fable mentionne des montagnes creuses remplies d'or. Êtes-vous le détenteur de ce trésor ?

Garin rit doucement.

— Il n'y a plus de trésor depuis belle lurette, Excellence. Ce qui n'a pas été pillé par les hommes d'armes du roi lors de l'abolition a été emporté au loin et éparpillé. Tout ce que j'ai jamais possédé, les gens du jeune d'Augignac l'ont trouvé dans ma grotte.

— Qu'en est-il des hérésies, des blasphèmes dont vos frères et vous-même avez été accusés ? Pour être accepté dans l'ordre, avez-vous dû, oui ou non, cracher sur un crucifix[110]?

Garin, toujours digne et bien droit, dit, d'un air résolu:

—Souffrez, Excellence, que je ne parle point de toutes ces choses. Ce qu'en ont dit mes compagnons soumis à la torture ne saurait être tenu pour valable. Cela n'a fait que servir de prétexte pour abolir l'ordre. Moi, je n'étais qu'un membre mineur, et le peu que j'en sais ne vous servirait de rien. Sachez seulement que je vénère Jésus-Christ et Sa Virginale Mère et c'est avant tout à eux que je me suis dévoué toute ma vie.

—Je vous crois, dit simplement Friquet.

Ce vieillard devait être l'un des derniers représentants d'une race devenue presque mythique qui avait contribué à faire du petit royaume de France une véritable puissance centralisatrice. «Nous ne produirons sans doute plus de tels hommes, désormais», songeait tristement le gouverneur. La source s'en était tarie. La France allait s'étiolant sous les semelles des hommes de guerre et des bandits.

—Ce vieux fou ment, Excellence! s'empressa de dire Arnaud en occitan, avec un manque flagrant de manières qui coupa le souffle aux invités.

L'ivresse lui donnait une bravoure teintée d'angoisse:

—Il ne vivait pas seul. Il y avait quelqu'un avec lui. Un disciple! Toinot, Thierry. Allez-y. Mais allez-y donc!

Les deux hommes d'armes disparurent en hâte dans l'escalier menant aux caves. Peu après, un raclement de chaînes causa un remous dans la salle.

—Ma foi, c'est un géant que vous nous amenez là, dit Friquet lorsqu'ils revinrent en escortant un individu qui devait bien mesurer plus d'une toise. Ses chevilles et ses poignets luisaient de sang frais sous les bracelets de fer. Sa tunique, quoique tachée et lacérée, demeurait encore aisément identifiable. Il semblait avoir du mal à se tenir debout et regardait à terre.

—Ce goliard* vient aussi du Nord, je crois, Excellence, tint à préciser Arnaud afin que Friquet sache en quelle langue s'adresser à lui. Le gouverneur demanda donc en langue d'oïl:

—Qui es-tu?

Le prisonnier ne répondit pas. Son regard demeura caché derrière quelques mèches crasseuses qui lui étaient tombées sur le front. Il ne prêta aucune attention à la question de son juge, car le seul fait de se trouver soudain exposé à un air non vicié l'étourdissait, un peu comme s'il avait bu.

—Je te recommande de ne pas abuser de ma patience, l'homme. Dis-moi quel est ton nom.

Le prisonnier leva enfin la tête. Un œil presque noir et d'une fixité désagréable se posa sur le gouverneur.

— Mon nom est Louis Ruest, dit une voix neutre qui ne semblait pas appartenir à ce captif malmené.

— D'où viens-tu?

— La hotte. Je ne sais plus où elle est. Faut que j'aille travailler.

Des rires retenus lui firent jeter un regard exorbité, très expressif, autour de lui. Il semblait jouer le rôle d'un prisonnier et tenir à le faire de manière plus vraie que nature. Friquet se pencha vers Arnaud et lui murmura à l'oreille :

— Aurait-il perdu l'esprit?

— Mais je suis d'ici, voyons. De Paris, dit Louis sans avoir laissé à Arnaud le temps de répondre.

— C'est un avertin, Excellence, dit Arnaud sans l'ombre d'une incertitude.

— Es-tu ou as-tu jamais été un clerc ou un moine? demanda Friquet à Louis.

Louis pencha la tête de côté et parut réfléchir avec beaucoup d'application. Cette attitude ôta toute crédibilité à ce qu'il allait dire. Personne n'aurait pu savoir que tout n'était plus que chaos dans son esprit stimulé à l'extrême par l'anxiété et l'épilepsie qui le laissaient épuisé et confus. Il lui aurait été facile d'expliquer qu'il avait été postulant bénédictin. Mais il n'en parla pas.

— J'ai une femme et un enfant. J'allais me marier. Me marier, oui.

Des bribes de souvenirs lui traversaient l'esprit comme des bouts de vitrail fracassés. Il les regardait se former pour aussitôt disparaître, les yeux intensément posés sur ce que tous les autres prenaient pour du vide.

— L'ennui, c'est que je ne sais pas où ils sont passés.

Les convives s'entre-regardèrent, un peu gênés. Fricamp demanda, d'une voix plutôt aimable :

— Es-tu un disciple de Garin de Beaumont?

— De qui? Non.

L'un des gardes donna un coup de poing dans l'estomac de Louis qui se plia en deux sans tomber, retenu qu'il était de chaque côté par ses tourmenteurs.

— Adresse-toi correctement au gouverneur, insolent! dit l'un d'eux.

Pendant un instant, on n'entendit plus que cliquetis de chaînes et halètements douloureux. Friquet accorda à Louis le temps de reprendre son souffle.

— Es-tu un Templier ou désires-tu le devenir?

Louis déglutit.

—Non plus. Saint Benoît...

—Laissez-le! se hâta d'ordonner le clerc, avant que le prisonnier ne soit à nouveau frappé.

Il reprit:

—On m'a dit que tu t'es porté à la défense de Beaumont. Est-ce vrai?

—...

—Est-ce vrai, oui ou non?

—Je ne sais pas.

—Tu as été vu par plusieurs témoins dignes de foi alors que tu attaquais sciemment l'escorte du jeune d'Augignac que tu as également blessé d'un trait. Qu'as-tu à dire pour justifier cet acte?

—Ah, j'ai fait ça, moi? C'est possible.

Louis fronça les sourcils et essaya en toute honnêteté de se souvenir, mais il n'y parvint toujours pas. L'un de ses gardes, Toinot, éclata d'un rire victorieux et salua son maître d'un signe de tête approbateur. Friquet demanda:

—Tu admets donc l'avoir fait?

—Avoir fait quoi? Oh, oui. Oui, j'aime à tuer les rats.

Le souvenir que voyait Louis fut perturbé par une grêle de protestations de la part des convives qui crurent à une insulte. Louis regardait au plafond, fasciné par l'un des petits oiseaux qui s'était perché au-dessus de sa tête, comme s'il n'était concerné en rien par ce qui se passait. Toinot ricana et dit:

—Tu es beaucoup trop grand, Ruest, pour quelqu'un qui va mourir.

Il lui assena un coup de gourdin dans les mollets pour le forcer à s'agenouiller et se mit à le frapper sous les acclamations rauques des hommes et les cris retenus des femmes. La voix de Garin s'éleva, exceptionnellement forte au-dessus du tumulte:

—Cessez! Cessez cela! Pauvres insensés, ne voyez-vous pas que cet homme est souffrant? Il ne comprend rien à ce qui lui arrive!

Cette intervention courageuse de la part de l'un des accusés leur fit reprendre à tous leurs esprits, et les huées retombèrent comme un orage qui s'éloigne. Le Templier se tourna vers Friquet. Dans le silence subit, Louis, couché en position fœtale, marmonna, d'une voix sans timbre:

—Pardon, Père.

Arnaud rugit:

—Oyez ces impertinents qui défient votre jugement éclairé, Excellence!

—Ça ne fait pas mal, dit encore Louis.

—Mais moi, j'ai encore mal, et grandement! dit Arnaud, qui

retroussa la manche de son pourpoint brodé ainsi que celle, en soie, de la chemise qu'il portait en dessous.

Le clerc n'aperçut qu'un bandage parfaitement propre.

—Ce fou furieux dont vous tolérez la présence m'a fait au bras cette blessure, à moi, un homme de haut rang. Il a eu en outre l'outrecuidance d'affronter mes hommes à l'épée!

—C'est vrai, Excellence, je puis en témoigner, dit Toinot, qui fit taire Louis en posant le bout de son gourdin contre son cou.

—Je vois, je vois, dit Friquet qui, malgré ses talents de diplomate accompli, ne trouva pas utile de remettre à l'ordre cette assemblée d'abrutis imbibés de vins raffinés dont la rusticité était indigne. Arnaud cracha encore:

—Le Templier l'a lâché contre nous comme un chien immonde.

—Je crois surtout, jeune d'Augignac, que le moment est mal choisi pour rendre la justice. Votre bon vin échauffe trop le sang. Surtout le vôtre.

—Excellence...

—Vous m'avez confié le sort de ces deux hommes dans le but évident que j'en dispose pour vous au nom de notre roi, n'est-ce pas?

Arnaud rougit jusqu'à la racine des cheveux.

—Eh bien...

—Sortons, vous et moi, un moment, je vous prie, dit encore le clerc.

Une fois qu'ils se furent isolés tous les deux dans une petite pièce inoccupée dont ils fermèrent la porte, Friquet poursuivit de sa voix posée:

—Votre désir est que le Templier soit mené à notre roi de votre part. Quant à l'autre, vous exigez réparation, c'est-à-dire que j'appelle sur lui la peine de mort. Est-ce que je fais erreur?

—Non, Excellence. C'est exact.

—Je m'en doutais. Vous n'avez aucun sens de l'honneur, d'Augignac. Et puisque je vous dois la vérité, il me faut admettre qu'il me déplaît de voir ce brave vieux Beaumont entre vos pattes trop âpres au gain.

—Vous aurais-je donc déplu? demanda Arnaud, soudain alarmé. Ce n'est jamais qu'un vieillard sénile. Je puis...

—Un vieillard sénile dont vous m'obligez à faire un martyr par la faute de vos manigances!

Friquet de Fricamp soupira en portant la main à sa tonsure qu'il caressa pensivement. Il dit enfin:

—Si vous voulez un conseil, d'Augignac, ne faites jamais de politique. Vous n'auriez pu choisir de pire moment. Vous rendez-vous seulement compte que la priorité de notre nouveau roi, son premier geste politique d'importance, sera d'aller rendre hommage au Valois? Or, ce dernier n'a nul besoin de se faire rappeler que notre sire est un Capet[111]. Je vais donc devoir entièrement assumer la décision que je vais prendre. Je dois protéger mon roi. Il ne saura donc rien de tout ceci.

— Mais pourquoi...

— Vous n'avez pas besoin de connaître les motifs de ma décision. Cela n'est pas de votre ressort. Tout ce que vous devez savoir, c'est que le roi n'apprécierait pas du tout votre cadeau. Croyez-moi sur parole. Il n'y a pas de trésor ni de Templier. Garin de Beaumont sera autre chose. Il disparaîtra parmi les criminels de droit commun que l'on doit mettre à mort chaque année sans que le roi ait à entendre parler d'eux. Laissez-moi faire. Veillez à jeter au feu toute trace de son appartenance à l'ordre. Avec un peu de chance, nous éviterons un incident dont les conséquences seraient des plus funestes pour votre famille.

— Bien, Excellence. Puisque vous me le commandez.

Ils revinrent dans le tinel surchargé par une odeur entêtante de viandes rôties, de sauces et de vins chauds. Friquet se rassit à sa place, et Arnaud se tint à ses côtés. Le silence retomba, total. Le gouverneur annonça, d'une voix forte :

— Au nom du roi Charles le Deuxième, il est de mon devoir de rendre ici même justice. Il a été établi ce jour par moi que Garin de Beaumont, officier de la garde royale, a été trouvé coupable de désertion et d'usurpation d'une fausse identité. Je condamne donc ledit Garin de Beaumont à être décapité dans trois jours à none* sur la place du village.

Il prit quelques notes avec un stylet sur une tablette de cire qu'on lui avait remise. Cette vérité tronquée allait être dûment consignée sur parchemin officiel plus tard. Enfin, il s'adressa aux gardes :

— Faites avancer l'autre.

— Quant au dénommé Louis Ruest, j'ordonne que ce même jour soit sectionné son poing droit, car il a osé s'attaquer à un noble. Pour lui, ce sera la hart. Que Dieu vous ait en sa sainte garde.

*

— Comment, malade! rugit Arnaud qui, malgré les nombreuses contrariétés, aimait bien adopter ce ton péremptoire pour simuler l'autorité qu'il aurait rêvé de posséder en lieu et place de son frère aîné.

— C'est comme on vous le dit, messire, dit Thierry. Il est malade et il n'y en a pas d'autre à moins de trente lieues. Tous les équarrisseurs que j'ai mandés m'ont fermé leur porte au nez.

—Il m'en faut un pour après-demain. Arrange-toi comme tu voudras, mais qu'il soit ici avant sexte!

La chambre du jeune homme sentait le linge mouillé, le vin suri et la nourriture rance. Il s'était réveillé par terre à peine une heure plus tôt, l'esprit encore brouillé par une digestion laborieuse. Lorsqu'on avait cogné à la porte, il s'était revêtu hâtivement d'une tunique qu'il aurait dû endosser pour dormir.

—Messire, votre père est de retour. Il vous mande, intervint Toinot qui arrivait derrière Thierry.

—Déjà! Mais c'est beaucoup trop tôt. Est-il au courant?

—Je le crains, messire. Lui et messire votre frère semblent d'ailleurs fort courroucés.

Les épaules d'Arnaud s'affaissèrent.

—Bon Dieu de bon Dieu. Ils vont tout gâcher. J'y vais. Quant à toi, Thierry, trouve-moi un bourrel* au plus vite. S'il le faut, mène Sanchez le boucher au bailli. Lui saura contraindre ce marchand de tripaille à obéir[112].

*

Le baron était effectivement très en colère. Il avait entraîné son puîné dans les caves où croupissaient les deux hommes qu'il y avait si stupidement enfermés. Une torche accrochée au mur grésillait, mécontente d'être dérangée dans sa somnolence.

—Tu nous as mis dans de beaux draps, petit outrecuidant!

—Je n'ai fait que servir mon roi et nous allons être riches, Père.

—Riches, peuh! Parce que tu crois que le roi a le temps de se soucier de cette vieille légende qu'il ne connaît sans doute même pas?

—Ah ouais! Il la connaît. Le gouverneur me l'a dit lui-même. Admettez donc ouvertement votre déception de ne pas avoir eu cette idée à ma place! Fricamp les a condamnés. Voilà bien la preuve qu'ils étaient coupables.

—Fadaises! Coupables de quoi? Et fallait-il que tu les héberges aussi vilainement? Toi, garnement, il est plus que temps que tu t'en ailles vivre sur mes terres de Normandie. Ce ne sont que landes désertées où tu ne pourras plus faire de dégâts.

La pénombre du cachot près duquel ils se tenaient exhalait une odeur suffocante de déjections, car on avait confiné les deux prisonniers sans même leur accorder l'usage d'un seau d'aisance. Ils avaient dû se soulager dans un coin, à même la paille de leur geôle qui n'avait pas été changée depuis. Raymond reprit:

— Cet ermite ne constituait plus une menace jusqu'à ce que tu aies l'idée saugrenue d'aller le quérir. Avec cette ambition insensée qui un jour causera ta perte, tu as forcé la main du gouverneur qui n'avait rien demandé. Les Templiers n'existent plus en France et Charles ne tient pas à entreprendre son règne en se mettant à dos le roi de France, de qui il est vassal. Ai-je besoin de rappeler à ta mémoire que ce massacre des Templiers par Philippe le Bel a été extrêmement mal perçu par toute la chrétienté? Cela a ébranlé le trône de France. C'est la dernière chose dont a besoin un monarque nouvellement couronné. Le gouverneur n'a désormais d'autre choix que d'étouffer l'affaire.

La déconfiture d'Arnaud était d'autant plus cuisante que ces reproches lui étaient adressés en présence des condamnés silencieux et à peine visibles de l'autre côté des barreaux. Il répliqua:

— Il m'a déjà dit ce qu'il voulait faire. N'empêche qu'il m'a quand même félicité. Et il a apprécié les festivités que je voulais clore avec le spectacle de cette double exécution.

— Beaumont sera exécuté, rassure-toi. Mais à la hache, comme un vulgaire renégat, et non pas comme le héros ou le martyr que ton insondable inconscience s'apprêtait à créer. Oublie ces grands honneurs dont tu te délectais d'avance.

— Qu'en est-il de l'autre?

Raymond haussa les épaules avec impatience.

— Parlons-en, de l'autre. Ce manant n'a fait que t'infliger une correction que tu méritais. N'empêche que le gouverneur ne m'a rien dit à son sujet. Je ne lui ai rien demandé non plus, car j'ai trop à faire. Tes grandes idées m'ont coûté une somme rondelette et, de plus, il me faut tout organiser. Oh, et puis n'aie pas l'audace d'aller te montrer à ton frère pendant quelques jours. Il veut ta peau.

Arnaud fit la moue et éluda:

— Sanchez le boucher fait le malade. Il faudrait que vous ordonniez au bailli de le faire fouetter au carrefour des rues du village jusqu'à ce qu'il cède.

— Je soupçonne la faim d'être responsable des soudains malaises du pauvre boucher. Personne ne va plus chez lui. Et il n'a pendu qu'un seul voleur il y a six mois. Ton cerbère ne trouvera pas d'autre exécuteur à temps. Qui, crois-tu, voudra s'acquitter de cette sale besogne, hein? Nos gens veulent du sang, mais méprisent la main qui le verse pour eux. Seul un insensé ou...

Leurs têtes se tournèrent en même temps en direction du cachot, d'où sortit la toux faible du vieillard. Raymond demanda à son fils:

— Ne m'a-t-on pas dit que ce jeune goliard avait perdu l'esprit?

*

Garin ne revit son compagnon d'infortune que tard le lendemain. Debout de l'autre côté des barreaux, Louis était devenu méconnaissable : baigné et rasé de près, il avait les cheveux taillés qui lui effleuraient tout juste les épaules. Il portait des chausses de coutil noir délavé, un floternel* de lin bis et une paire de sabots. Cet habit terne remplaçait celui que Raymond lui avait d'abord destiné, un costume raffiné mais démodé ayant appartenu à son fils et qui, évidemment, s'était avéré trop petit pour lui. Louis avait donc dû se contenter de vêtements quelconques qui avaient été glanés en hâte au village. Malgré tout, ses poignets dépassaient des manches trop courtes et ses chevilles étaient à l'air. Bien qu'il eût considérablement maigri, une servante avait dû relâcher les coutures de cette tenue disparate. On avait ensuite servi au jeune homme un repas somptueux auquel il avait à peine touché.

— C'est l'émotion, avait affirmé le bailli qu'on était allé quérir afin qu'il aide le débutant dans ses préparatifs. Le jeune homme avait posé sur lui ses yeux sombres comme une nuit dépourvue d'étoiles.

— On a toujours moins faim que soif, en geôle, avait-il répliqué.

— Ah! ah! Quel cran! Mais c'est vrai, quoi : un bourrel, faut que ça picole.

Et on s'était empressé de servir à Louis une généreuse rasade de vin.

À présent, il se tenait avec un garde de l'autre côté de la porte derrière laquelle il avait lui-même croupi. Il attendait que Garin se réveille. Il se tourna brièvement vers le geôlier et lui dit :

— Laissez-nous seuls.

L'homme, c'était Toinot, qui avait fait partie de ses tourmenteurs et qui lui obéit sans discuter. Garin remua sur sa couche et s'assit. Louis refusa de voir son visage et laissa son regard errer dans la pénombre malodorante de la cellule.

— T'aurait-on gracié? demanda le vieux moine guerrier.

— Presque. Ils me laisseront partir demain.

Le Templier se leva et s'approcha du jeune homme qui semblait en pleine possession de ses moyens et muni d'une autorité nouvelle auprès des subalternes de cette maisonnée. Une froide détermination se lisait sur ses traits, ce qui en accentuait la dureté. Il poursuivit :

—Je suis venu pour vous prévenir.

Louis appréhendait l'instant où Beaumont apprendrait qu'il allait être son bourreau. Il en ressentait d'avance de la gêne. Le vieillard fit remarquer :

—Je sens de la fumée. Ils ont brûlé mon habit, n'est-ce pas ?

—Oui. Dans la cour.

Garin fit un signe de tête las.

—Je m'en doutais.

Ainsi, on avait même méprisé l'ultime désir du vénérable chevalier d'être enseveli avec ses vêtements de Templier. Cela écœura Louis, qui s'abstint pourtant de le montrer. Le vieillard soupira :

—Qu'importe. Cela n'était après tout que vain orgueil. De quoi voulais-tu me prévenir ?

—C'est moi qui vous mettrai à mort.

Le bref silence qui s'immisça entre eux fut meublé de leurs deux souffles qui aussitôt se dissocièrent.

—C'était donc cela, dit Garin[113].

Louis fit un signe de tête. Le vieil homme retourna s'asseoir.

—Je vous l'avais dit, que je portais malheur, dit Louis un peu durement.

Garin secoua la tête. Il dit, d'une voix lasse :

—Non. Tu as bien fait d'accepter. Tu as toute la vie devant toi et sûrement bien des raisons de tenir à ce monde. Moi pas : je suis malade. Pour de bon, désormais. Cette courante* m'affaiblit d'heure en heure. Il me tarde de trouver enfin le repos éternel. Ce sera la hache ?

—Oui.

—Mieux vaut cela que la hart[114]. Mais prends garde, mon garçon : personne n'aime les bourreaux.

—Je sais. Peu importe.

—Tu en acceptes l'opprobre ? Tu porteras une cagoule, mais les gens te reconnaîtront tout de même à ta taille.

Le jeune homme haussa les épaules, affectant l'indifférence devant ce preux, cet homme qui se souciait non pas de son propre sort mais du sien comme seul aurait pu le faire un véritable ami. Et, encore une fois, Louis allait devoir s'en séparer, et de la pire manière qui pût exister. Il répondit :

—Une seule fois. Ensuite, je m'en retourne chez moi. J'appartiendrai à la guilde des boulangers. Je suis venu en Languedoc pour rien.

—Qu'espérais-tu donc y trouver ?

Louis ne répondit pas tout de suite, et son expression se durcit.

— Rien. Un jardin, peut-être, dit-il enfin.

Il se détourna et commença à s'éloigner. Garin n'insista pas. Son regard clair et lucide se posa sur le dos de celui qui allait devenir son exécuteur.

— Louis.

Le jeune homme s'arrêta sans faire face au chevalier, qui dit :

— Que saint Adrien[115] te guide et fasse que tu aies la main sûre.

— Il me guidera peut-être, mais c'est quand même moi qui tiendrai la hache, pas lui.

La grande silhouette grise disparut dans l'escalier menant au rez-de-chaussée. Garin le regarda partir et comprit la sagesse inhérente à ses propos laconiques. Mieux valait en rester là et ne pas se répandre en adieux touchants, afin de ne pas rendre l'épreuve à venir plus pénible encore.

Cette nuit-là, à défaut de dormir, Louis put se reposer dans un lit de plumes. Dès qu'il fermait les yeux, l'obscurité se peuplait d'images furtives. La plupart évoquaient de ces petites choses anodines, inoubliables, qui rendaient plus belle encore une amitié déjà précieuse : la grotte de Garin, bien tenue, avec sa tenture en peau que le vieillard avait délicatement ornée, la cruche en grès posée sur sa tablette à côté d'une meulette de fromage sec, de quelques grives et d'un bouquet de romarin frais. Le visage souriant de Garin lui apparut. Avec sa bouche édentée et ses rides, il était beau. Ses prunelles bleues étincelaient d'un émerveillement juvénile. Il émanait de la prestance sereine du vieil homme une sorte de lumière qui le rendait inaltérable. Louis avait l'impression que Garin avait vu tout ce qu'il y avait à voir en ce monde, du clair à l'obscur, qu'il en avait beaucoup souffert, mais que, inexplicablement, il avait acquis la faculté de n'être atteint que par ce qui l'illuminait davantage. Dans la modestie même de son existence recluse, Garin demeurait un grand homme. Et c'était lui, Louis, qu'on chargeait d'arrêter tout cela. Cette vie pleine, bonne, riche d'un trésor que nul n'avait pu trouver faute d'avoir mieux regardé. Lui, le moins que rien issu d'une pénombre indigne, il allait devoir éteindre cette admirable lumière qu'il aimait. Qu'il aimait. C'était trop tard.

« Je ne pourrai jamais faire ça. Pas moi. Pas lui. Je ne veux pas. Qu'ils me pendent », se dit-il en se tournant sur le flanc. Il enfouit son visage dans les oreillers bombés pour y assourdir son tourment.

Devoir couper la tête de celui qui, pendant quelques jours, lui avait demandé d'être son fils. Comme si cela avait été une faveur.

320

«J'aurais dû m'en douter que le sort allait se jouer de moi. J'aurais dû refuser. Ce n'est pas le bon. C'est l'autre que je veux! C'est pour l'avoir, lui, que j'ai demandé à vivre.»

Mais était-il juste d'exiger la vie d'un père aimant, ne fût-ce que pour lui refuser un sursis d'un jour, contre celle d'un père dénaturé? Sa haine envers Firmin valait-elle pareil sacrifice?

«Si ce n'était pas moi le bourrel, c'en serait un autre, tempérait la voix de sa raison. Il est foutu de toute façon, je n'y peux rien. En plus, j'y passerais, moi aussi, alors que *lui* demeurerait en vie. C'est trop bête, à la fin. Où serait-elle, la justice, là-dedans? Je n'ai pas le choix. Il faut que je le fasse. Il le faut. Il est malade. Il me l'a dit. Mais... moi, un bourrel? Je ne pourrai jamais. Pas pour ce pauvre vieux.»

Louis ne savait plus que penser. Il ne savait plus que faire. Il regrettait de ne pas avoir tout raconté à Garin. Lui aurait tout compris, il aurait su le conseiller. Mais il était trop tard, désormais. Louis n'allait le revoir que pour le conduire à la mort.

*

— Songez aux épidémies la prochaine fois que vous incarcérerez quelqu'un, jeune d'Augignac, fit remarquer le bailli à Arnaud en présence de son père. Vous auriez dû leur laisser au moins un seau d'aisance. Encore heureux que notre bourrel, lui, n'ait pas souffert de ses conditions de détention.

— Ni l'un ni l'autre n'avait de quoi me payer le gîte, alors, peuh[116]...

— Vous vous êtes largement dédommagé avec le butin que vous leur avez pris. Maintenant, suffit. J'ai bien d'autres soucis en ce moment. L'exécuteur, entre autres.

— Eh bien, qu'y a-t-il à son propos?

— Il y a que c'est un débutant, voilà. Décapiter un homme, même vieux et malade, n'est pas affaire à prendre à la légère. Même les bourreaux les plus expérimentés peuvent faire des ratages. Ils ont pour la plupart davantage l'habitude des pendaisons. Ils manquent de pratique avec la hache. Votre larron sera-t-il seulement capable de faire le travail?

Thierry se permit d'intervenir:

— En tout cas, messire, je puis vous garantir qu'il a du nerf et qu'il s'est sacrément bien défendu à l'épée.

— Hum. Nous verrons bien. Qu'on aille me le quérir. J'ai des recommandations à lui faire.

Louis s'était levé avant l'aube, mais n'avait pas bougé de sa chambre. Trop de regards dédaigneux allaient bien assez tôt se poser sur lui. Plus que jamais il avait soif de solitude. Il s'était efforcé de passer le reste de la nuit à se changer les idées en se rappelant l'abbaye. Elle lui manquait. Il regrettait amèrement d'en être parti, bien qu'il se répétât sans cesse qu'il n'avait fait qu'accomplir un devoir ingrat. Cette arrestation, tout ce qui avait suivi, tout cela n'avait été qu'une erreur, un incident de parcours. Sa décision était prise et il n'avait pas le choix. Dès le lendemain il allait reprendre la route. Il lui fallait vivre. Vivre, quel qu'en soit le prix.

Mais pour que lui puisse vivre, il fallait accepter qu'un ami innocent meure.

Depuis son réveil, Louis avait mis son « éteignoir » à l'œuvre ; il s'était efforcé de couper tout lien affectif qui le rattachait à Garin. Pour être en mesure de mettre à mort ce vieillard qu'il estimait, il lui fallait en faire un non-homme. Beaumont devait perdre jusqu'à son identité pour n'être plus qu'une espèce d'objet articulé. Après tout, ce ne pouvait être pire de tuer un homme que de tuer un chien ou un mouton. Ou encore un rat. Tous les individus du règne animal avaient le sang rouge. Tous, ils se débattaient et criaient. Tous étaient des choses. Firmin aussi était une chose et, un jour, il allait l'avoir à sa merci. Mais pour cela il lui fallait vivre. Voilà, c'était tout simple. Il n'y avait plus désormais de place pour les exhortations de la conscience. L'amour, la musique et les belles images devaient être repoussés au loin, car ils dérangeaient trop.

On vint chercher Louis pour le mener au tinel* où les notables achevaient leur déjeuner. Une grosse femme vint lui porter un gobelet de tisane brûlante dont l'arôme acidulé le fit cligner des yeux.

— Alors, Ruest, bien dormi? lui demanda le bailli. Sais-tu qu'il est passé sexte?

— J'attendais.

— Ah! bien sûr. Tu attendais. Toujours déterminé à servir ton roi, même si cela signifie que tu dois tuer un ami de ta propre main?

— Quel ami? demanda Louis d'une voix un peu tremblante.

— Hum! Trêve de propos oiseux. Tiens, prends et écoute-moi bien, Ruest.

Le bailli jeta un regard en coin à Arnaud, comme s'il était agacé par sa présence. Le noble souriait à Louis d'un air vicieux, rempli d'un dégoût hautain. L'homme taciturne ne bougea pas, sauf pour accepter l'objet ébréché qu'on lui tendit. C'était un rasoir qui ne devait pas avoir été entretenu depuis des années. Louis songea aux beaux cheveux blancs de Garin, soyeux comme la neige neuve du Nord, qui à eux seuls pouvaient faire dévier l'épaisse lame d'une hache.

—Enlève-lui tout, sauf sa chemise pour la décence. Prends soin de bien le fouiller. Tout ce qui est sur lui t'appartiendra. C'est la coutume.

—Sauf l'épée, comme de raison, se hâta de rectifier Arnaud avec inquiétude.

—Il m'a donné son épée, dit Louis.

—Peu m'en chaut, dit le bailli. Les manants n'ont pas le droit d'en posséder.

Le géant jeta sur Arnaud un regard noir.

—C'est regrettable. J'avais besoin de m'exercer à l'épée également.

Le noble se tortilla sur son banc.

—Ne compte pas sur des gages non plus, dit le bailli. De sauver ta misérable vie te paye amplement.

Arnaud ricana, savourant sa vengeance qui s'avérait encore plus délicieuse qu'il n'aurait osé l'espérer.

—Ah, reprit le fonctionnaire, j'allais oublier. Prends ceci.

Il poussa vers Louis une étoffe noire et informe. Une cagoule. Le jeune homme refusa d'un signe de dénégation et dit :

—Tout le monde sait déjà qui je suis.

—C'est effectivement possible. A-t-on idée d'être aussi grand! Mais ce n'est pas là l'unique utilité d'une cagoule : elle sert également à cacher le plus possible l'expression de ton visage. Pense à l'acte que tu vas commettre, Ruest. Nous te remettons un homme bien portant et, avec lui, la charge de le transformer en cadavre. Et tu ne ressens aucune haine à son égard. Il ne t'a rien fait. C'est là une tâche ardue à accomplir.

—J'y arriverai, puisqu'il le faut.

—*Nolens volens*[117], dit Arnaud.

Le jeune noble émit un sifflement qui se prit dans sa gorge. Il toussa.

—Ce garçon fait preuve d'une détermination dont je me sentirais moi-même incapable, dit le bailli.

—Comment peut-on tenir autant à sa vilaine existence et accepter de perdre le peu d'honneur qu'on avait peut-être? demanda le nobliau. Qu'y a-t-il d'admirable là-dedans?

À nouveau les yeux de Louis se posèrent sur lui, et ce que le jeune prétentieux y vit le fit frissonner : il n'avait jamais remarqué auparavant à quel point il pouvait être désagréable d'avoir ce personnage devant soi.

---

117. Bon gré, mal gré.

— Par la mordieu, bourrel, regarde ailleurs. Tu me files la nausée, dit Arnaud.

— Une dernière chose, Ruest, dit encore le bailli. Après le sacrement des mourants, Beaumont sera à toi. Tu le conduiras jusqu'à la charrette qui sera prévue et tu guideras le mulet, mais tu monteras en premier sur l'échafaud. Les gardes s'occuperont d'y mener le condamné.

Arnaud entreprit de se curer les dents et cracha posément quelques particules en direction du géant impassible.

— Ah, au fait: les gens sont ce qu'ils sont. Ils vont lancer des objets au condamné. Attends-toi d'en recevoir ta part. Laisse-toi faire. Ne riposte pas. C'est compris?

— Fort bien, messire. Il n'y a là rien que je n'aie déjà appris.

Louis s'inclina sans quitter Arnaud des yeux et posa son gobelet vide sur le bord de la table avant de partir, laissant les deux hommes pensifs. Le bailli demanda enfin:

— Ce pied poudreux m'a l'air plutôt dégourdi, jeune d'Augignac. M'aurait-on menti à son sujet?

Le noble haussa les épaules.

— Comment savoir? Je me demande ce que Margot compte faire de ce gobelet, maintenant qu'il a bu dedans.

*

Il restait deux heures. Louis sortit dans la cour. Désœuvré, en proie à un malaise grandissant, il chercha quelque coin ombragé où s'asseoir et en trouva un à l'orée d'un taillis.

Assister à une exécution était une chose; devoir y prendre cette part active, la plus redoutablement irrémédiable qui soit, en était une autre. «Moi, je vais donner la mort à un homme. Moi!» ne cessait-il de se répéter en dépit de ses efforts sans cesse renouvelés visant à faire de Garin une sorte de mouton bipède. «En aurai-je le courage?» Non, il ne saurait être ici question de courage. Il allait frapper un homme à genoux et entravé. Il n'y avait rien de courageux là-dedans. Il n'y avait qu'une tâche ignoble dont personne ne voulait s'acquitter. Il avait encore l'impression de serrer dans ses mains le manche de la hache grossière que le bailli lui avait prêtée la veille pour qu'il s'entraîne avec dans la cour. L'homme lui avait dit:

— Tu n'as qu'à penser à quelqu'un que tu détestes.

Immédiatement, Louis avait pensé à Firmin. Mais il avait aussi avisé Arnaud qui, ceint de l'épée du Templier, était venu parader pour le narguer. Le bailli s'était hâté de corriger:

—Non, ce n'est pas vraiment une bonne idée. Je ne sais pas, moi, pense à celui qui t'a jadis tourmenté.

Le sang du mouton avait giclé sur les beaux vêtements d'Arnaud et avait fait détaler ce spectateur indésirable.

—Bien, bien. Tu apprends vite, lui avait dit le bailli.

Louis se frotta vigoureusement le visage à deux mains. Un peu plus loin, près d'une grange, les carcasses évidées de ses moutons reposaient, pendues aux branches d'un arbre.

«Penser à quelqu'un que je déteste. Mais je ne déteste pas Beaumont. Je n'ai rien contre lui, moi. Que doit-il penser, en ce moment même? Dire que très bientôt, s'il y a un Dieu, il Le verra. Très bientôt il n'aura plus de tête. Il ne vivra plus. Et moi, je continuerai.»

—Louis.

Il leva la tête. Celui qui l'avait appelé s'approchait à grands pas. C'était Hugues. Il se leva. Son compagnon le rejoignit et dit:

—Je viens tout juste d'apprendre la nouvelle. Ils m'ont dit que tu avais la permission de recevoir des amis, que tu étais libre. Enfin, presque libre. C'est vrai?

—Oui, c'est vrai.

—Alors filons.

—Tu n'es pas un peu fou? C'est plein de gardes par ici.

—On en a vu d'autres. Ça vaut la peine de tenter le coup.

—Où est Jacinta?

—Partie. Ils sont tous partis. Je ne sais pas où. On verra ça plus tard. Allez, viens, on s'en va.

—Pas question. On va se faire abattre.

Incrédule, Hugues recula en dévisageant son ami.

—Tu vas vraiment faire le bourrel?

—Je n'ai guère le choix.

—Si, tu l'as. Tu l'as! C'est juste que tu refuses de le faire, ce choix.

Peu avant son départ de l'abbaye, Antoine lui avait parlé de la liberté de choix qu'avait accordée Dieu à l'homme. Pour l'humain, la joie était grande d'être, plutôt que l'esclave, le maître du monde et de lui-même, et de pouvoir donner un nom aux choses. Mais cette joie avait été tempérée par un sentiment de responsabilité. Dès l'instant où ce choix lui avait été offert, l'homme s'était su le comptable de ses actes: il avait acquis la connaissance du bien et du mal. «Aucun savoir n'est plus lourd à porter que celui-là, lui avait dit l'abbé. De toute la Création, l'humain seul ploie sous le faix de ce libre-arbitre. Cette discordance est une tragédie de tous les instants pour l'âme humaine!»

—Tu crains la mort bien davantage que la honte, dit Hugues avec mépris.

Louis ne broncha pas. Il ne se défendit pas ni ne tenta de se justifier. Il laissa l'ire de son compagnon, comme une terrible épreuve d'initiation, se déverser sur lui.

—Pars, Hugues. Toi, tu es libre. Retourne à Paris, ça vaut mieux.

Les bourreaux portaient malheur, c'était bien connu, tout comme les chats noirs et les échelles[118]. Hugues grinça des dents et dit encore :

—Tu n'es qu'un couard! Ce pauvre vieux. Pourquoi? Pourquoi fais-tu ça?

—Va-t'en. Fiche-moi la paix!

—Dis-moi pourquoi tu fais ça.

Louis ne répondit pas tout de suite. Il se détourna et prit la direction du boisé.

—Parce que je suis maudit, murmura-t-il d'une voix à peine audible. Allez, fiche le camp avant qu'ils ne m'obligent à te raccourcir, toi aussi.

Les yeux pleins de larmes, Hugues le regarda s'en aller. Il avait l'impression de perdre définitivement son ami.

*

Un petit prêtre distrait se cogna le nez contre la poitrine du bourreau alors qu'il sortait de la cellule où il venait d'administrer les derniers sacrements au condamné toujours agenouillé sur la paille souillée. Il jeta au géant un regard effaré et s'effaça pour lui céder le passage. Un instant, Louis abaissa les yeux sur lui.

Son visage de pierre disparut sous la cagoule et il entra dans le cachot, suivi du bailli et du garde nommé Toinot. Il rassembla avec douceur les longues mèches blanches de Garin qu'il entreprit de scier par touffes, tout près du crâne, avec le rasoir émoussé. Docile, vêtu de sa cotte d'armes que l'on avait couverte d'un vieux tabard à fleurs de lys, le Templier gardait la tête baissée. Louis lui attacha ensuite autour du cou un écriteau préparé par le bailli. Le vieillard y jeta un coup d'œil attristé et le lut à Louis :

—«Renégat infâme & déserteur.» On m'arrache même mon passé. La seule chose qui me restait. J'ai vécu trop longtemps.

La main de l'exécuteur glissa avec ménagement sous son aisselle et l'aida à se lever. Garin se remit sur pied avec difficulté, car son habit de fer était devenu trop grand et trop lourd pour lui. Même s'il savait que c'était là une précaution inutile, Louis se concentra sur le ligotage des mains derrière le dos. «Gauche par-dessus le droit, droit par-dessus le gauche», se dit-il.

Quand les bras de Garin furent fermement immobilisés, l'exécuteur se redressa et frotta la cagoule contre son front en sueur.

— Allons-y, dit-il.

Il prit les devants. Le petit groupe quitta le châtelet désert au pas hésitant d'un mulet qui n'osait pas se montrer trop têtu sous la poigne de fer de Louis.

Sur la place du village, on avait érigé une plateforme temporaire qui allait servir d'échafaud. Elle vibrait sous les pas d'un ours placide qui dansait gauchement sous les ordres de son propriétaire. Plusieurs piécettes roulaient joyeusement à leurs pieds, certaines allant se perdre entre les interstices de planches disjointes. Des enfants turbulents tentaient constamment de s'en approcher pour caresser la fourrure sombre de l'animal, mais les mamans vigilantes les tiraient en arrière en piaillant d'inquiétude. Quelque part dans la foule hirsute qui grossissait d'heure en heure depuis prime, un troubadour ivre avait imprudemment échangé ses récits d'amour courtois pour une paillardise qui avait ébouriffé le plumage de ses voisines. Leurs protestations furent ponctuées par les claquements des cordes de son luth qu'on lui fracassa sur la tête et il trébucha contre une brouette pleine de foin que, pour une raison ou une autre, on avait omis d'éloigner. La charrette elle-même fut renversée par une marmaille ravie qui y sauta avec force cris d'excitation. Tous les vide-goussets du voisinage s'étaient donné rendez-vous au village où les distractions se faisaient généralement rares. Leur récolte serait d'autant meilleure que les habitants étaient distraits par de passionnants commérages concernant l'exécution.

— Pourquoi diable a-t-on monté une hart pour un homme à qui on va couper le cou? fit remarquer une matrone à sa voisine qui vendait du cidre.

L'autre répliqua:

— J'en sais trop rien. Mais, à ce qu'y paraît, on va en avoir deux.

Elles se turent et, comme bien d'autres, regardèrent le poteau au bout duquel pendait un nœud coulant.

— Mais ils y ont point mis d'échelle.

— Les voilà! cria quelqu'un.

L'ours et son maître disparurent dans la cohue.

— Ouvrez le passage! ordonnèrent des gardes portant les couleurs des d'Augignac.

Les six cerbères mal vêtus d'Arnaud se trouvaient parmi eux. Les gardes formèrent une haie afin d'éviter tout débordement de cette foule compacte dans laquelle s'étaient égarés ici et là quelques chiens trop curieux.

Louis dut serrer davantage les guides du mulet qui se mit à braire d'angoisse. Deux adolescents ivres suffirent à déclencher les huées des spectateurs. Aliments pourris, crachats et injures se mirent à pleuvoir indifféremment sur l'exécuteur et sa victime. Tous deux encaissèrent avec une dignité qui en imposa à un observateur attentif que le mauvais vin vendu par les gargotiers du voisinage n'avait pas trop embrouillé l'esprit. Installé avec quelques dignitaires, dont les d'Augignac, sous un dais au centre de la place, Friquet de Fricamp porta pensivement la main à sa tonsure que le soleil de l'après-midi avait un peu rougie.

Le grand bourreau abandonna les guides à un homme d'armes. Il regarda l'échafaud. Il lui rappelait les scènes de crucifixion vues à l'abbaye qui, après tout, dépeignaient une exécution capitale. Cet échafaud devait aussi être une sorte de Calvaire. Sauf qu'il allait n'y avoir qu'un seul larron aux côtés de l'innocent condamné.

Il grimpa seul l'escalier abrupt menant à la plateforme. La foule retint son souffle à sa vue. Le silence soudain le fit reculer d'instinct vers la partie arrière de l'échafaud, où il attendit. Deux valets firent trembler la construction en venant poser juste à ses pieds un lourd billot dont ils assurèrent la stabilité à l'aide d'un support vertical installé au-dessous, de manière à diminuer l'effet du recul de la hache. Louis les regarda faire sans bouger de sa place. Le bailli monta à son tour et le rejoignit. Il tenait un rouleau de parchemin et allait faire office de héraut. Il ordonna à Louis tout bas :

— Prends la hache. Tiens-la devant toi.

Sentant peser des centaines de regards sur chacun de ses gestes, Louis obéit et alla chercher l'arme qui avait été appuyée au pied de la potence vers laquelle il leva brièvement les yeux. La corde rêche se balançait doucement au vent, au-dessus de sa tête, contre le ciel enfumé.

Depuis sa place à l'ombre du dais, Arnaud ricana méchamment. Personne ne lui prêta attention.

La hache du bourreau était conçue non pas pour donner une mort rapide, mais pour châtier. C'était une espèce de hachoir primitif, peu maniable, mal calibré et aiguisé de façon très sommaire. La lame non polie était lourde et large. Louis avait remarqué que, son poids se situant principalement vers l'arrière, elle avait tendance à dévier un peu de sa cible lorsqu'il l'abattait. Elle avait près d'une quarantaine de pouces de long et devait peser environ huit livres. La lame convexe mesurait seize pouces, mais seule une aire de dix pouces et demi composait le fil[119].

Un garde avait fait descendre Garin de la charrette. Il lui fit gravir les marches une par une en le bousculant légèrement. Le vieil homme était exténué, mais l'expression sur son visage blême était sereine. Il tituba jusqu'au milieu de la plateforme et avisa l'exécuteur à qui il offrit un ultime salut. Après quoi on le contraignit à affronter la foule pendant que le héraut lisait son annonce se terminant par «... et que justice suive son cours».

— Vous avez bien fait les choses, Excellence, fit remarquer le baron lorsque lecture fut faite.

— En effet, en effet, dit le clerc qui semblait penser à autre chose.

Raymond n'insista pas. Garin fut conduit devant Louis qui lui enleva l'écriteau et le remit à un valet. Il aida le vieil homme à s'agenouiller devant le billot. Malgré les sévères crampes qui presque sans cesse le tenaillaient, le digne Templier était parvenu à ne pas se souiller. Louis reprit son souffle et tenta à nouveau de s'éponger le front avec sa cagoule. Garin leva les yeux vers lui et dit:

— Libère-moi de ce monde menteur, Louis.

Certains spectateurs qui se tenaient devant l'échafaud se mirent à protester.

— Qu'est-ce qu'il a dit? demanda une mégère édentée.

— Nous n'avons rien compris! se plaignirent plusieurs autres.

Louis eut l'irrésistible envie de taper du pied et de leur crier: «Vos gueules!» mais Garin ajouta:

— Dieu te garde. Je te pardonne.

Les spectateurs du premier rang entendirent et se turent. Certains d'entre eux purent même ouïr la réponse du bourreau:

— Vous êtes meilleur que moi.

Son haleine brûlante se diffusa dans les fibres rustiques de sa cagoule. Il alla se planter derrière le condamné et se pencha pour lui faire poser la tête correctement sur le billot rectangulaire. D'une hauteur de deux pieds, l'instrument était creusé à ses deux extrémités les plus longues. La première dépression, plus large, était conçue pour y faire reposer les épaules. Le second creux, situé à l'opposé du premier, était prévu pour le menton. La victime était contrainte de poser la gorge contre une indispensable surface dure, la nuque étirée le plus possible, car il s'agissait là une cible très petite pour l'homme nerveux qui avait à la viser sous les de milliers de regards braqués sur lui.

Un pas de côté et sa hache s'éleva. Garin ferma les yeux. Louis frappa de toutes ses forces. L'arme s'abattit en produisant un bruit sourd qui fit sursauter le billot. Beaumont s'affaissa sur le côté, aux pieds de l'exécuteur, en laissant sur le billot une traînée écarlate. Bouche ouverte, yeux exorbités, il crachait le sang. Pendant une interminable seconde, Louis fut pétrifié.

—Vite, vite, entendit-il dire par quelqu'un qu'il ne vit pas.

Et il se reprit. Les hurlements de la foule ne parvenaient plus à ses oreilles. Plus rien n'avait d'importance hormis cet homme qui était mortellement atteint et qu'il fallait achever au plus vite. Il posa la hache et prit sa victime par les épaules pour la redresser. Il lui fit de nouveau poser la tête sur le billot. Garin haletait et ses bras noués étaient agités de violentes secousses. À cause des mouvements convulsifs du condamné et des projectiles dont les gens s'étaient mis à le bombarder, Louis reprit la hache. Il fut à peine capable de viser l'encoche où palpitaient muscles et ligaments sectionnés.

—Han!

L'arme cliva de nouveau la nuque du malheureux, lui écrasant les vertèbres. Garin roula à nouveau sur le côté, mais il cessa de se débattre. Les chausses de Louis furent arrosées de sang et d'un liquide incolore. Beaumont paraissait avoir perdu conscience. L'épaisse lame s'était frayé un chemin plus avant: elle avait partiellement broyé les vertèbres, et la tête était à demi arrachée. L'exécuteur se sentait étouffer. Il dut remettre sa victime inerte en position une troisième fois. La tête de Garin finit enfin par tomber et son corps bascula contre les jambes du bourreau qui ne s'était pas reculé à temps.

—Qu'est-ce que tu attends, espèce d'idiot? lui dit le bailli. Montre-leur sa tête[120]!

Louis dut marcher dans des flaques qui s'agrandissaient sur les planches rendues collantes par les traces de miel que l'ours avait laissées. Il s'avança sur l'échafaud pour brandir, en le tenant par les courts cheveux, l'horrible trophée. Les orifices de sa cagoule étaient de guingois et c'est d'un seul œil qu'il put voir que les spectateurs les plus rapprochés s'éloignaient craintivement de ses sabots ensanglantés. En revanche, d'autres s'avancèrent et se mirent à lui demander des bouts de la chemise du mort en lui tendant des pièces de monnaie.

Mais Louis n'entendit ni ne remarqua rien de tout cela. Il se détourna et reposa la tête de Garin dans un panier rempli de sciure. Le bailli le regarda tituber jusqu'au bord de la plateforme sans réclamer son dû, laissant les gardiens et les valets se disputer les effets du supplicié pour tout vendre à la foule qui se pressait alentour. «Encore heureux que l'on n'ait pas à le débiter en quartiers pour l'exposer aux quatre coins du village», se dit-il. Et il se chargea de planter lui-même la tête de Garin sur une pique.

Oublié, Louis sauta en bas de l'échafaud et disparut en

dessous, à genoux dans une pénombre épargnée par l'affreux délire de l'extérieur. C'était un réduit strié de rayures lumineuses produites par le soleil qui passait par les interstices de la plateforme. Il haleta et arracha sa cagoule, exposant à l'air son visage ruisselant. Par certaines fentes des planches au-dessus de sa tête, du sang visqueux dégouttait encore. Certaines de ces gouttes rouges se faufilèrent dans ses cheveux trempés. Louis se courba en deux pour vomir.

*

Le lendemain

Ses pieds nus ne faisaient presque pas de bruit sur la sente fraîche d'un boisé. Au loin, le clocher d'une petite église sonnait vêpres. Un écureuil détala devant lui, emportant dans sa gueule une grosse noix qu'il allait se hâter d'enfouir pour l'oublier ensuite. «Ainsi, avait fait remarquer une voix aimée qui n'existait plus, des forêts entières poussent grâce à la distraction d'une petite bête.»

Louis décida de faire une pause. Il s'assit sur un tronc moussu pour fouiller dans sa besace, à laquelle étaient attachées une gourde calebasse* remplie d'eau fraîche, de même que sa paire de sabots qu'il ne portait plus, car ils lui donnaient mal aux pieds. Ses vêtements étriqués étaient éclaboussés de taches brunes. Mais, au moins, on avait consenti à lui redonner son vieux couteau. Il entreprit de grignoter un bout du saucisson auquel la grosse cuisinière du domaine avait renoncé de mauvaise grâce.

Il ne désirait plus qu'une chose, retourner le plus vite possible au pays, laissant loin derrière le cauchemar qu'il venait de traverser. Maintenant que la peste avait reflué à Paris et qu'il s'était prouvé à lui-même jusqu'à quel point il avait consenti à s'abaisser, il était plus que temps qu'il remonte vers le Nord et vers le but de sa quête.

Le jeune homme déboucha un cruchon de vin domestique auquel il but goulûment. Sa manche droite lui descendit le long du bras. Il reposa le cruchon sur ses genoux en se passant la langue sur les lèvres. Il regarda pensivement la hache rouge dont avait été marqué son avant-bras. «Était-ce tout cela, la mauvaise porte dont Jacinta m'a parlé?» se demanda-t-il. Tout en grattant vigoureusement le tatouage qui le démangeait soudain, il se promit d'allumer un cierge pour le vieux Templier dès son retour à Paris.

Les oiseaux se turent dans leurs branches. Louis bondit, mais trop tard: le sol fut ébranlé par une galopade qui semblait venir dans sa direction. Il entreprit de fuir en s'éloignant du sentier. Il n'y avait aucun risque à prendre. Un seul cavalier coiffé d'un heaume apparut au détour du sentier. Il appela :

— Halte-là, au nom du roi.

Louis ralentit et tourna la tête en direction de l'homme. C'était un chevalier, armé, du roi de Navarre. L'épée au clair, il s'apprêtait lui aussi à faire quitter le sentier à sa monture. Louis leva les mains, mais refusa de bouger. Le chevalier dut s'engager parmi le feuillage dense des arbustes pour parvenir à sa hauteur. Louis perçut la luisance de deux perles grises qui le détaillaient avec un certain mépris à travers la ventaille close du heaume.

— Es-tu le dénommé Ruest que l'on vient de gracier au châtelet d'Augignac? lui demanda l'homme d'armes d'une voix peu engageante.

— Oui.

— J'ai ordre de te ramener auprès du gouverneur de Caen. Il a manifesté le désir de t'avoir en tant qu'exécuteur pour sa cité.

Troisième partie

1352-1358

Chapitre IX

Une maison rouge

Paris, 10 avril 1352

L'abbé Antoine avait été incapable de se rendormir après matines. «Ce doit être l'âge», pensa-t-il avec mélancolie. Tout en rondeurs sous sa coule tendue au-dessus d'un estomac plantureux, le moine vieillissant marchait en se dandinant. Son visage de poupard avait conservé le même teint fleuri et le même air avenant. Avec sa couronne de cheveux grisonnants et son regard tendre, il inspirait tout de suite confiance.

Ces dernières années, ses tâches d'administrateur s'étaient considérablement alourdies. Il était bien loin, le temps des querelles d'idées avec les universitaires! Lorsqu'il avait dû, en 1345, leur abandonner ses droits sur les églises Saint-Côme et Saint-André, la mainmise de l'Université sur la partie du bourg enclavée dans le mur de Philippe Auguste avait été complète. Mais ce genre de tractation souvent pénible faisait partie de la vie d'un abbé. On ne pouvait trouver à y redire. L'administration de la prison était bien pire. Et la guerre était venue. Et, avec elle, la peste. C'était là que tout avait commencé à changer. C'était à cette époque qu'il avait dû quitter la quiétude de son office et retrousser les manches de son froc pour se mettre au travail comme tous les autres moines, humble parmi les membres survivants de sa communauté qui, eux aussi, étaient devenus plus humbles. Force lui avait été d'admettre que cette leçon du ciel lui avait été profitable : il avait pu démontrer de façon concrète l'attachement qu'il vouait à son abbaye et à ceux que ses murs abritaient. Cette expérience avait été inoubliable.

L'insomnie chronique était l'une des conséquences des devoirs qui lui incombaient. Il décida d'aller faire un tour dans le jardin. Une bonne odeur de terre humide fraîchement retournée racontait enfin les premières fables du printemps, et la brise tiède défroissait les articulations en même temps que l'humeur.

Une ombre furtive se glissa entre le mur d'enceinte et la chapelle, et ne reparut pas. «Évidemment, songea Antoine, il fallait bien que notre frère tourier, le cher Augustin, aille goûter en secret à cette liqueur de cassis.» Ce petit manège nocturne était bien connu de tous, et le moine fautif ne s'en repentait toujours pas après vingt ans. C'était une cause perdue: lorsque l'hiver n'était pas le prétexte à cette «prise de remèdes», c'était les pluies de printemps, la chaleur estivale ou les phases de la lune.

Mais le rôdeur n'était pas retourné dans son cagibi. Après avoir fait un détour par la chapelle de la Vierge, il commença à longer le mur duquel pendait un enchevêtrement de lierres dénudés. Antoine reconnut l'un de leurs propres paniers d'osier dont le contenu, enveloppé d'un linge, avait été posé en haut des marches de la chapelle. L'abbé alla le prendre et ne se donna même pas la peine d'en vérifier le contenu. Il savait.

—Holà, l'homme, appela-t-il depuis les marches.

L'interpellé se figea sur place, sa silhouette à peine visible sous la lueur d'un falot. Ce devait être l'un de ces nombreux pères de famille qui, dépourvus de ressources, se voyaient contraints d'en venir là. Par contre, quelque chose clochait: l'individu était armé. Antoine garda son calme et dit:

—Ne crains rien, mon fils, je suis le père abbé. Viens là, entrons un moment dans la chapelle. La brise est encore un peu frisquette.

Elle ne l'était pas. Mais Antoine avait remarqué que l'homme frissonnait. Antoine se retourna et attendit. L'individu, qui s'était approché, comprit. Il laissa respectueusement à la porte sa masse d'armes et sa dague. À la lueur des cierges en cire d'abeille, le moine fut en mesure de constater qu'il n'était pas intimidé, mais plutôt profondément troublé. La couverture de laine qui enveloppait le contenu du panier volé était éclaboussée de taches étoilées d'une couleur vermeille suspecte. Antoine se hâta de découvrir le visage froissé d'un nouveau-né. Autant que l'on pouvait en juger, le bébé était indemne. L'homme s'empressa d'expliquer:

—N'ayez crainte, mon père. Ces taches, c'est de l'encre. Le maître, voyez-vous... il a renversé l'encrier sur elle lorsqu'il l'a déposée sur la table.

—Sur *elle*?.. Mais, mon fils, vous n'ignorez pas que c'est ici un couvent d'hommes.

—Je le sais, oui. Seulement...

—Laissez, laissez. Nous y reviendrons. Qu'est-ce que c'est que cela?

Antoine repoussait légèrement la couverture de son index boudiné. La joue gauche, le cou à peine visible ainsi que l'épaule du nourrisson étaient également maculés d'encre. Le bébé remua et gémit à cause de la caresse humide de la nuit contre sa peau neuve. Le doigt d'Antoine s'attarda à la base du cou, du côté gauche. À cet endroit, un pli soyeux abritait une sorte de grosse piqûre où un peu de sang se mêlait incognito à l'encre.

—Une petite blessure, je crois, répondit l'homme piteusement. Ce doit être à cause de la plume.

—La plume? Comment une plume peut-elle blesser ainsi le cou d'un nourrisson?

Ils prirent place sur un banc, et Antoine déposa le panier entre eux. Le bébé se rendormit. Le jeune homme dit:

—Je vais tout vous expliquer, mon père. Mon nom est Thierry et je ne suis pas le père de cette enfant...

*

Paris, quelques heures plus tôt

Les cris de sa femme s'étaient enfin taris. Cela avait duré longtemps. Beaucoup trop longtemps pour que la nuit soit propice au repos. La tête prise entre ses mains crispées, l'homme sanglotait, ivre. L'auberge qu'il avait louée en entier sur un coup de tête fut plongée un instant dans un silence de mort. Il se prit à souhaiter le retour de la vacelle* trop bavarde qu'il avait congédiée quelques heures auparavant. Des vagissements outrés s'élevèrent. L'homme leva son visage aveuli serti d'yeux larmoyants vers la porte de la chambre qui consentit enfin à s'ouvrir. La sage-femme s'avança vers lui avec un air grave. Elle tenait dans ses bras un paquet emmailloté. Arnaud se leva et repoussa plus loin sur la table un parchemin couvert d'écriture rouge. Ce même parchemin et cette même encre rouge qui avaient fait l'objet de reproches de la part de sa femme ce matin même: il n'avait pas besoin de francin* ni d'encre rouge pour calculer ses dettes.

—Messire, je suis désolée...

—Quoi? Quoi? demanda Arnaud, éperdu, n'osant pas s'avancer.

—Votre femme...

—Elle est morte?

La grosse Margot ne put qu'acquiescer en se pinçant les lèvres

337

pour ne pas pleurer. La mère n'avait pas vingt ans et ce bébé était son premier. Arnaud émit un grognement sourd et dit :

— C'était couru d'avance. Le climat du Nord ne lui réussissait pas. À moi non plus, d'ailleurs.

Il n'eut pas d'autre réaction. Ce n'était un secret pour personne qu'Arnaud n'avait pas aimé sa jeune épouse qui l'avait néanmoins suivi dans son exil sans une protestation, en dépit des fatigues de sa grossesse et d'une santé déficiente.

Avec la mort du baron d'Augignac, survenue quelques mois plus tôt, Arnaud avait été contraint de partir pour le pauvre domaine de Normandie qui constituait son seul héritage. De la minable somme d'argent qu'il avait également reçue, plus rien ne restait. Ses derniers sols se volatilisaient avec cette mauvaise nuit passée à l'auberge. Tout le reste avait été grignoté au cours de l'hiver par de longues parties de brelan* et par quelques extravagances «nécessaires, avait-il dit, pour mettre un pied à la cour». Mais le coûteux séjour à Paris ne lui avait rien rapporté de ce qu'il avait escompté : le roi Jean[121] s'était montré tout aussi insensible à ses loyaux services que l'avait été Charles de Navarre.

Arnaud tendit la main vers le paquet blanc que la servante tenait précieusement. Elle le lui remit et il écarta les pans de la couverture sans ménagement.

— Une fille !

— Messire...

— Qu'ai-je besoin d'une fille !

— De grâce, prenez garde. Ne la tenez pas comme ça.

— Par la mordieu, je suis déjà à demi ruiné !

En déposant l'enfant avec rudesse sur la table, il accrocha la plume plantée dans l'encrier. De l'encre rouge plut partout, et il retrouva la plume nichée dans la couverture à demi arrachée, tout contre la poitrine de l'enfant.

— Merde ! Que vais-je faire, maintenant ? Hein ? Que vais-je bien pouvoir faire ? Comme si je n'avais pas suffisamment d'ennuis comme ça !

— Je vous en prie, messire, disait Margot.

Arnaud se calma quelque peu et se mit à éponger maladroitement le bébé ainsi que son bras, sous le regard plein de reproches de la servante qui avait aussi fait office de sage-femme. Le nouveau-né hurlait. Sa langue humide tremblait dans sa bouche. Arnaud dit :

— S'il me faut en plus éduquer et doter une fille...

C'était impossible, à moins qu'il n'acceptât d'hypothéquer le domaine, de s'endetter à un point tel que ses débiteurs risquaient éventuellement de le faire emprisonner ou de saisir le peu de biens qui lui restaient. C'était hors de question. Le jeune veuf détailla le visage rouge du bébé: il était chiffonné et enlaidi par une bouche trop grande, déjà vorace. Les pleurs d'une fille étaient exaspérants. Tournant à peine la tête, Arnaud dit:

—Margot.

—Oui, messire.

—Tu peux disposer. Mande-moi Thierry.

—Bien, messire. Puis-je reprendre la petite, maintenant?

—Non. Laisse-la-moi un moment. Va. Dès l'aube tu veilleras à lui trouver une nourrice.

Il espéra que sa voix ne sonnait pas faux.

Peu après, le serviteur se présentait à lui. Arnaud ne lui laissa pas le temps de se répandre en civilités. Il renveloppa gauchement le bébé dans sa couverture tachée et le posa dans les bras hésitants du maître d'armes.

—Tu sais ce qu'il te reste à faire.

Thierry blêmit. Arnaud poursuivit:

—Utilise un matelas si tu veux. Peu m'importe comment tu t'y prendras en autant que tu me ramènes son corps intact pour les funérailles de sa mère. Va.

Thierry avait erré pendant des heures dans des rues oubliées par la nuit. Malgré la faim, son fardeau minuscule s'était endormi en toute confiance dans ses bras.

—Je ne peux pas. Je ne peux pas faire ça, se répétait-il avec désespoir.

Non, sa loyauté envers son maître ne pouvait aller jusque-là.

Matines avaient sonné au clocher d'un grand moutier non loin du lieu où il se trouvait.

Thierry se tut. Antoine, qui l'avait écouté sans intervenir, reprit la parole:

—Ne te fais plus de soucis, mon fils. Je me charge de tout. Ton secret sera sous bonne garde et ton maître n'en saura rien.

À quelques jours de là, le jeune veuf d'Augignac enterra sa malheureuse épouse et un bébé mort-né qu'il n'avait jamais vu et auquel il ne prêta qu'une attention de convenance. Il ne se rendit jamais compte qu'il ne s'agissait pas de sa fille.

Une famille des faubourgs avait reçu d'un moine au visage caché par son capuce une escarcelle bien garnie en échange de leur fillette qui n'avait vécu qu'un instant. De retour à l'abbaye, Lionel, le bibliothécaire, avait maquillé le petit cadavre, reproduisant à la base du cou la même piqûre qu'il avait préalablement examinée sur l'enfant rejetée, au cas où le père dénaturé aurait consenti à jeter un ultime coup d'œil à sa fille sous sa couverture tachée avant qu'on ne la prépare pour les obsèques. Lionel savait que, pendant des années, cette famille allait être tenaillée par l'envie de raconter que l'une des leurs avait été ensevelie chez les nobles. Si l'un des membres finissait par succomber à cette envie, le récit allait sans nul doute se voir au fil des ans tellement enjolivé qu'il allait en devenir méconnaissable. Le moine visiteur, en l'occurrence lui-même, allait être transformé en sorcier et le tombeau, en marmite.

Avant la fête de la Saint-Georges[122], la fillette toute neuve, adorable glaise humaine encore intacte, était devenue l'enfant la plus choyée de Paris. Une abondance de pères remplaça bientôt celui qui l'avait répudiée. Pour tous les moines, elle se nommait Jehan de Saint-Germain[123]. Seulement deux d'entre eux, l'abbé et Lionel, connaissaient sa réelle identité, de même que son sexe.

Ce fut à cette époque qu'Antoine se mit à errer toutes les nuits par le jardin du monastère. Il avait compris très rapidement que Jehan allait devoir demeurer à l'abbaye plus longtemps que prévu. À cause de l'épidémie, il y avait partout trop d'orphelins et plus assez de bonnes âmes pour prendre soin d'eux. De plus, quelqu'un avait déjà ménagé à l'enfant une place dans son cœur laissé vacant par le départ d'un autre.

«Est-ce là le dessein de la Providence?» se demandait Antoine.

*

Caen, octobre 1350

La ville se trouvait en Basse-Normandie, à cinquante-cinq lieues à l'ouest de Paris. C'était l'un des joyaux les plus remarquables de France. On disait même Caen plus grande que Londres. Des richesses jadis volées à l'Angleterre par Guillaume le Conquérant en avaient étayé le prestige. À chaque extrémité de la ville, hérissée de clochers et de tours et protégée par ses remparts en pierre claire, une abbaye veillait. Un château se dressait au nord. Comme partout ailleurs, la cité avait débordé de ses murs. Cependant, au lieu de s'appuyer frileusement le long des remparts, les belles habitations plus récentes étaient construites sur une île basse qui s'étendait au sud de la vieille ville. Formée par un enchevêtrement d'affluents qui se jetaient dans les deux rivières principales qui passaient tout près, cette île nommée Saint-Jean n'avait nul besoin de murs. Tous les bateaux, tels des greffons avides, de la ville venaient s'amarrer aux quais construits sur sa berge, en face du mur. Car sur l'île s'était développé le quartier riche de Caen. On y trouvait comme au faubourg Saint-Germain de vastes jardins, de grandes demeures ainsi que des avenues bien droites. La vieille ville, quant à elle, déployait son labyrinthe de rues étroites se faufilant entre des maisons exiguës dont les encorbellements plongeaient certains endroits dans un simulacre de nuit permanente. L'abbaye aux Hommes était entourée de ses propres remparts qui rejoignaient ceux de la ville. Le corps de Guillaume y avait jadis séjourné à l'air libre un certain temps. En matière d'éducation, les habitants de Caen égalaient ceux de Paris. La beauté et le raffinement des deux villes avaient de quoi attiser la convoitise d'un roi.

*

— Qui est-ce? Un clerc? demanda une mégère à sa voisine de kiosque.

— Aucune idée. Je ne crois pas, puisqu'il a une épée. Ce que je sais, en revanche, c'est qu'il n'a pas l'air commode. C'est pas moi qui vais m'enquérir de son nom.

Le regard de tous les marchands se fixait sur l'homme qui avançait au centre d'une bonne escorte tel un personnage de marque. L'individu était ceint d'une large épée et possédait aussi une dague. Sa main serrait une étrange canne rouge à pommeau sphérique. Il était entièrement vêtu de noir, exception faite de ses bottes en feutre et de sa ceinture d'armes en cuir qui, elles, étaient d'un rouge sombre. Il portait un chaperon des plus simples et son cou était emprisonné dans un haut col fermé par une fibule* d'étain à peine visible. Sa mise lui donnait une allure à la fois élégante et menaçante. Le noir, par nature, inspire une crainte instinctive : il absorbe toute lumière. L'homme en semblait conscient. Peut-être portait-il du noir pour cette raison précise.

Les badauds s'écartèrent et lui ouvrirent involontairement un passage afin de mieux l'examiner. Lui aussi jetait un coup d'œil circulaire aux kiosques qui l'entouraient. Soudain, il pointa quelqu'un du doigt.

— Là. C'est celui qu'il me faut, dit-il aux gardes de son escorte.

— Mais c'est un boulanger, dit l'un d'eux.

— Je sais, et alors? Moi aussi j'en étais un, dans le temps.

— Ça va faire des histoires.

Deux des gardes s'avancèrent en direction du boulanger qui, interloqué, commençait déjà à protester en reculant vers la porte de son échoppe.

—Hé là, bas les pattes! Qu'est-ce que vous me voulez? Je n'ai rien fait. Je suis un marchand honnête, moi. D'abord, qui est-ce?

L'un des gardes répondit :

—Ordre du gouverneur. Vos services sont réquisitionnés pour un moment. Vous allez suivre l'exécuteur que voici et demeurer à sa disposition le temps qu'il faudra. Aucun refus n'est recevable.

—Quoi? L'exécuteur? Ah non. Ah non, il est hors de question d'aller me mettre sous les ordres de cette crapule endimanchée. Je tiens à ma réputation, tout de même.

Tous les habitants avaient entendu parler de la création de ce nouvel office et des dépenses considérables qui en avaient résulté pour la guilde des commerçants, mais nul n'avait encore vu le bourreau en personne. Seule une charte le concernant, lui, ainsi que les droits attachés à son état, avait été placardée et criée en ville un mois plus tôt.

L'homme en noir croisa les bras et attendit. Le garde répliqua :

—Ce garçon n'est pas une crapule, mais notre nouvel exécuteur, et il est aussi honnête que vous et moi[124].

—Seuls les gens de condition portent l'épée et vous me certifiez qu'il est honnête[125]?

—Les gens de condition et l'exécuteur, selon l'ordonnance de Fricamp, dit Louis qui sortit de sa poche un papier plié qu'il remit au garde.

Ce dernier le déplia et le présenta d'abord à la ronde, puis au boulanger, en disant :

—Apprenez qu'en signant la commission que voici ce jeune homme est devenu fonctionnaire de la justice municipale. Autrement dit, sa préséance est au moins égale à la vôtre, maître boulanger. Tout manquement à son égard sera considéré comme très grave et sera châtié en conséquence. Me suis-je bien fait comprendre?

Le commerçant jeta un coup d'œil à la signature de l'homme en noir sans oser toucher à la lettre de commission.

—Une hache! Très approprié, dit-il avec mépris.

Louis avait d'abord été tenté d'utiliser en guise de signature les trois traits sinueux qui avaient composé sa marque en tant que boulanger, mais sa plume était demeurée suspendue au-dessus du parchemin. Non, cette signature n'avait plus lieu d'être. La boulangerie de son enfance n'existait plus. Ni cette vie-là, d'ailleurs. Louis Ruest lui-même avait perdu son identité et son visage derrière une cagoule. Cela lui était indifférent. Il n'avait rien contre le fait de profiter de l'occasion pour enterrer en même temps que son ancienne marque le nom qu'il tenait de son père. «Le nom est enseveli avant l'homme, mais le tour de l'homme saura bien venir en son temps», s'était-il dit. Il avait alors songé au tatouage sur son bras.

Le boulanger remit la feuille au garde et protesta à nouveau:

— Admettons. Mais, bon Dieu, pourquoi est-ce moi qu'il veut, ce baille-hache[126]*? Il y en a d'autres.

— Parce que j'ai besoin d'un assistant au château pour le chevalet[127] et puisque vous êtes boulanger, vous avez de bons bras, répondit le bourreau, qui aurait bien aimé que son père soit à la place d'Henri. Ou mieux, de sa future victime.

Une certaine hésitation fut perceptible chez les témoins de la discussion. Malgré les halètements provoqués par l'évocation de l'effrayant instrument, le boulanger ne put s'empêcher d'être flatté par cette remarque. Il croisa fièrement ses avant-bras enfarinés et bomba le torse:

— Ça, tu peux le dire, l'ami. Je suis le meilleur boulanger en ville. C'est pour ça que je te dis: va donc plutôt voir du côté des quais. Là-bas, tu trouveras moult traîne-potenc de ton espèce qui, eux, ne verront aucune objection à servir un bourrel.

Le garde intervint:

— Refuser de collaborer avec l'exécuteur équivaut à refuser un ordre du gouverneur. Je n'ose imaginer cela de votre part, maître Henri.

— Et c'est seulement pour cette fois, spécifia Louis, qui se dit: «Il doit y avoir un moyen de se passer d'assistants.»

Le boulanger, en désespoir de cause, regarda autour de lui et répondit:

— Bon, bon, ça va! J'obéis, mais vous me faites violence. Ces bonnes gens me sont témoins que je ne vous suis que sous la contrainte.

*

L'assistant gratta nerveusement son avant-bras velu. Il avait bien écouté les instructions et il était prêt. Le condamné aussi. L'homme était étendu à même le sol au centre du chevalet. Il s'agissait d'un cadre de bois rectangulaire vide d'une longueur de six pieds, muni de quatre pattes qui, solidement arrimées, en assuraient la stabilité et l'élevaient à trois pieds du sol. Les poignets de la victime étaient liés par des cordes à un axe, tandis que ses chevilles étaient attachées par des anneaux à l'autre bout du cadre. Le bourreau et son assistant se placèrent de chaque côté et entreprirent d'actionner le treuil en plantant leur longue perche dans les trous prévus à cet effet. Cette manœuvre accentuait la tension de la corde qui s'enroulait d'un demi-pouce à la fois. La victime fut lentement soulevée du sol par ses seuls membres. Son dos se retrouva sans soutien. Le tortionnaire, presque invisible à cause de l'obscurité du coin où il se tenait à dessein, dit :

— C'est déjà pénible, n'est-ce pas ? Le mieux serait que nous en restions là. En fait, cela ne dépend que de toi.

Louis se sentait mal : les murs l'enserraient de trop près. Mais il fallait à tout prix éviter que la victime se rende compte de ce malaise. Le mieux à faire était de prendre de longues respirations, comme il avait appris à le faire jadis en grimpant dans les tours de Notre-Dame. Il ne s'en rendit pas compte tout de suite, mais cette technique donna à sa voix une intonation douce qui en imposait.

L'assistant demeurait immobile et en attente, les perches ne faisant que maintenir la tension des cordes. Le tortionnaire invisible dévoila son visage en se baissant pour regarder la victime dans les yeux. Il demanda :

— Pourquoi es-tu venu au château aujourd'hui ?

L'homme dévisagea le fonctionnaire avec un regard d'innocence outrée et répondit :

— Pour présenter mes respects au gouverneur, quelle question !

— Pourquoi es-tu allé présenter tes respects ?

— Mais parce qu'il vient de rentrer en Normandie.

— On t'a convoqué spécialement ?

— Non.

« C'est peut-être vrai », se dit Louis. Interroger un prisonnier n'était pas aussi facile qu'il y paraissait. Il prit le temps de réfléchir et demanda :

— Que t'a dit le gouverneur, lorsque tu l'as rencontré ?

— Il m'a salué et remercié d'être venu.

Cela aussi pouvait être vrai. Pourtant, Fricamp avait fait arrêter cet individu. Un manant. Il y avait forcément une raison.

Il y en avait une : une lueur d'inquiétude s'était brièvement manifestée dans le regard du supplicié. Louis insista donc :

— Mais encore ?

— Il m'a aussi demandé des nouvelles de ma famille et du village.

— Rien d'autre ?

— Rien. Pourquoi vous intéressez-vous à notre conversation ? Et d'abord, qui êtes-vous ?

— Que t'a-t-il dit au sujet du roi de Navarre ?

— Rien, je vous le répète!

Louis fit signe à son assistant. Les cordes se tendirent et commencèrent à tirer sur les membres de l'homme, qui gémit. Les crampes dans son dos et ses articulations étaient en train de devenir insupportables.

— Encore, dit le tortionnaire, qui ne pouvait s'empêcher de se demander si tout cela n'était pas la vérité.

Comment savoir? À coup sûr, l'homme allait finir par avouer n'importe quoi pour se soustraire à la torture. Il fallait que Louis évite de lui souffler trop aisément ce qu'il voulait l'entendre dire, car l'homme admettrait tout.

Il reprit, d'un ton calme et détaché:

— Ce n'est pourtant pas ce qu'on m'a donné comme renseignement. Le gouverneur Fricamp soupçonne que tu lui as été envoyé par les sbires du Valois afin d'espionner ses faits et gestes. Tout le monde sait que le Valois se méfie du roi de Navarre. Où allais-tu?

— Chez moi!

Premier signe favorable. L'homme était en train de perdre son sang-froid. Louis répliqua:

— C'est faux. Je sais que tu habites près de Vincennes, et l'on t'a vu te diriger vers Mantes. Où allais-tu?

— Que voulez-vous de moi?

— Dis-moi la vérité et je cesserai aussitôt.

Un peu d'humidité dégoutta du plafond avec un bruit mou qui fut un instant seul à meubler le silence, hormis le souffle spasmodique de la victime. Le risque de suffocation devenait sérieux: les mouvements du diaphragme commençaient à être gênés par la torsion des nerfs et des muscles. Il fallait accélérer les choses, et vite. Louis se pencha donc et se mit à donner des coups de poing sur l'épaule de l'homme tout en retenant sa perche de l'autre main, ce qui menaçait de rompre la clavicule. Cela exigeait de sa part une force inouïe, et une mèche de cheveux sombres barrait son front trempé. L'assistant le regarda faire, les yeux écarquillés. L'homme hurla:

— Laissez-moi, pour l'amour du Christ, et je vous dirai tout.

Louis fit une pause et dit:

— Alors?

— Mais j'ai tout de même le droit d'aller à Mantes.

— Sans doute. Pourquoi y es-tu allé, cette fois?

— Je n'en sais rien. Ou plutôt si... J'ai... j'ai de la parentèle là-bas.

Louis se redressa et se mit à faire violemment pivoter le treuil. L'assistant, tout en sueur, l'imita.

— Non, non! Ah! Arrêtez. Par pitié, monseigneur. Je vais parler! hurla l'homme.

Louis ne s'arrêta que lorsque la respiration de sa victime fut sur le point de s'interrompre. Il posa son poing fermé sur l'épaule à demi disloquée du manant.

— Je t'écoute. Fais vite. Au prochain tour, ça lâche.

L'homme parvint à reprendre son souffle et dit, par à-coups:

— J'ai été mandaté par l'évêque de Coutances... pour me mettre au service du gouverneur... de façon à ce que je tienne l'évêque informé de ses faits et gestes. Il paraît que... le roi de France se méfie du roi de Navarre. Et le gouverneur Fricamp en sait beaucoup sur le roi de Navarre... On m'a soupçonné à cause d'une cuiller d'argent que j'ai volée aux cuisines. Une cuiller, vous vous rendez compte? C'était pas ma faute, c'est l'habitude, vous comprenez? Je voulais la vendre. Faut bien que je gagne ma croûte.

— Quand le gouverneur te posera la question, répondras-tu la même chose?

— Ça, oui, messire, je le jure sur mon honneur.

— Voilà qui est très rassurant de la part d'un voleur. Prends bien garde de te souvenir de tout, hein. Je serai là.

En s'adressant à son assistant, il ajouta:

— Relâchons-le. Vous pouvez partir, je me charge de le soigner.

— Enfin. C'est pas trop tôt. J'espère ne plus jamais te revoir à moins de six toises, *Baillehache*, dit le boulanger d'une voix tremblante.

Le soir même, un messager vint s'adresser à Louis qui soupait seul dans la cour du château:

— Messire le bayle vous réclame, dit-il au jeune homme qui nota le voussoiement.

Une fois chez le bayle, Louis apprit que son voleur venait d'être condamné à la potence. Le fonctionnaire lui dit:

— L'ennui, c'est que nous ne possédons pas d'échafaud. Tout ce qu'on a fait jusqu'à maintenant était démontable. À vous revient donc la charge d'en faire construire un permanent avant trois jours. Vous me présenterez votre mémoire de frais.

— Quand aurai-je un endroit où habiter? Je ne pourrai pas passer l'hiver sous la tente.

— Cela vient, cela vient. Un peu de patience. Il nous faut d'abord trouver un site convenable. Soyez prévenu que fort peu de gens souhaiteront votre voisinage. Allez, maintenant. Mettez-vous au travail. Et prenez soin de ne pas choisir du chanvre vert pour la pendaison: c'est trop élastique.

—Pas de ça chez moi! protesta un charpentier en voyant le déjà célèbre géant en noir s'introduire dans son atelier.

Cette fois, Louis était seul. Il allait devoir se débrouiller lui-même pour obtenir la collaboration des marchands à qui il allait rendre visite. Et commander un échafaud n'était pas une peccadille. Il fut étonné de l'efficacité des paroles qu'avait dites le garde lorsqu'elles sortirent de sa bouche à lui, en même temps qu'il montrait l'ordonnance:

—Je regrette, mais nul ne doit se mettre en travers de l'exécuteur. C'est écrit là. J'ai le mandat de vous réquisitionner si vous persistez dans votre refus de me servir.

—Ah ben ça, c'est un monde! Moi, me faire commander par un compagnon de la mort!

—J'ai besoin d'un échafaud. Et attention, hein, je ne veux pas des retailles de n'importe quoi. Et surtout pas de bois cani*. Faites-moi quelque chose de durable en bon chêne du Midi[128].

—Et quoi encore?

—Une croix de Saint-André*. Trouvez-moi aussi un billot. À peu près de cette taille.

Il lui montra les dimensions. L'artisan ne put réprimer un frisson. Louis se dirigea vers la sortie et dit:

—Ne vous occupez pas du reste. Je me charge de tailler ce billot. Vous ferez parvenir votre mémoire de frais chez le bayle. Et n'oubliez pas l'échelle.

Deux jours plus tard, tout était prêt, et l'armurerie du château abritait un assortiment d'objets d'apparence peu avenante, parmi lesquels trônaient la fameuse croix, de la corde, un billot, une hache et une barre à rompre. Un huissier d'armes avait pris soin de cacher tout ce matériel derrière une toile.

—Il a vite su faire son marché, le gueux, et c'est qu'il n'a pas choisi le moins cher, fit remarquer le bayle à Fricamp.

Mine de rien, Louis s'amusait beaucoup. «Avec tout ce fourniment que j'empile chez lui, le gouverneur n'aura d'autre choix que de me trouver une maison au plus vite», se disait-il avec satisfaction. Depuis deux mois, il dormait sous la tente à une demi-lieue de la ville. Il en avait assez: les nuits étaient de plus en plus froides et les commodités élémentaires lui faisaient défaut depuis trop longtemps.

*

Depuis sa nomination, Louis était tenu d'assister quotidiennement à l'office, afin de montrer à tous qu'il était un bon chrétien en dépit de ses pénibles devoirs. En fait, cette exigence lui était d'un grand réconfort. La sérénité du monastère lui manquait toujours autant.

La veille de l'exécution, Louis se rendit à l'église Saint-Sauveur. Il enleva son chaperon et, baissant humblement la tête, demeura à l'arrière de l'assemblée. Il fit une prière pour le condamné.

En dépit de sa discrétion, de nombreux fidèles remarquèrent sa présence et en furent perturbés. Certains se mirent à chuchoter entre eux en lui jetant des coups d'œil furtifs. Il s'en alla avant la fin de la célébration.

Il lui fallait encore une charrette et un mulet. Il eut beaucoup de mal à les trouver. Attelée à un vieux tombereau d'éboueur, la bête que lui fournit le marchand était vicieuse et refusait avec obstination de se laisser prendre par la bride. L'homme qui observait Louis, un sourire narquois aux lèvres, dit:

— Y a pas à dire, même les bêtes savent qui tu es. C'est d'un cocasse!

Louis se tourna brièvement vers lui. Le mulet en profita aussitôt pour tenter de le mordre avec ses grandes dents jaunes. Il l'éloigna d'un bon coup de poing et le tira brutalement par la bride.

— Hé, vas-y doucement, imbécile, dit le marchand.

Furieux, l'animal brayant tenta sans succès de se libérer et de décocher une ruade. Louis ne lâchait pas et fixait le mulet dans les yeux. Après plusieurs minutes de lutte vaine, la bête écumait: elle dut s'arrêter et subir le joug de son nouveau maître. Louis lui donna une petite tape amicale sur l'encolure et laissa tomber la bride.

— Ah ben, ça alors, faut le voir pour le croire! dit le marchand.

Louis s'avança vers lui en massant sa main rendue douloureuse par le serrement de la bride.

— Vous l'avez fait exprès de me procurer cette bête rétive?

— Bien oui. Parce que tu ne crois tout de même pas que je vais fournir mes meilleurs attelages à un rustaud sanguinaire? Au prix que l'on me paye pour toi...

— À propos, tenez, dit Louis.

Il jeta aux pieds de l'homme une petite bourse qui lui avait été confiée par le bayle. Elle s'ouvrit et répandit son contenu dans la paille souillée qui avait été traînée hors de l'écurie par un incessant va-et-vient. L'homme se pencha pour ramasser les pièces et, lorsqu'il se redressa, ce fut pour se retrouver face à face avec Louis, qui s'était discrètement rapproché. Son poing l'atteignit en pleine figure avec la même vigueur qu'il avait frappé le mulet. Le marchand, étourdi, se cogna contre le mur de son écurie. Louis laissa simplement tomber :

— Personnel. À âne bâté, traitement d'âne bâté.

*

Il avait passé une partie de la nuit à récurer la vieille charrette, à en renforcer les montants et à évaluer la solidité des essieux ; si bien qu'à l'aube elle était devenue méconnaissable. « Pas question que je conduise un homme à sa fin dans un véhicule malpropre, fût-il la dernière des fripouilles », s'était-il dit.

— Place ! Laissez passer la justice du roi ! Allons, dégagez, bonnes gens !

Le condamné avait été assis dos vers l'avant de la charrette, en un dernier geste de miséricorde visant à retarder le plus possible ce moment appréhendé où le malheureux allait apercevoir l'échafaud. Avec lui se tenaient un moine, le bourreau portant cagoule, ainsi que l'un des gardes du gouverneur qui s'occupait du vieux mulet. L'animal, curieusement, était demeuré docile depuis sa première rencontre avec son nouveau propriétaire. La foule serrait la charrette de près et bombardait ses passagers avec des ordures[129]. Le voleur pleurait et gémissait. Les mains liées sur le devant et retenues par des entraves aux chevilles, il protégeait comme il le pouvait son visage en rentrant la tête dans les épaules. Tout ce tumulte le servait bien. À cause du désordre et des secousses de la charrette, nul ne remarquait ce qu'il était en train de faire.

À sa descente du véhicule, le condamné se tourna vers Louis qui le guidait. Ses mains étaient soudain libres. Avec le lien de cuir qu'il avait conservé, il frappa son bourreau à la tempe en un ultime geste de désespoir. À demi assommé, Louis perdit l'équilibre et s'écroula en entraînant sa victime dans sa chute. Un vigoureux corps à corps s'ensuivit, sous les acclamations ravies de la foule.

— Vas-y, Baillehache !

— Fais-lui son affaire, à ce gredin !

Louis parvint à neutraliser le voleur en s'asseyant dessus et en lui assenant sous le menton un coup de poing qui le calma le temps de récupérer le lien de cuir parmi les pieds des spectateurs et de lui rattacher les mains sur le devant. « Faudra que je trouve autre chose, comme lien », se dit-il, le cœur au bord des lèvres.

Tout aurait été plus facile s'il n'y avait pas eu d'échafaud, s'il avait pu, par exemple, pendre le voleur directement à une branche d'arbre simplement en retirant sa charrette de sous ses pieds.

349

Les gardes n'eurent pas besoin d'intervenir autrement qu'en maintenant en respect la foule excitée. Louis se remit debout et aida sa victime, soudain résignée et en larmes, à se relever à son tour. Ils grimpèrent tous deux l'escalier abrupt de l'échafaud avec le moine et le bayle.

Pendant que le bayle faisait lecture du crime et de la sentence, Louis aperçut des enfants qui, juchés sur les épaules de leurs parents, émaillaient la foule. «Oh, misère!» pensa-t-il. Un gamin de sept ou huit ans était parvenu à se faufiler au premier rang des spectateurs afin d'avoir une meilleure vue. Le bourreau lui fit signe avec impatience de s'éloigner. Il ne comprit pas pourquoi.

Louis passa rapidement la tortouse* autour du cou du condamné, sous la mâchoire et l'os occipital. Il tira avant d'en ajuster une seconde, le jet*. Le visage du malheureux demeura à découvert.

Le moine murmura une ultime prière que personne n'entendit, pas plus que les dernières supplications du condamné.

Une grande échelle était appuyée contre le mât de la potence. Le bourreau entreprit d'en gravir maladroitement les degrés à reculons, en tirant sa victime après lui jusqu'à ce qu'il soit capable d'attacher la tortouse à la chaîne de la potence. Il grimpa à califourchon sur la traverse.

Soudain, Louis tira le jet brutalement, arrachant le voleur à l'échelle. Le nœud coulant se resserra sous le poids de la victime qui se mit à se débattre.

Si personne n'intervenait, vingt minutes ou davantage pouvaient s'écouler avant que cesse la respiration. Louis avait entendu dire qu'en Angleterre les bourreaux faisaient une concession en permettant aux amis ou aux serviteurs de la victime de se pendre à ses jambes ou de la frapper à la poitrine pour accélérer sa fin. Mais, en général, la foule accueillait plutôt mal ce geste miséricordieux; les bourreaux en faisaient trop souvent les frais, car on se mettait à douter de leur sobriété ou à soupçonner quelque lien de parenté inavoué avec la victime. Quoi qu'il en fût, une telle éventualité était exclue sur le Continent, vu la hauteur des traverses par rapport au sol. L'exécuteur devait tout faire lui-même.

Avec une agilité professionnelle qu'il avait acquise en s'exerçant dans les arbres à la cueillette des noix, Louis se suspendit à la traverse afin d'atteindre les poignets ligotés de sa victime, dont il se fit une sorte d'étrier. Il se mit à donner de violentes secousses de haut en bas, tout en alternant avec de prompts mouvements demi-circulaires, jusqu'à ce qu'il entende un craquement lugubre: c'était la luxation de la première vertèbre. Le voleur cessa de se tortiller et expira.

Le bourreau entreprit de couper la corde pendant que le bayle grimpait sur une escabelle pour recueillir le corps. Il alla le déposer dans la charrette. Louis se raccrocha à l'échelle et redescendit avec l'intention d'aller porter sans tarder le condamné au gibet, puisqu'il ne possédait sur lui aucun objet de valeur digne d'être conservé. Pour cette fois, ses gages allaient devoir suffire à l'exécuteur.

Mais il fut assailli par quantité de gens qui se bousculaient et lui tendaient des pièces, réclamant des bouts de chemise ou de corde pour s'en faire des amulettes. Le condamné ayant expié par la souffrance, sa rédemption était désormais assurée et tout ce qui lui avait appartenu revêtait le caractère sacré de reliques. Ce fut ainsi que Louis fit la découverte d'une source de revenus non négligeable.

— Bon, d'accord. Venez un peu par ici, dit-il en retirant sa cagoule et en grimpant dans la charrette. Il fut très rapidement entouré de clients avides, malgré la crainte relative qu'il suscitait. Il s'accroupit aux côtés du mort et commença à tailler des bouts de chemise d'environ deux pouces carrés.

— Plus gros, les morceaux, protesta un homme joufflu.

Louis n'avait aucune idée de ce qu'il faisait ni du prix que l'on pouvait bien exiger pour ce genre d'articles. Il improvisa:

— Ils sont bien assez gros comme ça.

— C'est combien?

— Eh bien, euh... disons, six sous pour un bout de chemise, dix pour un bout de corde.

— Quoi? Mais tu te prends pour qui, espèce de baille-hache?

— Justement, pour un baille-hache et rien d'autre. Puisque je dois être un bourreau, aussi bien que j'en sois un bon. Seulement, voilà, il faut y mettre un prix. Ce mort m'appartient. C'est dix sous ou vous passez votre chemin.

— Bon, bon, brisons là! Tenez, voilà votre argent. Je veux de la corde. Et un bon bout, hein, à ce prix.

L'effet de cette exigence fut inattendu: non seulement la plupart des clients potentiels déboursèrent la somme demandée sans rechigner davantage, mais graduellement ils s'adressèrent à Louis avec un minimum d'égards.

Une fois le cadavre du voleur complètement déshabillé, Louis alla l'accrocher aux fourches du gibet qui se trouvait à moins d'une lieue de la ville, près d'un grand chemin. C'était un endroit envahi par les ronces où ne subsistaient que des ossements anciens empilés dans la fosse. De l'herbe poussait à travers les côtes brisées d'une cage thoracique.

Une fois sa charrette et son mulet ramenés aux écuries du

château, Louis revint en ville avec en tête une idée insensée : il s'en alla aux étuves. Après quoi, il eut envie d'un bon dîner à l'auberge.

L'aubergiste ne fut pas content, et sa femme alla s'en plaindre au bayle.

—Nous avons ce bourrel qui ripaille chez nous depuis vêpres! Non seulement il mange et boit davantage que trois hommes à lui tout seul, mais en plus, il faut que ce soit gratuit! Imaginez un peu : notre meilleur vin. Et il fait fuir la clientèle.

—À la vôtre, dit Louis qui vit le groupe de gens d'armes entrer dans l'auberge à la suite du bayle pour se diriger vers la table du fond où il avait pris place. Il but à la régalade et reposa brutalement son gobelet sur la table sans plus les regarder.

—Eh bien, maître, que se passe-t-il? demanda le bayle à Louis.

—Rien du tout. J'ai faim, alors je mange.

—On me rapporte que vous dérangez les clients.

—Si c'est pas malheureux, donner du maître à cette créature méprisable, s'indigna l'aubergiste.

—Permettez. Les clients dont vous parlez me sont témoins que je n'ai pas fait de grabuge. Ils sont partis d'eux-mêmes. J'ai tout autant le droit d'être ici qu'un autre. Je suis l'exécuteur des hautes œuvres* de la cité de Caen. Je suis aussi le tortionnaire-en-chef, le fouettard de service, le gardien des putaineries*, l'éboueur, et toutes ces autres saletés dont personne ne veut. Mais je ne suis pas plus méprisable que vous autres, gargotiers, qui vendez votre eau sale en guise de soupe.

—Comment osez-vous!

—Maître Baillehache, du calme, dit le bayle.

—Je suis très calme. Bon, d'accord, j'admets avoir un peu trop bu. Je vais d'ailleurs m'en tenir là. Mais la soupe était vraiment immangeable.

Il se leva et fouilla dans l'une de ses poches qui était anormalement boursouflée. Quelques piécettes tombèrent en tintant.

—Tenez. Voici un peu de cet argent que j'ai honnêtement gagné en vous débarrassant d'un malfaiteur.

Il lança une poignée de sous en direction du comptoir derrière lequel l'aubergiste et son épouse se tenaient.

—Une dernière rasade pour la route.

Il vida sa coupe en terre cuite et la projeta elle aussi contre le comptoir, où elle se fracassa. Les deux tenanciers sursautèrent. Louis grimaça une espèce de sourire et dit :

—Mais quoi! Je ne fais que vous exempter de la casser vous-mêmes, puisque personne d'autre n'aurait voulu y boire. Sur ce, adieu.

Il se coiffa de son chaperon noir et sortit. Tout le monde soupira d'aise.

— Quel fichu caractère! Mais au moins il paye bien, dit l'aubergiste.

Le bayle répondit:

— Et il a la langue bien pendue, aussi bien que l'a été son client.

*

Caen, décembre 1350

L'hiver planait sur la ville. Le vent charriait des nuages pelucheux dont la panse trop blanche ne pouvait être gorgée de pluie. Il s'amusait aux dépens des feuilles tenaces d'un chêne dont il parvenait peu à peu à trouer la belle ramure cuivrée. Certaines de ces feuilles allaient se noyer dans l'eau sale d'une rigole.

Tous les mercredis et samedis, le marché de Caen offrait un spectacle digne des foires. La rue était continuellement encombrée par des charrettes de marchandises qui arrivaient du port ou de l'intérieur des terres, se frayant avec obstination un chemin parmi les étalages et les badauds qui pullulaient en hordes, pêle-mêle, depuis les forestiers mal dégrossis jusqu'aux nobles dames qui ne quittaient presque jamais le secret de leur litière.

La devanture d'une boutique de pâtisseries fourmillait de jeunes enfants sautillants. Neuf fillettes d'environ sept ans piaillaient autour d'un comptoir de friandises, tandis que cinq garçons un peu plus âgés se bousculaient virilement juste derrière. Le marchand, les yeux au ciel, implorait une intervention divine.

Si celle-ci ne tarda pas à se manifester, le pâtissier en conçut tout de même de l'amertume. Ce n'était pas cela qu'il avait espéré de la part du Très-Haut.

Une ombre s'était arrêtée devant sa boutique. Quelques enfants cessèrent instantanément de s'agiter et firent silence avant de s'écarter au plus vite en direction du commerce voisin, celui d'un gastelier*, afin de permettre à l'effrayant personnage de passer. Louis les remercia d'un signe de tête et s'avança.

— Qu'est-ce que ce sera? lui demanda le marchand.

— Cette tarte-là, dit le bourreau qui pointa de sa canne une pâtisserie encore tiède. Le pâtissier lui remit la tarte demandée. L'exécuteur la prit et partit sans payer. L'homme se rassit comme s'il ne s'était rien passé. Les enfants restèrent cois, fixant des yeux le bourreau qui, lui, n'avait aucune difficulté à se frayer un chemin à travers la cohue. Des gens se signaient sur son passage. Les pans de son aumusse noire se déployaient au vent comme les ailes d'un gros corbeau en traçant derrière eux un sillage craintif. Il s'arrêta à la boutique voisine. Le marchand renfrogné lui remit sans discuter une de ses bouteilles de cidre. Louis la fit disparaître dans sa besace et passa son chemin. Il fit semblant de ne pas remarquer la marmaille furtive qui avait entrepris de le suivre à une distance respectueuse.

Un peu plus loin, le boulanger Henri qui lui avait servi d'assistant quelques mois plus tôt avait déjà posé à l'envers sur son étalage le gros pain réservé au bourreau. Cet homme ne savait pas qu'il servait un ancien collègue. Louis prit son pain et s'en alla sans dire un mot.

Le marchand de haricots secs l'avait vu venir. Il fit cependant mine de rien et continua à s'occuper de ses autres clients. Louis attendit poliment son tour. De nouveaux clients se présentèrent, et le marchand fit exprès de les faire passer en premier; ils ne se firent pas prier, malgré le fait que l'exécuteur silencieux se tenait juste devant l'un des tonneaux ouverts. Le personnage indésirable ne se découragea pas et continua d'attendre patiemment.

—Bon, bon, allez-y, enfin, et hâtez-vous de dégager. N'en prenez qu'une fois... Attention, hein, je vous ai à l'œil, finit-il par dire, ayant remarqué que la présence de Louis commençait à éloigner les clients.

Louis sépara en deux demi-sphères le pommeau en étain de sa canne, ce qui transformait cette dernière en une espèce de louche à long manche. La demi-sphère disparut dans la masse laiteuse des haricots qui produisit un bruit velouté, coulant comme l'eau d'un ruisseau. Louis la souleva et la tint au-dessus du tonneau afin que le marchand puisse en égaliser le contenu lui-même, ce qu'il fit avec un soin exagéré. Après quoi, le bourreau déversa les haricots dans un bout d'étoffe dont il fit un sachet.

Lorsque Louis fut parti, traînant toujours en remorque un groupe d'enfants dont il ne se souciait pas, le marchand de haricots dit en bougonnant au boulanger, son voisin:

—Droit de havage*! Mon fondement! C'est payer trop cher l'entretien de ce maraud.

Même si la louche, approuvée par la guilde des marchands[130], avait été conçue de façon à ce que ses prélèvements soient équitables, de nombreux marchands avaient protesté que les mains de ce géant, souillées par le sang, étaient vraiment trop grandes pour la havée*. Ce nouvel impôt aggravait l'hostilité des gens envers le bourreau dont on disait qu'il était payé à ne rien faire. C'était pourtant loin d'être le cas. Depuis deux mois, lorsqu'on n'avait pas recours à lui en tant que fonctionnaire de la justice, il circulait à travers la ville avec sa charrette qu'il remplissait des immondices et du fumier qui pourrissaient dans tous les coins pour les transporter hors de la ville, près du gibet[131]. Des caniveaux avaient été nettoyés et des chiens errants, tués. Il prenait cependant soin de ne pas tuer les charognards, qui contribuaient à l'assainissement de la ville. Au même homme revenait en outre le nettoyage des douves du château, de même que le ratissage des latrines. Louis était aussi l'équarrisseur de la voirie; c'était à lui qu'on avait recours pour disposer des cadavres d'animaux morts dont il pouvait conserver les peaux. Grâce à la nouvelle taxe, il était en mesure de s'acquitter de ces travaux souvent très exigeants physiquement. Il lui aurait été impossible de les mener à bien s'il avait souffert, comme c'était le cas de nombreux autres citadins modestes, d'une quelconque carence alimentaire.

Non, Louis n'était pas payé à rien faire entre deux assignations. Chaque jour ouvrable, il se consacrait à ses tâches ingrates de l'aube au couchant. Et, peu à peu, même si on prenait soin de n'en rien dire, on commençait à remarquer les menues améliorations apportées à la ville par le labeur discret du bourreau.

Ce fut cet hiver-là que lui fut attribuée une place, toujours la même, à l'établissement de bains qu'il fréquentait quotidiennement. Bien que toute pudeur fût totalement absente dans les étuves – on se baignait souvent à deux ou à plusieurs – personne n'aurait voulu partager le bain du bourreau. Louis ne s'en plaignait pas, au contraire[132].

Et il eut enfin son propre toit sur la tête. C'était la toute dernière maison d'une impasse qui sinuait dans un quartier mal famé des faubourgs. Bâtie un peu à l'écart, elle était enclose par un muret. La ville n'allait pas au-delà: derrière cette modeste habitation que l'on avait peinte en rouge se déroulait une lande de cailloux, de ronces et de chardons. Les taudis voisins paraissaient se terrer craintivement autour d'une placette, parmi les fumées grasses de leurs feux de cuisine et des cordées de hardes misérables qui s'agitaient entre leurs murs décrépits.

Les nuages menteurs avaient fini par se décider à crever et, en cette fin de journée, s'étaient mis à semer leurs plumes partout comme des oreillers éventrés. Louis s'en revenait du bain. En vue de sa maison, il s'arrêta et se cacha dans une venelle: deux personnes se tenaient près du pilori désœuvré qui se trouvait à droite d'une grille fermée sur lequel un moineau se percha brièvement. C'était un garçonnet d'environ cinq ans et sa mère.

L'enfant pleurait et criait, visiblement pris de panique, tandis que la femme le grondait en lui tirant l'oreille. Des voisins étaient sortis sur le pas de leur porte et observaient la scène. Depuis sa cachette, Louis ne put s'empêcher d'écouter ce que la femme disait:

—Je te le garantis que je vais le faire, si tu continues, sale petit garnement: je vais t'abandonner ici, juste devant la maison du bourrel. Baillehache viendra te chercher en te tirant par les oreilles. Et il est si fort, le bougre, qu'elles lui resteront dans les mains. Il va les dévorer et tout le reste avec.

L'enfant hurla de plus belle. Le dos tourné vers l'entrée du cul-de-sac, la femme ne put voir que Louis était sorti de sa cachette et s'en venait vers eux d'un pas rapide. Il avait l'air furieux. Les voisins reculèrent imperceptiblement. Louis rugit:

—C'est toi que je devrais essoriller, espèce de marâtre!

Une pluie de coups de canne s'abattit sur le dos de la mégère, qui lâcha l'oreille de son fils pour tenter de se protéger. L'enfant trébucha et alla se recroqueviller au pied de la grille, d'où il n'osa bouger, en dépit du chaperon de Louis qui tomba près de lui.

—Que je t'y reprenne, à te servir de moi pour effrayer un gamin. Va-t'en. Disparais et plus vite que ça, ordonna le bourreau.

Il ne cessa de frapper que pour lui mettre son pied botté de feutre au derrière. La femme s'éloigna sans demander son reste et ce ne fut qu'à ce moment-là, en se retournant vers sa grille, que Louis se rendit compte qu'il était seul avec l'enfant. Le garçonnet le fixait de ses grands yeux apeurés. Gêné, l'homme ne sut que faire. Il demeura planté là avec sa canne dans les mains et essuya avec sa manche une grosse larme de neige fondue qui lui chatouillait la joue. Il recula un peu afin de permettre à l'enfant de se relever et de partir. Les voisins se hâtèrent de refermer leur porte avant qu'il ne les remarque. Louis se tourna vers l'une d'elles qu'il avait entendue claquer, puis de nouveau vers la grille. L'enfant n'était plus là.

«Mais qu'est-ce qui m'a pris, à moi?» se demanda-t-il. Sa colère avait été le fruit de la peur. Une peur qu'il ne comprit pas. «J'ai horreur de voir maltraiter des enfants, c'est tout. J'ai horreur d'en voir autour de l'échafaud. Cela devrait être interdit.» Il se sentit soudain accablé par un profond sentiment d'impuissance. «Cette carne, c'était sa mère, à ce petit. Moi, la mienne m'aimait. Bon, j'ai la fièvre, ou quoi, pour penser à des trucs pareils? Et, en plus, on gèle ici.»

Louis se hâta de rentrer et de refermer au plus tôt derrière lui la grille de son jardinet couvert de neige où, dès les premiers beaux jours, allait s'éveiller le souvenir d'Adélie. Il en avait assez des autres pour ce jour-là. Assez de leurs cris, de leurs peines et de leur mépris. Sans parler de leur crasse. Chez lui, c'était son cocon. Il y avait presque la paix.

*

Caen, hiver 1353

Il s'était endormi devant l'âtre, presque immédiatement après avoir fini de souper. Il ouvrit les yeux alors que le jour n'allait pas tarder à poindre. Il chassa vite l'impression que Firmin venait d'essayer de l'attraper pour lui brûler une oreille. Cette vision l'avait laissé angoissé, vaguement nauséeux, et il n'avait aucune envie de se réveiller par terre avec de l'écume au menton, comme cela lui arrivait parfois.

Courbaturé à cause de la mauvaise posture dans laquelle il avait passé la nuit, assis tout de guingois sur un coffre muni d'un dossier, Louis se leva et s'étira avec précaution. La diminution graduelle des maux de dos de sa jeunesse et leur disparition complète avaient été mises sur le compte de l'activité physique qu'il pratiquait de façon intense depuis quelques années et qui l'avait endurci. Son feu s'était éteint. Il se hâta d'attiser les quelques pauvres braises qui restaient et rajouta du bois. Une odeur d'oignons cuits et de chandelle persistait dans l'air.

La pièce centrale de sa maison était modeste, mais propre et accueillante. Contrairement à celui de bien des maisons plus anciennes, l'âtre de la sienne était ménagé dans un mur et possédait une vraie cheminée en pierre au lieu du séculaire trou à fumée percé dans le toit. Le mur opposé à la cheminée montrait une porte fermée ouvrant sur une pièce plus petite qui servait de resserre pour sa pharmacie et de chambre d'appoint. Une échelle permettait à Louis d'accéder à une aire ouverte sous les combles dont le plancher couvrait la moitié de la surface totale de l'habitation. Il n'y allait pas souvent. Une table dont l'un des côtés était fixé au mur, un banc, sa couche dans un coin, le gros coffre et des étagères composaient l'essentiel d'un mobilier rustique mais soigneusement astiqué à la cire d'abeille.

Louis avait le don de vivre dans un endroit sans y apporter aucune touche personnelle. On y eût même cherché en vain ces indispensables chaussons troués attendant patiemment au pied des lits de toute demeure qui se respecte. Il n'avait ajouté aucune décoration à son logis qui avait été conçu pour être fonctionnel et rien d'autre. Tout superflu était impitoyablement absent.

À cause de ses rares visiteurs, le bourreau de Caen avait en outre pris soin de ne laisser traîner dans la maison aucun instrument de supplice. Ils étaient entreposés à l'écart dans la petite écurie de sa cour arrière où étaient également logés le mulet et la charrette. Une petite basse-cour s'y abritait. L'entretien des instruments lui incombait; ainsi, billot, croix de Saint-André, hache, chanvre et barre à rompre étaient-ils rangés là, hors de la portée de ses quelques volailles. Il y avait même quelques fagots.

Ceux qui venaient le voir, pour des raisons d'ordre médical[133], le faisaient toujours furtivement, à la tombée de la nuit. C'était en général de pauvres gens qui ne pouvaient se payer un vrai médecin. Bon nombre d'entre eux portaient la rouelle*. Les Juifs aimaient bien Louis, qui ne faisait aucune distinction entre eux et n'importe quel autre bourgeois. Il soignait tout le monde avec la même efficacité empreinte d'une certaine rudesse. Au fil de ces deux dernières années, sa réputation avait fini par s'établir. Paradoxalement, il avait acquis d'indéniables compétences par l'exercice de son métier, aussi bien en matière de médecine que dans l'art de donner la mort ou d'infliger de la souffrance. Depuis toujours les bourreaux étaient reconnus pour leurs talents de rebouteux et pour tous ces remèdes aux ingrédients mystérieux qu'ils concoctaient dans le secret de leur cuisine comme des sorciers. On les disait capables de lancer des malédictions, et Louis n'hésitait pas à avoir recours à ces superstitions pour éloigner les indésirables.

L'apprentissage du métier en l'exerçant avait fait en sorte de réprimer chez lui tout souci, tout sentiment d'empathie qu'il aurait pu éprouver envers ses victimes. C'était son travail et il avait appris à l'accomplir avec la même neutralité professionnelle qu'il aurait manifestée s'il avait dû se faire maçon ou pêcheur. Peu à peu, il avait cessé d'éprouver à infliger la douleur cette pulsion délicieuse, familière, fulgurante. Non, il comprenait à présent que toute sa rancœur et sa colère s'étaient peu à peu concentrées en un distillat de cruauté qui était tout entier dévolu à une seule personne. Il n'était plus poussé par l'envie de détruire, mais plutôt par la nécessité d'administrer la justice. C'était son devoir et il lui fallait obéir aux ordres. La seule chose qui n'avait pas changé, c'était son désir toujours ardent de retrouver Firmin. Même si les circonstances faisaient en sorte qu'une telle rencontre devienne de plus en plus improbable, Louis était incapable de renoncer à ce

---

133. Puisque l'Église interdisait la dissection aux médecins, la chirurgie était des plus rudimentaires et seuls les bourreaux, avec leurs connaissances empiriques de la médecine, avaient quelque conception précise de l'anatomie humaine.

désir, qui était tout compte fait son unique motivation dans la vie. C'était pour Firmin qu'il torturait, pendait et décapitait ses concitoyens et ce, même s'il s'interdisait par professionnalisme de songer à son père lorsqu'il s'acquittait de son devoir. Non, ses malheureuses victimes n'avaient aucune raison de subir une haine vouée à un autre.

Dès l'instant du premier contact avec un condamné, il se voilait lui-même en même temps que disparaissait son visage derrière l'étoffe de sa cagoule, et l'autre n'était plus ressenti comme un être humain : il devenait une tâche à accomplir. Il était loin désormais, le jour où il lui avait fallu fournir un effort d'imagination considérable pour transformer le cou de son vieil ami Garin en bois de foyer afin d'être capable de le charcuter laborieusement. Même certains jours où il n'avait pas à pratiquer son office et que son projet accordait un certain répit à ses pensées, cette indifférence persistait. Alors, il se sentait éteint. Il se demandait s'il était toujours un homme.

*

La Bertine avait longuement réfléchi. Maintenant, sa décision était prise. Elle se dirigeait d'un pas ferme vers la maison rouge en trébuchant sur les pavés inégaux à cause de la nuit tombante. Elle ne tarda pas à attirer une nuée d'enfants criards qui se mirent à trotter autour d'elle.

— Ouh, Torsemanche la putain ! Torsemanche qui s'en va voir son amoureux Burgibus* !

Elle ne se soucia pas d'eux : depuis le temps, elle avait l'habitude. C'était une femme dans la trentaine. Ses cheveux teints en jaune pour qu'ils paraissent blonds dépassaient par mèches d'un foulard aux coloris trop voyants et entremêlé de fausses perles. Mais c'était sur son visage qu'était concentré l'essentiel de son artifice : il était recouvert d'un emplâtre blanc à base de safran pour donner l'illusion d'un teint pâle qui avait été rehaussé de carmin sur les joues et les lèvres[134]. Ses sourcils étaient noirs et avaient été soigneusement épilés afin que l'entre-œil, primordial dans les critères de beauté qui avaient cours, soit large et lisse. Son front haut et dégagé suggérait lui aussi une épilation des premiers cheveux de son pourtour. Mais tout cela n'arrivait pas à faire oublier son bras droit qui accusait un angle incongru au-dessus du coude et de ce fait était inutilisable.

Surprise, Bertine vit la grille s'ouvrir immédiatement devant elle. Les enfants se turent net et détalèrent en hurlant. La prostituée eut l'impression que son bras la faisait soudain souffrir davantage à la seule vue du bourreau qui la laissa entrer avant de refermer. Elle s'approcha et demanda, l'air séducteur :

— Me reconduirez-vous à l'autre bout de la ville sur votre mulet avec la face tournée vers son cul, si je vous demande de me soigner, ou bien allez-vous encore me donner les verges ?

— Qu'est-ce qui ne va pas, cette fois ?

— Oh, toujours la même chose. J'ai mal à mon bras. Vous reste-t-il de votre axonge ?

— Oui. Par ici.

Il la fit entrer dans la maison et referma la porte.

— Assieds-toi là et attends, dit-il avant de disparaître dans la pharmacie.

Un ustensile métallique tomba sur le plancher, juste derrière la porte fermée, faisant frissonner la femme. Dieu seul savait ce qu'il pouvait concocter là-dedans. La recette de l'onguent même qu'elle réclamait était connue des seuls bourreaux. On le disait fabriqué à partir de graisse humaine. Selon la rumeur, il y en avait pour traiter toutes sortes de malaises, depuis les rhumatismes dont elle souffrait jusqu'aux hémorroïdes ou aux brûlures, selon le supplice que le bourreau avait fait subir à la personne dont il utilisait la graisse. En fait, son ingrédient principal était tout simplement de la graisse de porc.

Elle se souvint de la première fois où elle lui avait rendu visite, motivée par la seule nécessité d'inaugurer avec le nouveau *patron* des relations d'affaires satisfaisantes. Elle n'avait pu s'empêcher de ressentir un certain soulagement à cause de l'apparence physique du bourreau qu'elle n'avait alors jamais vu de près et sans sa cagoule. Elle s'était attendue à trouver quelque brute épaisse, velue et édentée dont elle aurait eu à subir la compagnie malodorante. Or, cet homme-là était propre et bien fait, ce qui l'avait quelque peu rassurée.

Louis revint avec un pot de terre cuite. Il commença par examiner le fond des yeux de Bertine et huma son haleine. Il s'accroupit devant la femme qui lui sourit. Elle le laissa retrousser la manche lâche de sa robe et il entreprit sans un mot d'appliquer l'onguent sur l'articulation difforme. Le membre demeurait enflé, même si une blessure s'y était déjà cicatrisée. On aurait dit qu'il existait entre Louis et Bertine une sorte de connivence tacite, une complicité naturelle qui ne pouvait se développer qu'entre les représentants de deux castes honnies.

— Je préfère lorsque c'est vous qui me le faites. C'est encore plus efficace. Vos grandes poignes, j'y ai bien promptement pris goût! Vous avez le don de faire des massages qui nous ramollissent comme hardes à la lessive.

Louis ne leva que brièvement les yeux vers elle sans cesser de lui masser l'épaule et le bras avec un certain ménagement. Ses doigts rudes et ses paumes pétrirent des muscles endoloris sans chercher à s'attarder sur des rondeurs que la femme cherchait constamment à frotter contre lui en geignant d'un plaisir sensuel. Comme toujours, il s'acquitta de sa tâche avec un professionnalisme qui frôlait la froideur.

—Vous ne venez jamais nous voir, sauf pour collecter la taxe. Faut bien qu'on se trouve une raison, n'est-ce pas? Moi, au moins, j'en ai une bonne. Mais ça ne m'empêche pas de travailler, vous savez. La plupart des types, ça ne les dérange pas que j'aie un bras de travers en autant que je sois encore capable d'écarter les jambes.

—Je sais.

—Mais j'ai pensé que...

Elle se tut et se passa la langue sur les lèvres, dérangeant son rouge. Louis se releva et referma le pot d'axonge qu'il posa sur la table. Il se retourna vers Bertine. Elle s'était levée à son tour pour venir tout près de lui. Il demanda:

—Que quoi?

—Personne sauf nous, les femmes de la nuit, ne veut jamais coucher avec ces hommes-là. Je parle de vous autres, bourreaux. Remarquez que moi, je n'ai rien contre vous, hein? C'est comme ça. Pourtant, vous, on ne vous voit guère. Pourquoi ne montez-vous jamais aux chambres?

—En quoi est-ce que ça te regarde?

—Eh bien, je me disais que...

Elle leva la main et se mit à taquiner la petite fibule d'étain qui fermait le col raide de Louis. Il ne fit rien. Elle demanda, tout en se moulant contre lui d'une manière provocante:

—On dit que vous préférez les hommes. Est-ce vrai?

—Les gens racontent n'importe quoi.

—Ce serait bien dommage. Pour nous autres, les femmes, en tout cas. Mon beau patron. Beau à damner une sainte.

Louis ne bougea toujours pas. Il n'éprouvait aucune attirance envers Bertine, ni envers aucune autre putain, d'ailleurs, mais il ne savait comment lui avouer la chose sans paraître indélicat. Bertine mit quelques secondes avant de réaliser qu'il avait ouvert la main juste à côté d'elle.

La mine boudeuse, elle lui remit les quatre deniers de sa taxe hebdomadaire et recula. Louis les empocha sans un mot.

Bertine ne s'en allait pas. Il se demanda pourquoi. Il lui dit, d'une voix neutre :

—C'est bon, tu peux t'en aller.

—Écoutez...

Elle prit une profonde inspiration.

—Voilà... J'y ai mûrement réfléchi et madame est d'accord. J'aurai l'air de quoi dans cinq ou dix ans, infirme comme ça, lorsque je serai devenue trop vieille pour le métier? J'ai besoin de mon bras. Si vous m'arrangiez cela, peut-être que... Et puis j'ai pensé... que ça me rendrait plus séduisante.

Louis ne réagit toujours pas. Elle se fâcha :

—Merde, avez-vous les couilles comme des abricots secs, ou quoi? N'allez surtout pas croire que je fais ça pour vous, hein?

—J'avais compris. Et change de ton si tu ne veux pas que je t'esquinte l'autre bras.

Elle blêmit et se rassit, soudain docile. Louis se versa un gobelet de cidre et s'assit à son tour sur le coffre.

—Ce n'est pas facile, ce que tu me demandes là.

—Sans doute que non. Mais je vous fais confiance. À vous plus qu'aux mires.

Si elle s'attendait à ce qu'il ait l'air flatté par cette remarque, elle fut déçue.

—Tu n'as pas de quoi payer un mire.

—Je sais cela. Mais si j'avais ce qu'il faut, c'est tout de même vous que je choisirais.

—De quand date cette fracture?

—Je ne sais plus. De quelques lunes. Un client ivrogne qui s'est défoulé sur moi. On a fait ce qu'on a pu à la maison pour me soigner.

—Ouais. Du travail bâclé.

Louis posa son gobelet, se leva, revint vers elle et retroussa de nouveau sa manche. Son pouce appuya sur la bosse anormale qui s'était formée entre l'épaule et le coude. Bertine se laissa faire, tout en réprimant une grimace.

—L'os s'est peut-être complètement ressoudé à l'heure qu'il est. Je vais devoir le recasser pour le replacer. Tu sais cela, n'est-ce pas?

Bertine fit un signe de tête en serrant bravement les mâchoires. Louis continua :

—Je peux essayer de le réparer. Mais il faut que tu saches que ce n'est pas sans risques. Un os sain est toujours moins robuste qu'une soudure. Si cela casse mal, ton bras sera définitivement foutu. Avec deux fractures au lieu d'une.

—Il l'est déjà à l'heure qu'il est et j'ai ouï dire que vous rompez les os proprement.

—Mauvaise blague. Je ne me soucie guère de faire des fractures nettes lorsque je dois rompre un homme avec une barre de fer. De plus, toi, tu vas dormir. Là se trouve l'autre risque.

—Que voulez-vous dire?

—Autant que tu sois prévenue: il faudra que je te donne à boire une potion très puissante. Cela va détendre tous les muscles. Et je dis bien tous: il va te falloir porter des langes, car tu vas peut-être te souiller. Une forte dose de ce médicament peut faire cesser la respiration. Si cela se produit, tu mourras. Je ne pourrai pas l'empêcher.

Bertine se recroquevilla frileusement, son bras valide serré contre sa poitrine. Elle demanda, d'une petite voix:

—Si je meurs, vais-je souffrir?

—Non. Tu t'endormiras et tu ne te réveilleras pas.

Elle regarda le feu en silence. Il demanda, avec une certaine gentillesse:

—Veux-tu toujours de mon intervention? Il est encore temps de te rétracter.

—N'y a-t-il pas moyen de se passer de ce remède?

—Non. Ce serait trop douloureux pour toi et tes muscles seraient trop raides. Je serais incapable de travailler correctement.

—Si vous réussissez, est-ce que je serai guérie?

—Oui. Ton bras ne fonctionnera plus comme avant, mais il sera valide.

—Alors, on y va.

—Soit.

Il alla prendre des attelles qu'il avait lui-même dépouillées de leurs échardes et qu'il avait polies jusqu'à ce qu'elles aient atteint au toucher la douceur d'un pain de savon. Il les mesura au bras de Bertine afin de les tailler, puis il dit:

—Va-t'en racoler et ramène-moi un client vigoureux pendant que je prépare ce dont j'aurai besoin. Ne le fatigue pas en allant coucher avec et empêche-le de boire. Allez, ouste.

Dès qu'elle fut sortie, Louis se mit au travail. Il mit de l'eau à chauffer et y ajouta des tiges de datura séchées, accompagnées de leurs feuilles, des racines, des fleurs et de quelques graines. Tel était l'anesthésique potentiellement dangereux qui avait aussi la propriété de soulager la douleur. Dans la petite marmite où il mijotait doucement, le breuvage fleuri avait l'air inoffensif. Les propriétés hallucinogènes de cette plante répandue sur tous les continents étaient connues depuis des temps immémoriaux, et les chamans, jadis, s'en servaient pour leurs rituels. Il existait plusieurs façons différentes de préparer la mixture, selon l'effet que l'on voulait produire.

Pendant que mijotait la potion, le bourreau prépara un second remède : dans son mortier, il réduisit en poudre des racines de nard séchées. C'était une plante importée et coûteuse de la même famille que la valériane. Ses feuilles ressemblaient à celles de la digitale, mais ses fleurs jaunes lui donnaient davantage l'aspect du pissenlit. Il ajouta un peu d'eau de datura à cette poudre en se disant que ses vertus analgésiques seraient bénéfiques. Cela donna un cataplasme qui allait aider l'os à se ressouder. Il prévit un peu de guimauve et de consoude. Il mit aussi de côté de l'achillée millefeuille pulvérisée pour favoriser la guérison externe. Enfin, il termina en préparant l'incontournable tisane d'écorce de saule, dont les propriétés analgésiques étaient reconnues depuis l'Antiquité. Il alla flairer sa décoction de datura afin d'en vérifier la force et la retira du feu.

*

— C'est mon frère, dit Bertine qui était de retour avec un paysan aux dispositions visiblement hostiles qu'elle présenta à Louis.

Le bourreau fit un signe de tête et continua de s'affairer en silence comme s'il était seul. Les deux hôtes chuchotaient frénétiquement entre eux. Louis n'entendit que des bribes de conversation :

— Je ne l'imaginais pas du tout comme ça. Il n'a pas l'air d'un bourrel, et pourtant oui.

— Il est plutôt bel homme, hein? Mais je te parie qu'il est incapable de nous avouer qu'il est sodomite.

Louis disparut dans la resserre avec un bol fumant. Inconsciemment, ils haussèrent le ton.

— Pas question, petite sœur. Je refuse d'aider ce démon à te mutiler. Nous sommes déjà suffisamment accablés par le malheur comme ça. Qu'est-ce qui t'a pris, de venir ici? Chez le bourrel!

— Arrête ça tout de suite. Je le connais, c'est un brave homme malgré son allure rébarbative.

— Un brave homme? Il t'a déjà fustigée comme une malpropre et tu trouves que c'est un brave homme? Marquée que tu es, comme une bête!

— C'est mon patron. Et il n'a fait que son devoir.

— Son devoir. Et peux-tu me dire ce qu'il va exiger ce soir en échange de ses... services?

— Je n'en ai pas la moindre idée.

— Quand tu voudras, la Bertine. Je suis prêt, dit Louis qui se tenait sur le pas de sa pharmacie, les bras croisés et l'air peu engageant.

Bertine opina nerveusement et se tourna à nouveau vers son frère.

— Alors, tu veux m'aider ou pas? Maître Baillehache est mon seul espoir. Je ne veux pas rester infirme toute ma vie.

Le paysan soupira et jeta un coup d'œil furtif à Louis qui attendait.

— Bon, bon, d'accord. Mais c'est toi qui t'arranges avec après.

En entendant cela, Louis s'avança et remit un lange plié à sa patiente.

— Tiens, enfile ceci. Nous t'attendons dans l'autre pièce.

Il fit signe au paysan de l'y suivre et ferma la porte.

Lorsqu'elle les rejoignit, elle fut étonnée de constater que la pharmacie était une pièce somme toute spacieuse et bien éclairée par de multiples chandelles et aménagée en chambre à coucher. Au lieu du fouillis de choses repoussantes auquel elle s'était attendue, elle y trouva des récipients remplis de préparations curatives et des ustensiles soigneusement alignés sur leurs étagères dénuées de la moindre poussière. Des tresses d'aulx pendaient du plafond en compagnie de bouquets d'herbes qui dégageaient un arôme flétri où se reconnaissaient la sauge, la menthe et l'écorce d'orange. Aucune monstruosité ne traînait sur le plan de travail, et les murs de la pièce étaient blanchis à la chaux. La couche était étroite, mais semblait confortable. Elle avait été déplacée au centre de la pièce. Louis y avait étendu des draps frais ainsi qu'une couverture de laine.

— Prends place, lui ordonna-t-il en montrant le lit.

Ce qu'elle fit nerveusement.

— Dois-je enlever ma robe?

Au lieu de lui répondre, Louis entreprit d'aider Bertine à extraire son bras handicapé de son corsage délacé. Il était d'une délicatesse surprenante. Cela fait, il prit le bol en bois et le maintint pour elle, même si elle le tenait d'une main. La boisson amère et fétide fut entièrement avalée; Louis ne lui en laissa guère le choix, même lorsqu'elle lâcha le bol en s'étouffant presque. Il l'aida à s'étendre doucement. Bertine offrit un sourire rassurant à son frère qui observait tout depuis le coin le plus reculé de la pièce. Lui-même paraissait étonné par la douceur du bourreau.

— Récite avec moi le *Pater Noster*, dit Louis.

Elle cligna des yeux un instant inquiets, mais obéit.

— Notre Père, qui êtes aux cieux, que Votre nom soit sanctifié...

Tout en récitant avec elle, Louis mit le bol de côté et s'assit au bord du lit. Penché au-dessus de sa patiente, il guetta les premiers signes de l'action anesthésique qui se manifestaient déjà: la respiration de Bertine s'alourdissait. Ses pupilles se dilatèrent à l'extrême.

— Que Votre règne arrive... Que Votre volonté... soit faite... sur terre... comme... au c...

— ... Donnez-nous aujourd'hui notre pain quotidien, continua seule la voix de Louis. Silence. Il attendit.

Le bourreau n'avait qu'une vague connaissance du geste médical qu'il venait d'accomplir, soit l'administration d'une drogue qui inhibait partiellement le système nerveux et provoquait une paralysie des terminaisons nerveuses. Il tâta la poitrine et l'abdomen de sa patiente afin de vérifier l'état de relaxation des muscles et surveilla sa respiration. Une fois qu'il se fut assuré que Bertine dormait paisiblement et que sa vie n'était plus en danger, il se leva.

— Que fait-on, maintenant? demanda le paysan qui, peut-être par l'effet d'une soudaine révérence, avait enlevé son couvre-chef et le triturait nerveusement. Louis se tourna vers lui et répondit:

— Je vais commencer par l'examiner.

— Ah, bien...

Il se détourna et entreprit de palper la chair flasque afin de trouver la position exacte de l'os. Le paysan remarqua l'application avec laquelle le bourreau travaillait, ainsi que la façon qu'il avait de pincer les lèvres, et il se demanda s'il arborait la même expression lorsqu'il était penché au-dessus d'une victime torturée.

— Approche, dit soudain Louis, interrompant le cours lugubre de ses pensées. Maintiens-lui le bras au niveau de l'épaule. Tiens-la bien. Il faut que je le casse au même endroit. Soutiens son coude. Tends son bras. Comme ça.

L'homme s'arc-bouta et suivit les recommandations de Louis au fur et à mesure qu'il les lui servait. Le paysan abaissa les yeux sur la fleur de lys dont Louis avait marqué sa sœur à l'aide d'un fer rouge un an plus tôt[135]. Une main de chaque côté de la fracture, là où se trouvait l'angle anormal, l'exécuteur empoigna solidement le bras de Bertine. Il tâta une fois encore l'os brisé et leva les yeux sur le paysan:

— C'est presque tout ressoudé. Attention, j'y vais.

Après s'être assuré une bonne prise, il exerça une brusque pression sur la courbure anormale du bras. L'os céda avec un craquement sinistre.

— Bon Dieu de bon Dieu, dit le paysan d'une voix tremblante.

Bertine remua et gémit, mais ne se réveilla pas. Sans plus attendre, Louis se mit à pétrir le bras cassé à la recherche de la nouvelle fracture: il appréhendait la présence d'éclats d'os. Il n'en trouva heureusement pas. La cassure était nette et au bon endroit.

Le paysan le dévisageait, bouche bée. Il fallait qu'un homme soit doté d'une force physique exceptionnelle pour être en mesure de rompre ainsi un os à mains nues. Satisfait de sa prestation sans que rien n'y parût, Louis dit:

— La cicatrisation n'a pas pu se faire proprement: c'était trop mal placé. Tu es prêt?

— Euh... je crois.

— Tiens-la bien encore. Ne l'échappe surtout pas. Ça va être difficile: la chair autour s'était cicatrisée. En replaçant l'os, je vais être obligé de déchirer certains muscles et d'étirer des tendons.

Le frère réprima un frisson.

— Est-ce qu'elle aura mal?

— Oui, à son réveil. Mais je n'ai pas le choix. Maintiens-la solidement sous l'épaule.

Louis entreprit de tirer progressivement mais fermement, jusqu'à ce que le bras de Bertine soit affreusement distendu. Du moins, ce fut ainsi que les choses parurent au paysan inquiet. Le bourreau vérifia que les os ne se frottaient pas l'un contre l'autre et qu'aucun ligament ne s'était rompu. Il aligna les aspérités de façon à ce qu'elles puissent s'emboîter parfaitement, ce qu'elles firent soudain presque d'elles-mêmes. Louis palpa avec soin un bras qui avait tout à coup repris son allure normale.

— Voilà. Avec un peu de chance, elle pourra s'en resservir. Si je n'ai pas trop meurtri les chairs. Mais cela va enfler. Les attelles, maintenant.

— Par tous les saints du ciel, j'ai cru un moment que vous étiez en train de l'achever.

Louis posa les attelles et enveloppa le bras d'un pansement propre. Enfin, il tâta le pouls de Bertine en posant les doigts contre sa gorge et il lui ouvrit un œil, en même temps qu'il écoutait son souffle. Il fit un signe de tête affirmatif.

— Tout va bien. Laisse-la-moi pendant quelques jours. Je devrai remplacer son pansement lorsque son bras se mettra à enfler. Et encore après.

Il raccompagna le paysan à la porte. L'homme se retourna et dit:

— Merci, maître. J'ai eu grand tort de douter de vous.

Le frère de Bertine n'ignorait pas l'usage que Louis pouvait faire des morceaux de cuir brut qu'il avait vus dans sa pharmacie. Récupérés lors de l'équarrissage d'animaux morts, ils devenaient sa propriété et lui procuraient une matière première appréciable. Si ces retailles étaient utilisées pour la fabrication de bandages qui, en séchant, rétrécissaient et durcissaient de manière à former une gangue protectrice, elles pouvaient aussi servir à infliger un tourment dont les conséquences étaient irrémédiables : il s'agissait d'une variante des brodequins. On enveloppait les pieds de la personne que l'on mettait à la question[136] bien serrés dans ces peaux non traitées et on versait dessus de l'eau bouillante. Ce qui était déjà un supplice en soi allait en empirant dans les heures subséquentes tandis que le cuir se resserrait : ce n'était qu'une question d'heures avant que les pieds de la victime, privés de flot sanguin, soient rongés par la gangrène.

Le paysan, comme tout le monde, savait de quoi cet homme était capable. Sa reconnaissance en était d'autant plus grande pour l'efficacité qu'il avait démontrée et le respect délicat qu'il avait témoigné à sa sœur.

—Mais, vous savez... nous n'avons pas d'argent...

—Je sais. Personne n'en a. Ne t'inquiète pas. Nous verrons cela plus tard.

L'individu prit congé avec une certaine appréhension quant à la dette qui planait désormais sur le destin de sa sœur.

Chapitre X

Rota Fortunae

(Roue du Destin[137])

*L*e cavalier repoussa d'une chiquenaude une petite plume blanche qui venait de se poser sur la manche de sa chaude cotte au col paré d'écureuil. Hormis sa tenue raffinée et la fine épée de Tolède dont il était ceint, l'homme ne portait sur lui aucune marque distinctive. Il nota distraitement qu'aucun détritus ne traînait plus dans cette impasse autrefois invivable. Cependant, elle était toujours hantée par des misérables et des coupe-jarrets. Un vieux mendiant oublié le regarda passer, assis dans son coin à l'entrée d'une venelle. Une grosse femme entourée par sa couvée de jeunes enfants vêtus de haillons fit de même depuis le seuil de sa masure. Lorsqu'ils se rendirent compte que cet individu d'un autre monde prenait la direction de la maison rouge, ils retournèrent à leurs occupations. Le cavalier s'arrêta effectivement devant la grille fermée.

—Holà, Baillehache! appela-t-il, certain de trouver l'exécuteur chez lui à cette heure où le jour déclinait.

Il ne se trompait pas : la porte de la maison s'ouvrit sur le géant vêtu d'un habit noir propre. Louis sortit pour déverrouiller la grille à ce visiteur à l'air important. Habituellement, les messages du bayle ou les arrêts de la cour de justice dont on ne faisait faute de lui donner lecture lui étaient délivrés par quelque garde du château.

—Je suis porteur d'un message confidentiel de la part du gouverneur, annonça le courrier.

L'homme tira de sa sacoche un pli scellé qu'il montra au bourreau avant de le jeter à terre aux pieds de ce dernier. L'ostracisme à l'encontre des exécuteurs était tel qu'on se refusait à leur remettre leur correspondance dans la main. Louis s'était habitué à ce mépris. Il se pencha sans dire un mot pour ramasser la lettre. Il la retourna et reconnut en effet le sceau de Fricamp. Il décacheta le pli, mais ne l'ouvrit pas.

— Que faites-vous donc? demanda le messager.

Louis lui tendit le pli et répondit:

— Je ne sais pas lire.

Il faisait toujours rédiger ses mémoires de frais par l'écrivain public. Il regrettait parfois de ne pas avoir profité de l'occasion qui lui avait été offerte à l'abbaye.

L'homme le regarda d'un air condescendant, mais ne reprit pas la lettre.

— Ah bon. Je me vois donc dans l'obligation d'entrer chez vous. Au risque de me répéter, il s'agit d'un message confidentiel.

Louis acquiesça et dégagea le passage. L'émissaire descendit de cheval et suivit son hôte dans la cour arrière. Il conduisit sa bête près de l'écurie où il l'attacha.

— Par Dieu, vous voilà plutôt bien pourvu, pour un bourrel.

Baillehache ne dit rien. Le courrier le précéda dans la maison et en fit le tour avec un sans-gêne qui aurait insulté n'importe qui. Mais Louis le laissa faire.

— Eh bien, eh bien, pas mal du tout. Pour quelqu'un de votre espèce, je m'étais plutôt attendu à un bouge. On me dit que vous êtes célibataire et que vous n'avez engagé ni domestique ni valet comme c'est pourtant votre droit. Vous vous occupez donc de tout vous-même? C'est admirable. Vraiment. Vous savez que le gouverneur ne tarit pas d'éloges à votre sujet.

— Non, je ne le savais pas.

— Je parle, bien entendu, de votre rigoureuse politique d'assainissement de la ville, s'empressa de spécifier l'émissaire, afin que ses propos ne prêtent pas à confusion quant aux autres talents de Louis.

Il reprit:

— Enfin. C'est sans importance. Voici la raison de ma venue: le gouverneur a besoin de vos services pour mener à bien une tâche un peu différente de celles dont vous avez l'habitude.

— Je vous écoute.

Le courrier eut un sourire narquois.

— Il s'agit de rendre une petite visite de courtoisie à un certain La Cerda[138].

— Charles d'Espagne?

— Comment, vous le connaissez? demanda le messager en faisant mine d'être surpris.

— Seulement de nom. C'est le connétable de France.

— Tout juste. Et le favori du Valois. Cet usurpateur infâme, qui se dit roi de France, a encore une fois lésé notre bon roi de Navarre, Charles d'Évreux, en offrant à son amant le comté d'Angoulême qui lui revenait de droit[139], tout comme d'ailleurs la couronne de France.

« Des intrigues de gentilshommes », se dit Louis qui, comme la grande majorité des roturiers, ne se souciait guère de tous ces complots obscurs qui se tramaient dans les demeures royales. Seuls les commérages salés intéressaient certains, et le bourreau de Caen n'était pas de ceux-là. Le peu qu'il savait de la vérité lui avait cependant permis de se forger une opinion à laquelle il tenait fermement. Il trouvait les revendications du roi de Navarre justifiées. Celui qu'on surnommait *El Malo*[140] n'était-il pas après tout un descendant direct de l'ancienne lignée des Capet, ce à quoi aucun Valois ne pouvait prétendre autrement que par une soi-disant loi salique soigneusement dépoussiérée pour les besoins de la cause? En écartant officiellement les femmes de tout pouvoir royal grâce à une adaptation très subjective et opportuniste de cette loi, les Valois avaient piétiné les prétentions tout à fait légitimes de Charles.

Ce jeune Charles allait-il se montrer digne de son illustre arrière-grand-père Philippe le Bel que Louis admirait beaucoup? Quoi qu'il en fût, une sommation de ce genre n'était pas chose à prendre à la légère.

— Le roi Charles a besoin de vos services. Il faut purger le royaume des usurpateurs en commençant par celui-là, dit le courrier après un moment de silence, comme s'il venait de lire dans les pensées du bourreau.

— Je me soumets à sa volonté, dit Louis, enfin.

— Fort bien. La voici donc : Charles d'Espagne doit périr.

— Et c'est moi qu'on vient quérir pour cela?

— Vous avez été recommandé au roi par le gouverneur qui, comme je vous l'ai dit plus tôt, vous tient en haute estime.

Au lieu de réagir favorablement à cette flatterie, l'exécuteur se mit à arpenter la pièce, tête basse et mains dans le dos, visiblement contrarié. Pourquoi fallait-il qu'on vienne le mêler à cette affaire sordide? Il ne doutait aucunement qu'une fois ce meurtre politique commis, les gens de France finiraient par apprendre l'identité du meurtrier et ne tarderaient pas à mettre sa tête à prix, même s'il n'aurait fait que se soumettre aux ordres d'un autre dans toute l'affaire. Et, une tête de bourreau, cela pouvait tomber pour pas cher. S'il perdait la vie dans l'aventure, le but qu'il s'était fixé en acceptant l'opprobre lié à sa profession était lui aussi perdu.

Le colosse alla se planter un instant devant l'âtre et en ratissa pensivement les braises avec le tisonnier. Il dit, comme pour lui-même:

— Je conçois que l'on ait recours à moi pour ce genre de besogne. Il me faut torturer sur demande, souvent sans même savoir de quoi ceux qui me sont confiés sont soupçonnés. La plupart du temps, j'entreprends la procédure sans même connaître le nom des victimes. Cela fait partie du métier et j'en ai toujours accepté les obligations sans discuter. Sans même y penser. Cela vaut mieux. Il y aurait sinon quantité de commandements auxquels je serais incapable d'obéir.

Louis tourna le dos au feu au-dessus duquel une petite marmite était suspendue. Il se pinça l'arête du nez entre le pouce et l'index. Posant enfin les yeux sur son hôte, il dit encore:

— Mais vous ferez savoir au gouverneur que je ne suis pas un assassin.

— Baillehache, vous m'avez mal compris, je crois. Il ne s'agit pas de simplement occire La Cerda. Notre but est de déstabiliser le Valois et de venger notre roi si injustement spolié. Cela ne vaut-il pas un petit effort de votre part? Et ce n'est pas tout...

Le courrier s'efforça de regarder Louis droit dans les yeux et reprit:

— Nous avons besoin de quelqu'un qui sait bien s'y prendre. Vous n'ignorez sûrement pas que La Cerda est sodomite?

— Je l'ai ouï dire.

— Et cela euh.... ne vous incommode point?

Louis haussa les épaules.

— Devrais-je en être incommodé? Non, cela m'indiffère.

Tout le monde affirmait pourtant au château que ce bourreau célibataire n'allait pas chez les ribaudes. Nul ne l'avait jamais vu fleureter avec quiconque. Ni femme ni homme, pour dire vrai. L'émissaire enchaîna:

— Ah... mais qu'importe. Comprenez-moi bien. Charles d'Espagne ne doit pas seulement être occis; le désir de notre roi est qu'il succombe à d'atroces tourments. C'est à vous qu'il revient de trouver quelque chose... d'approprié.

— Le supplice d'Édouard d'Angleterre[141], dit Louis comme s'il s'agissait d'une formalité quelconque.

Le regard fixe, polaire de ce maraud était décidément pénible à supporter. Le messager n'avait qu'une hâte, celle de partir avec sa réponse.

— Voilà qui est dégoûtant, bourrel. Non. Ces Anglesches sont des barbares. Restons dans les limites de la décence.

— Qu'importe. Je refuse.

Le courrier soupira. Arriver à fléchir ce fonctionnaire allait s'avérer plus difficile que le gouverneur ne l'avait estimé. Le gaillard s'obstinait comme un gros bœuf de labour dont il possédait sans doute aussi l'intelligence. Comment arriver à lui faire saisir la portée qu'allait avoir sa seule participation à de subtils jeux de pouvoir? Peut-être fallait-il employer avec lui un langage plus direct:

— Vous désobéissez donc à un ordre du gouverneur?

— Seulement à celui-ci.

— Il ne s'agit pourtant que de faire mourir un homme. C'est là votre office.

— La Cerda n'a commis aucun crime.

— Comment en avez-vous la certitude?

Louis détourna le regard.

— Nul tribunal ne l'a condamné, dit-il.

— Sans doute que non. Mais dites-vous bien que son règne ne durera guère davantage que celui du Valois. Il est rare que les favoris survivent longtemps à leurs bienfaiteurs.

Le courrier reprit quelque assurance et ajouta, d'une voix basse qui n'augurait rien de bon:

— Faites bien attention, Baillehache: il en va d'un roi comme d'un gouverneur. Fricamp serait fort peiné d'avoir à se défaire de l'un des siens...

— Qu'est-ce à dire? Je ne vous entends pas.

— Il est fort déplorable que tant d'exécuteurs soient conspués, voire occis dans des rixes, n'est-ce pas? Ce genre d'accident arrive si promptement lorsqu'on exerce un métier tel que le vôtre.

— Cessez vos menaces.

— Je vois que vous m'avez compris. Vous en savez trop, désormais, Baillehache. Je suis désolé. Si vous persistez dans votre refus, j'ai ordre de vous faire disparaître.

Avant qu'il ait pu comprendre ce qui lui arrivait, le messager se retrouva épinglé au mur en bois chaulé par son col de fourrure. Le manche d'une dague vibrait près de son oreille. Louis dégaina son épée et en tint la pointe entre les côtes de l'homme.

— Jetez votre arme, messire.

— Mais qu'est cela? Vous avez perdu l'esprit!

— Obéissez.

La fine lame de Tolède tomba sur le plancher entre eux. Louis éloigna l'arme d'un coup de pied.

—Maintenant, nous pouvons discuter convenablement.

—Quel présomptueux vous faites, bourrel! Vous croyez-vous donc indispensable au point que le gouverneur daigne vous épargner sa justice si vous me supprimez, moi, un membre de sa garde personnelle?

Louis s'approcha, l'épée de biais devant sa poitrine, prête à trancher si nécessaire, et frappa l'homme au visage du revers de sa main calleuse. Il récupéra sa dague et en tint la lame sous le menton du messager.

—Silence. Les représailles que me vaudrait votre mort sont le moindre de mes soucis. Sachez qu'en cet instant votre vie ne vaut guère plus que la mienne et vous n'êtes plus en position pour revendiquer quoi que ce soit. Moi, si.

Les yeux de Louis le transpercèrent comme s'il n'était plus là, comme s'il parvenait déjà à voir sous la peau une masse d'organes déshumanisés.

—Que voulez-vous? demanda l'émissaire à demi assommé dont la superbe s'était considérablement tempérée.

Il avait entendu dire que rien n'arrêtait cet exécuteur dans son travail de destruction une fois qu'il était lancé : ni appât du gain, ni ambition personnelle, ni plaisirs d'alcôve.

—Écoutez-moi bien. J'accepte d'y aller. Mais à une condition.

—Laquelle?

—Ma fonction m'interdit de quitter la ville sans permission écrite du gouverneur ou du bayle.

—Je sais.

—Eh bien, voici : je veux qu'on me délivre les sauf-conduits nécessaires pour que je puisse me rendre à Paris et y demeurer quelque temps.

—Bien, je ferai part de vos exigences au gouverneur. Paris, dites-vous? Qu'avez-vous donc à y faire?

—J'ai encore de la parentèle là-bas.

S'il n'avait pas été aussi humilié par cette altercation avec un manant, l'émissaire aurait éclaté de rire. Voilà que l'issue de la mission se trouvait brusquement assurée en échange d'une simple visite de famille! C'était une véritable aubaine.

Une fois relâché, l'élégant courrier à cheval quitta la maison du bourreau le sourire aux lèvres, en dépit de sa joue meurtrie.

*

Laigle, 6 janvier 1354
Un vent chargé d'humidité hivernale rabattit la fumée vers le

toit de l'auberge d'où elle sortait comme une étoffe appesantie par la lessive. Il en traînait des fragments déchiquetés jusque dans la cour tachée de neige sale, où ils se mêlaient à des restes de brouillard oubliés là par le matin. Aucune volaille n'y picorait.

Philippe d'Évreux ne se laissait pas influencer par cette température maussade. Au contraire, le frère du roi de Navarre avait affiché une mine radieuse tandis qu'il menait, à cheval, une petite troupe prêtée par son frère à travers bois et champs jusqu'à une route transie. À présent ces hommes sortaient d'un bosquet d'où ils avaient pu observer le gîte qui somnolait encore. Le prince dit à son voisin, un chevalier de noble lignée :

—Il faut vraiment être d'une insondable inconscience pour s'isoler en un tel lieu. Voilà presque de quoi me donner l'envie de m'enamourer, moi aussi, du connétable !

—Si tel est le cas, monseigneur, vous n'avez qu'à songer qu'il vous a si ignominieusement accusé d'être un faux-monnayeur, il y a peu.

—N'ayez crainte, messire. De toute façon, je préfère les voluptueuses rondeurs des femmes.

Le chevalier retint une branche basse qui allait frapper le prince en plein visage. D'Évreux continua :

—L'Épagneul va bientôt apprendre ce qu'il en coûte d'offenser un membre de la véritable maison royale de France. Dire que le gros Valois était arrivé à me persuader de ne pas faire jeter ce malebouche* au cachot. J'en éprouve grande vergogne.

—Sans doute ignore-t-il tout de votre présence ici, en vos terres normandes.

—Eh bien, il ne l'ignorera plus longtemps. Voyez dans la cour cette commère ceinte d'un tablier gris. C'est sûrement la femme de l'aubergiste. Allons-y.

La matrone qu'il avait désignée disparut en hâte dans la maison.

*

Le regard las du connétable de France s'attardait autour de sa table de travail sur laquelle trois parchemins délaissés s'étaient enroulés sur eux-mêmes en attendant que l'on daigne s'occuper d'eux. Il n'avait goût à rien ce jour-là. Il préférait de loin se prélasser, nu, sous l'édredon douillet de son grand lit. Sans cesse, ses pensées erraient en direction du jeune page qui avait récemment été affecté à son service au Louvre. «Douze ans et le visage d'un angelot. Sans parler du reste qui doit être angélique d'égale manière», pensa-t-il avec mélancolie en se choisissant une dragée dans un bol de cristal en forme de cygne que l'on avait soigneusement emballé pour l'amener jusqu'en ce lieu morose.

Une cavalcade déboula dans la cour comme un grondement de tonnerre importun qui venait déranger l'immobilité brumeuse du logis. Cela ne suffit pas à extraire Charles de son chaud refuge. Il ne fit que tourner la tête vers sa fenêtre. Ainsi, il ne put apercevoir les quelques cavaliers accompagnés d'hommes à pied dont certains encerclèrent l'auberge et les dépendances. Il devait s'agir d'une quelconque visite officielle. Il soupira et tira à lui, sans conviction, une luxueuse chemise. Des pas lourds résonnèrent dans l'escalier. Deux hommes, peut-être trois. Il se tourna vers la porte fermée. Sans savoir pourquoi, le connétable conçut de l'anxiété. Il entendit son garde discuter brièvement avec l'un des hommes, puis plus rien. Il enfonça nerveusement le dos dans ses carreaux en voyant le pêne de la porte se soulever à plusieurs reprises sans quitter la gâche, car il était bloqué par la barre.

— Qui va là? demanda-t-il, inquiet.

Une voix donna un ordre bref, et une autre y répondit. Soudain l'épaisse lame d'une hache apparut à travers le bois de l'huis, projetant des éclisses qui allèrent se perdre sur le plancher parmi les herbes et les pétales séchés de la jonchée. De nouveaux coups se succédèrent en rafale, chacun faisant sursauter le connétable dont le visage devenait livide. Il jeta un regard de bête traquée en direction de la fenêtre et se mit en quête de sa dague sertie de pierreries. Il la retrouva au ceinturon ouvragé qu'il avait délaissé la veille près de sa table de nuit. Des corps massifs et des bottes achevèrent de défoncer la porte, et Philippe d'Évreux fit son entrée. Il était vêtu d'un somptueux pourpoint de velours dont les ourlets avaient été brodés d'un discret motif fleurdelisé.

— Salutations, messire! dit-il joyeusement en s'avançant pour tirer La Cerda du lit. Si j'avais su avant que vous logiez ici, croyez bien que je vous aurais invité chez moi.

L'homme se hâta de revêtir sa chemise.

— Je vous remercie, monseigneur... Mais je ne puis demeurer bien longtemps...

— Je vous crois, dit le prince dont les prunelles scintillèrent d'un éclat mauvais devant le maniérisme exaspérant de son interlocuteur. La dentelle qui garnissait les manches de La Cerda donnait à penser qu'il avait envie de porter une robe. Ses cheveux ondulaient comme ceux d'une femme, et la peau de son visage avait dû être traitée le matin même à l'aide d'une pommade parfumée. Tout ce qui chez lui dénonçait une sexualité équivoque réveillait l'ire du prince ennemi. Le connétable se chaussa en hâte et demanda, avec une politesse craintive :

— Comment se porte Sa Majesté votre frère?

— À merveille, grâces en soient rendues à Dieu. Il se trouve justement que je suis porteur d'un présent pour vous de sa part.

— Un présent? Mais ces hommes d'armes dans la cour...

— Oh, n'ayez crainte, ils ne sont pas pour vous.

Un rire gras s'éleva dans l'escalier. Le sourire de Philippe s'élargit et il remarqua l'inquiétude suscitée par cette présence invisible qui se tapissait hors de la chambre.

— Qui est-ce?

— N'y prenez point garde, messire. Comme vous me paraissez soucieux! C'est l'un de mes hommes. Leur sens de l'humour est navrant. Permettez donc que je vous fasse prêt d'un mien serviteur afin d'agrémenter votre séjour, puisque vous ne pouvez pas m'offrir le plaisir de votre visite.

— Un serviteur?

Philippe fit un signe d'assentiment ravi. L'esprit de La Cerda s'embrouillait entre l'angoisse et la possibilité que quelque entente dont il ignorait encore la teneur soit survenue entre le Navarrais et son roi après son départ. L'éventualité d'avoir un serviteur arrivait tout de même à point nommé. Il avait grand besoin de se donner un peu de bon temps. Cela allait peut-être compenser un peu pour le page absent. D'Évreux s'écarta afin, peut-être, de dégager l'entrée au serviteur mentionné. Il fit en effet signe à quelqu'un d'approcher et dit :

— Le seul ennui, c'est qu'il est un peu encombrant.

Charles d'Espagne cligna des yeux. Un géant vêtu de noir entra dans la chambre en baissant la tête pour éviter de heurter le chambranle. C'était une espèce de brute qui se mit à le scruter de haut en bas d'une manière extrêmement offensante.

— C'est lui? demanda La Cerda avec l'impression de plus en plus désagréable qu'il faisait les frais de quelque mauvaise plaisanterie d'un goût douteux.

Il demanda à l'homme, d'une voix sévère :

— Qui es-tu pour oser te présenter à moi d'une manière aussi inconvenante?

Philippe ricana et dit au colosse :

— Il est à toi.

Et il referma les restes de la porte sur les deux hommes.

Au lieu de répondre, Louis tira son damas du fourreau de cuir rouge dont il était ceint. C'était une lame épaisse et lourde qu'on

377

devait tenir à deux mains. Elle était conçue pour n'assener que des coups de taille puissants et rapprochés. Mais son propriétaire, ce monstre à face humaine, l'empoignait d'une seule main. Elle semblait avoir été faite pour lui. Il la tenait lame basse et ne quittait pas le connétable des yeux.

Louis éprouvait une honte soudaine d'avoir à agresser cet individu pitoyable et presque aussi inoffensif que s'il lui avait été livré pieds et poings liés.

— Tu désires te battre avec moi? lui demanda La Cerda d'une voix éteinte.

Son visage veule pâlissait encore sous sa pommade. Il alla se placer derrière sa table de travail dans une tentative vaine et sans doute inconsciente de placer un obstacle entre eux.

— Oui.

— Mais sais-tu qui je suis, maraud?

— Oui, répéta Louis qui s'approchait prudemment.

Seule la dague décorative était bien visible dans la main du noble, mais mieux valait ne pas prendre de risques. Que ce connétable se trouvât seul et qu'il ait été si facilement neutralisé tenait de l'absurde. Louis porta un petit coup au bras droit de Charles, comme s'il avait cherché à provoquer une riposte. La coupure était superficielle et teinta de rouge la manche de dentelle déchirée. Cela suffit presque à lui faire échapper sa dague.

— Aïe! Il t'en cuira de t'en être pris à moi, misérable!

Le géant balaya du plat de son épée tout ce qui se trouvait sur la table. Un encrier se vida de son contenu noir sur le plancher, y noyant quelques brins de lavande. Mais La Cerda ne chercha même pas à lui lancer sa lame qui aurait très bien pu l'atteindre alors qu'il se tenait si près. Il se contenta de s'éloigner vers la fenêtre. Louis le suivit lentement tout en effectuant une série de gestes offensifs qui visaient, toujours en vain, à susciter une réplique chez cet adversaire qui n'en était pas un. Charles d'Espagne roulait des yeux effarés, le souffle court, et s'empêtrait dans ses grotesques poulaines à bout retroussé comme celles qui étaient en vogue à la cour de Paris.

— Défendez-vous, au moins! rugit l'homme en noir lorsque sa large épée s'enfonça à un quart de pouce du cou de Charles, qui s'était adossé en tremblant à la porte maltraitée. Des éclats de rire s'égrenèrent de l'autre côté, car les gens de Philippe avaient vu le bout de la lame sortir à travers le bois. Quelqu'un rota et dit:

— Il en met, du temps, votre homme de main. L'a peut-être pas plus de prunes entre les cuisses que l'Épagneul.

La Cerda dit, d'une voix qui se voulait aimable:

—Ami, je t'en prie... Accorde-moi la faveur de te parler.

—Il n'y a rien à dire. Je dois vous tuer.

—Non! Attends... Attends!

La Cerda battit en retraite au fond de la chambre. Il grimpa sur son lit et roula dessus pour atteindre l'autre côté, où il se cogna contre la table de nuit. Louis l'y rejoignit en faisant calmement le tour. Charles se retrouva coincé. Alors seulement il consentit à lancer à son tourmenteur tout ce qui lui tombait sous la main: après la dague qui siffla dans les cheveux du géant vinrent un petit bougeoir de bronze sur lequel adhérait encore un bout de chandelle éteinte, un coffret d'émail champlevé, un gobelet d'étain vide et un gros médaillon en or avec sa chaîne, que le connétable avait oublié de remettre. Louis ralentit légèrement sous cette pluie de projectiles qui ne dura guère. Deux des objets l'atteignirent à la poitrine, et il reçut le gobelet en plein front. Il chancela. Charles en profita pour tenter de plonger entre les jambes de son assaillant, mais ce dernier l'y coinça. Son arme s'abattit et sectionna le tendon du pied gauche, entamant partiellement celui de droite. Un hurlement fusa, suivi d'applaudissements et de sifflements qui n'étaient pas sans évoquer une exécution publique. Louis libéra Charles et le repoussa d'un coup de pied à l'estomac. Son dos heurta la table de nuit. Le connétable cessa de bouger. Impuissant, il se mit à sangloter en se berçant. Ses doigts erraient sur sa cheville gauche qui saignait abondamment. Il demanda:

—Que t'ai-je donc fait pour mériter ta rancœur?

—Rien. J'obéis aux ordres.

—Ceux du Navarrais... *El Malo* ne peut qu'avoir des gens à sa semblance... Tu es un démon!

Louis glissa son épée sous l'une des aisselles de l'homme et le souleva brutalement. Avant même que son cri de douleur ne soit apaisé, il relâcha le malheureux et lui épingla une main au plancher en laissant simplement tomber dessus le picot de sa lourde lame.

—Grâce! grâce! cria le supplicié.

L'homme en noir abaissa sur lui le regard intense et hypnotique d'un prédateur. Charles dit, en gémissant:

—Quoi que j'aie pu faire, ne m'en veuille pas de t'avoir outré...

—Je ne suis pas outré, dit Louis, qui songea: «Mais c'est mon père qui devrait être à ta place.»

Il lui était insupportable de songer qu'en ce moment même, ce pauvre bougre devait mourir tandis que Firmin se prélassait peut-être à la taverne, qu'il était libre, après lui avoir causé tant de souffrance et entièrement altéré le cours de sa vie.

—Alors, au nom du Christ, épargne-moi! supplia Charles.

Le petit homme levait vers lui ce regard désespéré de ceux qui n'ont plus rien à perdre. Cet effrayant roturier avait-il seulement conscience qu'en cet instant où il tenait à sa merci le connétable du royaume, il tentait de se faire presque l'égal du roi? Il allait bientôt payer de sa vie une pareille présomption. Mais, en attendant ce moment béni, La Cerda devait ménager sa susceptibilité.

—Si tu m'épargnes, je saurai faire de toi un homme riche et puissant.

—À d'autres. Le Trésor est vide.

—Non, il ne l'est pas. Toutes ces nouvelles tailles et gabelles nous prouvent que le peuple peut encore le remplir.

C'était chose à ne pas dire, même à quelqu'un qui ne pâtissait guère de ces exactions. Louis, en tant que bourreau, était exempt de taxes et pouvait prendre le bac gratuitement. Il n'était pas non plus tenu d'héberger des gens de guerre. Les obligations de guet lui étaient aussi épargnées. Mais les gens du commun, eux, devaient défrayer les coûts des extravagances royales qui faisaient déjà figure de légendes: fontaines de vin, bijoux et somptueux habits d'apparat, châteaux opulents et autres caprices ruineux dont les manants subissaient les contrecoups.

Le tortionnaire vêtu de coutil noir réagit à cette remarque en imprimant au pommeau de son épée un mouvement de va-et-vient circulaire qui déchiqueta davantage les tissus fragiles de la main clouée au sol. Charles d'Espagne cria et tourna de l'œil. Louis libéra sa main et se mit à tapoter sa victime sous le menton avec le plat sanglant de son épée afin de la réanimer. Charles ouvrit des yeux hagards et leva la tête.

—Je t'en conjure, écoute mes paroles... arrête-toi maintenant et tu ne seras pas châtié. Je t'en fais serment. Je te prendrai à mon service. Jamais plus tu n'auras à gagner ta vie et tu auras toutes les nobles dames que tu voudras, toutes aussi belles les unes que les autres...

—Inutile d'effaroucher ces bonnes dames: personne ne partage la couche d'un exécuteur.

—Quoi?

—C'est ce que je suis. Un bourrel. Nul n'est mieux placé que moi pour connaître la valeur de ces promesses données sous la torture. Maintenant, assez parlé. N'essayez plus de me convaincre et recommandez votre âme à Dieu.

—Ainsi, on me prive même du soutien d'un prêtre.

Louis fit un vague signe de tête.

—J'en suis navré.

—Alors, Baillehache, serais-tu en train de le foutre? appela en ricanant l'un des hommes d'armes qui vint cogner à la porte.

—Si sa boudine est à la taille du reste, pour sûr que l'Épagneul va en redemander!

Ces farces grivoises donnèrent à La Cerda un ultime espoir. La perspective était terrifiante, mais elle en valait néanmoins la peine. Il demanda à Louis, qui attendait:

—Est-ce que tu... préfères les hommes?

—Non.

—N'y a-t-il donc aucune tentation pour te fléchir, monstre!

—Vous la faites, cette prière, oui ou merde?

La lourde épée frappa Charles au niveau des cuisses. Le sang gicla à travers la tunique déchirée tandis que le malheureux tentait en vain de se lever, retombant chaque fois à cause de sa cheville qui ne le soutenait plus. Il tenta de s'éloigner à quatre pattes vers la porte qui venait de s'ouvrir sur un Philippe à demi ivre. Toujours à genoux, le connétable rampa jusqu'à lui et joignit les mains pour le supplier:

—Grâce, monseigneur, grâce. Je ferai tout ce que vous voudrez. Tout. Je demanderai une rançon en or à mon sire. Je renoncerai aux terres que j'avais l'intention de réclamer. Je me ferai le plus humble de vos serfs. Ou bien je... je prendrai la mer et partirai au loin pour ne plus jamais revenir.

À ces mots, le comte d'Harcourt, qui avait le teint un peu blême, s'avança et intervint:

—Monseigneur, si je puis me permettre... ce pauvre bougre, quand même... Ne pourrions-nous pas...

Louis se prit à silencieusement espérer qu'il allait pouvoir ranger son épée et la remplacer par sa besace de médecines. Il en était encore temps, même si le connétable allait malheureusement demeurer estropié pour toujours. Mais Philippe tourna un regard réprobateur vers le comte.

—Ne pourrions-nous pas quoi?

—Non, rien, se rétracta le comte.

—Dites-moi seulement ce que vous attendez de moi et je jure devant Dieu que je le ferai, dit La Cerda avec un léger regain d'espoir. Philippe répondit:

—J'attends que tu trépasses, mon bon ami. Alors vas-y, fais!

Puis, à Louis, qui était venu se poster derrière La Cerda:

—Finis-en. Mais n'oublie pas que nous devions être plusieurs à le mettre en pièces.

—NON! glapit Charles.

Louis ne désira qu'une chose : en finir au plus vite, car il sentait sa volonté faillir. Le prince vit la pointe du damas pénétrer dans l'anus du connétable. Il éclata de rire et referma la porte. Louis frappa plusieurs fois encore, surtout aux bras et aux jambes, à petits coups de taille contrôlés. Hormis la blessure infligée devant le prince, il évita pour le moment d'atteindre des organes vitaux. Charles d'Espagne, résigné, se mit à hurler presque sans relâche, ne reprenant son souffle que pour lancer à son bourreau des supplications désormais incompréhensibles.

Le connétable s'affaiblissait; il cessa bientôt de tourner en rond dans la chambre qu'il avait maculée de traînées sanglantes et se coucha sur un côté, en position fœtale. Méthodique et peut-être insensible, Louis le retourna sur le dos en lui plantant son épée sous la clavicule. Il entama le cuir chevelu de Charles, coupa à moitié une oreille, puis l'autre, et lui fendit une joue. Mais il se refusa à le défigurer davantage. Celui qui s'était tenu à la droite du roi Jean avait maintenant tout juste la force de se tortiller pour tenter d'échapper aux coups de lame.

« Ça suffit », se dit Louis. Écœuré, il abattit le plat de son épée contre la cage thoracique du blessé. Plusieurs côtes se rompirent. Il s'accroupit près de sa victime. L'une des côtes fracturées avait dû lui perforer un poumon, car des bulles écarlates lui affleurèrent aux lèvres. Charles fixait le plafond aux poutres duquel grelottaient des toiles d'araignées effilochées qu'il n'avait pas remarquées avant. Il dit, d'une voix rauque :

— La fortune t'attendait. Maintenant, tu n'as plus rien. C'est... la fatalité.

Un rire douloureux le fit tressauter. Il dit encore :

— Comme c'est étrange... le Destin... le Destin...

Il s'interrompit pour tousser, se tournant sur le côté afin de faire face à Louis. Un flot de sang lui sortit de la bouche. Il étouffa et mit plusieurs secondes à reprendre son souffle. Son teint virait au gris. Sans même y penser, Louis se disposait à recueillir ses dernières paroles comme il était de son devoir.

— Bourrel... la Roue du... Destin... tourne. Celui qui était... en haut... finit... en bas... J'aurai passé... moins d'une heure... en bas.

Il déglutit péniblement.

Tu... iras en... enfer, bourrel.

— J'y suis déjà.

Les yeux vitreux de Charles se fixèrent sur le visage impassible de son meurtrier.

— C'est bien vrai. Quel malheur.

Il murmura, à travers un souffle ténu:

— *Mi muerte os perdono yo*[142].

Charles expira. Louis baissa la tête pour faire la prière que sa victime n'avait jamais dite. Il se signa, se remit debout et trancha la gorge de Charles. Il continua ensuite à taillader le corps désormais immobile pour complaire à ses supérieurs, avant de se relever, d'ouvrir la porte et d'appeler le prince.

Tout le monde était passablement ivre dans la salle de l'auberge. Les gens de Philippe voulurent suivre leur maître et envahirent en désordre l'escalier et la chambre.

Son épée sanglante à la main, l'exécuteur se tenait près du cadavre de La Cerda qui avait reçu pas moins de quatre-vingts blessures. Un homme fit remarquer:

— On dirait qu'il sourit, le porc.

— Je vous l'avais bien dit, que le bourrel l'avait foutu!

Louis s'avança en bousculant ceux qui avaient égaré dans la bonne chère leur réflexe d'éviter tout contact physique avec lui. Il apostropha le fêtard qui avait parlé et lui plaça sa lame entre les jambes.

— Ça te plairait de savoir comment j'ai fait?

Le visage du mauvais plaisantin devint blanc comme la chemise d'un merle.

— Du calme, l'ami, intervint Philippe de Navarre. Allons, viens-t'en boire un bon coup de *goudèle** en notre compagnie. Tu as bien travaillé.

Louis toisa l'homme un moment avant de consentir à reculer.

Philippe de Navarre remarqua que le géant austère n'avait pas cédé à la tentation trop facile de piller la chambre de sa victime[143]. Il remit à Louis une bourse. Ce dernier la prit et s'inclina poliment avant de se détourner.

— Quelle brute, dit le comte d'Harcourt. Philippe répondit:

— Je n'en disconviens pas. Mais ce genre d'homme nous est indispensable pour mener à bien notre tâche.

— Sans aucun doute. Toutefois, était-il vraiment nécessaire de lui donner cette escarcelle? Il aurait pu se contenter de ce que recelait la dépouille. C'eût été amplement suffisant. Un manant n'a pas besoin d'autant d'argent.

— Je le paye pour son travail, il m'importe donc peu de savoir s'il a ou non besoin de cet argent. Et puis, vous savez, le silence des aubergistes m'a coûté infiniment plus cher. Venez, retournons faire ripaille.

---

142. Je te pardonne ma mort. Ce pardon est parfois donné au bourreau qui le demande à sa victime.

*

Saint-Germain-des-Prés, le dimanche 30 mars 1356

La grand-messe venait de se terminer à l'église abbatiale. Une femme plantureuse attendait le père Antoine sur le parvis en compagnie de sa maîtresse, qui était de constitution plus frêle, mais dont la grossesse arrivait à son terme. La dame portait au bras un panier couvert d'un linge propre. Une alléchante odeur de pain de froment et de galettes encore chaudes s'en échappait. Les deux femmes avaient exceptionnellement délaissé leur paroisse de Saint-André-des-Arcs pour rendre visite au monastère.

—Dieu vous bénisse, mes filles, Dieu vous bénisse pour ces bonnes provisions que vous apportez à nos malades, dit l'abbé qui tint à les saluer en personne.

—Bonjour, mon père, dit la femme enceinte en tendant le panier.

—Accompagnez-moi dans le jardin, voulez-vous? Les jeunes plants y sont si agréables à regarder. Comment se porte votre famille?

—Bien, merci...

—Sauf notre vieux, comme d'habitude, intervint familièrement la domestique.

—Desdémone!

—Quoi, c'est la vérité, maîtresse. À quoi bon s'en cacher? Tout le monde le sait.

—Firmin se rend-il donc encore coupable d'abus? demanda Antoine.

La jeune femme soupira avec résignation. Les premières pousses du potager la réconfortèrent quelque peu et elle consentit à parler.

—Hélas. Mon beau-père a encore trop bu hier soir. Il a vomi dans l'escalier et aurait boulé tout en bas si Desdémone n'était pas arrivée à point pour le retenir. Mais, au moins, il ne bat plus personne.

L'abbé secoua tristement la tête. Même dans sa jeunesse, ce pochard n'avait jamais été très fiable. Et maintenant qu'il vieillissait tout en réussissant à conserver une santé presque indécente, il était devenu une bouche inutile et insatiable, un souci de plus pour cette famille pieuse au sein de laquelle trois beaux enfants grandissaient. L'abbé était au courant qu'à la fin de cet hiver-là le petit dernier, qui n'était pas âgé de deux ans, avait été mis en terre; mais la jeune mère avait porté son deuil avec la même sérénité vaillante qu'aujourd'hui elle mettait à nourrir en son sein une autre jeune vie prête à éclore. Firmin aurait dû être fier de tout cela. Au lieu

384

de quoi, il sombrait dans un éthylisme d'autant plus exaspérant qu'il semblait à tous inexcusable. Antoine reprit:

—Il est heureux que ton mari soit devenu un excellent boulanger, ma fille. Grâce à vous trois la boutique est de nouveau florissante. Hum! Flairez-moi ces délices! C'est à m'en donner l'envie de pécher par gourmandise. Ah, voyez donc qui arrive là-bas: ma bonne conscience. Le frère Lionel va s'empresser de veiller au salut de mon âme en emportant promptement ce panier à l'infirmerie.

—Frère Lionel!

Le moine muet fut intercepté par un tout petit enfant vêtu de bure et dont les cheveux étaient taillés à l'écuelle. Souriant et rougissant de plaisir comme un tout jeune homme, le marmot s'avança vers eux accompagné d'un charmant babillage. Jehan était en train de dire, avec le plus grand sérieux:

—Vous savez, frère Lionel, je me suis rendu compte aujourd'hui que j'aime bien être un enfant. Mais si je me dis cela, est-ce parce que j'ai déjà été autre chose?

Lionel sourit et prit le petit par la main. C'était la seule caresse tolérée par l'abbé, les marques d'affection physiques étant habituellement interdites au monastère.

—Oh, des pâtisseries, dit Jehan d'un air ravi en apercevant le panier que l'on tendait à Lionel.

—Non, mon enfant, dit Antoine d'un ton sentencieux. Point de friandises pour nous avant Pâques. Ces victuailles sont destinées à alléger les souffrances de nos pauvres malades.

—Oh...

Désappointé, le petit nicha sa tête au creux de la coule de Lionel, qui s'éloigna discrètement. La courte chevelure de l'enfant, que ne cachait aucun couvre-chef, avait la teinte chaude et légèrement dorée du chêne ancien dont était faite la grande table du réfectoire. Son visage frais, tout en rondeurs, s'accordait de belle façon avec des prunelles enjouées, sachant s'émerveiller d'un rien, et dont les iris couleur de pluie se tavelaient parfois des couleurs de l'arc-en-ciel.

—Mais pourquoi le père Augustin, lui, peut-il boire du vin de cerise tous les jours? Il n'est pas malade.

—Oh, Jehan!

—Et en plus, le vin, ça goûte mauvais.

L'enfant plissa son nez adorable. Tout le monde éclata de rire. et Lionel lâcha la main de l'enfant qui s'en alla explorer soigneusement un coin du potager.

Depuis un certain temps, des cahiers fanés comme d'énormes fleurs jaunes s'étaient mis à surgir du coin le plus secret de la bibliothèque. L'enfant avait commencé à étudier la lecture, l'écriture, le calcul, le chant, la botanique et la règle de saint Benoît. Le frère Lionel lui avait également montré, par pur plaisir, comment extraire ce qu'on appelait le *liber*, ce tissu ligneux situé entre l'aubier et l'écorce d'un arbre, afin qu'il pût servir à la fabrication de livres rudimentaires[144].

— Quel ange, dit Antoine avec une tendresse qu'il ne cherchait plus à dissimuler.

Et, chaque jour, l'abbé Antoine en rendait grâce au Seigneur. Car le frère Lionel avait recommencé à sourire. « Le bonheur avec rien, les joies avec tout », songea-t-il affectueusement alors qu'il les regardait tous les deux partir en direction de l'hôtellerie où l'enfant habitait.

*

Rouen, samedi des Pâques fleuries 1356[145]

L'énergique Charles II n'accordait guère de répit à ses gens. Ses manigances avaient de quoi étourdir le plus talentueux chroniqueur. Depuis le meurtre du connétable, il manifestait le désir de récolter le beurre, l'argent du beurre et les faveurs de la beurrière. Par conséquent ses querelles avec le roi Jean n'en finissaient plus et, même s'il s'était attiré la sympathie du peuple en encourageant des émeutes contre les trop nombreuses tailles et gabelles du roi de France, le peuple en avait assez de ces altercations interminables. Charles de Navarre signait traité sur traité avec le roi de France, ce qui ne l'empêchait pas d'ourdir d'autres tractations hypocrites avec le roi d'Angleterre qui lui promettait sa part de butin s'il acceptait de l'aider à conquérir la France. Ces mésententes continuelles avaient fini par rendre la vie des gens ordinaires intenable : ils s'étaient mis à menacer, exigeant une paix durable entre les deux monarques, si bien que Jean en avait pris peur. Un sentiment qui avait conduit les deux royaumes à la signature du traité de Valognes[146].

Dans la cour du châtelet, les restes de plusieurs quartiers de porc presque entièrement dévorés achevaient de se calciner sur leurs broches que l'on ne tournait plus. Certains perdaient encore des gouttes de graisse qui faisaient grésiller les braises mourantes. On avait fait rouler un peu plus loin des barriques de bière vides. Des gens d'armes repus commençaient à s'installer confortablement dans des coins de la cour pour faire la sieste, tandis qu'à l'intérieur du châtelet le festin plus raffiné qui était en train de se dérouler allait probablement durer encore plusieurs heures.

Dans l'immense cheminée aussi profonde qu'une grotte, plusieurs porcelets grésillaient dans leurs lèchefrites. Au centre de la table avaient été posés de fort beaux arrangements faits avec des gâteaux à l'anis et des tartelettes au fromage de brebis parfumé à la fleur d'oranger. À intervalles réguliers, on avait placé à la disposition des convives de luxueuses petites douceurs servies dans des récipients dignes d'elles : outre une petite jatte de lait de vache et une coupe sur pied en forme de fleur, accompagnée de sa délicate cuiller en argent et remplie de pépites de sucre fin d'une belle couleur crème, une saucière proposait la sauce cameline, délicieusement acidulée. Avec le porc, d'aucuns préféraient la sauce poitevine. C'était un luxe exquis. On la préparait avec des foies de volailles pilés et rissolés dans du saindoux ; au jus qui avait été mis de côté, on incorporait du pain grillé et broyé, un peu de vin, de vinaigre et d'eau, ainsi que du gingembre, du clou de girofle et du sel ; le tout était ensuite dissous dans le jus de cuisson du rôti dont la sauce était destinée à devenir l'accompagnement.

Friquet de Fricamp, gouverneur de Caen et chancelier du roi de Navarre, faisait partie des gentilshommes qui avaient accompagné leur souverain à ce banquet. D'autres y avaient suivi le duc de Normandie[147].

En les voyant face à face, on pouvait aisément reconnaître lequel du Navarrais ou du dauphin pouvait avoir le dessus sur l'autre. Mince et nerveux, celui que l'on surnommait le Mauvais était d'une beauté déconcertante : son visage fin d'aristocrate avait une transparence d'albâtre où contrastaient d'étrange façon des prunelles noires et envoûtantes, qui passaient sans détour de la langueur de l'homme au courroux justicier du roi ; sa chevelure châtain clair, taillée en balai, ondulait légèrement. Il savait d'instinct utiliser son charme et sa voix très expressive pour arriver à ses fins. Le duc de Normandie, quant à lui, était certes un peu plus grand, mais il semblait atteint d'une maladresse congénitale qui ralentissait ses moindres gestes. On aurait dit qu'il était constamment préoccupé par quelque pensée obsédante. Certains le disaient atteint d'apathie. Une mauvaise enflure modifiait la forme de son visage qui, autrement, aurait été assez plaisant et régulier ; sa coiffure ressemblait en tous points à celle de son parent près duquel il avait pris place à la table d'honneur.

Le roi de Navarre sourit au jeune homme dont le regard terne était pour le moment dénué d'expression. Il n'était nul besoin d'exprimer quoi que ce fût. Aucun des invités n'ignorait que le dauphin détestait son père. Il tardait à ce jeune prince mélancolique de remplacer Jean sur le trône de France, et c'était précisément la raison de la présence du Navarrais à ce festin où l'on mangeait et potaillait* à qui mieux mieux en ne faisant semblant d'aucune connivence.

Pendant ce temps, à l'extérieur, certains hommes des deux escortes décidèrent de sortir faire un tour. Louis, qui était de ceux-là, laissa à l'un des serviteurs le soin de ramasser le poêlon* dans lequel avaient été présentées des côtelettes de porc. Il achevait de ronger celle qu'il y avait discrètement prise. D'instinct, il recherchá la solitude d'une rue moins fréquentée sans y parvenir, car il se trouvait encore trop à proximité du châtelet.

Une femme lui jeta un regard apeuré. Elle frôlait le mur d'une maison, un panier de provisions au bras. Il était possible que les insignes de la profession de Louis soient connus ici, mais il n'en était pas sûr. Quoi qu'il en soit, être connu ou pas lui était égal. Sa maison rouge et son jardinet foisonnant lui manquaient. Adélie et Églantine lui paraissaient plus lointaines que jamais. Firmin aussi. Car il attendait toujours les sauf-conduits qui devaient lui permettre de se rendre à Paris. «J'ai à vous confier un dernier petit travail, cher maître, après quoi je me ferai un plaisir de vous procurer sans autre délai tous les documents dont vous aurez besoin», lui avait dit Fricamp. Louis n'avait donc eu d'autre choix que d'accepter de faire partie de l'escorte qui avait conduit le gouverneur à Rouen.

Les pavés inégaux se mirent à trembler. Des galopins dévalèrent la rue en criant:

—Place! Place!

Les gens qui circulaient se rangèrent contre les murs des maisons à colombages. Louis jeta l'os nettoyé et fit de même. Un groupe de chevaucheurs déboucha de l'autre côté d'une courbe. L'un d'eux portait une houppelande fourrée de renard. «Des nobles», pensa Louis. Mais la bannière d'azur semée de lis dorés brandie par le chevalier de tête annonçait que ces gens n'étaient pas de noblesse ordinaire.

—Le roi Jean, dit quelqu'un avec déférence.

Il arrivait en catastrophe d'Orléans après avoir chevauché trente heures.

Plusieurs se jetèrent à genoux dans les flaques laissées par une pluie récente. Louis put entrevoir le large visage du roi de France avant qu'il ne soit à nouveau caché par son porte-étendard. Le menton et la lèvre lippue étaient parsemés de chaume; sa chevelure clairsemée n'abritait qu'à peine un front bas et ridé par les soucis constants; son regard trahissait un vide qui, c'était à espérer, était dû à la fatigue du voyage; ses joues creuses frémissaient de nervosité.

Les citadins demeuraient là où ils s'étaient agenouillés, pétrifiés par le saint personnage qu'ils n'allaient sans doute apercevoir qu'une fois dans leur vie. Seul Louis tenta en vain de trouver une venelle perpendiculaire où se glisser pour disparaître.

—Faites place! Place! cria le cavalier de tête en dégainant son épée. Il s'agissait d'Amoul d'Audrehem, un homme puissant à la cour de France. Les badauds commençaient à être trop nombreux à son goût, même s'ils livraient aisément le passage.

—Que nul ne se meuve pour ce qu'il va voir s'il ne veut mourir de cette épée! rugit Amoul.

Ce disant, il remarqua un gaillard peu avenant qui s'arrêtait sur son ordre et il lui assena un coup du plat de son arme sur l'épaule en guise d'avertissement. Le géant en perdit l'équilibre, mais parvint à s'adosser contre le mur qu'il avait longé pour éviter de tomber et d'être piétiné par les chevaux. Le roi Jean passa sans tourner la tête. Louis se redressa. La suite royale s'engouffra dans l'enceinte du châtelet. Les gens de Friquet les y suivirent silencieusement et par petits groupes inquiets.

Escorté de ses sergents et hommes d'armes, un Jean dangereusement courroucé entra en trombe dans la salle où se déroulait le festin.

—Toi! cria-t-il en apercevant Charles de Navarre.

Plusieurs convives se levèrent, mais n'osèrent pas bouger davantage. D'autres parvinrent à fuir en sautant par-dessus les murs sans être interceptés par les hommes désœuvrés et curieux qui peuplaient la cour.

Jean empoigna le jeune roi de Navarre et le tira à lui.

—Sale traître! Tu n'es pas digne de seoir à la table de mon fils...

Les invectives de Jean n'allèrent pas plus loin: l'écuyer tranchant*, auquel personne n'avait prêté attention, pointait soudain la poitrine du roi de France avec un grand couteau à découper les viandes.

—Bas les pattes, monseigneur! dit-il.

—Non, pas de ça, Bléville, marmonna Charles de Navarre.

Jean, d'abord saisi, dévisagea l'homme et ordonna, entre ses dents serrées:

—Prenez-moi ce garçon et son maître aussi.

Les gens d'armes obéirent et circulèrent parmi les dîneurs

statufiés. Nul ne chercha plus à s'interposer. Jean poussa le Navarrais entre deux de ses hommes.

— Emmenez-le dans une chambre et tenez-le sous bonne garde. Je m'en occuperai plus tard, car, pour le moment, j'ai mieux à faire.

— À vos ordres, monseigneur.

Le duc de Normandie s'interposa :

— Grâce, Père, ne faites pas ça! Ayez donc la bonté de ne pas me déshonorer en faisant violence à mes hôtes.

— Visiblement, vous ne savez pas ce que je sais, répliqua Jean.

— Oh, Père... daignez pardonner cet affront au fils indigne que je suis, sanglota Charles de Normandie, qui se jeta à genoux devant son père et joignit les mains en un geste théâtral de supplication.

La scène aurait paru ridicule si le dauphin n'avait réellement appréhendé une terrible vengeance paternelle. Plusieurs crurent discerner dans ce geste du jeune prince quelque ruse cruelle. Lui qui avait ourdi avec ses compagnons dîneurs un complot pour se débarrasser de son père paraissait avoir soudainement abandonné ce but comme un masque et affichait tous les signes qu'il s'apprêtait à les trahir : on ne pouvait rêver d'un meilleur moyen pour faire d'une pierre deux coups et éliminer les futurs témoins d'un parricide qu'une ultime alliance avec son père. Mais, fort heureusement pour Jean, son fils était plutôt enclin à la couardise. Il s'en remettait réellement à sa volonté.

Magnanime, le roi de France toisa le dauphin de haut et répondit :

— Soit, notre pardon t'est accordé pour ta malencontreuse défaillance en tant qu'héritier. Mais seulement pour cette fois. Que ce soit la dernière. Cela dit, nous allons tout de même te donner à apprendre une leçon que tu n'es pas près d'oublier.

*

Le lendemain matin

Les tombereaux ignominieux s'étaient subitement arrêtés, sur l'ordre du roi impatient, en un lieu que l'on baptisa *Champ du Pardon* afin de rendre plus concret le pardon du père accordé au fils. Hélas, ceux que l'on conduisait ainsi ne bénéficiaient pas de la grâce royale. Les deux charrettes contenaient quatre complices qui étaient condamnés à être décapités sur le billot que l'on avait apporté : le comte Jean V d'Harcourt, Colinet de Bléville, le seigneur de Guerardville et Maubue de Mainemares. Les deux derniers étaient des seigneurs normands. Seul Bléville eut droit à un confesseur, les autres étant considérés comme traîtres.

Le dauphin vint prendre place aux côtés de son père, au risque de passer pour un félon auprès de ces malheureux dîneurs. « Que leurs têtes tombent dans la sciure et que je les voie tomber, se dit-il, afin que je sois assuré qu'elles emportent avec elles toutes ces ébauches de complots insensés que j'ai pu tramer pour détrôner mon père. » Oui, il avait dix-huit ans et sa hâte de régner était grande ; mais il avait pris la décision d'attendre que la Providence se charge elle-même de laisser le trône vacant. C'était courir un trop grand danger que d'essayer de forcer la main de Dieu. Jean ne devait plus jamais avoir l'opportunité de voir que son fils aîné manquait de courage : car un bon roi se devait d'être brave.

Vêtu de son manteau royal d'azur bordé d'hermine* qu'il avait mis par-dessus son armure comme s'il craignait une attaque, Jean était entouré de courtisans dont les habits rivalisaient d'extravagance et qui donnaient à la scène un air festif des plus inappropriés. On voyait d'étranges chausses ajustées, le tijuel* droit de l'un pouvant être jaune, tandis que celui de l'autre était rouge ou vert ; il y avait des manches larges garnies de barbes d'écrevisse, des aumusses* dont la pointe du capuchon était prolongée d'une façon si démesurée qu'on pouvait la nouer en plusieurs endroits[148] et enfin des poulaines à bout recourbé. Les gens ressemblaient à de gros insectes venimeux.

Tout cela contrastait crûment avec la sobriété de l'homme en noir qui se tenait debout au milieu du Champ du Pardon.

Six coups furent nécessaires à Louis pour parvenir à décapiter Harcourt, qui passa en dernier sous le fer de sa hache. La terre se teinta de rouge à ses pieds. Amoul d'Audrehem, qui était chargé de l'exécution des traîtres, avait eu l'idée d'« emprunter » cet exécuteur, dont l'allure seule suffisait à faire frémir et que Fricamp avait eu la bonne idée d'emmener avec lui. Le colosse s'inclinait à présent devant Jean et le duc comme on lui avait recommandé de le faire. Jean se tourna vers le chancelier de Navarre et lui dit, avec bonhomie :

— Parfait. Justice est faite. Il ne reste plus qu'à les conduire au gibet où nous avions l'intention de nous rendre dès le départ. Hum... À votre tour, maintenant, cher Freluquet.

Louis se redressa lentement et, interloqué, fixa le roi. Sa main serra la prise de son damas encore ensanglanté. Le visage du petit clerc vira au gris. Il dit faiblement :

— Monseigneur ?

— Vous nous avez bien compris. Votre allégeance au roi de Navarre n'est un secret pour personne. Il va donc de soi que vous fassiez partie des personnes suspectes. Puisque vous semblez ne pas pouvoir vous passer de la compagnie de ce sinistre individu, autant favoriser votre amitié à bon escient. Nous confions donc votre interrogatoire à ce garçon. Vous serez mené par lui au Châtelet.

En s'adressant au bourreau immobile qui le regardait toujours, un peu gêné, il ajouta :

— Toi qui as si bien su faire mourir ceux de ton propre camp parce que tel était notre commandement, tu mettras ton maître à la question jusqu'à ce qu'il fasse aveu de ses méfaits. La question ordinaire d'abord, *et sec per gradus ad ima tenditur*[149], comme il se doit.

Louis jeta un bref coup d'œil à Fricamp qui semblait sur le point de se trouver mal. Le roi dit, d'une voix suave :

— Quoi, bourrel, cela t'étonne-t-il ? Pourtant, de par l'essence des lois, celui qui ordonne un crime est plus coupable que celui qui le commet[150].

Louis n'osa plus bouger. « Est-ce possible qu'il sache, au sujet du connétable ? » se demanda-t-il. Le sourire du roi devint perfide :

— Le Navarrais est incarcéré au Louvre. Son sort est scellé. Quant à toi, bourrel, tu as bien obéi à ton roi. Va, continue donc à le servir fidèlement.

Le bourreau s'inclina hâtivement et, sous les yeux de tous, dut prendre Friquet par le bras pour l'escorter jusqu'aux geôles.

Un souvenir de son séjour à l'abbaye, en apparence sans rapport avec les événements qui venaient de se produire, affleura à sa mémoire : des moines s'apprêtant à couper un grand arbre moribond. Ils avaient dû se garder de le faire tomber dans le potager, mais le fût, en cédant, risquait de donner contre la muraille et, en roulant, de choir contre la toiture d'un bâtiment. Les moines s'étaient donc aidés d'une grosse corde qu'ils avaient solidement attachée à un tronc voisin, semblable qui, lui, allait être préservé. La traction exercée par cette corde avait facilité et orienté la chute de l'arbre une fois le tronc presque entièrement scié. Louis songea : « Je dois être l'un de ces arbres bourreaux, juste parce que je me trouve là. »

*

Châtelet de Paris

— Buvez. Vite ! marmonna Louis alors qu'il se penchait au-dessus de Friquet dont il détachait les chaînes.

— Tout est arrangé ? demanda le gouverneur tout bas.

Louis se contenta de le regarder sans rien dire. « Taisez-vous », avait-il envie de lui ordonner. Il lui fallait à tout prix trouver un moyen

---

149. Et ainsi de suite, pas à pas, jusqu'aux plus sévères.

de lui dire de jouer le jeu. Une minuscule fiole changea de mains sans que rien n'y parût, la haute silhouette du bourreau soustrayant le gouverneur à la vue du garde et du clerc qui attendaient à la porte du cachot exigu. Le prisonnier n'eut d'autre choix que de s'en remettre entièrement à Louis, qui avait très bien pu décider de changer de camp et de l'empoisonner parce qu'il n'avait pas eu ce qu'il avait demandé, soit les sauf-conduits dont il n'allait plus avoir besoin, dorénavant, puisqu'il se trouvait déjà à Paris.

Les pupilles du petit homme commencèrent à se dilater en dépit de la forte lueur des torches. Louis laissa tomber les chaînes. Il fit lever le gouverneur et lui dit tout bas, tandis qu'il l'entraînait sans ménagement à travers un étroit couloir, les deux autres suivant derrière lui :

— Malgré le secours de la miséricorde divine, vous souffrirez. Vous crierez, c'est compris ? Il en va de votre sauvegarde.

Fricamp ne comprit que vaguement la signification de ces paroles à double sens : la drogue que lui avait administrée le tortionnaire lui brouillait trop l'esprit.

Ils pénétrèrent dans une salle au plafond voûté, suivis du clerc et du garde ; ce dernier fut laissé à la porte, alors que le clerc allait prendre place derrière la petite table qui avait été installée dans un coin. Sans laisser à Fricamp le temps de se poser des questions, Louis le bouscula jusqu'à une échelle appuyée au mur, contre laquelle il le ligota, le dos tourné vers lui. L'échelle était solidement amarrée au plancher et au plafond. Friquet tourna la tête et put voir le brasero posé juste à côté.

— Mais qu'est-ce que...

Louis empoigna le petit homme par sa couronne de cheveux ras et lui tira la tête en arrière avant de lui infliger plusieurs va-te-laver* humiliants.

— Laissez-moi faire, dit-il tout bas.

Il se tourna vers le clerc et fit un signe de tête.

L'interrogatoire débuta. Louis montra à Fricamp, en guise d'avertissement, une paire de pinces portées au rouge et il s'approcha pour découper sa chemise à l'aide de sa dague, le tout sans cesser de le regarder à travers les trous de sa cagoule. La première question fut posée une première et une deuxième fois. La troisième fois, elle se confondit avec le hurlement de Friquet : Louis avait pincé son bras à l'aide de son instrument. La chair grésilla et un peu de fumée monta au visage du bourreau. Si la drogue à base de datura atténuait quelque peu la souffrance, elle ne pouvait pas faire de miracles lorsqu'elle était administrée en quantité insuffisante pour endormir le patient. Louis tentait bien de le ménager, mais il devait s'efforcer de donner un peu de crédibilité à la scène. Le saignement du visage était spectaculaire, mais inoffensif. Imperturbable, du moins en apparence, le clerc continua à poser ses questions au gouverneur qui ne fit que des réponses vagues. Louis lui infligea plusieurs autres brûlures dans le dos, et l'homme ne remarqua pas qu'il épargnait les jambes.

Quand Louis se mit à frapper les plaies à l'aide d'une verge et qu'il y répandit un peu de résine bouillante, Friquet de Fricamp se crut perdu et avoua tout, d'une voix qui n'était à présent plus pâteuse:

— Le dauphin aime le Vaudreuil, dans la vallée de l'Eure. Le roi Charles l'y vint visiter un jour de l'hiver dernier...

Louis recula et lui fit un signe d'assentiment presque imperceptible, l'invitant à poursuivre. Il n'y avait pas d'autre issue.

— Le roi de Navarre était résolu à dresser le fils contre le père. Vous savez comme moi à quel point il peut être persuasif. De plus, ils s'entendaient tous les deux comme larrons en foire, partageant festins et ribaudes... Dieu leur pardonne!

Friquet fit une pause, le temps de reprendre son souffle en même temps que ses esprits. Tous ces aveux signaient peut-être son arrêt de mort et il ne pouvait rien y faire.

— Quoi d'autre? demanda Louis en se rapprochant.

— Non, je vous en prie. Accordez-moi un moment pour souffler un brin. Je dirai tout. Voici: le dauphin a naguère manifesté l'intention de faire défection. La date de son départ était fixée au 7 décembre. Mais les Navarrais l'attendirent vainement à Saint-Cloud. Il s'est dégonflé. Le roi Charles en fut fort mécontent, au banquet. Certains disent l'avoir vu verser... quelque chose dans son vin. Mais rien n'est moins sûr. Ce ne sont peut-être que des commérages sans valeur. Tenez. Vous savez tout. Même les rumeurs pouvant nuire à la réputation de mon roi. Je jure devant le Seigneur tout-puissant que je ne sais rien d'autre.

La plume du clerc crissa frénétiquement sur le parchemin pendant plusieurs minutes une fois que tout cela eut été dit. Après quoi, le clerc se leva et sortit en refermant la porte derrière lui.

Louis se hâta de délier le gouverneur et le tourna vers lui en le tenant par les bras.

— Ça va? lui demanda-t-il. Tremblant de la tête aux pieds et les yeux exorbités, Friquet ne put qu'acquiescer vaguement.

— J'ai peine à imaginer ce que vous leur faites quand vous ne les ménagez pas.

— Il faut qu'on s'en aille. Je vous soignerai en route. Tenez.

L'exécuteur lui tendait ses propres vêtements de rechange qu'il avait pris dans son bissac.

—Pas question que je mette ça!

—Si, ordonna Louis d'un ton autoritaire. Il n'y a rien d'autre et ce n'est pas le moment d'être dédaigneux. Faites vite!

—Ce n'est pas ce que je voulais dire. C'est que... vous comprenez, c'est beaucoup trop grand pour moi.

Il avait raison. Une fois revêtu de ces habits, le petit Friquet avait l'air d'une espèce de moinillon rétréci. L'effet aurait été plus cocasse s'il n'avait pas fait nuit.

Leur évasion fut étonnamment facile. Personne n'intercepta les fugitifs entre le Châtelet et les portes de la ville.

Après qu'ils eurent parcouru plus d'une lieue, Fricamp dut s'asseoir sur une pierre. Il redemanda :

—Tout était bel et bien arrangé, alors, fit-il hors d'haleine.

—Il semble bien que oui. La torture n'était qu'un prétexte. Le roi souhaitait se débarrasser de vous sans chercher à vous nuire.

—Je vois. J'ai idée que l'importance de la cité que je gouverne y prend la plus grande part. Maintenant que je lui suis redevable, le roi compte sur un changement d'allégeance du côté de Caen.

— On dirait bien.

— Et vous saviez tout cela. Qui m'a aidé? Le dauphin?

— Entre autres. Lui aussi veut se ranger du côté du roi de France.

Friquet soupira :

—Dire qu'un instant j'ai cru que vous étiez résolu à me trahir. Bien joué. Ils n'y ont vu que du feu. C'est le cas de le dire. Aïe. Je vous dois la vie, Baillehache[151].

Louis se tourna en direction de la ville dont seules quelques lointaines torches palpitaient comme de grosses étoiles tombées sur terre. Devoir faire demi-tour alors qu'il avait été si près du but! «Je ne suis pas près d'y remettre les pieds», se dit-il avec regret.

Chapitre XI

La mauvaise porte

*C*aen, *fin mai 1356*

La porte de l'armurerie grinça. L'huissier d'armes qui accompagnait Louis remercia le garde qui avait poussé le vantail et entra, invitant l'exécuteur à faire de même.

— Voici votre harnois*. Vous y serez très à l'aise, puisque c'est votre couleur.

Il avait dit cela fielleusement en désignant une broigne* noire qui avait été mise à l'écart des hauberts* et des plates* d'armure soigneusement astiquées. Les mailles vernies de noir luisaient à la lueur des torches. On avait posé à côté un autre vêtement de cuir noir, plié celui-là, car il était dépourvu d'anneaux, ainsi qu'une targe*, un chapel* de fer et une cale*.

— Il n'a pas été aisé de trouver quelque chose à votre taille, vous pouvez m'en croire, dit encore l'homme. Tout cela a été pris à un Anglesche du Yorkshire après Crécy. Même si ça date d'au moins dix ans, c'est du solide. Tout a été vérifié et remis en état.

Louis ne prêta qu'une attention polie aux propos de l'individu qui, de toute évidence, semblait fort s'amuser de son embarras. Il caressa le cuir épais mais souple du pantalon plié et dit:

— Tout cela est bien, mais j'ai l'impression que vous faites erreur. Je ne suis pas un homme d'armes. Les exécuteurs sont exemptés de ce genre de service.

— Oh! vous savez, une charte, ça se modifie très facilement lorsqu'on sait présenter les arguments qu'il faut.

— Je ne vous suis pas.

— Vous avez tout l'été devant vous pour vous exercer. L'armée d'Édouard de Woodstock partira de Guyenne. Le duc de Lancastre[152] est déjà en route pour la Normandie. Dès le début de l'automne, nous nous rallierons à eux. Ce sont les ordres.

— tes-vous en train de me dire que je devrai me battre aux côtés des Anglais?

— Oui, et alors? Cela ne fait aucune différence pour vous, puisque vous avez su verser le sang des vôtres aussi bien que celui d'un ennemi.

Le regard de l'homme d'armes luisait de rancune.

— Ah! C'est donc cela, dit Louis.

— Oui, c'est cela. Le gouverneur de Caen a cédé aux pressions exercées entre autres par la famille d'Harcourt qui est, comme vous le savez, du parti anglais. C'est par son intermédiaire que vous êtes recruté. Quant à moi, je suis le cousin de Maubue de Mainemares que vous avez injustement mis à mort à Rouen.

«Je le savais. Je n'aurais jamais dû les laisser me mêler à leurs histoires», se reprocha Louis avec amertume. Devoir assumer les risques d'une insubordination ne pouvait être pire que cette conscription dont l'objectif clair était de l'éliminer sans que rien n'y parût.

— Soyez reconnaissant qu'il vous soit au moins accordé la possibilité de défendre votre méprisable existence, poursuivit l'huissier. Par les os de saint Denis qui m'est témoin, vous mériteriez de finir pendu à votre gibet, Baillehache.

*

Poitiers, 18 septembre 1356

Malgré tous ses malheurs, la France demeurait un royaume puissant, cinq fois plus peuplé que l'Angleterre. Ses ressources et son ost* avaient de quoi impressionner les insulaires auxquels s'étaient pourtant jointes des forces gasconnes.

Les deux immenses armées avaient voyagé une partie de l'été à la rencontre l'une de l'autre. Ces lents déplacements étaient plus pénibles que l'affrontement auquel ils devaient mener, car, bien avant le face-à-face, les fers des chevaux viendraient à manquer, les bottes seraient usées et les provisions seraient épuisées. La plupart du temps, le pillage «légal» rapportait peu, car les habitants emportaient avec eux tout ce qu'ils pouvaient. Le reste était caché et il fallait le découvrir. Il devait suffire à des milliers d'hommes sans cohésion et à leurs familles qui fréquemment les suivaient avec leur vaisselle et leurs fours portatifs. Les chevaliers étaient habitués au pain blanc, ainsi qu'à la viande de bœuf, de porc et de mouton;

ils buvaient du vin tous les jours, alors que le simple soldat n'en recevait que pour les fêtes ou les combats.

Or, les vivres avaient fini par faire défaut à cette multitude. À force de trop manger de fruits verts et de graines germées, soldats et accompagnateurs furent assaillis par les maux de ventre qui proliféraient; toutes sortes de malaises sapaient les forces des troupes, que l'on fût français ou anglais.

Dans les rares moments libres que pouvait lui accorder la migration dévastatrice menée par Chandos, Louis cueillait des plantes ou s'arrêtait pour se baigner avant que les cours d'eau qu'ils longeaient ne soient souillés par les campements installés en amont. Il revenait ensuite au campement pour préparer des remèdes et se reposer. Parfois, il mettait à fumer quelques poissons sur les mauvais feux de branchages qui tenaient éloignées des nuées d'insectes attirées par la sueur des hommes et des chevaux. Malgré l'avancée pénible de l'armée, Louis parvenait à se sustenter sans subir les malaises que tous les autres tenaient pour inévitables. Il savait en outre préparer thés et bouillons fortifiants et il lui était même arrivé de soigner une entorse ou d'arracher une dent branlante.

Le relatif anonymat de la vie militaire lui plaisait. Ici, parmi tant d'Anglais dont certains étaient comme lui de haute taille, il pouvait aller et venir sans être remarqué. Personne ne savait qui il était ni ne s'en souciait. Il y avait parmi eux de rudes montagnards de Galles et quelques porchers d'Irlande qui discutaient entre eux dans leurs patois respectifs. Louis n'arrivait à communiquer que par signes avec la majorité de ses frères d'armes. Mais cela n'empêchait pas les fantassins de le traiter en égal. Lui faisait de même; il leur prodiguait même une assistance médicale au besoin. La guerre a souvent des effets inattendus sur les hommes. Il arrive qu'au milieu des pires horreurs apparaisse une toute petite chose d'une beauté inaltérable. Et cette petite chose, à elle seule, bien des années plus tard, aura justifié tout le reste dans la mémoire du guerrier. Peu importait que l'on soit français ou anglais, gascon ou navarrais, une sorte d'esprit de coopération s'instaurait parmi les hommes. Si un ennemi était venu se présenter à eux pour demander du pain, chacun aurait ouvert sa besace et lui en aurait donné un peu. La vie civile, où la plupart des gens n'allaient pas risquer leur peau pour sauver celle des autres et où ils ne partageaient que rarement leur nourriture, était un autre monde, issu d'un lointain passé. Elle faisait partie d'une autre logique qui, désormais, leur était devenue incompréhensible. Les hommes d'armes faisaient partie d'un tout immense. C'était rassurant d'une étrange façon. Peut-être était-ce par besoin de renouer avec cette solidarité que l'homme faisait la guerre.

Woodstock avait d'abord cru que l'armée ennemie était dix fois plus importante que la sienne[153]. Il comprenait l'urgence de rejoindre les troupes de son frère le plus rapidement possible. Malheureusement, lui seul semblait avoir réussi à se rendre au rendez-vous fixé.

Le prince de Galles avait appris que le roi de France se trouvait plus au sud, dans la ville de Poitiers. Il avait pensé que le monarque français avait cherché à descendre vers les territoires anglais de la Guyenne. Il avait voulu faire en sorte de l'y rejoindre pour lui barrer la route.

Un premier affrontement avait eu lieu la veille sur une ferme appelée La Chaboterie, à cinq kilomètres à l'ouest de Poitiers. L'assaut français avait été si violent que les Anglo-Gascons, surpris, avaient d'abord cédé du terrain; mais, avides de rançons comme ils l'étaient, ils avaient vite fait en sorte de reprendre le dessus et ce, même s'ils étaient moins nombreux. Ils étaient partis aux trousses de l'ennemi avec une telle vigueur qu'Édouard avait dû ordonner un arrêt d'une nuit pour camper, le temps de rassembler ses forces, même s'ils étaient gênés par le manque d'eau. Ce jour-là était un dimanche, et un envoyé du pape avait demandé une trêve de Dieu qui, même si elle était inutile, n'en fut pas moins respectée. L'armée anglo-gasconne s'apprêta à passer la nuit dans des campements de fortune montés en hâte du côté de Savigny. Ainsi, l'armée occupa un terrain accidenté, près de Poitiers, qui allait être parfait pour la défense en plus d'être difficile à cerner. C'était une pente boisée bordée de vignobles, de haies et d'un ruisseau serpentant au milieu de marécages. Au-delà, un vaste champ était traversé par une route étroite.

Le lendemain matin, 18 septembre, l'armée française était au rendez-vous. La bataille était inévitable. Les Anglais n'en apprécièrent que davantage leur position favorable.

—Huit mille qu'on est, peut-être même dix, d'après ce qu'on m'a dit, annonça un vieux guerrier expérimenté dont le visage balafré prouvait qu'il avait vu la bataille de Crécy.

Il vint s'asseoir près du feu misérable d'un groupe de mercenaires venus de Flandres. La fumée piquait les yeux et les faisait tous larmoyer. Certains toussaient.

Cet homme avait à peu près raison: l'armée du prince de Galles, partie anglaise, partie gasconne, était forte de deux mille hommes d'armes, de quatre mille archers, et de deux mille brigands*, troupes légères qu'on louait dans le Midi. De son côté, Jean était à la tête de la grande cohue féodale du ban et de l'arrière-ban, qui faisait bien cinquante mille hommes.

—Jean de Valois n'a de bon que le nom[154]. Il a la plus grande armée qu'on ait jamais vue, à ce qui paraît. Armés jusqu'aux dents et tous à cheval.

—Moi, j'ai entendu dire que pas un n'est à cheval, cette fois. Par la mordiou, Baillehache, comment tu fais pour ne pas attraper la colique? T'es bien le seul ici à ne pas péter.

Pour toute réponse, Louis fouilla dans son carnier et lança à l'homme un petit objet qui lui tomba mollement sur les genoux.

—Mets-la à cuire. Tu verras, c'est bon. Surtout les cuisses. Tenez, j'en ai attrapé d'autres.

—Ouh! Putain de mangeur de grenouilles. T'es bien un vrai Franklin*, toi. À propos, on peut savoir ce qui t'amène à te battre avec nous autres?

—Il n'est pas le seul, intervint quelqu'un. D'autres se sont ralliés à nous pour ne pas crever comme des gueux.

Louis prit le temps d'offrir à un homme qui en réclamait un peu de l'onguent à base d'huile d'olive et de lard dont il gardait toujours une réserve sur lui[155].

—N'oublie pas d'y mettre un bandage propre.

Puis, à celui qui lui avait posé la question, il répondit:

—Je suis ici pour la même raison que tout le monde. Pour donner la mort ou pour la recevoir.

—C'est bien dit, mais ça me fiche le moral à plat, dit l'un des hommes.

—À moi aussi, mais quoi, c'est vrai, on y pense, dit un autre.

—Allez, compères, dit un vieil Anglais dans un très mauvais français. Haut les cœurs! Par saint Georges, buvons un coup!

Il fit circuler à la ronde une outre d'hydromel qu'il avait dénichée dans une ferme pillée le jour même.

—Et toi, Baillehache? Tu n'as pas un peu la trouille?

Le bourreau but à l'outre et la tendit à son voisin. Les flammes faisaient à Louis des yeux d'or et de sang.

—Non.

—Et il dit vrai, ce petit. Faut pas avoir peur, sinon c'est la mort assurée, dit à nouveau le vieux guerrier qui s'appelait Matthieu de Gournay[156].

—Moi, la mort m'a déjà, dit Louis. Et c'est par la mort que je réponds[157].

*

Assis dans son faudesteuil* ouvragé, Jean le Bon pérorait. Ses quatre fils campaient avec lui, et autour de sa grande tente à l'oriflamme déployée étaient plantées celles de vingt-six ducs ou comtes et de cent quarante seigneurs bannerets, tous avec leurs bannières. Cet étalage de fierté occultait pour lui l'esprit de sédition qui semblait flotter au-dessus de certaines têtes dirigeantes. Le fils de Philippe de Valois était décidément le roi des gentilshommes.

Il leva la main et montra à ses auditeurs le jonc qu'il portait au médius.

— Quand on possède ceci, on est le maître du monde!

— Serait-ce un talisman? demanda le nouveau connétable.

— Ceci, très cher conseiller, est bien davantage qu'un talisman; c'est l'anneau que portait Charlemagne à sa dextre. Il représente toute la puissance sacrée de nos pères. J'en sens aussi toute la noble hardiesse circuler dans mes veines. Par ma foi, nous vaincrons!

— Que Dieu me pardonne, mais je compte davantage sur la hardiesse de nos hommes que sur les reliques de nos aïeux, dit Philippe, le plus jeune de ses fils.

— Mais moi aussi, moi aussi. Ne te méprends pas sur le sens de mes paroles. Nous sommes une véritable cité en marche. Une cité avec sa muraille de boucliers hérissée de pointes. Et eux, que sont-ils? Huit mille bergers.

— ... parmi lesquels il y a des archers, rappela Philippe.

— Qu'importe. Ce ne sont que petaus* à demi sauvages qui seront broyés contre nos armures comme des cancrelats. Nous leur courrons sus et les piétinerons sous les sabots de nos destriers*, eux et leurs méthodes déloyales. Ils trépasseront jusqu'au dernier par le fer de nos lances, tel Lucifer sous le glaive de messire saint Michel.

Dehors, les hommes l'acclamèrent.

— Et moi, le premier, poursuivit le roi, je me lancerai sans peur dans la bataille comme le fit jadis l'admirable roi de Bohême[158]. Mais moi, mes amis, je ne suis pas aveugle. J'embrocherai quiconque daignera porter la main sur moi, et vous tous, par le sel de mon baptême, vous m'imiterez. Soyez forts et preux comme Jean de Bohême, mais, contrairement à lui, ayez l'œil ouvert. Vous êtes de vrais chevaliers. Mon ost n'est rien sans vous. Nous nous battrons sans reculer d'un seul pas et nous balaierons le royaume de toute cette racaille bigarrée dont la lignée vaut celle des chiens qui traînent dans les rues. Après le combat, j'ai l'intention de fonder un ordre pour ceux dont la bravoure méritera récompense[159].

Les acclamations reprirent de plus belle. Ils y croyaient. Ils étaient cinquante mille, et parmi eux se trouvait la fine fleur de la chevalerie française.

*

Des bidaus* mirent le genou en terre et se recueillirent en baissant la tête. Pendant la messe, plusieurs hommes procédaient discrètement aux derniers ajustements de leur harnois. Le voisin de Louis avait du mal à fixer l'une de ses aiguillettes*, tandis qu'un autre vérifiait une dernière fois les énarmes* de son bouclier. Lui-même prit la corde de son arc qu'il avait enroulée sous son chapel* afin de la protéger de l'humidité; il l'assujettit à son arme qu'il avait tenu à emporter.

Lorsqu'ils se remirent debout, chacun avait dans la main une poignée de terre qu'il se mit dans la bouche. Ainsi communiait-on, car, avant la bataille, le prêtre ne pouvait distribuer à tous du pain consacré. Cette même terre allait en ce jour s'abreuver de leur sang à eux.

Sans savoir pourquoi, alors qu'autour de lui l'armée anglaise s'ébranlait en direction du bois de Nouaillé, laissant Savigny derrière elle, Louis pensa à sa mère. Il songea aussi à Bertrand, son frère par alliance qui s'était fervêtu* pour affronter la peste qui l'avait rongé de l'intérieur. Lui, il aurait sûrement jalousé Louis de se trouver là, et Louis lui aurait volontiers cédé sa place.

Posséder une bonne paire de bottes ou de heuses était, après un bon repas bien arrosé, la seconde priorité de tout fantassin. La plupart des frères d'armes de Louis allaient presque nu-pieds en cette aube à peine naissante. Ses jambes à lui étaient gainées de bon cuir étanche jusqu'aux mollets.

L'armée louvoyait à travers le bois de Nouaillé comme une monstrueuse créature à écailles. Les précieux archers gallois ainsi que les hommes d'armes bien équipés allaient en tête, peu soucieux des haies inextricables, des mares à l'eau caillée, des buissons et des vignes qui ralentissaient la marche des autres.

Matthieu de Gournay persiflait:

—À part leurs chevaliers qui se pavanent comme au tournoi pour l'amour de leur belle, ils sont vingt mille ribauds tout aussi fatigués et pouilleux que nous. Et ils n'obéissent qu'à leurs tripes, et point aux ordres.

L'immense ost français les attendait près de Beauvoir. Il s'était réparti en quatre bataillons.

—Ils sont tous là, même le Valois et sa progéniture, dit quelqu'un. Mais où sont passés leurs chevaliers?

La nouvelle avait circulé que Jean semblait s'être ravisé à propos des techniques de guerre traditionnelles.

Chandos voulut vérifier la véracité de cette rumeur.

— On va bien voir ce qu'ils cachent derrière leur superbe. Faites-moi passer une troupe à ce gué. Au pas de course.

L'ordre circula, et tôt après les Français virent un important groupe d'Anglais traverser le Miosson, au gué dit de l'Orme.

— Que diable font-ils? demanda l'un des chefs français à un pair. Croyez-vous qu'ils fuient?

— Je n'en sais rien, mais méfions-nous. C'est peut-être une ruse.

Que cela en fût une ou non, cette manœuvre eut le résultat escompté : des chevaliers français mordirent à l'appât. Attirés par ce groupe isolé, ils se séparèrent de leur propre initiative de l'ost et s'engagèrent parmi les haies sans se rendre compte qu'ils étaient devenus des proies faciles. En un rien de temps, un maréchal fut fait prisonnier et un second fut tué.

— Nous avons notre réponse, dit Chandos. Replions-nous sur la colline. Ils ne tarderont pas à tenter de nous déloger. Je connais bien leurs tactiques irréfléchies.

Le coteau de Maupertuis, près de Poitiers, portait bien son nom qui signifiait mauvaise porte. C'était une colline roide, plantée de vignes bordées de haies et de buissons d'épines. Et, en ce 19 septembre, le haut de la pente était hérissé d'archers anglais.

Un conseiller dit au roi de France :

— Nous n'avons nul besoin d'attaquer, sire. Il suffit de les tenir là. Dans deux jours, la faim et surtout la soif les aura rendus aussi dociles que les agneaux de leur île maudite.

— Allons, mon bon ami, n'est-il pas plus chevaleresque et digne de nous de contraindre l'ennemi par le fer plutôt que par les crampes d'estomac?

Il n'y avait qu'un étroit sentier pour monter aux Anglais. Jean y expédia des cavaliers. À peine lancée, leur charge se démantela à cause des nombreux trous d'un pied de diamètre, invisibles de loin, dont on avait pris soin de truffer toute la pente. Ceux qui parvinrent jusqu'en haut s'embrochèrent sur une forêt de piques acérées qui avaient été soigneusement camouflées et que des fantassins soulevèrent au tout dernier instant.

— Archers, commanda Chandos.

Louis regarda ces derniers s'avancer, telle une muraille humaine, avec une admirable discipline. «Dire que je pourrais être parmi eux, même si je n'ai qu'un arc ordinaire», se dit-il. Équipés de leur *longbow*, ils visèrent le ciel dans un ensemble parfait.

— Allez. Massacrez à outrance. Dans le ciel, Dieu triera le bon grain de l'ivraie, dit Chandos.

Il tourna la tête en direction d'un de ses subalternes :

— Nous Lui avons grandement facilité les choses. Je ne vois là que de l'ivraie.

Très calmement, avec une efficacité trempée par l'expérience, il se mit à ordonner, à une cadence très rapide :

— *Loose*[160] !

Les archers se mirent à accabler les assaillants presque immobilisés d'une pluie de traits vrombissants qui noircirent le ciel, criblèrent les chevaux, les effarouchèrent et les jetèrent l'un sur l'autre. Certains chevaliers décidèrent de leur propre initiative de se retirer sans demander leur reste avant que toute retraite ne devînt impossible dans cette débandade. Ils n'avaient d'ordres à suivre que les leurs et on ne pouvait choisir de meilleur moment, l'instinct de fuite aidant, pour faire connaître son mécontentement au roi[161].

L'ost français n'était qu'un immense chaos impossible à discipliner. Ses deux corps de bataille ne s'entendaient plus. Chandos fit diriger le tir de ses archers contre le gigantesque bouillonnement humain qui tentait vainement de s'organiser pour former un mur compact. Des ordres contradictoires fusaient, des mercenaires découragés commençaient à reculer vers l'arrière, et plusieurs fantassins furent piétinés par les chevaliers qui n'avaient pas participé à la malencontreuse charge initiale. La foule était si compacte et désordonnée qu'en dépit des boucliers presque toutes les flèches anglaises faisaient mouche.

— *Charge !* cria soudain Chandos.

Les Anglais déferlèrent dans le champ Alexandre qui surplombait le Miosson et le marais de Villeneuve, prenant par surprise la grande armée qui s'y débattait en vain contre son hypertrophie. Les bataillons anglais étaient serrés, impénétrables, extrêmement mobiles. En contrepartie, par ostentation, certains Français s'étaient avisés de porter à pied de lourdes cuirasses de cavaliers. S'ils étaient indéniablement bien protégés, ils pouvaient cependant à peine bouger.

Le début d'un corps à corps entre des milliers d'hommes est difficile à imaginer. Il produit une affreuse suite de claquements où se mêlent bruits de ferraille et hurlements. La terre gronde sous les pieds. Ce premier choc déclenche une rumeur assourdissante qui à elle seule annihile toute pensée structurée. Les issues qui restent sont simples, aussi bien que tragiques : tuer ou être tué.

---

160. Feu !

L'idéal des deux Édouard était plus réaliste que celui de Jean: ils eurent tôt fait de renoncer à leurs splendides destriers et aux lances pour se mêler, sans vergogne et coutelas au poing, à la piétaille d'Angleterre. L'admiration de ceux des leurs qui les virent combattre à leurs côtés s'en accrut.

Galvanisé, Louis ne se rendit pas compte qu'il s'était mis à brandir son lourd damas d'une seule main. On aurait dit qu'il ne se trouvait pas réellement là. Il avait l'impression d'être le spectateur de quelque horrible jeu apocalyptique et qu'un automate agissait à sa place. Un homme se tordait à ses pieds, frappé à mort. Il y en eut un second. C'était un arbalétrier qui devait s'être trouvé là par erreur. Le géant mit quelques secondes avant de réaliser que c'était lui qui les avait frappés.

Il se retourna à temps: un noble moustachu s'apprêtait à lui planter son poignard dans le dos. Louis tournoya, para et repoussa l'assaillant de sa targe avec une rapidité diabolique. Pétrifié, l'homme cligna des yeux et sembla alors seulement apercevoir le géant. Il entrevit un visage de pierre serti de deux prunelles qui le transperçaient comme si, pour lui, il n'existait déjà plus, et il regarda sans y croire l'épaisse lame qui s'élevait avec une lenteur presque solennelle.

— Non, dit-il dans un souffle.

Il prit peur une fraction de seconde trop tard. L'épée de bourreau fendit l'air en diagonale et le frappa à l'épaule, creusant un sillon sanglant à travers la poitrine et descendant jusqu'au flanc. L'homme vacilla sans comprendre ce qui lui arrivait. Il baissa les yeux sur ses viscères qui se répandaient le long de ses jambes et s'écroula.

Plus rien n'existait autour. Il fallait oublier les cris et les étincelles des lames qui s'entrechoquaient. Ne pas trébucher sur les corps ni glisser dans le sang et les entrailles qui transformaient le sol en un bourbier hideux. Il fallait rester debout et se battre. Parer et frapper. Faire tomber celui qu'on avait devant soi et être prêt pour l'autre qui venait prendre sa place.

Coincé entre le cadavre d'un destrier portant encore sa housse verte, car certains chevaliers français n'avaient pu résister à la tentation, et un homme en harnois blanc* cuirassé de la tête aux pieds, le colosse parait coup sur coup. Alors que ce matin même il avait été reconnaissant à la relative légèreté de son harnois de lui permettre une plus grande mobilité, il s'aperçut vite que cela ne lui était d'aucune utilité dans cette bousculade désespérée où amis et ennemis devenaient peu à peu impossibles à différencier.

D'un coup de son épée rougie, Louis fit voler le cimier prétentieux qui ornait le heaume de son nouvel assaillant fervêtu. Le combattant bondit en arrière, et le colletin visé demeura intact. Cet homme voyait trop bien malgré sa ventaille close pour ne pas avoir vu venir ce genre de coup. Il paraissait aussi très habile, en dépit du poids supplémentaire qu'il avait à porter. C'était un guerrier expérimenté, celui-là. Cela se sentait. Et un homme de cette trempe savait dès les premières secondes à qui il avait affaire. Il avait certes deviné la naïveté de son opposant dans les combats singuliers et il n'était pas sans remarquer que Louis se battait comme un forcené sans prendre le temps de réfléchir. Il laissa l'homme en noir se fatiguer à lui porter des coups inutiles. Tant mieux si, entre-temps, un frère d'armes se présentait pour lui prêter main-forte.

Louis comprit très vite ce manège et, en quelque sorte, il revint à lui. Il s'était mis à serrer la prise de son épée à deux mains, comme il le faisait normalement, de sorte que sa targe ne le protégeait plus. Il chercha à atteindre la cervelière* et un autre défaut de la lourde cuirasse situé au niveau de l'aisselle. Mais l'homme esquiva de nouveau et lui entailla profondément la cuisse. Louis hurla. Ce n'était pas en soi une blessure mortelle, mais il devina tout de suite que le danger résidait dans l'abondant saignement qu'elle allait provoquer. Il allait graduellement s'affaiblir et tout serait perdu. Il n'y avait plus qu'une solution: en finir au plus vite avec cette boucherie insensée pendant qu'il lui restait encore assez de vigueur.

L'idée lui vint si vite qu'il ne prit même pas le temps d'y réfléchir: il tomba à la renverse, sur le corps du cheval, et perdit son chapel* de fer. Avec un rire dément, son adversaire leva haut son arme et s'apprêta à lui fendre le crâne. Au moment où l'épée s'abattait, Louis se rassit brusquement et frappa la visière close d'un puissant coup de taille qui l'enfonça partiellement et fit dévier la lame du guerrier. Louis se courba en deux, frappé au flanc, privé de tout souffle. Il parvint à se redresser suffisamment pour voir son redoutable adversaire, aveuglé et à demi assommé, se mettre à tituber. Du sang dégoutta par les interstices de la ventaille. D'un bond, Louis se remit sur pied et le fit trébucher. Il ouvrit la ventaille gauchie à l'aide de la pointe de sa lame qu'il plongea dans la bouche qui béait sur un souffle rauque, entourée d'une bouillie rougeâtre.

Hors d'haleine, le visage souillé de sueur poisseuse, il porta la main à son côté, sous sa broigne imbibée: ses doigts en ressortirent rouges de sang.

«Oh non. Non. C'est trop tôt. Que je ne meure pas tout de suite. Pas ici.»

Comme par défi, la face adipeuse de Firmin lui revint vivement en mémoire, avec son sourire en coin qui était chez lui présage de châtiment.

«Il me faut le retrouver d'abord. Le revoir une fois, juste une fois. C'est tout ce que je demande. Après, je pourrai mourir.»

Ce n'était pas vraiment une prière. Mieux valait ne pas invoquer Dieu pour une requête comme celle-là.

Un brave garçon qui n'avait pas seize ans lui courait sus, heureux sans doute de s'être déniché l'un de ces grands Anglais, délaissé et rendu vulnérable par ses blessures. Louis plaqua sa targe contre son ventre. «Si au moins je pouvais me tenir droit!» Il fonça et embrocha le jeunot de son épée brandie d'une seule main.

—Maman! cria le malheureux, avant de s'effondrer aux pieds du géant.

D'une secousse, Louis ressortit sa lame du corps inerte et regarda tristement le garçon dont le visage encore glabre exprimait un étonnement douloureux, trahi. Sans savoir pourquoi, il s'accroupit pour lui fermer les yeux.

Le sol se déroba sous lui. Il eut le temps, avant de choir mollement sur un monceau de cadavres ennemis, de se rendre compte que les affrontements étaient plus clairsemés et avaient tendance à dériver un peu vers la gauche. L'un d'eux se mit à remuer et à gémir sous lui. Près de là, un Gascon faisait tournoyer son fléau contre ceux qui tentaient de l'approcher.

—Venez! Mais venez donc que je vous écervelle, sandis*! hurlait-il.

Louis s'accorda quelques précieuses minutes de répit. Des jambes gainées de fer ou des godillots souillés le heurtaient, et parfois tentaient de le repousser. Il se laissa faire, se contraignant à cette immobilité salvatrice tout en essayant de trouver un moyen d'échapper au carnage sans avoir l'air d'un déserteur. Du sang chaud lui éclaboussa le visage. Quelque chose lui tomba au creux des mollets. C'était un bras sectionné. Il ne bougea pas.

Un chevalier isolé de son petit groupe piétina des corps en une charge plus ou moins efficace qui lui permit cependant de transpercer un Anglais. Louis entendit la lance se briser contre le bouclier au moment où le destrier s'immobilisait presque au-dessus de lui. Le chevalier avait dégainé son épée et laissait sa monture couverte d'une protection en cuir bouilli et d'une housse verte déchirée effectuer ses propres mouvements d'attaque pour lesquels elle avait subi un entraînement rigoureux: le grand cheval se déplaçait continuellement, tournant sur lui-même pour se prémunir des coupe-jarrets sournois.

Louis roula hors de portée des sabots. Tout occupé à éloigner les assaillants qui tentaient de le cerner, le cavalier ne remarqua le blessé en noir qu'au moment où l'épaisse lame du damas pénétrait dans son aine. L'homme s'affaissa et Louis n'eut plus qu'à le tirer en bas. Il essuya en hâte son épée avec le surcot vert du chevalier avant de la remettre au fourreau.

Sans trop y croire, Louis planta le bout de son pied dans l'étrier et se hissa avec peine sur le destrier. Il n'était jamais monté à cheval auparavant et il ne savait trop comment s'y prendre. Il se glissa sur la selle à haut troussequin et jeta un coup d'œil inquiet au sol. Son pied gauche trouva l'autre étrier. Il se cramponna à l'encolure du destrier noir qui continuait à piétiner. Le bourreau se demanda si la bête avait remarqué que c'était lui qui avait tué son maître. Elle s'ébroua à ce contact inconnu. Louis n'était certes pas plus lourd qu'un chevalier en armure, mais son maintien rigide et mal assuré le rendait sans doute tout aussi fatigant à porter. Sa propre nervosité se transmit au cheval. Pourtant, le destrier sembla accepter l'homme; il ne chercha pas à le désarçonner.

—Va. Vas-y, dit-il sans utiliser les rênes. Le cheval se mit à trotter droit devant, au hasard. D'instinct, Louis se baissa davantage et s'agrippa avec maladresse. Sa monture interpréta ce geste à sa façon et partit au galop. Louis hoqueta et, éberlué, regarda un paysage confus qui défilait dans un bruit de tonnerre.

Un hennissement apeuré le rappela à la réalité, et le cheval fit un brusque écart avant de s'arrêter pour se dresser, manquant désarçonner son cavalier inexpérimenté. Des gens de France qui l'avaient remarqué s'interposaient afin de lui couper toute possibilité de retraite. Mais le grand cheval se mit à mordre et Louis n'eut d'autre choix que de prendre les rênes d'une main et de dégainer son damas de l'autre. Sa blessure au côté lui arracha un cri tandis qu'il frappait pour éloigner les vicieux crochets des guisarmes. Homme et cavalier parvinrent à faire une brèche dans cette piétaille désordonnée. D'un grand coup de son arme émoussée, Louis dut trancher une main gantée qui demeura accrochée aux guides pendant plusieurs secondes, tandis que sa galopade reprenait et que son épée était à nouveau rengainée. Il crut entendre la voix de compagnons qui l'avaient reconnu. Le voyant prendre la fuite sur un cheval ennemi, ils le couvraient d'injures.

Louis ne s'éloigna pas beaucoup. En utilisant gauchement les rênes, il entreprit de contourner le vaste charnier où grouillaient des grappes denses de combattants. C'était le moment où la bataille s'éternisait en combats singuliers inutiles, car son issue n'en dépendait pas

Une fois parvenu au milieu d'une pente, Louis se laissa glisser du cheval. Il avait les jambes flageolantes. De là, il fut à même de constater l'ampleur du désastre. Il aperçut aussi les fantassins qui s'étaient mis à ses trousses. C'était un petit groupe de mercenaires à la solde de Jean. Attirés par la perspective d'un magot, ces six hommes étaient parvenus à s'extraire de la mêlée pour attraper ce déserteur, ce voleur de chevaux qui s'était tapi derrière des vignes comme un lâche. Ils cassèrent dans leur hâte plusieurs des empennes blanches semées là par les archers gallois. Elles ressemblaient à autant de fleurs plantées dans cette terre gorgée de sang dont elles paraissaient s'abreuver en silence.

Quand la première flèche vrombit près de l'un d'eux, ils crurent qu'ils se faisaient des idées. La seconde se ficha dans l'estomac d'un homme et la troisième traversa de part en part la gorge d'un autre. Ceux qui restaient debout firent demi-tour en louvoyant.

Louis sortit de sa cachette et, à découvert, entreprit de décocher ses flèches en l'air, afin qu'en retombant elles atteignent une masse de bidaus* ennemis qui refluait vers les bords comme de l'écume sale.

*

—Seulement sept à la minute. Ce ne peut être l'un de nos Gallois, dit un gentilhomme à qui la scène n'avait pas échappé puisqu'il l'observait depuis une hauteur.

—Néanmoins un archer convenable, malgré son attirail sommaire, messire. Ce gaillard a de l'esprit : personne ne se défiait plus des flèches.

—Il a pris ce cheval aux Français. Ce n'est pas un vol, mais un butin de guerre. Par conséquent, l'animal lui appartient. Une bête splendide.

—Est-ce un déserteur, à votre avis ?

—Comment savoir ? Tenez, les voilà qui ont leur compte. Ils se replient.

—J'ai idée que c'était son intention, à lui aussi.

—Je ne crois pas. Regardez-le vider son carquois sur la mêlée. C'est un féroce. Non, il ne fuit pas.

L'homme haussa les épaules et se désintéressa de la question : un courrier arrivait avec des nouvelles fraîches.

Le gentilhomme vit Louis chanceler et disparaître entre les vignes. Le destrier s'en approcha pour le pousser gentiment de son nez velouté, frémissant d'inquiétude. L'homme se retourna et dit, en voyant la scène :

—En tout cas, ce destrier semble s'être épris de son médiocre cavalier. Sans doute est-ce par pitié. Un manant. On aura tout vu.

Le gentilhomme ordonna :

—Ramenez-les-moi, lui et sa monture. Nous verrons tout à l'heure ce qu'il convient d'en faire.

—À vos ordres, messire.

Et le gentilhomme se dirigea vers le courrier qui l'attendait.

*

—Pied à terre! ordonna Jean.

C'était insensé. Tout autant que l'avait été la funeste charge de cavalerie. Mais les hommes du roi obéirent. Lui-même descendit de cheval, appela ses fils à lui et transmit ses instructions :

—Douze mille. Douze mille ribauds et la bataille est perdue. Repliez-vous du côté de Chauvigny. Prenez une escorte de huit cents lances avec vous.

—Bien, Père, dit Charles.

Les autres aussi obtempérèrent, à l'exception de Philippe, un garçon de quatorze ans qui, lui, refusa catégoriquement :

—Pas moi. Je reste avec vous.

Il n'y eut aucun moyen de le faire changer d'avis.

Pendant ce temps, la bataille faisait toujours rage, car Jean n'avait pas ordonné de sonner la retraite. Il se montrait fidèle au vœu de son futur ordre, celui de ne reculer en aucun cas. Cette résistance obstinée fut aussi funeste au royaume que le repli de ses fils.

Il avait laissé les milices communales en deçà de la Loire. Il avait eu avec lui 50 000 hommes. En plus de ses quatre fils et de son connétable, il avait été accompagné de ses maréchaux, de vingt-six comtes, de cent quarante bannières : toute la fine fleur de la France. Dix-sept comtes furent capturés, de même que cent soixante barons et plus de deux mille chevaliers. Tous vaincus par de simples archers anglais qui, par groupes de cinq ou six, s'étaient emparés de preux qui s'étaient crus invincibles. Certains sujets d'élite disparurent purement et simplement au plus fort du combat. Amoul d'Audrehem y fut pris dès le début.

Non moins aveugle que son modèle, le roi de Bohême, Jean continuait à se battre. Et, dans le camp adverse, il n'y avait que des sourds : le manant gallois ou irlandais ne savait ni français ni anglais; il n'entendait pas les supplications du chevalier renversé et ne répondait que du couteau.

Pourtant, des hommes vaillants continuaient à défendre leur roi

411

qui représentait un monde ancien tenant d'un idéal qui était en train de s'éteindre. Et le monde nouveau faisait peur, car il était issu d'un réalisme trop cru qui ne pouvait à leurs yeux proposer d'idéal.

— Gardez-vous à gauche, Père... et là, là, à droite! Attention! criait le jeune Philippe, qui faisait partie des défenseurs du dernier roi-chevalier.

Oui, cette bataille marquait la fin d'un monde et ce fut un vaillant garçon qui l'enterra avec panache. Il n'aurait pu en être autrement[162].

Jean II se rendit courtoisement à Édouard de Woodstock. Ce dernier prit possession de son prisonnier avec maints égards, étant donné son statut royal, mais aussi à cause du grand courage dont il avait fait preuve. Bien qu'insensé, son acharnement avait tout de même forcé l'admiration.

À l'instant où le roi déclarait forfait, des trompes mugirent, et un silence ponctué des plaintes de centaines d'agonisants fondit sur le champ de bataille en même temps que les premiers rapaces. Les mères se mirent à la recherche de leurs fils, les épouses, de leur mari, les filles, de leur père. Et chacune, agenouillée dans le sang et la sanie, pleurait la perte irrémédiable consentie au nom de quelque glorieuse quête qui, des années plus tard, allait se voir résumée en un paragraphe dans les livres d'histoire.

L'homme que les Anglais avaient jusqu'alors appelé Jean de Valois était tout à coup reconnu comme le véritable roi de France, et la bravoure du royal captif n'y était pour rien. Le prince de Galles ne pouvait manquer d'apprécier cette fortune inouïe qui lui était remise entre les mains. Qui tenait le roi tenait le royaume.

Jean le Bon fut servi à la table d'Édouard par le prince lui-même, à qui il fit remarquer:

— Mon anneau de Charlemagne, je l'ai perdu avec mes gantelets lorsque j'ai dû combattre à mains nues. Décidément, les astres m'étaient défavorables[163].

*

La première chose que Louis vit en reprenant conscience fut la toile rayée d'un tref* qui gonflait sous la brise. Il était installé sur une couchette propre. Tout était encore envahi par le vacarme de la bataille. Soudain un rire s'éleva. Celui d'une femme, tout près. Il tourna la tête et se rendit compte que le vacarme était dans sa propre tête. C'étaient des vestiges de l'affrontement et ils s'évaporèrent dès qu'il prit pleinement conscience de l'endroit où il se trouvait. Ils cédèrent la place à un merveilleux silence ou plutôt à toutes sortes de petits bruits anodins qu'en temps normal on remarque à peine, un trille d'oiseau, des gens qui bavardent ou rient, quelqu'un qui s'exerce à jouer de la flûte.

Louis soupira. On lui avait retiré son harnois et on l'avait baigné. Il sentit que ses blessures avaient été pansées. Une odeur sucrée de baies mûres flottait autour de lui. Il reconnut celle du genévrier qu'on utilisait pour soigner les plaies. On avait temporairement refermé la blessure de sa cuisse et on y avait appliqué un cataplasme à base d'orties. Le bandage, solidement fixé, avait été imbibé d'une préparation semblable à laquelle avait été rajouté du cyprès. «Peut-être que je suis mort, se dit-il, et que de l'autre côté c'est le jardin de ma mère.»

Tout à coup il prit peur et s'assit brusquement.

— Ouille!

Il retomba sur le côté, en position fœtale.

— Doucement, mon ami. J'ai dû vous recoudre. Détendez-vous. Tenez, buvez ceci.

Louis se retourna et prit péniblement appui sur un coude afin de boire l'infusion amère qu'un vieillard barbu, surgi de nulle part, lui tendait.

— Merci, dit-il après avoir tout bu, car il était assoiffé.

— De rien. Il m'a paru périlleux d'avoir recours à l'aiguillée pour votre cuisse. La chair en est trop fragile. Nous devrons cautériser au fer.

Louis fit un signe d'assentiment. Le vieillard ajouta :

— Mon maître désire connaître votre identité.

Le blessé se retourna en soupirant.

— Baillehache.

— Je le lui dirai.

— Suis-je prisonnier?

— À vrai dire, je n'en ai pas la moindre idée. C'est fascinant d'observer quelqu'un qui dort les yeux ouverts.

— Quoi?

— Mais oui. Vous l'ignoriez? Cela m'a pris un certain temps avant de me rendre compte que vous étiez inconscient. Baillehache, dites-vous? Ce nom ne me dit rien.

— Le cheval. Où...

— Calmez-vous, mon garçon, calmez-vous. Le cheval va bien. Nous l'avons pansé et nourri. Il loge à l'écurie. Jeune et fringant comme il est, il se remettra vite. Un animal remarquable. Douze ans tout au plus. À lui seul, il fait votre fortune.

413

«Ils me le laissent», se dit Louis, incrédule. Il demanda:

—Bien. Et... votre maître... où suis-je?

Le vieillard sourit avec malice et montra la rouelle qu'il portait au bras.

—Dans la tente d'un humble fils d'Israël. Je suis un physicien[164] présentement au service de messire Jean de Picquigny.

Louis ferma brièvement les yeux. Il était peut-être sauvé. Jean de Picquigny était loyal au roi de Navarre, donc il était du parti anglais auquel Louis avait été affecté. Il en déduisit qu'il n'était pas captif.

Le visage souriant d'une femme apparut dans l'ouverture de la tente.

—Plus tard, ma jolie. Notre mystérieux cavalier n'est pas encore en état de recevoir une charmante visite comme la vôtre.

Le médecin alla refermer les pans de toile et revint s'installer auprès de son patient.

—Le moins qu'on puisse dire, c'est que vous revenez de loin. De très loin même. Et je ne parle pas que de ces deux blessures que je viens de soigner.

Louis détourna le regard.

—Bien. Libre à vous de ne m'en rien dire. Je ne vous y contraindrai pas. Mais il me faudrait avoir un cœur de pierre pour demeurer insensible aux torts que l'on vous a visiblement infligés. Voilà. Je tenais à ce que vous le sachiez.

Il se releva.

—Messire de Picquigny va venir bientôt vous voir. Il y a de fortes chances qu'il insiste pour en savoir un peu plus à votre sujet.

—Je n'ai rien à lui cacher. J'habite Caen et j'appartiens au roi de Navarre. Et je ne fuyais pas.

—Je vois, je vois. Votre hôte et bienfaiteur sera sûrement fort heureux de l'apprendre.

Le vieillard se dirigea vers l'ouverture et se retourna.

—À titre de curiosité, comment nommerez-vous votre cheval?

—Euh...

Louis revit le paysage confus et le galop chaotique à travers le champ de bataille. Il sentit à nouveau entre ses bras l'encolure puissante et le roulement des muscles sous lui. Il entendit le grondement de tonnerre que produisaient les sabots.

—Tonnerre. C'est Tonnerre. J'aimerais le voir.

Chapitre XII

Cum panis
(Avec du pain[165])

*P*aris, *29 novembre 1357*

La France n'avait plus de roi. Cela ne s'était jamais vu. Les Anglais avaient emmené Jean en otage avec eux, laissant le royaume entre les mains d'un régent[166] encore jeune, inexpérimenté et maladif. Avec la défaite de Poitiers-Maupertuis, l'idéal chevaleresque ancien avait connu ses derniers jours de gloire. La noblesse, de plus en plus avide, ne voulait plus servir la Couronne pour l'honneur, mais pour les richesses que cela pouvait lui apporter.

La bourgeoisie parisienne lettrée avait elle aussi perdu confiance; elle se choisit un chef plus représentatif en la personne du prévôt des marchands, président naturel des échevins de la cité[167]. Ce fut lui qui prouva que la ville pouvait très bien se passer du dauphin chétif. Pour parer à toute éventualité après la débandade de Poitiers, le prévôt avait, de sa propre initiative, entrepris d'améliorer les fortifications de Paris. Les vénérables murailles de Philippe-Auguste ne suffisant plus depuis belle lurette à contenir la ville, de nouveaux remparts furent érigés pour protéger, entre autres, le Louvre et l'Université. L'île elle-même fut fortifiée. On installa canons et machines de guerre, et des chaînes furent forgées pour être tendues et créer ainsi des obstacles contre les attaques nocturnes. Tout cela fut accompli par les communes, sous l'égide du prévôt. On était en train d'arracher le sceptre de la main trop mal assurée du Régent. Ce dernier parvint quand même à instaurer un simulacre de règne. Mais les gens n'arrivaient pas à oublier que le trône de France était devenu bancal. Vigilants, les charognards guettaient le signal de la curée. Il s'agissait en l'occurrence des meutes de brigands qui avaient commencé à proliférer, ainsi que de certains ennemis demeurés en terre française.

Plus de roi, plus de foi. On se vendait au plus offrant.

On faisait pourtant fausse route. Il y avait un roi en France, plus exactement à la forteresse d'Allères-en-Paillens[168] où il avait été incarcéré après avoir séjourné au Château-Gaillard, au Louvre et au Châtelet. Ce roi n'était nul autre que Charles de Navarre. Jean de Picquigny l'avait délivré par surprise, pendant la nuit du mercredi 8 novembre 1357. Par l'entremise, entre autres, du prévôt des marchands de Paris, Étienne Marcel[169], et de Robert le Coq[170], il avait pu se rendre à Paris avec autant d'hommes d'armes qu'il le souhaitait. Le Coq lui avait dit :

— Sachons nous montrer prudents, monseigneur, car le soi-disant dauphin a pour lui, comme vous-même, des défenseurs acharnés.

— C'est, hélas, vrai. Or, quoi de mieux pour affronter un prince qu'un autre prince ? avait répliqué le royal personnage.

Le petit roi profita de cette situation inespérée qui lui était offerte. Il commença par s'arrêter hors les murs, à Saint-Germain-des-Prés.

Une tribune était installée contre le mur de l'abbaye, d'où les juges présidaient aux combats judiciaires. Le Pré-aux-Clercs, limite de deux juridictions, était en effervescence. Le régent en personne était présent, car il n'avait osé refuser l'accès de la ville à son parent. Il prêta une oreille attentive à ses prétentions.

— Chers amis, oyez-moi, oyez moi bien. Mon désir le plus ardent est de consacrer mon sang, ma vie et mon âme à défendre notre beau royaume de France qui se trouve en si grand péril. Oui, c'est là mon vœu le plus cher. Pourquoi tant de méfiance à mon égard ? Pourquoi se défie-t-on de moi et m'accable-t-on d'injures comme si j'étais le dernier des brigands ? Ne suis-je point français comme vous tous par mon père et ma mère ? Comment se fait-il que cet Édouard d'Angleterre, cet étranger malfaisant, puisse impunément réclamer la couronne de France, alors que moi qui suis des vôtres ne le puis ? Comment se fait-il que le petit-neveu d'un roi puisse s'arroger le droit de tenir le sceptre, alors que le petit-fils, lui, se voit honteusement spolié et emprisonné comme un vulgaire criminel ?

Imperturbable et pâle sous son dais, le régent ne pouvait être insensible à l'effet que produisait ce discours sur les habitants de sa cité. Charles de Navarre avait délaissé le latin des lettrés et les argumentations complexes pour s'adresser à eux dans le langage qui leur était familier. Ce n'était pas un prône, qu'il leur servait, mais une fable bien tournée qui émouvait les Parisiens. Les gens se prenaient de sympathie pour lui. Subjugués, ils demeuraient sur place, ignorant les fumets appétissants des soupers oubliés que l'heure tardive laissait dériver vers eux.

— Je rentre, dit un homme qui se fraya un chemin à travers la cohue avec ses deux compagnons de beuverie. Faut que j'aille pisser. N'empêche qu'il cause plutôt bien, ce petit roi.

— Moi, j'ai guère compris son charabia, dit l'un d'eux.

— C'est parce que tu t'es trop imbibé de ce vin de Mâcon. T'aurais dû te méfier, compère. Je t'avais pourtant prévenu que ça tapait fort.

Firmin dut s'arrêter un peu pour empêcher le sol boueux de trop ondoyer sous ses pas. Il hoqueta et dit :

— Ça nous ferait un bon roi. Mais ce que je pense, surtout, c'est que le prévôt, il fait du beau travail. Ouais. Ça va barder en ville, avec Marcel. C'est moi qui vous le dis. Ben merde, vous avez pris racine, ou quoi ? Parce que j'ai ma vessie qui va péter, moi.

*

La boutique de la boulangerie était demeurée ouverte jusqu'à la tombée de la nuit. La visite de Charles de Navarre avait provoqué une véritable marée humaine, si bien que les auberges ne désemplissaient pas. Cet événement profitait grandement à la moindre échoppe en ville.

Desdémone s'essuya le front et sourit à un gamin dont le minois était barbouillé de confiture. La chaleur du four obligeait la femme plantureuse à ne porter que des robes de lin, même en plein hiver. Toutefois, une mante de laine bien chaude l'attendait, pendue à un crochet. La domestique s'apprêtait à la reprendre pour sortir dans la cour.

— Allez, petiot, viens un peu par là avant que je te prenne pour un gâteau et que je te dévore tout rond, dit-elle en essuyant les lèvres du petit garçon échevelé avec un linge humide.

Sa mère vint les rejoindre, tenant la main d'une fillette plus âgée qui avait tenu à l'accompagner.

— Une bonne journée, dit-elle avec satisfaction. Nous avons gagné davantage aujourd'hui qu'en une semaine entière. Où est Hugues ?

— Au moulin, je crois, répondit Desdémone. Il n'est pas encore rentré. Firmin non plus.

— Comme d'habitude, dit Clémence en soupirant. Sa fillette jouait avec les cordons de son tablier barbouillé de farine. Les deux enfants avaient les joues roses et replètes. Ils respiraient la joie de vivre.

— Ton mari est bien patient d'aller au moulin à sa place, fit remarquer la servante. Comme s'il n'avait rien d'autre à faire !

— Quand est-ce que je vais pouvoir apprendre à faire le pain, moi? demanda le garçonnet.

— Quand tu vas cesser de cacher des cafards dans mon lit, répliqua la fillette.

— C'est pas vrai! J'ai pas mis de cafards. C'était une grenouille. Desdémone, raconte-moi encore l'histoire du garçon qui vivait ici il y a très, très longtemps. Est-ce qu'il savait faire le pain, à mon âge? Le Papy, il me répond jamais quand je le lui demande. Il dit juste qu'il est mort de la peste.

Desdémone jeta un coup d'œil à Clémence et posa son linge humide sur le rebord de la fenêtre avant de s'accroupir pour être à la même hauteur que l'enfant.

— Non. Il devait être un peu plus vieux que toi. Parce que, faire du pain, c'est quelque chose de très compliqué. Il faut des années pour apprendre. Moi-même, je ne sais pas comment. Tu vois, il a dû commencer par passer le balai autour du fournil. Oui, oui, juste ça, ne fais pas la moue. Après, il entreposait du bois et il apprenait en regardant le Papy travailler.

— C'est vrai, Mère? demanda la fillette.

Clémence acquiesça sans cesser de ranger sur leurs tablettes les derniers paniers qui venaient d'être soigneusement frottés. Dehors, Firmin qui était rentré appelait. Desdémone reprit:

— C'était un garçon très sage qui obéissait toujours à ses parents. Votre mère m'a dit qu'il savait cuire le pain mieux que l'aïeul.

— S'il te plaît, Desdémone, dit Clémence qui, en levant les yeux vers la cour, vit Firmin s'amener en titubant.

— Il n'aurait pas dû mourir, alors, dit le garçonnet. Ce n'est pas juste. Lui m'aurait appris!

— Comment il s'appelait? demanda la fillette.

— Salut, tout le monde, dit Firmin en entrant. J'ai vu un roi. Un vrai!

— Bonsoir, Père, dit Clémence, qui remit une bourse au maître. Ce dernier la prit, la soupesa et alla donner une claque sur les fesses de Desdémone qui se relevait.

— Alors, ma béguine*, tu faisais ta prière à genoux?

Firmin n'avait jamais regretté d'avoir embauché Desdémone. Au lit, une fois qu'elle était suffisamment saoule pour renoncer à sa chasteté fantoche et consentir à coucher avec lui, elle lui rappelait Odile et le bon vieux temps.

— Le roi de Navarre ferait mieux de s'occuper de son propre royaume plutôt que de celui des autres, fit remarquer Clémence[171].

— Vous avez vu le roi, Papy? Nous, on parlait de votre petit garçon qui était le meilleur boulanger de Paris et qui aurait pu travailler pour le roi comme l'aïeul.

—Ah ouais? Un ramassis de sornettes, si tu veux mon avis. Le meilleur boulanger en ville, c'est moi.

—Pourquoi vous ne venez plus jamais travailler ici, alors?

—Chut! intervint Clémence. Bon, ça suffit. Allez, ouste. Filez mettre la table, tous les deux. Et ne jouez pas avec la salière.

Elle jeta un coup d'œil furtif en direction de son beau-père avant de sortir à la suite de ses enfants.

Restés seuls, Firmin et Desdémone se firent face un moment en silence. Elle baissa finalement les yeux. Firmin dit, tout bas:

—Qu'es-tu en train de leur mettre dans la tête, grosse pute?

—Je suis désolée.

—Maintenant qu'il n'est plus là pour te foutre, tu t'en languis et tu le vénères comme un saint, pas vrai? C'est aussi pour ça que tu passes tout ton temps à l'église au lieu de t'occuper de moi et de travailler? Hein?

—S'il vous plaît, arrêtez. Je travaille fort et ça ne dérange personne que j'aille tous les jours prier pour lui. Je m'en veux de lui avoir fait ça, c'est tout.

—Eh! eh! C'est une blague ou quoi? Tu t'en veux! Quelle connerie, oui. Dis plutôt qu'il aimait ça, le petit salaud. Tout comme moi. Que veux-tu, c'est de famille.

Il empoigna l'un des seins de la servante. Desdémone se déroba.

—Laissez-moi tranquille.

—C'est ça, garde-les pour lui, tes mamelles. Pour sûr qu'il va en profiter. Tiens, bâtis-lui donc un autel ici, pendant que tu y es. Vas-y, te gêne pas. Bon sang de merde. Faut pas dire n'importe quoi aux petits. D'accord? Laisse donc les morts en paix.

*

Rouen, quelque temps plus tard

—D'habitude, ils font le contraire, dit un noble à son voisin.

Perché en haut d'une échelle, Louis décrochait du gibet des morts dont il ne restait plus que des restes desséchés qu'il enfouissait dans un sac. Lorsqu'il redescendit, son fardeau ne pesait pas lourd. Ce fut dans la fosse qu'il trouva le plus clair des dépouilles. Une procession les attendait à distance respectable. Certains enfonçaient le nez dans des mouchoirs parfumés à l'essence de jasmin. Le bourreau disposa les ossements sur le catafalque qui avait été apporté en grande pompe.

419

Parmi les gens présents se trouvait le responsable de cette cérémonie inhabituelle, le roi de Navarre, qui avait parlé avec la même faconde qu'à Paris. Les victimes du malencontreux festin de Rouen eurent ainsi droit, en sa présence, à des obsèques suivies d'une sépulture chrétienne. Louis assista au service, et ceux qui se tournèrent vers lui exprimèrent leur mécontentement en qualifiant ses dévotions de patenôtres d'hypocrite.

Dès la fin de la cérémonie, il fila sans bruit et alla se perdre dans les rues de la ville. Il avait besoin d'un peu de temps pour réfléchir à ce qu'il allait faire. La nouvelle qu'il venait tout juste d'apprendre était étourdissante.

Il fit un détour par l'écurie aux portes encore ouvertes, évitant de mettre le pied dans la rigole où stagnait le pissat des chevaux. Quelques bêtes secouèrent leur encolure aux crins hirsutes afin d'éloigner de leurs yeux les mouches de moins en moins nombreuses au fur et à mesure que la nuit tombait. Depuis sa stalle, un destrier à la robe noire reconnut la grande silhouette qui s'approchait dans la pénombre et se mit à encenser. Tonnerre avait été soigneusement bouchonné un peu plus tôt, et Louis lui avait servi son picotin de grains. Il posa la main sur le nez velouté du cheval, qui lui donna de petites poussées affectueuses. Le bourreau pénétra dans la stalle avec une lanterne et vérifia l'état de ses sabots. Il revint à l'avant et fouilla dans sa poche pour en extraire une pomme qu'il coupa en deux avant de la lui donner à manger. Tonnerre apprécia la friandise et eut la délicatesse de ne pas en chercher d'autres. Il tourna la tête pour regarder son maître de ses grands yeux tendres. Dès le premier jour, Louis avait ressenti l'étrange impression que le cheval le comprenait. Et qu'il l'aimait. Il s'avança à peine, comme gêné par ses propres sentiments. Mais Tonnerre les comprit. Il encensa doucement et logea son nez contre l'épaule de l'homme. Louis leva les bras et étreignit la bête par son encolure. C'était une caresse inconsciente, presque sensuelle, que l'on n'aurait jamais attendue de sa part.

Lorsqu'il quitta l'écurie, Louis porta de nouveau la main à sa poche et effleura le morceau de parchemin qui y était plié. C'était un sauf-conduit accompagné d'une lettre qui le sommait de se rendre à Paris aussitôt que possible. Il s'y passait des choses graves, et le bourreau de la ville ne suffisait plus à la tâche.

Louis ne put s'empêcher d'être la proie d'une excitation telle qu'il n'en avait plus connue depuis longtemps. Puisque tout portait à croire que le groupe de Pénitents auquel son père appartenait s'était depuis longtemps démantelé, il y avait de fortes chances que le boulanger soit tout bonnement rentré au bercail pour reprendre la boutique en main. Firmin était un homme sans imagination ni initiative. Si personne n'était là pour alimenter son esprit obtus, il se cantonnait dans les petites habitudes qu'il connaissait. La patience de Louis allait peut-être trouver sa récompense.

*

Firmin était allé écouter le régent qui s'était lui aussi mis à prêcher dans Paris. Mais il ne possédait pas la faconde du Navarrais. Charles de Navarre n'hésita pas à déployer au mieux ses talents oratoires afin de prouver que son coûteux secours était indispensable pour débarrasser le pays des compagnies de routiers* qui de plus en plus l'infestaient. Or, ces bandits qu'on désignait souvent du nom de Navarrais n'obéissaient en fait ni à un roi ni à l'autre. Ils ne servaient que leurs propres intérêts. Et, en échange de ce service impossible à rendre, Charles de Navarre exigeait le fractionnement du royaume déjà affaibli. Le régent et Charles de Navarre n'arrivaient pas à s'unir pour affronter le fléau, et les Anglais, de leur côté, surveillaient attentivement toute cette incertitude dont le peuple était las. Nombreux étaient ceux qui, comme Étienne Marcel, manifestaient l'envie de prendre les choses en main. Il émanait de Paris une lourdeur propice aux orages.

*

— On a fait la fête à La Harpe. On a eu des pots de feuilles de lierre cuites au vin. Je vous dis pas comme c'était bon. Au fait, il y a une nouvelle mode, en ville. J'ai plutôt fière allure, vous trouvez pas?

Firmin était rentré un soir en arborant un chaperon aux couleurs de la ville, bleu et rouge. Une fois attablé, il expliqua à sa famille:

— C'est une idée d'Étienne Marcel. Il veut que les bourgeois constatent d'eux-mêmes que nous sommes nombreux à le soutenir. Vous devriez voir ça: on dirait que tout Paris est en bleu et rouge. Paraît qu'il y en a autant à Laon et Amiens. Un grand homme, le prévôt Marcel.

C'était impressionnant, surtout que Paris s'emplissait de plus en plus. Les paysans quittaient les campagnes désolées afin de trouver refuge dans la cité. Les vivres étaient devenus plus rares et, par conséquent, leur coût augmentait. Firmin annonça, d'un air prétentieux:

— Le régent vient encore d'altérer la monnaie[172]. Comme si

421

c'était une solution! Mais cette fois on ne marche plus. Ne comptez pas sur moi demain. Le prévôt attend tous les corps de métier du côté de Saint-Éloi, pour tierce.

— Je n'aime pas ça, dit Hugues, qui s'abstint de faire remarquer que de toute façon Firmin était rarement présent à la boulangerie.

— Quoi, tu n'aimes pas ça, le gendre! Tu crois que ce ne sont que des histoires de taverne? Pas cette fois. Je te jure qu'on est très sérieux.

— Justement. C'est pire. Il y a là-dedans quelque chose qui cloche. J'ignore ce que c'est, mais je sens qu'on va avoir des emmerdes.

— Papy, est-ce que je peux avoir un joli bonnet, moi aussi? demanda la fille de Clémence.

— Ne m'interromps pas, ma fille.

Firmin rit et prêta le sien à l'enfant en lui ébouriffant les cheveux de sa main fanée.

— À toi le bonnet, à moi l'hôtel du dauphin. Je vais enfin avoir l'occasion de mettre le pied dans un palais royal. Eh! eh! Pardieu! C'est pas trop tôt, même si ce n'est pas là qu'ira mon pain!

*

Un magma vociférant hérissé de vouges, de pertuisanes et de fauchards déferlait dans les rues. Il s'apprêtait à investir l'hôtel du dauphin. Parmi les bonnets colorés, on distinguait même quelques-uns de ces antiques tridents qui n'étaient pas sans évoquer le Neptune romain. Firmin, quant à lui, s'était muni d'une vieille fourche empruntée à un paysan. S'il ne parvint pas à mettre le pied dans le palais royal, il était tout de même très fier du simple fait qu'il participait à quelque chose de grand, de mémorable, même si son âge avancé et la constante bousculade l'empêchèrent d'y prendre grande part.

Il vit que l'un des conseillers royaux eut la malchance d'être reconnu. L'homme fut poursuivi jusque dans la maison d'un pâtissier où il fut mis en pièces sans même avoir eu le temps d'émettre un cri. La voix déjà enrouée par les vivats et la mauvaise vinasse, Firmin acclama ce geste avec les autres.

— Allons, allons, mes amis, un peu de tenue, scanda Marcel d'une voix forte. Une tâche plus importante nous incombe.

Chose étonnante, cette foule de bourgeois non exercés au métier des armes ne manquait pas d'une certaine discipline, tout juste suffisante pour en maintenir la cohésion.

Plusieurs suivirent le prévôt à l'intérieur de l'hôtel. Firmin tenta en vain de se frayer un chemin jusqu'à la porte. Tous les officiers royaux prirent la fuite devant cette foule en furie dont un seul petit groupe pénétra de force avec Étienne dans la chambre du régent. Ses deux conseillers ordinaires, Jean de Conflans et Robert de Clermont, se tenaient à ses côtés. Ils étaient maréchaux, l'un de Champagne, l'autre de Normandie. Le dauphin se leva, le visage livide.

— Comment osez-vous! dit l'un des conseillers qui encadraient le dauphin.

Étienne Marcel répondit, en s'adressant directement au jeune homme:

— Monseigneur, nous sommes venus vous prier de bien vouloir mettre de l'ordre dans le royaume qui doit un jour vous revenir.

Le régent se redressa imperceptiblement et fit courageusement un pas en avant. Il avait le teint blafard et paraissait sur le point de s'écrouler, mais il eut néanmoins l'audace de répliquer:

— Je le ferais volontiers si j'avais de quoi le faire. Mais c'est à celui qui a les droits et les profits d'avoir lui aussi la garde du royaume.

Le prévôt soupira et jeta un coup d'œil à ses gens, avant de dire:

— Monseigneur, ne vous étonnez de rien de ce que vous allez voir. Il faut qu'il en soit ainsi.

Faisant un pas de côté, il dit à ses hommes:

— Faites vite ce pour quoi vous êtes venus.

Quelques brutes se jetèrent sur le maréchal de Champagne.

— Non! hurla le régent, qui trébucha dans des draperies et tomba assis sur le sol.

Robert de Clermont tenta de se réfugier dans un cabinet. En vain. Les bourgeois le rattrapèrent, lui aussi. La tunique du dauphin fut éclaboussée de son sang. Les deux conseillers gisaient, inertes, dans une mare écarlate.

— Sauvez-moi la vie, dit piteusement le régent à Étienne qui s'approchait.

— Ne craignez rien, monseigneur. Je suis venu vous aider à mettre de l'ordre dans le royaume, puisque je détiens ce qui vous fait défaut. Il nous fallait bien commencer quelque part, n'est-ce pas? Soyons donc bons amis. Voyez, désormais nos deux têtes ne font qu'une, et la volonté du peuple est aussi la nôtre.

Étienne Marcel échangea leurs chaperons et coiffa le régent de son propre bonnet bleu et rouge. À la suite de quoi il s'en alla à la place de Grève haranguer la foule enthousiaste depuis une fenêtre, avec sur la tête le luxueux chaperon du dauphin. Il confia, à l'un de ses hommes:

— Le malheureux était si terrifié qu'il a fait sous lui.

Le dauphin était malade, nul ne pouvait le nier. D'aucuns affirmaient qu'il avait été victime d'un empoisonnement. Ce qui n'était pas dit mais fortement sous-entendu, c'était que cet empoisonnement semblait dater du banquet de Rouen. On disait à mots couverts qu'à l'instigation du Mauvais il avait essayé d'empoisonner son père, mais que, voyant la volonté de meurtre de son cousin défaillir et craignant d'être dénoncé, le Navarrais lui avait fait servir un vin empoisonné à lui.

Le dauphin avait été très atteint: il avait maigri dangereusement, avait perdu tous ses cheveux, et ses ongles s'étaient détachés. Il s'était mis en outre à souffrir de violents maux de dents. Aucun remède n'était parvenu à le soulager.

Un médecin venu de Rome «amortit tout ou en partie le venin». Il lui avait donné un remède qui, par une fistule au bras gauche, évacuait le poison, en précisant que, lorsque cet exutoire ne le soulagerait plus, il ne disposerait que de quinze jours pour s'aviser et penser à son âme.

Charles de Normandie recouvra ongles et cheveux, mais sa santé allait demeurer fragile sa vie durant. Il était pâle, très maigre et sujet à de fortes fièvres. Sa main droite enflait à un point tel qu'elle en devint presque inutilisable.

N'ayant guère le choix, il fut contraint de se montrer aimable envers Charles de Navarre, qui revint à Paris quatre jours après le meurtre des deux conseillers. C'était cousu de fil blanc: maintenant que le prévôt avait fait place nette pour lui, le Navarrais pouvait rentrer. Le dauphin était prêt à être cueilli. Étienne Marcel avait clairement montré de qui il était le vassal. Bon gré mal gré, lui et Robert Le Coq firent dîner les deux rois ensemble quotidiennement afin de les pousser à une réconciliation dont la valeur, dans de telles circonstances, était plus que discutable.

*

Firmin rajusta son nouveau bonnet qui lui avait glissé sur un œil. Ses compagnons portaient aussi le leur. Depuis une demi-heure, leurs gobelets étaient vides et ils ne s'en souciaient pas. Le tavernier non plus. Les esprits s'étaient échauffés et l'on discutait ferme. Ces derniers mois, l'ambiance des tavernes s'était modifiée de façon radicale. Les clients avaient délaissé leurs habituelles doléances et les scènes de ménage au profit de sujets politiques dont ils ne s'étaient jamais tant préoccupés auparavant. L'un d'eux disait:

—Marcel a fait une sacrée bourde en s'aliénant les états généraux par la faute de ces meurtres. Désormais, il ne vaut guère mieux qu'un routier aux yeux de plusieurs.

—Peuh! s'exclama Firmin. Et tu te demandes pourquoi? Les états généraux, c'est rempli de députés de la noblesse et de commissaires. Ils ne comprennent rien à rien. Le prévôt a bien fait de chercher à remplacer ce ramassis d'incapables par des bourgeois.

—Peut-être bien, mais ça n'a rien donné. Les types qu'il a dénichés ne nous représentaient pas mieux que les nobles.

Firmin regarda pensivement une mouche qui venait de se poser sur une croûte délaissée pour nettoyer consciencieusement sa tête aux yeux globuleux.

—Mouais. Et pendant qu'on se chicane comme des abrutis, le régent n'aura qu'à lever le petit doigt de sa grosse patte pour reprendre le contrôle. Vous savez ce qu'il a fait? Non? Mais où est-ce que vous étiez, bon Dieu? J'ai su qu'il a convoqué ses putains d'états généraux hors de Paris.

—Il a fait ça?

—Oui, il a fait ça. Un vrai acte de guerre, et contre ses propres sujets, en plus. Il a fait savoir à tous que ses deux empotés de conseillers « avaient toujours bien servi les intérêts de la Couronne ». On passe vraiment pour les derniers des sots.

Firmin fit un geste brusque pour attraper la mouche. Il la rata. Elle s'envola et disparut sous les combles que les années avaient recouverts d'un enduit graisseux.

—Tu sais tout, toi, Firmin. Tu devrais passer plus de temps au bordel.

—Où crois-tu que j'ai appris tout ça?

—Parce que tu parles politique aux putains, toi?

—Ben non. Ce sont elles qui m'en parlent. Moi, je suis trop occupé, eh, eh!

—Sûrement pas assez, puisqu'elles sont capables de te parler. Tu vieillis, Firmin.

—Oh, ta gueule, emmerdeur!

Un tout jeune homme armé d'une faux entra en trombe dans la taverne.

—Eh, le prévôt a demandé que l'Université intercède pour nous autres auprès du régent!

—L'Université? Pourquoi eux? demanda Firmin.

—Sans doute parce que le régent se sait impopulaire aux yeux du peuple. Les universitaires souhaitent ménager la chèvre et le chou. Ils sont moins scrupuleux que nous.

—Le régent exige que Marcel lui livre une douzaine des personnes les plus coupables, dit le jeune homme.

Un tonnerre de protestations s'éleva et la voix rocailleuse d'un autre client parvint à se faire entendre dans le tumulte :

— Il a abaissé ce nombre à cinq ou six. Mais moi, je ne crois pas un mot de ce que cet égrotant de dauphin peut dire. Étienne Marcel non plus. Si nous lui cédons sur un point, il finira par trouver le moyen de nous avoir sur tous les autres.

*

Pour se tenir prêt à affronter l'autorité soudain accrue du régent, Marcel se lança frénétiquement dans ses travaux aux fortifications de Paris sans épargner les maisons de moines. Il poussa l'audace jusqu'à s'emparer de la tour du Louvre.

Noblesse et commune s'affrontaient comme deux mégères s'invectivant depuis leurs balcons. On ne sonnait les cloches que pour le couvre-feu afin de ne pas empêcher les sentinelles d'entendre l'ennemi approcher. En campagne, la frayeur était encore pire. On avait bâti de sordides abris souterrains où les gens s'entassaient par familles entières. Grelottants et affamés, ils attendaient pendant des semaines, voire des mois, le retour de maris ou de fils qui parfois ne revenaient pas. Les routiers, anglais, navarrais et français confondus, étaient pires que les sept plaies d'Égypte. Ils ravageaient jusqu'à des moissons qui n'existaient pas encore et transperçaient le paysan aussi bien que le châtelain.

*

Rien n'est plus dangereux qu'un homme qui n'a plus rien à perdre. L'énergie du désespoir décuple ses forces et il se transforme en monstre.

Le monstre collectif se nommait Jacques Bonhomme[173]. Il émergea soudain de son apathie presque millénaire. Personne n'y avait pensé. Et pourtant, sans cette troisième faction qui représentait la grande majorité de la population, rien n'aurait pu être possible, ni science, ni lettres, ni vie. De toute éternité, les paysans ont toujours été aussi lents, dociles et patients que l'est la terre qu'ils travaillent. Ils sont éternels et immuables dans leur misère. Les malheureux représentants de cette populeuse couche sociale se faisaient tondre sans un mot depuis trop longtemps pour faire belle figure aux preux qui s'en allaient, bannières brodées au vent, perdre le pays sur le champ de bataille. Une multitude de nobles prisonniers et rançonnés n'étaient libérés que pour prélever des sommes faramineuses sur leurs terres dont la plupart avaient déjà été pillées par les routiers.

C'était pitié que de traîner un serf à la guerre. « Oignez vilain, il vous poindra. Poignez vilain* il vous oindra », disait-on encore avec condescendance chez les familles nobles d'ancienne lignée. Or, Jacques Bonhomme, après avoir fourbi ses armes séculaires, faux, serpes, épieux et couteaux, s'en alla vendanger seigneurs et familles dans leurs châteaux.

Malgré l'horreur inhérente à toute révolte, la leur fut profondément, tragiquement humaine : ils ne cherchaient qu'à protéger le peu qu'ils possédaient. Il ne leur venait pas à l'esprit qu'ils puissent avoir davantage.

Leur chef se nommait Guillaume Carle[174]. Il assura l'homogénéité qui manquait à cette armée civile composée en grande partie de gens de labour. La plupart d'entre eux ignoraient la raison de toute cette pagaille. Ceux qui s'étaient d'abord joints à leurs compères par pur esprit de fraternité s'enthousiasmèrent pour l'enjeu qui leur fut présenté. Ils acceptèrent de se laisser mettre en ordre par bannières et d'aller faire des ravages simplement parce qu'ils voyaient les leurs faire de même. Ils constituaient une force brute, redoutable par sa spontanéité même.

— Débarrassons-nous des nobles, et les routiers partiront eux aussi, dit un jour Carle à ses gens qui s'étaient installés autour de lui au fond d'une placette oubliée.

Les plus âgés se firent un siège de tout ce qu'ils avaient pu trouver, des seaux renversés aux bissacs. Quelques chanceux héritèrent d'une escabelle endommagée. Firmin s'était laissé choir sur un tonnelet qu'on avait eu la prévenance de mettre de côté pour lui : pas de seau renversé pour ce vieil artisan, presque un noble, qui, depuis un certain temps déjà, leur faisait don d'une partie de ses fournées quotidiennes ; jamais gueux n'avaient eu aussi souvent l'occasion de souper au pain de Chailly.

De son côté, Firmin était heureux de la considération dont il jouissait. Enfin, on l'estimait pour ce qu'il faisait. Pendant toutes ces années, il avait cherché au mauvais endroit : les nobles ne voyaient rien et les religieux ne voyaient qu'eux-mêmes. Ces gens ordinaires, ces paysans, au moins, l'appréciaient à sa juste valeur. Avec eux, il s'était enfin trouvé un idéal, une nouvelle raison de vivre. Et tout cela pour le prix d'un peu de pain. Le mot *compagnon* était des plus appropriés dans son cas.

*

Clermont-en-Beauvaisis[175], **10 juin 1358**
— Je vous félicite, mes amis, s'enthousiasma un Charles de

427

Navarre ravi devant les messagers qui étaient venus lui annoncer la nouvelle. C'est une bonne pêche. Que dis-je, une excellente pêche!

La révolte paysanne était réprimée, en grande partie grâce à ses hommes à lui.

— Il y a de tout dans le filet, monseigneur. Du menu fretin jusqu'à la morue et à la carpe. À propos de carpe, changez-y une lettre et vous aurez de quoi vous offrir le meilleur siquet* en ville.

— Une lettre? Vous me faites jouer aux devinettes, à présent? Une lettre à carpe, dites-vous? Bien, bien. Ainsi, vous avez trouvé ce benêt de Carle?

— Oui, monseigneur. Nous le tenons. D'autres arrestations vont aussi avoir lieu dans les prochains jours.

— Excellent. Ces soi-disant pourparlers que nous souhaitions avoir avec ces nigauds les ont tous attirés comme un hameçon auquel est accroché un bon gros ver. Nobles gens, pour le bien du royaume, il nous faut traiter cette racaille sans nous arrêter à en trier les membres. Ils ne méritent point cette attention. Hormis le chef des Jacques, bien sûr. J'ai fait prévoir un couronnement digne de lui. Je compte sur vous pour veiller au reste. Rendez-vous à l'église.

*

Une foule si dense s'était rassemblée dans l'avenue étroite qui séparait les habitations du parvis qu'un cavalier n'aurait pu y passer. Un dais branlant avait été érigé en hâte et menaçait de s'écrouler sur les dignitaires qu'il abritait, constamment heurté qu'il était par des coudes et des jambes égarés. On avait installé sur le parvis une cathèdre empruntée à l'église. Une voix tonna si fort au-dessus des rumeurs de la foule qu'un silence bref et confus précéda ses acclamations:

— Inclinez-vous devant le roi des Jacques!

Le bourreau, qui avait annoncé l'arrivée de Guillaume Carle, poussa celui-ci devant lui afin de le présenter aux bourgeois dont les lazzis se répercutèrent sur les sculptures ornant le portail. Le paysan gardait basse sa tête à peu près tondue, couverte de vilaines coupures. Il portait en guise de manteau une vieille couverture de cheval. L'homme à la cagoule le fit asseoir brutalement sur la cathèdre et l'y ligota. Il souleva à l'aide de pinces de forgeron un trépied en fer préalablement porté au rouge et le lui posa sur la tête. Tel fut le couronnement de Jacques Bonhomme. Le bourreau recula dans la pénombre, y disparaissant presque à cause de son habit noir. Il laissa le malheureux hurler de douleur jusqu'à ce qu'il s'affaisse, inconscient.

Levant les yeux sur la foule remuante, il aperçut un roi, un vrai celui-là, qui applaudissait et faisait des simagrées dignes d'un bouffon. Le petit Charles de Navarre imitait cruellement les affreux tourments de Carle. Les gentilshommes de son entourage, vêtus de manteaux brodés, s'esclaffaient en se gratifiant mutuellement de grandes tapes dans le dos.

Un signe de tête du bailli prévint le bourreau, qui s'avança à nouveau pour délier Guillaume. Il dut le soutenir par les aisselles jusqu'à un billot. Les quelques rares touffes de cheveux qui lui étaient restés avaient fondu et adhéré à son crâne, dont la chair s'arracha en même temps que le fer du trépied que l'exécuteur lui retira avec la pointe de son épée. La tête du roi des Jacques tomba, alors que le trépied n'avait pas encore fini de rouler en bas des marches où un imprudent chercha à le ramasser.

Louis ne put s'empêcher de se demander lequel des deux rois s'était comporté avec le plus de dignité.

*

Malgré ce coup de filet qui profitait autant au régent qu'à Charles de Navarre, les deux chefs n'arrivaient toujours pas à s'entendre; Paris était prise en tenailles entre leurs quartiers, l'un établi en Haute-Seine et l'autre en Basse-Seine. L'approvisionnement de la ville s'en trouvait perturbé, et les prix des vivres montaient en flèche. Le prévôt des marchands fut tenu pour responsable de cette situation par le peuple, car il avait d'abord été l'allié des Jacques pour ensuite se tourner vers Charles de Navarre, leur destructeur. Et voilà que la ville faisait les frais de cette inconstance qui le rendit très impopulaire. Charles de Navarre se trouvait lui aussi en fort mauvaise posture à cause de cette répression à laquelle il avait œuvré. Mais, fin finaud, il prêta l'oreille aux négociations qui s'ouvraient, autant du côté du régent que de celui d'Étienne Marcel. Il lui fallait savoir s'il valait mieux ou non vendre le prévôt des marchands et se passer de sa précieuse mais compromettante collaboration. Une rencontre avec le dauphin s'imposait, surtout s'il emportait comme d'habitude avec lui deux chargements d'argent fourni par Marcel.

Le régent dit, sans préambule :

—Brisons là nos hostilités. Voici ce que j'ai à vous proposer : livrez-moi ce gredin d'Étienne Marcel...

—Et Paris, par la même occasion, dit le Mauvais en se laissant choir dans un faudesteuil* incrusté d'émaux. Je suis déjà au courant de votre offre. Madame mon épouse m'a fortement recommandé de l'accepter.

—... pour quatre cent mille florins, dit le dauphin, qui se pencha en avant et fixa son cousin de ses prunelles fiévreuses.

—Ma foi, cela représente une somme fort coquette. Mais, dites-moi, vaut-elle un royaume?

Le régent soupira et se redressa en frottant son dos endolori. Il regarda ailleurs et marmonna :

—Avec le cours actuel des choses, je serais porté à vous certifier qu'il s'agit d'une aubaine.

Les yeux très noirs du Navarrais pétillèrent de malice. Il dit brusquement, un sourire aux lèvres :

—Je vous crois. Et je me soucie tout autant que vous de voir les Anglais se fixer ainsi au cœur du royaume. Il me plaît, monseigneur, de vous faire savoir que j'accepte de signer ce traité sans tenter de négocier, car il est, tout comme vous-même, d'une admirable sagesse. Je promets d'être dorénavant un bon Français. Maintenant que nous faisons cause commune, plaise à Dieu que nous suscitions chez notre ennemi anglais un effroi salutaire.

La signature du traité se conclut par une célébration eucharistique au cours de laquelle les deux monarques devaient communier à la même hostie pour sceller davantage l'entente. Mais le petit roi du Midi, à genoux à côté du régent, chuchota, d'un air faussement embarrassé :

—Vous me voyez fort navré de ne pouvoir communier avec vous, cher cousin : je ne suis, hélas, pas à jeun.

*

Des chevaucheurs navarrais trottaient allègrement en direction de la porte Saint-Honoré qui s'ouvrait sur le marché des pourceaux. L'un d'entre eux se détacha du groupe et se laissa distancer. Il était suivi d'un mulet dont la longe était attachée à la selle de son cheval. La bête aux grandes oreilles portait sur son bât un bissac de nourriture, une toile de tref*, un mât désassemblé, des cordes et des piquets. Après avoir couvert au pas une courte distance, le cavalier fit arrêter sa monture. Nul ne s'en soucia. Les Navarrais s'engouffrèrent par la porte sans être arrêtés par les sentinelles et disparurent de la vue du cavalier solitaire.

Sous le ciel pommelé qui s'était graduellement débarbouillé au cours de l'après-midi, Paris s'étendait. Louis, dont la dernière visite nocturne trop brève en cette ville avait eu lieu en compagnie d'un

Fricamp supposé fugitif, ne pouvait détacher son regard de ces bâtiments grisâtres, coiffés de tuiles et de bardeaux, entassés derrière des murailles d'où surgissaient les clochers de multiples églises. Ses lèvres s'entrouvrirent lorsqu'il posa les yeux sur les tours jumelles de Notre-Dame. C'était son église, celle du petit garçon qu'il avait été jadis et qui, ne sachant comment prier, avait gravi d'interminables escaliers en colimaçon pour atteindre le firmament.

Tonnerre s'ébroua et ramena Louis à la réalité présente. Tenant les rênes d'une seule main, il se remit au trot. Au cours des derniers mois, le bourreau avait consacré tout son temps libre à un apprentissage sommaire de l'équitation et il était devenu un cavalier convenable. Tonnerre l'y avait beaucoup aidé. Le cheval s'était montré d'une grande tolérance envers sa maladresse de débutant et, chaque fois que Louis avait été désarçonné au cours d'exercices un peu trop audacieux, le cheval avait tenu à s'assurer lui-même, d'un coup de museau, que son maître était indemne. Ils avaient spontanément convenu d'un signal : quel que fût son point de chute, tas de foin ou étang, Louis devait ensuite poser la paume de sa main sur le museau inquiet et le flatter de son pouce. Tonnerre ne se montrait jamais rassuré sans ce geste.

Après avoir présenté son sauf-conduit à une sentinelle, Louis passa un peu de temps à se balader en ville. Ce n'était déjà plus le Paris qu'il avait laissé derrière lui près de dix ans plus tôt : il y avait de nouveau des lavandières au bord de la Seine, et des enfants se chamaillaient pour une poignée de billes.

« La ville se remet plus vite que moi », se dit-il.

Vêpres sonnaient lorsqu'il atteignit Saint-Germain-des-Prés. Il s'arrêta devant le mur de sa chère vieille abbaye et y posa la main. Tonnerre tourna la tête et le regarda faire.

— C'est chez moi, dit-il au cheval dont les oreilles frémirent.

Cette voix trop empreinte d'émotion était celle d'un étranger.

Louis tourna bride et s'éloigna brusquement, heurtant au passage la brouette d'un vieux maraîcher qui se garda d'exprimer trop haut son mécontentement.

La liberté, même si elle n'est que partielle, procure une impression étrange, presque angoissante, à quiconque en a perdu l'habitude. Louis ne sut que faire de la sienne en cette première journée. Il revit la rue Saint-Landry et l'armurerie de la porte Saint-Martin. Il erra dans les vieilles rues tortueuses du faubourg Saint-Marceau et de la Cité, qui serpentaient et s'entrecoupaient au gré de leurs caprices. Il évita soigneusement de s'attarder dans la rue Gilles-le-Queux qui l'avait vu grandir; il n'y demeura que le temps de s'assurer que la boulangerie était de nouveau occupée; l'écriteau, repeint de frais, affichait toujours le même pain marqué de ses trois lignes sinueuses. Louis en conçut un grand contentement mêlé de douleur. La boutique était revenue à la vie, elle. C'était une bonne nouvelle, même s'il y manquait toujours quelqu'un. L'âme d'Adélie avait déserté ce lieu pour un autre. « Ce jardin-là, aucun sauf-conduit ne m'y donnera accès », songea-t-il.

C'était étrange de pouvoir circuler à sa guise, sans être soumis aux restrictions qui le rattachaient à une quelconque escorte. Il était investi d'une forme d'autorité élargie qui allait lui donner une latitude amplement suffisante pour qu'il soit en mesure d'agir. Personne n'allait venir lui mettre de bâtons dans les roues. Les états généraux avaient stipulé que tout homme en France était tenu de s'armer, que chacun devait se contenter d'un office et que le nombre des gens de justice allait être réduit. Sauf les bourreaux. Ils en avaient besoin. Et, grâce au chancelier du roi de Navarre qui avait intercédé en sa faveur auprès de Robert Le Coq, il allait officier pendant un certain temps avec le bourreau de Paris au Grand Châtelet, sous la direction d'un magistrat appartenant à la justice séculière.

*

— Holà, si ce n'est pas le compère de Caen, salua l'homme en rouge qui vint accueillir Louis devant sa maison dite du pilori des Halles.

Les deux tours du Grand Châtelet pointaient les nuages en laine peignée qui bombaient leur ventre blanc au-dessus d'elles.

Louis descendit de cheval et serra la main charnue que son hôte lui tendait. D'au moins dix ans son aîné, maître Gérard, le bourreau de Paris, était un homme trapu dont le nez en pied de marmite trahissait un fort penchant pour la bouteille. Il administra à Louis une paire de claques dans le dos et le dirigea vers sa porte.

— Baillehache, ton nom, que t'as dit? Sapristi, t'es aussi grand qu'un Anglesche. Pour sûr que tu vas faire peur à ma femme. Allez, entre et mets-toi à l'aise. On te garde à souper. Le temps de mettre tes bêtes à l'attache et je te rejoins.

Le géant se retrouva seul face à une femme replète entourée de sept enfants dont l'âge variait entre dix ans et trois mois.

— Bien le bonsoir, l'homme. Dites donc, ça vous ennuierait d'arrêter de me décrocher toutes les toiles d'araignée qui pendent du plafond avec votre galurin? Je viens juste de balayer.

— Pardon.

Louis se hâta de se décoiffer et regarda la dentelle poussiéreuse qui ornait son couvre-chef.

— C'est rien, voyons. Asseyez-vous qu'on mange. Dieu que vous êtes grand. Sont-ils tous comme ça, à Caen?

— Non. En fait, je suis d'ici.

— Vraiment? Eh bien! On dirait pas. Ainsi, c'est avec vous que mon mari va travailler. Paraît qu'il va y avoir beaucoup de boulot. Tant mieux. C'est pas que je le souhaite, non, c'est pas ça. Mais voilà, faut bien qu'on ait de quoi passer l'hiver. Tout est tellement hors de prix...

— Qu'es-tu encore en train de raconter, femme? dit Gérard qui rentrait. Ne lasse pas mon invité avec tes tirades assommantes et sers-nous plutôt un peu de vin.

S'adressant à Louis, il poursuivit:

— Dommage que ce soit si petit chez moi, sinon je t'aurais aussi gardé à coucher.

— Ça va, dit Louis.

— Tu as une bonne tente, au moins?

— Oui.

— Une tente, un mulet et, par le sel de mon baptême, la plus belle monture que j'aie jamais vue de ma vie.

— Ne jure pas, gros mécréant, dit la femme qui pinça les lèvres.

Les enfants, intimidés, ne perdaient pas un mot de la conversation.

— Voilà qui me donne envie de déménager mes pénates à Caen. Sans blague! À la tienne, compère!

Ils burent et mangèrent en bavardant. Il serait plus exact de dire que Gérard bavarda et que Louis l'écouta.

— C'est un prêtre, l'ami de Père? demanda un gamin une fois que les deux hommes furent sortis pour se souhaiter la bonne nuit.

Le bourreau rentrait déjà, un peu penaud. Il avait entendu la question de l'enfant alors qu'il atteignait le pas de la porte et répondit:

— Non. Mais une chose est sûre, c'est qu'il est aussi causant qu'une statue d'église. Remarquez qu'une fois que je me prends une bonne cuite, les statues, elles se mettent à me raconter toutes sortes de trucs. Eh oui. Surtout ce bon évêque saint Denis, vous savez, avec sa tête sous le bras[176]. Allez donc savoir pourquoi.

— Pour de vrai? Et qu'est-ce qu'il vous dit? demanda une petite fille.

— Ça suffit, Gérard! intervint la femme. Va te coucher, au lieu de débiter de pareilles âneries.

— Bon, bon, j'ai compris. Si on ne peut même plus rigoler un brin...

On avait dressé des échafauds aux quatre coins de la ville. Outre la place de Grève[177], la foule se pressait place du Trahoir, près des Halles, sur le parvis de Notre-Dame, au Palais, ainsi que sur l'île aux Juifs. L'on procéda en outre à quelques exécutions sur les lieux mêmes où le crime avait été commis. Les deux bourreaux travaillaient normalement de l'aube au crépuscule. Gérard avait remarqué:

— Ce qui m'étonne, c'est que les spectateurs demeurent toujours aussi nombreux.

— Il y a ceux qui y vont juste une fois, pour voir, avait répondu Louis. Mais s'il y en a qui y retournent, c'est parce que ça leur plaît.

Le bourreau de Caen avait reçu la permission spéciale de loger Tonnerre et son mulet aux écuries du Châtelet. Il en fut grandement soulagé, car un animal aussi splendide, cible trop facile puisque son maître devait dormir sous la tente et lui à la belle étoile, ne pouvait manquer d'attirer l'attention des voleurs.

— Les gentilshommes de chez nous font tant de mal au pays qu'on n'a nul besoin des Anglesches pour détruire le royaume, disait maître Gérard tandis qu'ils revenaient au pilori des Halles plus tôt que d'habitude un après-midi. Les voleurs n'iraient jamais jusqu'à faire ce que font nos nobles.

La structure du pilori était imposante. C'était un édicule octogonal dont le rez-de-chaussée, suffisamment haut de plafond, était habité par les deux assistants du bourreau, Guy et Mathurin, et leur jeune famille. Ce rez-de-chaussée supportait une plate-forme en bois, à six pans, largement ajourée. Le petit bâtiment était surmonté d'un toit en poivrière. La partie fenestrée avait été aménagée pour recevoir une roue horizontale, mobile autour d'un axe vertical. L'ensemble évoquait vaguement un moulin. La jante de cette roue, large d'un pied dix pouces, était percée de trous de différents calibres dans lesquels le condamné devait passer la tête et les mains. Il y avait de la place pour six.

— Au prix où sont rendues les denrées, nous serons de plus en plus appelés à le remplir de monde, ce gros truc, et à fustiger des voleurs, dit Gérard. Sans le prévôt des marchands, la ville au grand complet claquerait du bec.

— À qui profite tout l'argent que coûtent les provisions amenées en ville, à votre avis?

— Ouais. Et ça, c'est compter sans tout le reste. On peut dire que ton aide m'arrive à point nommé. À propos, tu te débrouilles comment, avec l'épée?

—Plutôt bien.

—Moi pas. C'est le désastre. Le manque d'habitude, tu comprends? J'ai entendu parler d'un truc. Une doloire, que ça s'appelle. C'est une grosse lame de hache placée entre deux montants courts. Le client est mis à genoux avec son cou juste dessous. Ils tapent sur la lame avec un maillet. Si j'en avais une, ça serait plus facile[178].

—Ça m'a l'air d'une perte de temps. On a trop de boulot. Vous sabrenassez* et on n'en parle plus, dit Louis.

—On sait bien. Si j'étais costaud comme toi, moi aussi je serais capable de nous fendre un homme en deux comme une motte de beurre. Il me tarde de voir ce qu'un jeunet comme toi peut bien avoir dans le ventre. Quand j'avais ton âge, j'étais encore assistant. Je l'ai été jusqu'à mes trente ans. T'as quel âge au fait? En tout cas, moi, je préfère encore la corde. C'est ce qu'il y a de plus simple. Heureusement qu'il n'y a pas de nobles parmi tous ces condamnés qu'ils nous emmènent à pleins tombereaux au Châtelet... T'es vraiment pas très causant, toi, hein?

Louis, dont l'attention était demeurée fixée sur l'édifice du pilori, baissa les yeux sur son interlocuteur, qui demanda:

—La journée a été sacrément dure. Si on allait aux filles pour se remettre d'aplomb? Je connais une putainerie* rue Champ-Flory, tout près du Louvre.

—Allez-y sans moi. Je m'en vais au bain.

—Quoi! Encore?

Louis donna un coup de tête en direction du pilori.

—Ceci vaut beaucoup mieux que votre doloire.

—Ça, c'est vrai. Alors, on se retrouve quand?

—Demain matin. Ce soir, j'ai à faire.

—Ah, bien... puisque tu le dis. Alors, bonne nuit!

Gérard se détourna. Soudain, il n'avait plus envie ni de bavarder, ni de boire, ni d'aller aux filles. Quelque chose dans le regard de Louis lui avait donné le frisson.

Chapitre XIII

Exaudi vocem meam

(Écoute ma voix)

aris, été 1358

Il n'avait plu que quelques minutes, comme c'était fréquent en été. La lanterne de la boulangerie était encore auréolée d'humidité en suspension. Dans l'arrière-boutique, le souper s'achevait. Les hommes s'attardaient à table pour bavarder, tandis que les enfants qui s'ennuyaient commençaient à se chamailler discrètement avec leurs pieds afin de ne pas trop attirer l'attention des adultes. Clémence et Desdémone avaient déjà entrepris de rassembler quelques ustensiles qui ne servaient plus pour les mettre dans l'évier. Hugues avait l'air exténué. Il cognait des clous, ce qui faisait glousser sa fille. Elle se mit à fredonner une berceuse. Hugues se redressa, mais ce fut pour mieux dodeliner à nouveau de la tête.

— Je te parie mon souriceau contre ton sifflet en os qu'il va se tremper le nez dans son vin, chuchota le petit frère.

— Tenu, dit la fillette.

— Il a fait trop chaud aujourd'hui, dit Clémence. Le temps est à l'orage.

Desdémone s'essuya le front avec son avant-bras et replongea ses mains dans le cuvier.

— C'est vrai, on manque d'air. Tiens, écoute. On dirait qu'il tonne au loin.

— On dirait plutôt des chevaux. Oui, c'est ça. Et il y en a beaucoup. Sûrement encore ces voyous de Navarrais. Il me tarde de voir le calme revenir en ville.

— À moi aussi. J'en ai marre d'avoir à faire don de la moitié de mon travail, dit Hugues, qui s'était redressé.

Firmin rétorqua:

—Cesse donc de te lamenter. Un jour viendra où tu seras fier de l'avoir fait.

—Peut-être bien, mais c'est quand même malhonnête d'alimenter gratuitement tous ces excités qui se soulèvent contre l'autorité légitime du régent. On va avoir des emmerdes. En plus, nous avons du mal à joindre les deux bouts. Qu'est-ce que vous faites là, vous deux?

L'échange du souriceau contre le sifflet n'échappa pas non plus à l'attention du bébé qui réclamait bruyamment sa part de jouets.

Le groupe de chevaux déboula dans la rue, et le bruit de leur cavalcade emplit la maison.

—Chaque fois que j'en entends approcher, dit Clémence, la nervosité me gagne. C'est plus fort que moi.

Personne n'eut le temps de répondre. Au lieu de passer comme ils le faisaient d'habitude, les chevaux s'étaient brusquement arrêtés tout près. Il y eut quelques éclats de voix rudes, et des coups ébranlèrent la porte verrouillée de l'échoppe.

—Au nom du roi, ouvrez! ordonna un homme.

—Qu'est-ce qu'on fait? Qu'est-ce qu'on fait? cria Desdémone, alertée. Hugues s'élança en direction de l'évier pour y pêcher un grand couteau et alla se poster dans l'encadrement de la porte. Il appela:

—Au nom de quel roi? Qui va là?

—Enfoncez la porte, dit la voix de l'autre côté.

—Non! attendez! cria Hugues en s'engageant dans l'échoppe fermée.

Trop tard. Des haches se mirent à fendre le bois épais de l'huis. Les trois enfants crièrent et éclatèrent en sanglots. Hugues recula, sa main serrant toujours le couteau. Une douzaine d'hommes portant l'écusson royal envahirent la boutique. Celui qui paraissait le chef leur fit un signe et seuls deux d'entre eux se détachèrent du groupe pour le suivre.

—Qui êtes-vous et qu'est-ce que vous nous voulez? demanda Hugues qui ne bougea pas de sa place.

—Jette ton arme, dit le chef qui vint se planter juste devant Hugues en lui faisant signe de son épée au clair. Il était très grand, et l'écusson royal était cousu sur une simple broigne, alors que les autres portaient de vraies cottes renforcées de plates d'armure. Il était coiffé d'un vieux heaume cylindrique sans visière, muni d'une simple fente à travers laquelle luisaient des yeux anonymes. Il demeura là un instant sans rien dire. Ses deux acolytes attendaient de chaque côté de la porte ouverte du logis. Hugues laissa tomber son couteau encore dégoulinant d'eau de vaisselle. Enfin, d'une voix grave, l'homme annonça:

—Je viens pour Firmin Ruest.

—C'est moi, Firmin Ruest, dit le vieillard depuis la pièce du fond d'où il les toisait. Il restait assis à table, défiant.

L'homme au heaume s'avança et s'arrêta de nouveau à quelques pas de la table.

— Bien sûr, dit l'homme d'une voix aimable, trompeuse.

Firmin n'avait pas changé. Après toutes ces années, il dégageait encore la même odeur faite de transpiration aigre mêlée de vinasse bon marché. Les mêmes petits yeux porcins, sans profondeur, le fixaient depuis leur châsse de peau veinée par la couperose et la mauvaise enflure. La seule différence était que ce jour-là, enfin, il y avait de la crainte en eux.

Le bébé regardait l'homme au heaume de ses grands yeux effarés pleins de larmes. Il avait enfoncé ses doigts potelés dans sa bouche. Les deux autres enfants se terraient en tremblant contre les jupes de leur mère. L'autre femme était demeurée seule dans un coin de la pièce. Elle triturait un torchon. Le chef fit un signe à la mère de sa main libre.

—Emmenez-les à l'étage. Faites vite. Vite.

Clémence obtempéra. Desdémone s'approcha pour lui venir en aide, mais l'homme dit :

—Pas toi. Ne bouge pas de là.

Il était moins une. L'homme au heaume vit que la main velue du boulanger sinuait comme un aspic près d'une écuelle vide vers le poignard avec lequel il mangeait. L'épée du colosse s'abattit sur la table, dangereusement près de la main de Firmin. Ses poils en frémirent. La violence du choc avait fait sursauter des chopines. La moins pansue d'entre elles se coucha et répandit son contenu vermeil sur le plateau, renversant dans sa chute une coupe délicate remplie de petites baies.

—Ne m'oblige pas à en venir là tout de suite, dit l'homme qui pointa la gorge de Firmin du picot de sa lame.

—Allez-vous me dire qui vous êtes, à la fin? pleurnicha Firmin. Un Anglais?

—Non. Cette fleur de lys n'est-elle pas assez éloquente? Je suis un fonctionnaire de la justice royale, et l'on m'a remis un mandat d'arrêt contre toi.

—Mais je n'ai rien fait.

L'homme recula et planta le bout de son épée dans un quignon de pain qu'il brandit sous le nez du boulanger.

—Ta marque a été retrouvée quantité de fois chez les Jacques. Tu es accusé du crime de haute trahison. Suis-moi.

—Non, Desdémone! cria Clémence, qui était de retour.

Le chef se retourna au moment où les deux gardes s'élançaient vers la grosse femme, mais trop tard: le pilon d'un mortier atteignit le chef à l'épaule. Le coup était inoffensif et, s'il fut douloureux, rien n'y parut. Neutralisée, Desdémone gémit de frayeur en voyant approcher l'homme.

—Tiens, tiens, dit-il. Une complice avouée. Dieu me soit témoin que je saurai t'en punir.

Il s'adressa aux gardes:

—Emmenez-la. Je me charge du traître.

Le chef bouscula Firmin jusqu'à la boutique où les attendaient les autres hommes qui, déjà, échangeaient quelques paillardises au sujet de l'opulente Desdémone.

—Messire, attendez, appela Hugues en interceptant le géant.

L'homme se tourna vers lui sans se montrer menaçant et corrigea:

—Je vous en prie. «Maître Baillehache», c'est suffisant.

—Bien... maître! Puis-je savoir s'ils ont au moins une chance, même minime, de...

Il s'aperçut que l'un des gardes s'avançait en tenant un carcan*. L'homme au heaume entreprit de lier les mains de Firmin derrière son dos et répondit:

—Ça me paraît peu probable. Nous avons appris des choses fort compromettantes.

Désemparé, Hugues recula, tandis que le chef rivetait le carcan au cou du vieillard. Il le fit trébucher et lui arracha ses sabots.

—Tu n'as plus besoin de ça. En route, dit-il.

Les autres regardèrent avec étonnement partir le vieux maître et sa servante, escortés comme de dangereux criminels. Le crime de lèse-majesté ne pardonnait pas.

*

Louis enleva son heaume et le posa près de lui, sous la tente. Il faillit l'échapper. Sa main gauche était prise de soubresauts et il se sentait le visage grimaçant. Seul, enfin. Le guet-apens avait réussi: il était parvenu, par quelques allusions habiles aux personnes qu'il fallait, à amplifier la participation de Firmin chez les Jacques. L'incident tel qu'il était survenu était déjà suffisant en soi pour l'incriminer. Mais Louis avait fait en sorte que son auteur ne puisse s'en tirer avec une simple amende ou une expulsion de la guilde. De cela, le fils était heureux. C'était à cela qu'il lui fallait penser. À cela et à rien d'autre. Mais l'image de Clémence et de Hugues ensemble ne cessait de s'immiscer dans la joie qui l'embrasait par à-coups... Des enfants, leurs enfants... Ce qu'il leur avait fait rongeait sa conscience. De retourner là-bas lui avait fait très mal. Trop mal. Mais il le fallait bien... Il n'en rageait pas moins contre son propre corps et contre l'émoi qui tempêtait. Et contre sa mère qui, avec les fleurs de son jardin, ne cessait de lui montrer quel être vil et abject il était devenu.

Il se ramassa contre lui-même et, entouré de petits bruits incontrôlables qui ressemblaient à des ronflements secs, il se mit à se bercer en tremblant.

*

On disait en ville que les assises de l'arrogant Châtelet, composés d'au moins cinq étages, descendaient à neuf toises sous le niveau de la Seine. Il régnait dans ses cachots une nuit permanente, un avant-goût du sépulcre dont on menaçait ses pensionnaires qui allaient être soumis au rituel simple ou élaboré de la mise à la question. Le Châtelet faisait œuvre de mort. La grande créativité des moyens dont il disposait était à faire frémir.

Le geôlier avait reçu l'ordre de faire la sourde oreille au fait que Ruest pouvait défrayer les coûts d'un hébergement convenable en attendant son jugement.

—Allez, c'est l'heure de la prière, mon petit vieux, dit-il à Firmin, qui dut s'agenouiller devant l'enclume et y poser la joue. Ses poignets et ses chevilles étaient déjà ceints d'anneaux de fer qui avaient un pouce d'épaisseur. Chacun était destiné à recevoir des fers d'une dizaine de pouces de long et d'un diamètre d'un pouce. À leur autre extrémité, ces fers allaient être attachés à un petit maillon fermé sur une chaîne entourant la taille. Ce dispositif allait obliger Firmin, chargé de longueurs de chaînes qu'il allait devoir tenir dans ses mains, à traîner les pieds et à se tenir voûté sous des entraves dont le poids totaliserait trente-sept livres.

—Donnez, je m'en occupe, dit le chef de ceux que Firmin considérait toujours comme ses ravisseurs.

L'homme avait troqué son heaume contre une cagoule et sa broigne contre un habit noir d'allure presque monastique. Firmin avait cru entendre quelqu'un nommer cet individu maître Baillehache. Si Louis avait pendant un moment craint d'être reconnu, surtout à cause de sa haute taille, d'être dénoncé par sa démarche ou par quelque autre détail impossible à dissimuler, il n'en fut rien. La voix, de même que la stature de Louis, avait beaucoup changé en dix ans.

Le géant passa au cou dénudé du boulanger un épais collier de fer large de trois pouces, qu'une charnière permettait d'ouvrir et qu'il s'apprêtait à riveter.

— Ne bouge pas, ordonna-t-il.

Il enfonça des manilles à coups de marteau. Firmin se lamenta. À chaque coup, le fer résonnait d'une façon insupportable et il eut l'impression que sa tête allait éclater. Derrière sa cagoule, les lèvres de Louis retroussaient en un sourire nerveux. Lui aussi résonnait, mais c'était sous l'onde de choc silencieuse de ses propres pensées. Des pensées qui affleuraient presque à ses lèvres entrouvertes : « Dis-moi, grosse outre à vin, quel effet ça te fait d'avoir le potron en l'air, d'avoir tellement la trouille que tu en pisserais dans ton froc ? Attends un peu de voir ce que j'ai en réserve pour toi. Je vais bien me régaler. »

Lorsque ce fut terminé, le bourreau redressa Firmin en le tirant en arrière par la chaîne fixée au collier par un anneau.

— Oh...

Il chancela. Ce collier, lesté de plomb, devait bien peser quinze livres. Il appuyait lourdement contre les épaules du vieil homme. De plus, la surface intérieure du collier était munie de pointes courtes qui manifestèrent leur présence dès qu'il remua. D'autres pointes, bien visibles celles-là, en garnissaient la partie supérieure. Si Firmin baissait légèrement la tête, elles lui effleuraient le menton. Cet instrument allait anéantir presque toute possibilité de sommeil.

— Tout ça est faux. Je n'ai rien fait, dit-il à Baillehache qui le conduisait par un bras en direction de la trappe menant aux cachots.

Le bourreau ne dit rien. Firmin s'arrêta, pour ajouter :

— Attendez, attendez. Faut que je vous montre quelque chose. Tenez, vous voyez ça ? Cette grosse brûlure sur mon épaule ?

Le vieil homme fixa désespérément le regard du tortionnaire. Il fut soulagé de constater que Baillehache avait posé les yeux sur la petite blessure.

— Oui, dit-il.

— Vous avez vu ? Hein ? Eh bien, c'est eux qui m'ont fait ça. Les Jacques. Ils m'ont brûlé. Pour m'obliger à leur donner du pain. Vous comprenez ?

Baillehache ne répondit pas. Ses prunelles scintillèrent depuis leur refuge derrière l'étoffe informe de la cagoule.

— Il n'y en a qu'une parce que j'ai cédé tout de suite. Je me fais vieux, vous savez. Je ne fais de mal à personne. Et eux, ils sont venus chez moi et ils m'ont forcé à leur donner mon pain, encore et encore...

Baillehache posa le pouce sur la petite plaie et la frotta avec une certaine rudesse.

—Tu mens.

—Aïe! Mais non, je ne mens pas!

—Si, tu mens. Ceci n'est pas une brûlure.

—Hein? Quoi?

—Il n'y a pas d'ampoule. C'est sec. C'est la friction de la corde; elle t'a fait une abrasion lorsqu'on t'a emmené. La preuve est là, autour. Regarde toi-même: c'est écorché. Une vraie brûlure ne laisse pas ce genre de trace.

Baillehache se mit à gratter vicieusement l'abrasion avec l'ongle du pouce.

—Aïe! aïe! Mais arrêtez, merde, ça fait très mal!

Le dos de la main du tortionnaire atteignit le prisonnier en pleine figure. Firmin, à demi assommé, perdit l'équilibre, mais ne tomba pas, car Baillehache le retenait. Il dit calmement, tandis que le vieillard se mettait à renifler à cause de son nez qui saignait:

—Désolé. Ça ne prend pas avec moi. Tu viens de commettre une grave imprudence, Firmin. Très grave. Ton mensonge va m'obliger à te faire des choses désagréables.

—Mais je n'ai pas menti. J'ignore comment c'est arrivé, mais c'est eux qui me l'ont fait. C'est eux, je le jure sur ma vie.

Ce que Firmin découvrit au bas de l'échelle était encore pire que ce qu'il avait appréhendé. Ils se trouvaient dans un passage bas et étroit où stagnait un air vicié qui se renouvelait difficilement par quelques soupiraux invisibles. Il y avait des rangées de cachots dont la plupart étaient occupés par des misérables squelettiques. De l'humidité dégouttait du plafond du côté des douves et transformait le sol de terre battue en boue froide, gluante et fétide. À moins qu'il ne s'agît d'autre chose.

Le bourreau poussa le vieil homme dans un cachot vide, tout juste suffisant pour contenir une personne assise. Des blattes, alertées par la soudaine lueur des torches, s'échappèrent par d'étroites fissures.

—Non, je vous en supplie, écoutez-moi. Ne m'abandonnez pas ici.

Pris de panique, Firmin essayait en vain d'empoigner le bourreau par son vêtement. Baillehache le repoussait aisément, avec une monstrueuse indifférence. Il l'enchaîna au mur par son collier et par ses bracelets, ce qui le contraignit à garder les mains levées au-dessus de sa tête. Firmin pleurait. Avant de refermer la porte, Baillehache, magnanime, lui dit, de la même voix toujours posée:

—N'aie crainte, je reviendrai bientôt.

*

—Tu utilises de la ficelle de pêche pour lier les mains? Quel affreux gaspillage, fit remarquer Gérard.

Les deux bourreaux s'étaient présentés de bon matin au Châtelet pour y passer ensemble une partie de la journée. Louis répondit:

—C'est meilleur qu'une cordelette ou du cuir, qui finissent par se détendre. Voyez.

Il donna une violente secousse sur les liens qui serraient les poignets de Desdémone derrière son dos. Elle cria. Le geôlier, qui le regardait aussi faire, la retint plus fermement. Louis reprit:

—C'est du chanvre. S'ils tirent dessus ça leur pénètre dans la chair, mais ça ne casse pas.

—Voilà qui n'est pas bête. Et cette boucle que tu fais, qui tire les deux coudes l'un contre l'autre, c'est génial. Ça dégage la nuque et ils ne peuvent plus rentrer la tête dans les épaules. Et tu as appris tout ça tout seul? Je veux dire, sans avoir auparavant travaillé sous les ordres d'un maître?

—Ça m'est venu avec le temps et à force d'avoir reçu moi-même des coups. Ce qu'il y a de bien avec ce métier, c'est qu'on n'a pas le choix de l'apprendre comme il faut, et vite.

Desdémone essayait de tourner vers les deux cagoulards ses prunelles suppliantes. Mais ils agissaient comme si elle n'existait pas, comme si elle n'était qu'un objet pour eux. Gérard demanda, en la pointant du menton:

—C'est le fouet?

—Oui. Avec six heures au pilori et marquage au fer. Après, vous et vos assistants pourrez l'avoir pour la nuit. Mais prenez garde, hein, ne me l'abîmez pas. On me l'a offerte comme servante.

—Sans blague! Eh bien, tu en as de la veine! Tu peux compter sur moi, j'y ferai bien attention. Ah, Baillehache, t'es un compagnon, toi, un vrai!

Gérard se frotta les mains avec une délectation anticipée.

—Pitié, dit Desdémone.

Le bourreau de Paris questionna de nouveau son collègue:

—Eh, c'est vrai ce qu'on raconte? Que tu t'es exercé des mois durant avec les verges sur des bêtes mortes?

—Pas exactement. Sur de la bouillie d'avoine épaisse, plutôt. Et avec ceci...

Gérard s'esclaffa.

— Dis donc, tu devais être minable. Donner les verges ou les étrivières, c'est pourtant pas bien compliqué.

— C'est à voir!

Baillehache alla fouiller dans ses affaires et en ramena une canne légère et souple dont il fouetta l'air en revenant. Desdémone se renfrogna. Il tint la canne verticalement devant ses yeux et expliqua, en fixant son collègue:

— Avec ceci, je peux porter des centaines de coups sans lacérer. Ou je peux tirer le sang au troisième coup. Donnez-moi un fouet et je saurai découper la peau en rubans comme de l'écorce de bouleau. De quoi les rendre infirmes pour la vie.

Desdémone se mit à hoqueter de frayeur.

— Mais la bouillie d'avoine? demanda Gérard.

— J'ai appris à frapper dessus à répétition sans en altérer la surface.

Maître Gérard siffla d'admiration.

— Comme ça, quand tu commences avec le fouet qui devient dangereux après quarante coups, tu peux finir avec la canne.

— Tout juste.

— Faut que tu me montres ça.

— En fait, ce n'est pas exactement ce qui a été prévu pour elle.

— Non? Fais quand même voir ton fouet.

Desdémone se tordit le cou pour voir elle aussi, car le geôlier l'empêchait de se retourner. Baillehache tira de son bissac une lanière effilée d'une douzaine de pieds de long, enroulée autour de son manche en bois d'environ deux pieds.

— Sapristi, c'est un vrai fouet de charreton, que tu me sors là. Oh, putain, mais qu'est-ce que c'est que l'autre machin, là, dans ton sac? C'est toi qui l'as fabriqué?

— Oui. Les Anglais appellent ça un chat à neuf queues et ils y mettent des hameçons.

— Hou là! Mais je constate que le tien n'en a pas.

Baillehache avait dû puiser dans de douloureux souvenirs d'adolescence pour fabriquer cet instrument qui n'était pas très connu en France. Le manche en bois en était plus court que celui d'un fouet normal, et les neuf lanières de cuir tressé, plutôt fines, faisaient un peu moins de trois pieds de long. Chacune comportait trois nœuds à des emplacements divers.

— Les nœuds suffisent quand on sait s'y prendre. D'ailleurs, j'ai l'intention de m'en fabriquer un sans nœuds, pour voir ce que ça donne.

— Le cuir est durci par endroits. Tu ne l'as pas nettoyé?

— C'est voulu.

— Ah, je comprends. Par saint Adrien, t'es un beau salaud, toi.

— Les gars, ça vous ennuierait de remettre votre passionnante discussion à plus tard pour venir me donner un coup de main? C'est qu'elle pèse, la gueuse!

Le geôlier retenait une Desdémone inanimée par les aisselles.

*

Une plateforme avec un banc incliné avait été montée un peu plus tôt sur la place. Tel que stipulé par le jugement, la femme fut complètement déshabillée devant les centaines de curieux qui déjà envahissaient le moindre recoin. Il y eut un tonnerre d'acclamations et de sifflements: Desdémone s'était retournée et, de façon tout à fait inattendue, elle enlaça le bourreau pour la plus grande joie du public. L'exécuteur sursauta et manqua de trébucher. Il était rare que ses victimes cherchent à le toucher.

— Ayez pitié, mon beau maître, je vous en conjure. Épargnez-moi et je ferai tout ce que vous voudrez. Tout.

— Éloigne-toi. Ne me touche pas, dit la voix glaciale de l'homme qui saisit ses poignets temporairement libres et la força à reculer.

Sanglotante et résignée, Desdémone se laissa attacher face contre le banc.

— Cent coups, annonça le tortionnaire d'une voix forte.

S'adressant à la femme, il ajouta, dans un murmure:

— Juste assez pour te souvenir.

Il ne laissa pas le temps à Desdémone d'absorber la nouvelle, ni de comprendre ce qu'il avait voulu dire. Il se planta solidement derrière elle, les jambes légèrement écartées, et leva le bras. Dès le premier claquement, elle hurla. Elle eut l'impression qu'un faucon venait de refermer ses serres dans son dos et s'en allait avec un lambeau de chair entre ses griffes. Pourtant elle ne saignait pas. D'abord, la peau se décolora comme si le flux de sang se retirait de la zone frappée, mais bien vite des tavelures sombres y firent leur apparition. Les coups plurent à un rythme cruellement accéléré qui ne laissait à la malheureuse aucun répit. Certains des spectateurs qui comptaient tout haut perdirent le compte avant le vingtième coup. Mais il semblait bien que Baillehache, lui, ne le perdait pas. Il paraissait infatigable, et son trente-cinquième coup fut aussi efficacement porté que son premier.

— Vas-y, bourrel, frappe au cul, cria quelqu'un par-dessus les acclamations.

Les hurlements de Desdémone ne discontinuaient pas et,

lorsqu'ils commencèrent à faiblir, vers la cinquantaine, le fouet changea brusquement de main sans ralentir son rythme. Baillehache continua à frapper de la main gauche, mais avec une étrange maladresse, car les coups ne perdaient rien de leur précision. Les cris de la femme reprirent de plus belle. Il avait découvert à ses débuts que, parvenu à des stades variables de leur châtiment, la sensibilité des condamnés s'émoussait graduellement. Peut-être était-ce dû à l'effusion de sang, aux défenses naturelles du corps ou à la désorganisation des terminaisons nerveuses. Sa gaucherie de débutant avait fait en sorte que ses premiers châtiments avaient été plus redoutables que les suivants, lorsqu'il eut acquis davantage de dextérité. Il avait donc révisé sa technique en conséquence. C'était d'une efficacité démoniaque.

Au soixante-cinquième coup, Desdémone saignait. Au quatre-vingtième, Baillehache dut brièvement interrompre son rythme afin de secouer les lanières visqueuses de son instrument. Mais elle ne perdit pas conscience un seul instant, pas même lorsque l'interminable châtiment s'arrêta enfin.

Desdémone avait subi l'impact de 2 700 nœuds avant d'être marquée d'une fleur de lys à l'épaule, et Baillehache la raccompagna en lui frottant le dos de sa grande main préalablement trempée dans la saumure, jusqu'à la salle des tortures où l'attendaient Guy et Mathurin qui avaient déjà baissé leurs braies.

*

Tout ne se déroulait pas sans heurts pour Baillehache. Un jour où avait été planifiée une triple pendaison de Jacques, il se retrouva seul pour tout faire. Gérard et ses assistants avaient été mandés autre part. S'il se débrouilla comme il put, il y eut du retard, et la foule fut mécontente. Les gens commençaient à remuer et à menacer d'utiliser la corde contre lui s'il ne se hâtait pas, car, à leurs yeux, il ne semblait pas suffisamment empressé de servir son roi.

— C'est un traître! crièrent quelques excités.

Depuis la plateforme de l'échafaud, Baillehache s'inquiétait. Et si l'un de ces imbéciles s'avisait de monter cette foule agitée et de tout faire rater alors qu'il se trouvait, encore une fois, si près du but? Il leur fit donc face et dit :

— Je n'ai que deux mains et je ne peux faire mieux. Calmez-vous!

Un jeune homme, qui se trouvait tout près, répliqua :

— Tu peux trouver toute l'aide dont tu as besoin ici. Faut qu'on débarrasse le royaume de cette racaille et il n'y a pas un homme dans cette foule qui ne soit prêt à te donner un coup de main.

—Ouais, bien dit! cria quelqu'un.

Tout le monde acclama ces mots, et pourtant Baillehache se rendit compte que ceux qui se tenaient tout près de l'échafaud commençaient à reculer discrètement. Cela lui donna une idée. Il se pencha et tendit la main au jeune effronté.

—Très bien alors, j'accepte ton aide. Viens-t'en!

—Oh! merde. J'espère que tu plaisantes?

—Un peu. Mais ça ne fait rien. Allez, monte.

Le garçon n'avait pas le choix. La sagacité du bourreau l'avait pris à son propre piège. Le visage blême et les jambes flageolantes, il gravit les marches de l'échafaud sous les encouragements de ses pairs. Baillehache lui présenta le deuxième condamné. Le premier pendait déjà à la potence tandis que le troisième était assis sur la plateforme, les mains liées à un poteau.

—Tiens, prends la corde. Prends. C'est le jet. Je l'ai mis plus long exprès pour toi. Tu voulais m'aider, oui ou non? La corde est ce qui nous sert le plus dans le métier. J'utilise la meilleure, du chanvre italien. À cinq brins, si possible.

Le jeune homme la tenait du bout des doigts. Elle faisant trois quarts de pouce d'épaisseur. Chaque brin pouvait supporter un poids d'une tonne.

Le bourreau fit le nœud coulant en prenant le temps d'expliquer, le plus sérieusement du monde:

—Elle doit être suffisamment souple pour que le nœud se resserre rapidement, et assez mince pour bien couler dans le nœud, comme ceci. Mais attention: si la corde est trop mince, ça te scie le cou comme un fil à couper le beurre. Tu me suis?

—O-oui, oui...

—On ne dirait pas. Et ce petit bout-là, je le laisse dépasser au cas où. Quand le chanvre est un peu trop neuf, il a tendance à être plus élastique et, si je coupe trop près du nœud, ça l'affaiblit, et le patient peut tomber.

—Vos gueules, on essaie d'entendre, protestèrent plusieurs spectateurs dans la foule qui était toujours aussi bruyante, mais dont les remous s'étaient atténués, la plupart ayant compris le manège du bourreau et s'en amusant beaucoup.

Baillehache abandonna son supposé volontaire avec le jet dans les mains et entreprit de gravir l'échelle appuyée contre la potence avec le condamné qui sanglotait. Lorsque tout fut prêt, le bourreau dit, d'une voix forte depuis le haut de l'échelle sur laquelle il s'était perché:

—Toi qui parlais de fidélité envers le royaume, tu ne peux

fournir une meilleure preuve de la tienne que de prendre le rôle principal. Vas-y, tire!

L'infortuné jeunot dut s'y reprendre à deux fois avant que sa traction nerveuse sur la corde ne sépare les pieds du condamné des barreaux de l'échelle. Louis l'aida d'un coup de genou dans les mollets de la victime. L'assistant eut un halètement horrifié lorsqu'il vit l'exécuteur redescendre l'échelle comme si de rien n'était, en laissant le pendu se tortiller tout seul au bout de sa corde.

— Pas mal, mais j'ai vu mieux, dit Baillehache.

Et il s'adressa à tous les spectateurs qui observaient un silence relatif.

— Essayez donc de vous mettre à ma place avant de critiquer mon travail.

Il s'en alla chercher le troisième condamné. Il put terminer sa tâche sans l'inquiétude de se voir agressé en dépit de la présence des gardes. Les spectateurs se mirent même à lui prodiguer des encouragements.

À la fin du supplice – il avait cassé le cou des deux derniers condamnés –, le bourreau descendit de l'échafaud pour suivre les magistrats qui s'en retournaient au Châtelet. Même si le sinistre personnage exerçait une certaine fascination sur eux, les gens s'écartaient et détournaient les yeux sur son passage, alors qu'un peu plus tôt certains lui avaient offert d'aller boire un coup à la taverne avec lui. Il n'en fut pas perturbé. Les choses se passaient toujours ainsi pour celui dont la présence visait à rassurer les honnêtes gens et à terroriser les malfaiteurs. Mais le seul nom de Baillehache commençait à angoisser l'un et l'autre.

*

Au cours des jours qui suivirent, le travail diminua sensiblement, et Gérard put suffire à la tâche. Baillehache disposa donc de plus de temps pour vaquer à ses affaires personnelles.

Entre matines et laudes, Firmin fut amené au geôlier afin que ce dernier déverrouille ses chaînes. Les manilles furent extraits à l'aide de tenailles, et le prisonnier fut emmené.

— Ça y est? Je peux m'en aller? Ils ont enfin compris que c'était une erreur? demanda-t-il, épuisé mais galvanisé par la perspective de sa libération.

— On m'a parlé d'une formalité préparatoire, c'est tout, dit le geôlier à qui on avait recommandé de ne pas intervenir dans cette affaire.

— Une formalité? Quel genre de formalité?

— J'en sais rien. Demande à Baillehache.

— Sûrement pas. Tu ne crois tout de même pas que j'ai envie de le voir, celui-là?

Une porte s'ouvrit, et Firmin fut poussé en avant. La grande silhouette noire et sans visage de Baillehache l'attendait, les bras croisés.

— Oh, putain, dit le prisonnier.

— Laissez-nous, dit le bourreau au geôlier.

L'homme sortit et referma la porte derrière lui. Ils étaient seuls dans une petite salle à peu près vide.

— Déshabille-toi, ordonna Baillehache.

— Hein? Mais je croyais que... les chaînes, ils me les ont enlevées. Je ne suis pas libre?

— J'ai dit: déshabille-toi. N'attends pas que j'aille t'aider.

Firmin geignit et obéit maladroitement.

Il avait maigri et les rhumatismes commençaient à lui grignoter les articulations, elles qui l'avaient épargné jusque-là. La faute en revenait à ce cachot humide. Derrière sa cagoule, Louis se sentit à nouveau l'enfant de jadis, transi, courbaturé, laissé à sa détresse lors de ses interminables séjours sous les combles de la boulangerie. Il observa la charpente un peu difforme de son père qui avait interrompu son déshabillage pour le regarder avec hésitation. Firmin était laid et sale. Il avait l'air d'une méduse blanchâtre.

— Complètement, dit encore Baillehache, qui attendait.

C'était très humiliant, d'autant que le bourreau, lui, était entièrement couvert de son sobre habit noir et qu'une cagoule noire dissimulait son visage.

Le tortionnaire s'approcha et éloigna le tas de penailles* souillées d'un coup de botte en feutre. Il leva la main pour rassembler sous ses doigts des poils grisâtres qui bouclaient sur la poitrine de l'homme et les arracha.

— Aïe! Mais qu'est-ce que vous faites? Vous êtes fou?

Firmin se mit à reculer, mais Baillehache le suivit et le coinça entre lui-même et le mur afin de poursuivre cette tâche cruelle. Firmin hurlait. Il semblait que des mains pullulaient partout sur son corps comme de gros insectes voraces qui ne cherchaient qu'à se repaître de ses poils.

— Nous n'y arriverons jamais comme ça, n'est-ce pas? dit Baillehache de sa voix calme, très aimable, à donner le frisson. Il se détourna et laissa Firmin reprendre son souffle.

— Pourquoi vous me faites ça, merde?

—Tu es trop velu. C'est dégoûtant. Il faut que tu sois complètement nu. Tu aimes bien trinquer, toi, non?

Le bourreau revenait avec un petit flacon d'eau-de-vie qu'il lui tendait.

—Ah! bon sang, si j'aime ça! J'ai très faim et très soif, mais un bon coup, ça se refuse pas. Merci. Grand merci. Je me disais bien que vous pouviez pas être un si mauvais bougre.

—N'y touche pas. C'est moi qui l'offre, dit Baillehache, dont la main tenant le flacon se rétracta.

Il souleva très légèrement sa cagoule pour en boire un peu, ce qui découvrit son menton et sa bouche. Cela fit sourire Firmin.

—À la tienne, dit le bourreau.

Et il déversa brusquement le contenu du flacon sur la poitrine du prisonnier.

—Hé, mais qu'est-ce que...

Il ne remarqua la brindille enflammée dans l'autre main du tortionnaire que lorsqu'elle lui fut lancée d'un geste léger. Des flammes bleutées s'élevèrent de la poitrine et des aines en produisant un petit pouf. Firmin hurla et se jeta instinctivement à terre au moment où les flammes s'éteignaient déjà d'elles-mêmes.

—Voilà qui est mieux. Ça empeste le cochon brûlé, mais au moins c'est plus rapide, dit Baillehache qui regardait l'homme couché à ses pieds.

La plupart des poils avaient disparu en laissant des croûtes noires contre la peau luisante et rougie.

—Debout, dit Baillehache dont le ton neutre ne laissait rien transparaître de l'excitation qu'il éprouvait.

Firmin avait peur. Il souffrait et se tortillait à ses pieds. Il n'était qu'un rat. Enfin. Terrifié, immobile, il leva sur son tourmenteur des yeux exorbités. Le géant se pencha et le souleva par l'aisselle.

—Allez. Tiens-toi droit et ne bouge pas.

—Qu'est-ce que vous me voulez? Dites-le-moi. Dites-le-moi enfin, que je sache pourquoi vous me faites tout ça.

—Silence, dit le bourreau, qui avait remplacé son flacon vide par une canne souple.

—Non...

—Si. Et tu vas te laisser faire. Sais-tu pourquoi? Parce que je te l'ordonne. Je suis ton seul et unique allié. Tu n'en as pas d'autre. Ceci n'est rien, je te l'assure, vraiment rien en comparaison de ce que je pourrais te faire, car tu n'as même pas vu la panoplie d'instruments dont je dispose.

Firmin haleta.

—Je ne comprends pas.

—Bon, écoute: tu as commis un crime pour lequel je devrai quand même te soumettre à un interrogatoire. Mais, en attendant, ils peuvent te faire souffrir à leur guise ou bien te soulager et te donner à manger. Demain, tu pourrais être relâché, ou dans trois jours, ou jamais. Mais on peut aussi me demander de t'oublier et de te laisser croupir au fond de ce cachot jusqu'à ce que tu crèves. Ce sont eux qui décident. Mais tu m'as été confié et ton bien-être dépend beaucoup de moi. Ils me font confiance.

C'était vrai. Depuis sa porte close, il avait remarqué que, dès que ce Baillehache manifestait sa présence tant redoutée dans les geôles, tout chahut cessait immédiatement. C'était un homme qui savait se faire respecter. Il ajouta:

—Selon la loi, ton corps appartient au roi. Ton âme lui appartient. Tout ce qui est à toi lui appartient. Et je représente la justice royale. Comprends-tu, maintenant?

—O...oui! finit par murmurer Firmin sans grande conviction.

—Vois-tu pourquoi il vaut mieux ne pas me déplaire?

—Je ferai tout ce que vous me demanderez, dit-il d'une voix blanche.

—Très bien. Voyons un peu cela.

La canne claqua sur l'une des épaules de Firmin, puis sur son dos ployé. Il se lamenta tout en cherchant à s'éloigner et en se protégeant la tête. Baillehache s'interrompit et ne bougea pas de sa place.

—C'est comme ça que tu m'obéis?

—Mais je...

Le visage effrayé de Firmin réapparut entre ses bras pliés.

—Redresse-toi. Baisse les mains.

Les coups de canne plurent sur les membres protecteurs et les suivirent dans leur descente. Baillehache ne frappait ni à la tête ni au ventre que sa victime cherchait pourtant à protéger d'instinct. Le bourreau frappait sans cesse, s'accroupissant parfois légèrement pour cingler les jambes noueuses du vieil homme. Il le contournait avec lenteur pour l'atteindre sous tous les angles, n'épargnant pas ses bras, ses jambes et son dos.

—Baisse les mains, ordonna le tortionnaire à plusieurs reprises.

En larmes, Firmin hésitait, puis obéissait, impuissant et misérable. Il se tenait bien droit et gardait la tête baissée sans bouger. Seuls les coups provoquaient des secousses. Il reniflait. Ses pommettes sales sous lesquelles croissait une barbe clairsemée étaient luisantes. Des larmes dégouttaient le long de son nez et tombaient à ses pieds.

Louis songea: «Voilà toujours bien un aperçu de la détresse que j'ai pu ressentir, moi, quand tu me forçais à m'agenouiller pour me battre. Mais qu'importe, tu ne penses sûrement pas à ça. Tu ne penses plus à moi, tu m'as oublié.»

Baillehache dit brusquement:

— Écarte les jambes.

Il ne lui épargna pas l'intérieur des cuisses. Mais il résista à la tentation de frapper plus haut, même si Firmin en ressentit bel et bien la menace.

— Là, on va soigner ton petit mensonge.

Baillehache fouetta l'épaule à l'endroit précis où l'abrasion qui datait de sa capture commençait à se cicatriser. Avec une cruelle précision, la canne mordit la même zone minuscule jusqu'à ce que des gouttelettes de sang se mettent à lui moucheter la joue, le bras et la poitrine. Firmin hurla et chancela, mais il ne se déroba pas.

— Bien, bien! dit Baillehache, comme s'il s'adressait à un animal qu'il était en train de dompter.

Il abandonna la canne et s'approcha. Firmin tremblait de tout son corps. Le bourreau lui donna deux petites tapes amicales au visage et le fit asseoir avant d'éponger la seule blessure qu'il avait reçue de toute cette longue séance. Il avait par ailleurs l'air presque indemne. La canne traînait par terre comme une innocente branchette de sous-bois. C'était diabolique.

Le malheureux fut laissé seul un instant et il put réaliser à quel point l'air était meublé de ses halètements. «C'est un cauchemar, c'est sûrement ça. Je vais me réveiller et me retrouver dehors avec les copains. C'est trop horrible, c'est pas possible, ce qu'il demande. Je ne pourrai jamais endurer ça une deuxième fois. Comment il faisait, le Ratier?»

Cette pensée le fit sursauter. Comment Louis avait-il fait pour supporter tous les sévices auxquels il avait été soumis avant d'être finalement mis à mort et abandonné en pleine forêt?

— Tiens, dit Baillehache qui était soudain à nouveau planté devant lui.

Firmin ne l'avait pas vu revenir. Il se rencogna.

— T'ai-je fait peur?.. Ouvre la bouche.

Le poing au-dessus de sa tête était fermé sur un torchon dégoulinant. Du moins, à ce qui lui semblait. Même s'il craignait quelque nouvelle torture, Firmin pencha la tête en arrière et ouvrit la bouche. Baillehache exprima un peu d'eau propre et fraîche dont la plus grande partie s'écoula dans la barbe de sa victime. Mais c'était bon.

Le géant entreprit de nettoyer sa blessure avec le torchon. Firmin tourna la tête et le regarda faire en se léchant les lèvres afin de ne pas perdre une goutte du peu d'eau qu'il avait pu boire. Il prit le risque de demander :

— S'il vous plaît, puis-je en avoir d'autre ? Je suis assoiffé.

— Peut-être. Plus tard. J'ai encore un petit travail à te confier.

Firmin fut reconduit à sa cellule par le bourreau qui s'était muni d'une torche, du torchon taché avec lequel il avait épongé la blessure et d'un peu d'eau sale dans le fond d'un seau. Il dit au vieillard :

— Tu as chié partout. C'est très malpropre. Il te faut me nettoyer tout ça.

Baillehache s'appuya nonchalamment contre le mur de l'étroit couloir et regarda l'homme courbaturé se mettre à l'ouvrage. C'était une tâche éreintante et quasi impossible à mener à bien avec le peu d'eau dont il disposait, une eau qu'il avait davantage envie de boire que d'utiliser aux soins du ménage.

— Plus vite, Firmin, plus vite, disait parfois le bourreau.

Mais c'était peine perdue. Après une heure de travail inutile, le réduit aux murs larmoyants empestait toujours autant l'urine, les matières fécales et le bran. À quatre pattes sur le sol, Firmin était en sueur. Des nuées de moustiques lui tournaient autour. Il n'était parvenu qu'à ratisser de ses mains hors du cachot sa litière de paille qui était devenue un fumier noir et malodorant.

— Bon, disons que ça peut aller. Tu es d'une saleté repoussante et tu travailles mal. Je suppose qu'on ne peut rien y faire. Viens avec moi.

Et Baillehache entraîna le vieux boulanger vers la salle des tortures. Là, il lui présenta des instruments : chevalet, brasero, poucettes, grésillons, rouleaux à épines, tourniquets... Il lui expliqua les différents supplices qu'il risquait de subir. Firmin était au bord de l'hystérie. Le bourreau le guida à l'extérieur de la pièce et lui dit doucement, tout en le reconduisant au geôlier afin qu'il lui remette ses chaînes :

— Il fallait que je te prévienne de ce qui t'attend si tu refuses de collaborer avec les autorités. Garde-le pour toi, d'accord ? C'est pour t'aider.

— Mais qu'est-ce qu'il faut que je leur dise ?

— Toi seul sais ce que tu as vraiment fait chez les Jacques. C'est scandaleux. Il faudra que tu t'en souviennes et que tu nous relates tout de façon très précise. Si tu fais cela, je serai possiblement en mesure de t'éviter la question. Les juges t'acquitteront peut-être si tu montres de la bonne volonté.

— J'en montrerai. J'en montrerai, c'est promis.

— Bien.

De nouveau entravé et enfermé, Firmin fut laissé seul face à sa peur. Il ne revit pas Baillehache pendant plus d'une semaine et ne reçut que suffisamment d'eau pour assurer sa survie.

*

Paris, nuit du 31 juillet 1358

L'ombre se faufilait avec d'infinies précautions dans les rues désertes. Elle s'arrêtait souvent pour disparaître dans une venelle, après quoi elle se glissait jusqu'à la cachette suivante, en prenant garde aux vigiles et aux nombreux obstacles qui parsemaient sa route, car elle n'avait pas d'esconse. À quelques reprises, un objet métallique tinta dans sa main sans qu'elle puisse l'empêcher. Chaque fois, l'ombre s'arrêta et retint son souffle. Mais rien ne se passa. L'objet brilla un instant dans la main de l'homme à cause de la lune qui se dévoilait. L'objet métallique disparut dans les replis d'une mante beaucoup trop chaude pour la saison.

C'était un trousseau de clefs. L'homme qui le tenait était Étienne Marcel, le prévôt des marchands. Puisqu'il était désormais impopulaire auprès des habitants de sa propre cité qui lui manifestaient ouvertement leur hostilité – même l'un des échevins de la ville, Jean Maillart, l'avait fait : il s'était querellé avec lui le jour même –, l'ultime espoir du prévôt était de se tourner vers le roi de Navarre avant que cette situation ne le mette en brouille avec lui. Et, pour que cela puisse se produire, il ne lui restait plus qu'une seule chose à faire.

Les échevins qui avaient toujours été consultés pour les projets audacieux du prévôt, y compris le meurtre des deux maréchaux, ne l'avaient pas été pour celui qu'il avait en tête cette nuit-là. Il lui fallait donc se hâter.

Le prévôt s'apprêtait à livrer la ville qu'il chérissait et qu'il avait lui-même mise en état de se défendre. Avant de disparaître à nouveau derrière son écrin de nuages argentés, la lune lui montra les murailles qu'il avait bâties. C'était comme un reproche.

Il devait profiter de la noirceur pour se remettre à courir. Le temps pressait. Mais enfin il arrivait à destination. Les clefs réapparurent dans la main de l'homme lorsqu'il parvint à la porte de la bastille Saint-Denis.

— Étienne, cher Étienne. Que faites-vous donc ici à noqueter?

Le prévôt sursauta et échappa les clefs. Deux autres hommes

s'avancèrent par-derrière lui et Marcel put distinguer des gens d'armes venus de la porte Saint-Antoine qui se déployaient tout autour. Il répondit :

— Qui va là ? C'est vous, Maillart ?

— Bien deviné. Vous avez bon œil, même de nuit.

— Vous devriez donc vous douter un peu que je suis ici pour prendre garde de la ville dont j'ai le gouvernement.

Les deux autres hommes ricanèrent. Étienne les reconnut. Il s'agissait de Pépin des Essarts et de Jean de Charny, les chefs du parti du dauphin. Maillart dit :

— À pareille heure, et avec les clefs de la ville dans les mains ? Par Dieu, Marcel, me croiriez-vous simple d'esprit ?

Et, prenant ses compagnons à témoin :

— Oyez, les gars. Il s'en venait trahir la ville. Il s'apprêtait à ouvrir tout grand les portes au Navarrais !

Le prévôt s'avança et dit :

— Vous mentez. Prouvez-le.

Ce fut à ce moment que d'autres hommes apparurent et tentèrent de prendre les gens d'armes du dauphin à revers. Maillart hurla :

— Qu'ai-je besoin de le prouver ! Nous l'avons, notre réponse. Traître ! À mort !

Les hommes des deux partis s'affrontèrent en une échauffourée des plus confuses. Des lames brillèrent et produisirent des étincelles en se heurtant. Des corps tombèrent. Étienne Marcel s'accroupit dans un coin et tenta de se fondre dans la pénombre pendant que Maillart était occupé avec l'un des Navarrais. Il s'éloigna à croupetons le long du mur sans être remarqué, grâce aux buissons qui croissaient tout près.

Soudain, les épées s'allumèrent au clair de lune. Marcel put se rendre compte que personne ne semblait s'être détaché de la bagarre. Mais la lune risquait de le dévoiler, lui. Il se redressa et tourna le dos à l'escarmouche. Il devait fuir au plus vite.

Une hache venue de nulle part s'abattit et lui fendit le crâne. Les clefs tintèrent en tombant près des buissons, où elles furent promptement ramassées. Le roi de Navarre ne devint pas maître de la ville, cette nuit-là. Les Jacques et les Navarrais emprisonnés demeurèrent dans leur geôle.

*

— Que t'arrive-t-il ? Tu ne manges pas ?

Baillehache regardait la grosse miche de malicet* qui était demeurée intacte. Elle se trouvait presque à la portée du prisonnier. Même entravé, Firmin n'aurait eu qu'à s'étirer pour y mordre. Mais s'il l'avait fait, le piquet sur lequel le pain était planté lui aurait transpercé la gorge.

—Tu es très ingrat d'avoir dédaigné mon présent. J'ai payé ce pain fort cher. Serais-tu malade?

—Oui, je suis malade. Mais qu'importe. Vous êtes là. Je croyais que vous m'aviez oublié.

—Je ne t'ai pas oublié, Firmin. Je n'oublie jamais.

—S'il vous plaît, pourriez-vous tenir le pain que je puisse en manger un peu?

Baillehache le prit et le tâta avant de hausser les épaules et de le jeter par terre. Il roula parmi les immondices, et Firmin se tendit en le regardant avec convoitise.

—Il est rassis, dit Baillehache.

—À boire! Juste un peu!

Le bourreau aperçut quelque chose près de la tête du prisonnier. Cela ressemblait à une sorte d'auréole sombre. Il repoussa l'homme avec le bout ferré de sa canne afin de voir cela de plus près: le vieil homme avait été affamé à un point tel qu'il était parvenu, non sans mal, en se tortillant dans ses chaînes et en se tordant le cou à l'extrême, à grignoter l'enduit d'argile couvrant le mur de son cachot.

Firmin écarquilla ses yeux chassieux.

—J'ai très faim, dit-il.

—Ma foi, tu dois t'être cassé les dents, là-dessus. Fais voir. Oui, en effet. En plus, certaines se déchaussent. Mon pauvre vieux. Ta blessure, maintenant.

Firmin se laissait docilement examiner. Les larmes lui vinrent aux yeux. Baillehache avait dit: «Mon pauvre vieux.» Il en était profondément ému.

—Il était temps d'y voir. Tu as grand besoin d'être soigné. Cette plaie commence à se corrompre. Vois comme cela a bruni aux commissures.

—C'est vrai. Oh, ce que je suis content de vous voir, vous n'avez pas idée. Pendant que je croupissais là à attendre, j'ai beaucoup pensé à vous. Il me semble que je vous connais depuis toujours. C'est étrange, hein? Ne me laissez plus seul, je vous en prie.

Les bras suspendus, hideusement ridés par un amaigrissement subit, se mirent à agiter les chaînes pour tenter de caresser l'homme en noir dont la présence et la sollicitude étaient si réconfortantes. Mais Baillehache se tenait hors de portée. Plus que jamais, Louis fut heureux de porter sa cagoule, car il sentait sur son visage la contorsion d'une grimace. «Tu me connais bien mieux que tu ne le crois, vieux rat», songea-t-il.

Firmin dit encore, spontanément:

— Ils sont venus me voir l'autre jour, vous savez. Les Jacques. Ils m'ont apporté un de ces soupers! Putain que c'était bon. Pour me remercier de leur avoir donné du pain. Dieu était là avec eux. Il était très fier de moi.

— C'est vrai? Dieu, dis-tu? Grand bien Lui fasse.

Le géant se penchait pour déverrouiller les entraves et, satisfait, il écoutait poliment les propos délirants du prisonnier. «Eh bien, dis donc, tu n'as pas mis beaucoup de temps à perdre le peu d'esprit que tu avais», se dit-il.

— Ah oui, continuait Firmin. C'est fou ce qu'il y avait comme monde dans ce petit cachot. J'étais très fatigué quand ils sont partis. Mais, c'est drôle, je suis plus content de vous voir, vous. Je sais pas, c'est pas pareil.

Baillehache conduisit doucement le vieil homme le long du couloir. Lorsque ses pas avaient résonné dans l'escalier au beau milieu de la nuit, comme c'était devenu son habitude, tous les prisonniers du cachot avaient été atteints de crampes et de diarrhée en même temps. Firmin aussi. Mais le boulanger ne se rendait pas compte qu'un liquide nauséabond coulait le long de ses jambes. Sa faim chronique lui avait fait perdre ses inhibitions, et son besoin de communiquer avec un autre être humain était aussi pressant que sa soif. Il était devenu intarissable:

— Eux, ils sont déjà au paradis et tout. Moi, j'ai personne ici. Personne sauf vous. Mais c'est très bien, c'est très bien, vous savez. Faut que je vous dise: je comprends, hein! Je veux dire: j'ai bien conscience que vous ne faites que votre devoir, que ce n'est rien de personnel. Ce sont eux qui vous y obligent. C'est pour ça que je me suis dit: Baillehache, c'est pas un mauvais type, non. Il est mon seul vrai ami. Tous les autres qui restent m'ont laissé tomber, mais pas lui.

— C'est gentil.

Louis regretta de ne pas être en mesure de rire aux éclats, même s'il croyait avoir oublié ce que l'on pouvait éprouver lorsqu'on dessinait sur ses traits un simple et vrai sourire.

Une fois son prisonnier libéré de ses chaînes, le bourreau le fit asseoir sur un banc dans ce qui ressemblait à un dispensaire. Tout en ne cessant d'écouter, il prépara une mixture d'herbes mêlées à de l'eau-de-vie de vin de Mâcon qu'il exprima d'une éponge au-dessus de la plaie. Firmin continuait de parler:

— Mais c'est vrai. J'ai beaucoup pensé à vous. Quel métier

terrible vous faites. Ça doit être très éprouvant de torturer des gens quand on n'a rien contre eux, hein? Moi, j'en serais incapable. Oh, des fois ça m'est bien arrivé de cogner un peu, mais bon... Eh! eh! qu'est-ce que vous voulez, c'est le caractère. On se comprend?

— Bien sûr.

— J'avais un gamin, chez moi, dans le temps. Un taré, que c'était. Pour lui enfoncer le moindre truc dans le crâne, fallait que je tape dessus. J'ai dû en avoir gardé l'habitude. Ah, ça fait vraiment du bien, ce que vous faites là. Ça rafraîchit. Merci de me laver.

— Pas de quoi. C'est la moindre des choses. Tiens, prends ça, c'est bon pour le ventre.

Il lui donna à boire un gobelet d'infusion tiède de millepertuis aromatisée au fenouil[180]. Firmin le but avidement.

— Oh! que c'est bon, putain que c'est bon. Je n'ai jamais rien goûté de pareil.

Firmin n'était plus le même homme: Baillehache savait par expérience que les seuls effets de l'isolement, de la fatigue, de l'anxiété, du manque de sommeil, de l'inconfort dû à la température et à la faim chronique produisaient chez presque tous les prisonniers des dérèglements organiques qui entraînaient de tels changements d'humeur, d'attitude et de comportement. Le corps humain est incapable de supporter simultanément autant d'assauts. Le moindre soin apporté au condamné pouvait être perçu comme de la gentillesse.

— Qu'est-il arrivé à ce gamin? demanda-t-il.

Firmin regarda pensivement ses mains. Dans le silence subit, Louis entendait son propre cœur battre la chamade. Firmin leva la tête vers le bourreau et répondit:

— L'a crevé comme une bête. Ça m'a fichu une de ces trouilles.

Il haussa les épaules.

— Mais qu'importe, puisque c'était juste un pauvre taré.

Louis cligna des yeux pour combattre l'envie de les fermer, de soustraire à sa vue ce misérable qui, même dans l'état où il se trouvait réduit, ne manifestait aucun signe de regret. Il combattit l'ardent désir de prendre sa dague et d'en enfoncer la pointe sous la chair flasque qui ourlait les petits yeux larmoyants, ou de prendre une paire de pinces, d'y emprisonner sa langue et de tirer, tirer jusqu'à ce qu'elle finisse par céder. Mais Baillehache se retint. Il dit, d'une voix douce:

— Nous allons devoir nous mettre au travail, maintenant. Navré.

— Oh, je ne vous blâme pas. Tout est la faute au roi et à ses ministres. Soyez sans inquiétude: je dirai tout afin de vous éviter des ennuis de la part de vos chefs. Hé, qu'est-ce que c'est?

—Je dois te mettre une cagoule. Ils ne veulent pas que tu les voies.

—Merde, merde, je n'aime pas ça. C'est que ça m'énerve. Mais d'accord. Ça va. Je ne devrais pas avoir peur, puisque vous êtes là. Et votre visage à vous est toujours caché. Je n'en mourrai pas si je porte moi aussi une cagoule pendant une heure ou deux, hein? Comme ça on se ressemble. Eh! eh!

Louis émit un petit bruit.

—Qu'est-ce qu'il y a? Ça va pas?

—Rien de grave. J'ai un peu mal au cœur, mais ça va passer.

—Ah, c'est pas bon, ça. Vous vous fatiguez trop. Je me rends compte à quel point c'est précieux, la camaraderie humaine. Même avec les Jacques, je ne l'ai pas sentie comme ça. Sans blague. Vous êtes la seule personne chaleureuse et sympathique dans toute cette saleté de ville. La corporation ne fait rien pour moi et les moines non plus. Même ma putain de famille m'a laissé tomber.

«Pas besoin de torture pour le faire causer, celui-là», songea Baillehache. Il s'adressa à Firmin:

—Allez, on y va. Laisse-moi te conduire. Lorsqu'ils en auront terminé, ils te feront lecture d'une déposition. La signeras-tu pour moi afin que je puisse la présenter aux juges?

—Vous pouvez compter sur moi. Pas question que vous soyez puni par ma faute.

—C'est vraiment trop de bonté. Je suis touché. Attention aux marches. Voilà. Il y en a d'autres. On y est presque.

Alors qu'une main ferme et sécurisante se refermait sur son bras et le guidait, Firmin sentit une bouffée d'air frais traverser l'étoffe malpropre de sa cagoule. Il fut saisi d'un vertige.

—Doucement, dit Baillehache, qui le laissa s'appuyer un instant contre lui.

—Excusez-moi... C'est drôle, on dirait que je suis saoul tout à coup.

—C'est normal. Tu respires de l'air vicié depuis trop longtemps. On continue? Ils t'attendent. N'aie crainte, je te soutiens.

—Ouais, ça va aller.

Firmin sentit bientôt un changement d'atmosphère et un léger froufrou, qui tous deux suggéraient la présence de plusieurs personnes dans une salle. Baillehache lui lia les mains derrière le dos et dit:

—Je vais devoir te laisser, maintenant. Il faut que tu restes debout, d'accord? Attends qu'ils t'accordent la permission de t'asseoir, sinon ils m'obligeront à te fouetter.

—Compris, dit Firmin, que la perspective n'inquiétait pas outre mesure. Le seul fait d'avoir été libéré de ses chaînes le soulageait d'un poids considérable que son affaiblissement avait amplifié. Rester debout pour la durée d'un interrogatoire de routine, ce n'était rien de très pénible.

Mais des heures semblèrent passer avant que quelqu'un ne se décide enfin à parler. C'était un homme.

— Firmin Ruest, est-il vrai que tu as fourni gratuitement du pain de tes fournées aux paysans qui ont osé se rebeller contre l'autorité bénie du régent?

— Oui, j'ai fait ça et je le regrette amèrement.

— Combien en as-tu fourni?

— Bonne question. Euh... pour vous dire franchement, je n'ai pas vraiment compté, dans le feu de l'action comme j'étais...

— Combien?

— Attendez voir, que j'y pense. Ce n'est pas facile, ce que vous me demandez là. Pendant deux ou trois semaines, je dirais. Du pain de Chailly, surtout, et un peu de Gonesse.

— Tous les jours?

— Tous les jours pendant ces deux ou trois semaines.

— Pourtant, on nous a certifié que vous étiez absent de la boulangerie pendant toute la durée de la révolte. Vous n'avez donc pu leur fournir du pain si vous étiez déjà en leur compagnie, et votre famille ne fait pas partie des suspects. Pendant combien de temps avez-vous fourni du pain aux rebelles, Firmin Ruest?

— Je vous l'ai dit, que je ne savais plus exactement combien de temps. Il se peut que ç'ait été pendant plus longtemps. Je leur ai donné la moitié de mes fournées.

Il y eut des bruits de pas, et une porte fut refermée. Puis le silence. Pendant un très long moment.

— Il y a quelqu'un? Ho! Où êtes-vous passés? C'est que je commence à me fatiguer, moi.

— Reste tranquille, dit la voix lointaine de Baillehache.

Des heures passèrent encore. Du moins le crut-il. Firmin commençait à avoir mal aux jambes et avait besoin d'uriner.

— Baillehache, vous êtes là?

Personne ne répondit. Quand, beaucoup plus tard, il se mit à chanceler, il entendit des pas s'approcher.

— Qui est là?

Pas de réponse.

— S'il vous plaît. J'ai besoin de dormir et les jambes m'élancent. Où sont-ils allés?

Firmin se mit à pleurer. Une tache humide apparut sur sa

461

cagoule, vis-à-vis de son nez. Il remarqua que des bruits discrets se manifestaient à intervalles réguliers mais très espacés. Ils se relayaient pour le surveiller.

Mais lui devait rester là. Et il se battait contre son propre corps, contre cette souffrance qu'il s'infligeait à lui-même et dont il ne comprenait pas la raison. Il se mit à supplier même si, peut-être, aucun oppresseur ne se trouvait là pour l'entendre :

— Je vous en prie. J'ai tout avoué au meilleur de mon souvenir. Qu'y aurait-il d'autre à dire ? Laissez-moi me reposer.

Une porte s'ouvrit.

— Ils ne sont pas contents.

— Baillehache ! Enfin. Quoi ? Mais que leur faut-il ?

— Ils disent que tu n'as fait que répéter des choses qu'ils savaient déjà. Ils veulent des noms.

— Des noms ? Mais je n'en ai pas, moi. J'étais avec eux comme ça, c'est tout. Et, en plus, ce n'étaient jamais les mêmes d'un jour à l'autre.

— Je sais bien. Mais ils ne te croient pas. Ils soupçonnent que tu en sais davantage. Il faut tout leur dire, Firmin. Donne-leur des noms.

— Puisque je vous dis que je n'en connais pas ! Au nom du Christ, non, ne partez pas !

Son corps tout entier pleurait en réclamant du soulagement et suppliait son esprit de céder. Mais céder à quoi ? Il était tout simplement debout. Personne ne lui touchait. Il ne résistait pas à l'interrogatoire, il n'y avait pas d'interrogatoire. Il lui fallait trouver quelque chose. N'importe quoi.

Et Firmin, déjà rabaissé et humilié dans tout son être, se voyait trahi par ses propres muscles. Il découvrait que même une chose normale comme le fait de se tenir debout pouvait entraîner de la souffrance si elle était prolongée trop longtemps.

Il resta debout un jour entier, et Baillehache ne revint pas.

Il avait complètement oublié la requête de son bourreau. Il essaya bien de justifier ces actes en se réfugiant dans la raison. Il s'efforça de comprendre ses persécuteurs. Tout cela en vain. Ce qu'il découvrit ne fut qu'une source de tourments additionnels. Toutes ces tortures étaient sans objet. « Je lui ai pourtant dit que je voulais l'aider », ne cessait-il de se répéter dans sa détresse.

— Baillehache, sale bâtard ! cria-t-il plusieurs fois à l'intention de son tortionnaire absent.

Il ressentait l'envie irrépressible de le revoir, non pas pour lui faire regretter de l'avoir abandonné, mais pour une raison qu'il ne pouvait clairement définir.

Le bourreau revint, une éternité plus tard.

—Allons, Firmin, du calme. On va y arriver.

Ce fut à ce moment-là que Firmin se rendit compte qu'il n'avait cessé de crier des injures.

— As-tu des noms? demanda Baillehache.

—Des noms?

—Ton obstination n'est vraiment pas raisonnable. Aurais-je donc intercédé en ta faveur pour rien?

—Non! C'est juste que... j'ai oublié qu'il me fallait trouver des noms, dit le vieillard piteux. Je suis tellement fatigué et j'ai les jambes en feu. Mais je vais y penser, maintenant, promis. Ne soyez pas fâché après moi, je vous en conjure. S'il fallait que je vous perde, vous aussi...

—Je ne suis pas fâché, Firmin. Je ne fais que mon devoir, dit Baillehache tristement.

Il le laissa à nouveau seul.

Louis avait pu constater avec satisfaction que les chevilles et les pieds du captif avaient presque doublé de volume. La peau était tendue à l'extrême et de longues ampoules s'y étaient formées. Certaines avaient éclaté et exsudaient un sérum aqueux. Des tremblements les parcouraient. Elles ressemblaient à deux branches noueuses suintantes de sève. L'œdème était sur le point d'atteindre les cuisses.

Quelque chose lui effleura la gorge. Pris de panique, Firmin égrena une suite de cris brefs, curieusement sans bouger de sa place.

—C'est moi, Firmin. Du calme, dit la voix bienveillante de Baillehache.

—J'ai peur. J'ai peur. Par pitié, aidez-moi!

—Je sais. Ton cœur bat très vite. L'accumulation de liquide dans tes jambes altère la circulation.

—Du liquide? Je ne comprends pas.

—Ne t'inquiète pas, c'est normal. Nomme-nous tes complices, Firmin. Cesse donc de te faire du mal et libère ta conscience. Parle, et tu seras soigné.

—Des complices?

—À qui as-tu donné du pain?

—Je me trouve mal.

Le vieil homme lui tomba dans les bras. Réfrénant avec peine son dégoût, Baillehache le retint à la verticale et leva les yeux sur le magistrat et le clerc qui s'étaient installés devant eux. Ça n'allait plus tarder, désormais. «Les reins sont en train de lâcher. Il s'empoisonne avec son propre venin», se dit-il[181].

Il lui administra quelques petites tapes dans la figure. Firmin se ranima à demi en marmonnant des choses sans queue ni tête.

—Réveille-toi, Firmin.

—Salut, l'ami. C'est toi qui m'as trouvé à la taverne, hein? Je pense que je me suis perdu.

—Ce n'est pas grave. Te souviens-tu des paysans à qui tu as donné du pain?

—Si je m'en souviens! De vrais potes. Mais il y en avait un qui chantait drôlement mal. Il faussait comme un poêlon fêlé. Je crois que je suis saoul. Il fait noir. Mais qu'est-ce qu'il fout, le Ratier, qui n'arrive pas avec l'esconse*? Attends un peu que je lui mette la main dessus, ce petit sot.

— Il n'y a pas de Ratier ici, Firmin. Allez, calme-toi. Comment s'appelaient tes amis?

—J'ai promis de garder ça pour moi.

—Allons, allons, tu sais bien qu'à moi tu peux tout dire. Je suis ton ami.

—Ça, c'est vrai. Attendez un peu que je réfléchisse. Ah oui, ça me revient maintenant. Mais, bon sang, où avais-je donc la tête? Un grand homme, Étienne Marcel.

—As-tu aidé Étienne Marcel, Firmin?

—Hein? Ah... oui, vous pensez bien que oui.

—Comment? En fournissant du pain à ses gens?

Le ton de voix du bourreau changea imperceptiblement, comme s'il se retenait de manifester de la joie. «Pauvre type, se dit Firmin, il doit lui aussi être bien fatigué.» Il ne savait plus exactement où il en était. Influençable et dans l'état de confusion où il se trouvait, il n'était plus capable de distinguer ce qui était vrai de ce qui aurait dû l'être ou de ce qui aurait pu l'être. Il lui fallait trouver une solution. Le mieux était de répondre quelque chose qui allait faire plaisir à son interlocuteur. Peu importait si ce n'était que fabulation, tous deux allaient enfin pouvoir se reposer.

—C'est ça. Oui, j'ai fourni du pain au prévôt Marcel et aux Jacques. Beaucoup, beaucoup de pain.

—Étienne Marcel est mort, tu le savais? Il a été tué au moment où il allait livrer la ville.

—Oh! c'est dommage. Je l'aimais bien. C'est peut-être pour ça qu'il est venu me voir à la boulangerie. Ou bien ici. Je ne sais plus au juste. Ils sont nombreux à venir me voir. Les Jacques. Et Guillaume Carle, aussi.

—Nous en savons assez pour l'instant, maître, intervint le magistrat. Emmenez-le et prodiguez-lui des soins. Nous allons délibérer.

*

— Vous êtes heureux, Baillehache! s'exclama Firmin dont les yeux brillants de fièvre se posaient sur la cagoule de l'homme penché au-dessus de lui, de qui il apercevait par les trous pratiqués dans le tissu les deux prunelles rieuses.

— Très heureux.

— Alors moi aussi, je suis content, même si je n'arrive plus à me souvenir de ce que j'ai dit au juste.

— Tu n'as dit que la stricte vérité. C'était tout ce dont nous avions besoin.

— C'est bien vrai. Que va-t-il se passer, maintenant? Je ne sais plus trop où j'en suis.

— À la signature de la déposition, ton crime de haute trahison sera confirmé.

— Ah oui. Merci pour la soupe. Ça m'a fait vraiment du bien.

— Elle était bonne, n'est-ce pas? Allonge-toi. Je vais te rafraîchir et te frictionner.

Maîtrisant avec peine la nausée qui l'assaillait, Louis prodigua les soins annoncés à son père. Firmin ferma les yeux et se laissa faire avec reconnaissance.

— Vous êtes si bon pour moi.

— Tu t'es montré très courageux, Firmin. Je te félicite.

Cette petite phrase, mieux que n'importe quel tourment, toucha Firmin au plus profond de son être. Il fondit en larmes sur son banc. Et, derrière sa cagoule, Louis sentait son visage se tordre. «Vas-y, pleure, vieux débris. Lamente-toi sur ton sort pendant que ton taré de fils t'en laisse encore la chance. Ton heure va bientôt sonner.»

*

Craindre de perdre l'esprit est l'une des peurs les plus pénibles. Sans raison apparente, un homme peut se mettre à s'arracher les ongles ou les cheveux. Un accès d'angoisse frôlant le délire déforme son univers et il n'y a que la douleur pour le ramener à la réalité.

Par deux fois, Firmin rêva qu'il se faisait battre par le Ratier avec l'un de ses propres bras qu'il lui avait coupé pour le dévorer. Et le Ratier lui souriait en mâchant un lambeau de chair sanglante qui lui pendait au coin des lèvres. Lorsqu'il se réveilla, les deux fois, il découvrit sur son bras ses propres morsures qu'il prit pour celles de son fils.

Rien n'était pire que les périodes d'attente entre deux sessions de torture. Pour son bourreau, chaque séance pouvait ne durer que quelques minutes. Mais pour lui, il n'y avait aucun répit, car l'angoisse meublait tout vide.

Firmin avait peur. Avec le retour de sa lucidité qu'un peu de repos lui avait rendue, le détenu prenait pleinement conscience de ce qu'il avait fait avec sa réalité à lui, qui n'était déjà plus celle des autres. Étienne Marcel, qu'il n'avait jamais admiré que de loin, était pour eux devenu son principal bénéficiaire. C'était la réalité qu'ils avaient souhaitée; il l'avait donc créée pour eux. Pendant un moment, il avait été jusqu'à y croire lui-même. «Mais je suis innocent. Je suis presque innocent», se dit-il. Il ne pouvait plus être question de se rétracter maintenant. Les aveux devaient se poursuivre. Tant qu'ils allaient en demander. Il ne voulait plus avoir mal. Mais il lui fallait à tout prix revendiquer un contrôle, même relatif, sur sa situation qui était en train de lui échapper. Il n'y avait d'autre issue possible que celle de collaborer avec Baillehache et de lui faire confiance. Lui allait le guider dans sa démarche. Il avait été formel : un aveu complet lui donnait une chance d'être acquitté. Une chance très minime, il l'avait admis en toute honnêteté, mais c'était mieux que rien. Mieux valait jouer le tout pour le tout.

*

L'allure frêle de la victime accentuait la stature imposante du bourreau qui l'accompagnait. Louis savait qu'on pouvait survivre jusqu'à six semaines sans nourriture, mais pas plus de quelques jours sans boire. Il avait donc pris soin de s'en tenir au strict minimum avec son prisonnier. L'expérience lui avait montré qu'on pouvait perdre le tiers de son poids sans danger, mais que d'en perdre plus de la moitié était généralement fatal. Firmin se situait entre les deux.

— Ils pensent que ta santé déficiente t'a rendu trop influençable et que tu as brodé autour de suggestions que je t'aurais faites. Maintenant que tu vas mieux, ils te demandent de leur répéter tout ce que tu leur as dit pour le valider avant ta signature de la déposition.

Le cœur de Firmin bondit. Voilà qui était inattendu. Cette perspective changeait tout. Il se redressa et jeta un regard circulaire à ceux qui étaient présents dans la salle de tortures :

— Tout cela était faux. C'est à cause de cette fièvre que j'ai eue. Et j'avais peur de la torture. Je n'ai jamais vraiment vu Marcel. Je n'ai fait don que d'un peu de pain aux Jacques. Je suis innocent.

Les gens se mirent à murmurer entre eux et, près de lui, Baillehache secoua la tête. Il dit, d'une voix résignée :

— Firmin, Firmin. Que viens-tu de faire là?

— Vous, ne m'adressez plus la parole. Ils veulent ma mort. Tout est votre faute.

466

Brusquement, le vieil homme fut bousculé jusqu'à la salle des tortures et étendu au centre du cadre qui composait un chevalet à deux poulies. Gérard et ses assistants étaient ivres. Ils mirent longtemps à se mettre à l'œuvre. «Si au moins il existait un chevalet n'ayant besoin que d'un seul opérateur», se dit Baillehache avec impatience.

—Maître Gérard, pourquoi avez-vous bu avant le travail? Tournez. Plus vite.

Ils avaient du mal à le suivre.

—Attends-nous un peu, quoi. Tu vas nous crever à la tâche. Quel rabat-joie tu fais, Baillehache, dit Gérard.

Les assistants ricanèrent.

—Rabat-joie? On est là pour briser un homme.

Les membres de Firmin, attachés, se tendirent et il fut soulevé de terre.

—Suffit. Toi, tiens ma perche, dit-il à un garde, tandis que Firmin se lamentait.

Baillehache s'en alla bousculer quelques objets sur une tablette et revint avec l'un des croûtons rassis qui comportait les trois lignes courbes des Ruest. Il le montra à Firmin.

—Tout est faux, disais-tu? As-tu oublié que quantité de tes pains ont été retrouvés chez les Jacques?

Il lança le croûton dans le brasero, où il s'enflamma brièvement avant de se transformer en une braise plus lumineuse que les autres qui palpita avant de disparaître. Apeuré, Firmin leva la tête et dit:

—Malheureux. Vous venez de nourrir le diable.

—Qu'importe. Satan me connaît bien. Il y a des gens qui m'appellent même Beelzeboul, le roi des mouches.

Quelques personnes chuchotèrent entre elles en jetant de furtifs coups d'œil au tortionnaire. Il ne s'en soucia pas. Il dit:

—J'ai su me montrer très patient et compréhensif à ton égard. Hélas, tu m'as trahi, moi aussi.

—Le traître, c'est vous. Vous m'avez raconté tout un tas de mensonges pour me convaincre de parler. Vous m'avez séduit et trompé avec de belles promesses.

—Ne me blâme pas pour les erreurs que tu as commises. Toi seul es responsable de ton sort. Écoute-moi attentivement, Firmin. En te rétractant, tu viens de commettre une autre grave erreur. À cause de cela, tout ce que tu as pu nous dire auparavant n'a plus de valeur.

—Tant mieux. Je l'ai dit, c'était faux. Quelqu'un est venu m'acheter ce pain.

—Vraiment? Dans ce cas, où est l'argent? Il a été établi

qu'aucune trace de ventes massives ne figure dans les comptes de la boutique.

—Suppôt de Satan!

Pendant qu'ils parlaient, le bourreau s'était muni d'une espèce de petite cage et d'un bâton pointu, long d'une trentaine de centimètres.

—Tu vois? Nous ne savons plus exactement où se trouve la vérité. Il va falloir que j'aie recours à la force pour l'extraire de ta bouche. Et je puis te garantir que, cette fois, ça ne prendra pas de temps.

—Ne m'approchez pas.

—Maintenez la tension, vous autres, dit Baillehache aux hommes qui tenaient toujours les perches. Il posa la petite cage sur le ventre de Firmin. Elle contenait deux rats.

—Qu'est-ce que c'est que ça?

—Personne n'aime les rats. Moi non plus, je ne les aime pas.

Il montra à Firmin son petit bâton et dit:

—Regarde ce qui arrive.

Il se pencha et, insérant son bâton entre les barreaux de la cage, il les taquina. Les bêtes se bousculèrent à l'intérieur. Cela ressemblait à un jeu. Soudain les rats se mirent à couiner: Baillehache les piquait. Les rats prisonniers furent pris de panique et commencèrent à gratter frénétiquement contre les parois de la cage en produisant un affreux crissement métallique.

—Tu t'amuses bien avec tes petites bébêtes, Baillehache? demanda Gérard en riant.

Le tortionnaire récupéra le bâton effilé et, graduellement, les deux rats s'apaisèrent.

—Beaucoup. Rien ne presse, j'ai tout mon temps.

—Que vas-tu faire, maintenant? Tu vas lui planter ton bâtonnet dans le cul, à notre bonhomme, pour qu'il se mette à couiner lui aussi?

—Mieux que ça.

Il tira précautionneusement le fond de la cage à lui par une poignée rudimentaire. Firmin frissonna de dégoût en sentant contre sa peau les pattes nues des rats.

—Par le saint nom du Christ, dit quelqu'un.

—Une belle trouvaille, n'est-ce pas? J'ai toujours eu horreur des rats.

Baillehache tint le bâton tout près de la cage et regarda Firmin, dont le teint avait viré au gris.

—Si je recommence à les piquer, ils chercheront à sortir par l'endroit le plus vulnérable. Ils se mettront à creuser, Firmin, et ils t'étriperont. Tu mourras longtemps.

—Non... pitié.

—Il n'en tient qu'à toi. Avoue et je déposerai mes instruments. Parce que j'en possède aussi d'autres qui sont pas mal.

Sans prévenir, un souvenir ancien s'entremêla à sa panique : il revit Louis enfant qui s'amusait à tourmenter les rats avant de les tuer. Firmin ferma les yeux et se passa la langue sur les lèvres.

—Marcel comptait sur mon soutien à cause de la réputation de ma boutique. J'allais le rencontrer régulièrement rue de la Juiverie, à la taverne de la Pomme de pin.

*

L'endroit en question fut visité dès le lendemain après-midi. La présence de douze gardes armés à sa porte incitèrent fortement le tavernier à se souvenir qu'en effet le boulanger Ruest y avait été vu à maintes reprises en compagnie du prévôt des marchands et qu'ils avaient tous deux une préférence marquée pour son vin d'Argenteuil.

Le soir même, la déposition était signée et le verdict, rendu. Ce que Firmin n'était plus en état de savoir, c'était que tout avait été soigneusement planifié par Baillehache depuis le jour même de son arrestation.

*

Saint-Germain-des-Prés, un mois plus tôt

Étendu face contre terre sur les dalles, immobile et les bras en croix, il s'offrait à Dieu. Encore un peu plus. Parce que cela lui avait été demandé. Un jour, l'abbé était venu à lui et lui avait dit : « Mon fils, on a besoin d'un aumônier et tu as été désigné. Va et commence dès aujourd'hui à préparer ton âme afin de recevoir l'ordination sacerdotale. » Lionel s'était dit : « Mais je ne parle pas. À quoi donc sert un prêtre qui ne parle pas ? » Antoine avait gravement répliqué, comme si Lionel avait réellement exprimé cette pensée : « *Domine, exaudi vocem meam* ». Un aumônier était appelé à faire du ministère. Il fallait faire des sermons. Depuis longtemps, les gens ne prêtaient plus attention au premier illuminé venu ; il leur fallait des prédicateurs agréés par les facultés de théologie, munis de la licence et du baccalauréat et coiffés du bonnet de docteur. Même le plus beau discours du monde, pour qu'il ne soit pas reçu dans une indifférente neutralité, ne devait pas être présenté par un quidam. Il devait provenir d'un des puissants de ce monde ou bien... d'un ermite dont le mysticisme était reconnu.

«Il y en a d'autres, et des plus ambitieux. Pourquoi moi?» se dit Lionel. Le monde était rempli d'âmes simples et exaltées, de tribuns talentueux qui s'en allaient volontiers porter la Parole sous la dictée de l'Esprit. Il y en avait peut-être même un peu trop.

— *Ora pro nobis*[182], chantaient les voix des moines.

Le bercement des litanies était fait pour ne jamais cesser. Il vous entraînait vers l'éternité des saints et vous plongeait dans un état second qui avait le don de vous faire percevoir à nouveau l'apaisant murmure de l'âme. «Tu as tout donné à Dieu, sauf l'humilité. Tu tiens trop à la tienne. Il est temps que tu donnes cela aussi.»

— *Ora pro nobis*.

«Mais je me suis retiré du monde. Je n'ai plus rien à lui dire», songea Lionel.

«Si», répondit son âme.

Et ce fut le silence.

*

Un mois plus tard

Juste après matines, le père Lionel fut informé que l'abbé l'attendait dans son étude. Ce genre de convocation était inhabituel et suscitait immanquablement un brin d'inquiétude. Qu'est-ce que ce serait, cette fois? Il avait accepté de devenir prêtre, mais l'abbé aurait dû savoir qu'il ne pouvait garantir qu'il en serait un bon. Cela importait peu, d'ailleurs, car rien n'avait changé. Tout continuait comme avant et il en était heureux. Les gens qui venaient le voir savaient qu'il était prêtre et qu'il pouvait les bénir. C'était suffisant. Il y avait trop longtemps qu'il était parvenu à engourdir sa volonté et sa capacité de raisonnement dans les oraisons balbutiées, dans les mouvements lents, étriqués, dans la bienfaisance répétitive de la vie monastique, prière, travail et repos. Prière, travail et repos comme le flux et le reflux de la mer, quelquefois orné d'un coquillage ou de bois flotté qu'on nommait repas ou ministère. Les nuits de prière n'avaient d'importance que pour ces journées qui filaient sans laisser de traces. Les vilaines arêtes de ce qu'il y avait au-delà du portail s'étaient émoussées grâce au patient travail de polissage de la mer. Et puis, il y avait le petit Jehan.

Lionel sourit tandis qu'il marchait dans le long déambulatoire dont l'un des côtés s'ouvrait sur un jardinet. «Jehan», c'était la perle que l'on avait ramassée un matin sur le sable tiède de son

---

182. Priez pour nous.

existence. Il se plaisait à regarder l'enfant s'épanouir et cela suffisait amplement à insuffler en lui un lointain parfum de paternité que les vapeurs émollientes de l'encens n'étaient pas parvenues à éliminer.

— *Ave*, dit la bonne vieille voix de l'autre côté d'une porte qui devait bien avoir une paume d'épaisseur. Lionel se glissa à l'intérieur et referma derrière lui. Il attendit.

— Venez vous asseoir, mon père, dit Antoine.

Le grand moine s'exécuta avec gêne à cause du voussoiement auquel il n'arrivait pas à s'habituer. Antoine prit place devant lui, de l'autre côté d'une humble table où étaient posés une chandelle, un encrier avec sa plume et un palimpseste* fraîchement gratté. Antoine posa les coudes sur la table et forma un clocher avec ses mains jointes qu'il appuya contre son nez pensivement, soustrayant partiellement à sa vue le visage anguleux de Lionel.

— J'ai toujours trouvé que vous étiez destiné aux cisterciens ou même davantage à un ordre mendiant tel que celui des franciscains plutôt qu'au nôtre. La pauvreté, sœur de la charité, est leur idéal. Ils aspirent à ne rien posséder. Hélas, cela n'est pas aussi facile qu'on le croit. Ils mendient, ils reçoivent: le pain, même reçu pour un jour, n'est-il pas une possession? Et, une fois les aliments assimilés, mêlés à leur chair, peut-on dire qu'ils ne sont pas à eux? Je reconnais en vous cet effort de renoncement pour survivre à la vie*.

Lionel écoutait attentivement, l'air recueilli. Antoine dit encore:

— C'est là la raison essentielle de votre ordination, mon père. Car, même si vous persistez à le nier, vous êtes d'abord et avant tout un homme qui doit accepter de vivre avec les tares d'un homme. Le prêtre, dans son ministère, doit affronter la faiblesse humaine chaque jour et en faire sa force. Voilà. Il fallait que vous sachiez ces choses.

Le mystique ne bougea pas, mais quelque chose dans sa posture évoqua le cerf en alerte. L'abbé reprit:

— Maintenant, père, j'ai à vous parler de choses très importantes. Il s'agit du petit Jehan.

Ses mains jointes se déplacèrent légèrement de côté pour lui permettre d'apercevoir un bref scintillement dans les prunelles sombres et secrètes du saint homme qui avait soudain relevé la tête. Il avait conservé l'habitude de la garder humblement baissée. Il cherchait peut-être sans en avoir conscience à diminuer de quelques pouces sa haute taille qui dominait trop celle des autres.

— Vous l'aimez, dit Antoine.

Le regard un peu fuyant de Lionel – cela rappela quelque

chose à l'abbé, mais il ne parvint pas à se souvenir quoi – s'accrocha un instant à celui du moine replet, juste le temps d'un signe d'assentiment presque imperceptible. Il baissa à nouveau la tête où se formulait silencieusement une prière : « Seigneur, prenez mes oreilles, que je n'entende plus. » Ses mains osseuses se croisèrent frileusement sur son giron et cherchèrent à se réconforter l'une l'autre, alors que l'abbé poursuivait doucement.

— Rassurez-vous, je ne vise pas ici à vous rappeler que c'est défendu. Vous savez cela aussi bien que moi. Mais, à six ans, il est plus que temps que le vrai prénom de cette enfant au moins lui soit rendu et qu'elle soit confiée à des gens de bien qui non seulement sauront l'élever, mais qui lui permettront aussi de grandir comme une enfant normale.

La chandelle crépita et sa flamme monta trop haut pendant quelques secondes, comme si elle cherchait à attirer l'attention des deux hommes.

— Comprenez-moi bien, père. Je ne désapprouve pas votre attachement envers elle, car je le sais dénué de tout désir impur. Mais la question n'est pas là. Elle grandit. Les murs d'un couvent sont la cible de bien des rumeurs. Éventuellement, on s'apercevra de la supercherie et sa véritable identité sera découverte. Cela risque de nous attirer des calomnies, sinon des accusations.

Le regard de Lionel s'égara sur l'une des dalles du plancher dont il suivit la fêlure en forme de branche. Antoine reprit :

— C'est pourquoi je vous charge dès demain de la conduire personnellement... voyons...

L'abbé se mit en quête d'un bout de parchemin qu'il trouva bientôt.

— Rue de Montmorency, chez une dame Garnier. Elle habite en face d'une librairie. Il s'agit, m'a-t-on dit, d'une parente éloignée de sa défunte mère. C'est une femme d'excellente réputation et elle a déjà deux filles dont l'une est à peu près du même âge que Jehanne.

Le nouveau prêtre fit un signe de tête. Son obéissance allait de soi et Antoine n'en douta pas un seul instant. Lionel était ce palimpseste : on avait écrit dessus maintes et maintes fois ; il avait été gratté jusqu'à la déchirure, mais, docile, il n'avait jamais cessé de s'offrir à la plume du Très-Haut.

L'abbé se leva pour aller prendre un havresac qui avait été déposé dans un coin de la pièce. Il l'apporta et l'ouvrit devant Lionel.

— Nous avons trouvé des vêtements civils pour la petite. Il faudra les lui passer avant votre départ.

Le grand moine regarda vaguement la robe de bougran* qu'Antoine déposa sur le dessus du sac. Il se rassit sans quitter son confrère des yeux. Le silence qui retombait dès que la voix d'Antoine le permettait parut changer de qualité: une pensée encore invisible s'y répandait lentement comme de l'encre renversée.

— Il y a autre chose, dit l'abbé d'une voix douce.

Les nuées paisibles qui flottaient dans l'esprit du mystique furent encore une fois dérangées par un courant d'air. Son regard se posa d'une manière un peu plus précise sur le visage de son interlocuteur, qui poursuivait son monologue forcé:

— J'ai appris que Firmin Ruest est engeôlé au Châtelet depuis un mois, peut-être même deux. Il a été jugé hier pour avoir soutenu les dangereuses revendications des Jacques Bonhomme et il sera exécuté après-demain à tierce en place de Grève.

Les dernières vapeurs d'encens se dissipèrent dans la tête de Lionel. Il ne bougea pas, se contentant de déglutir péniblement.

— Je suis désolé. Père Lionel...

Le moine muet regarda autour de lui d'un air effaré. Rien n'avait changé. Le même pilier trapu se tenait à sa droite, tel un cerbère, et la chandelle n'avait qu'un peu fondu. Le parchemin blessé attendait encore sur la table dont il détailla tout à coup chaque rainure. Ses yeux hagards se posèrent à nouveau sur l'abbé, avec l'air de demander: «Qu'essayez-vous de me dire?»

— Lionel.

La voix de l'abbé tonna à ses oreilles comme s'il avait été atteint de surdité partielle pendant vingt-cinq ans et s'en trouvait tout à coup guéri. Il sursauta. Dieu n'avait pas exaucé sa prière.

— Vous irez demain soir au Châtelet. Mon père, me comprenez-vous? Allez le voir. Restez avec lui pour sa dernière nuit et accompagnez-le à l'échafaud comme tout homme de Dieu a mandat de le faire lorsque c'est requis. Je vous ai toujours épargné ces pénibles devoirs...

Antoine s'interrompit comme si une douleur subite venait de lui faire perdre le souffle. Car il avait mal. Mal de ne pouvoir tout dire.

— ... mais, cette fois, je ne le puis.

Les épaules de l'homme s'affaissèrent. Antoine vit le petit scintillement des prunelles vaciller, s'agiter comme une flamme prise de panique sous le souffle qui va l'éteindre. Lionel attendit que sa solitude réponde à sa place. Elle ne le fit pas. Il se passa la langue sur les lèvres.

— Le sait-il? demanda l'aumônier d'une voix depuis longtemps inutilisée qui tressautait comme une feuille morte sur les pavés.

— Pas encore. À vous revient aussi la charge de le lui annoncer. Le bailli est déjà prévenu de votre visite et il prendra les arrangements nécessaires. Demain matin, vous mènerez Jehanne chez les Garnier. Ce sont là deux tâches très ardues, je le sais. Mais vous les accomplirez, mon père, avec l'aide du Seigneur. Faites cela comme vous avez fait tout le reste. Continuez à tendre vers la sainteté.

— Je ne l'ai pas fait dans ce but.

— Je sais. Les saints non plus. Permettez-moi de vous bénir.

Lorsque la grille du portail s'ouvrit le matin suivant pour livrer passage à un bénédictin accompagné d'une fillette qui passait son temps à tirer sur son corsage, Antoine les regarda tristement partir depuis la fenêtre ouverte de son étude. Il savait que le père Lionel partait pour ne plus jamais revenir. Qu'il aurait ensuite à porter le faix. Jusqu'à la fin.

Chapitre XIV

Lex talionis
(Loi du talion)

Paris, été 1358

Même après des années, Notre-Dame l'avait appelé vers elle. Il avait franchi le portail du Jugement dernier pour assister à la messe dominicale. En levant les yeux sur le Christ, imperturbable sur son trône, il se souvint comme cette effigie l'avait effrayé jadis. Alors qu'il s'était tapi derrière un chapiteau autour duquel se tordaient des créatures naines, il remarqua l'une d'elles qui le regardait avec des orbites noires, béantes. On aurait dit qu'elle craignait son jugement à lui.

Il sentait la beauté de la cérémonie lui échapper comme les fumées d'encens qui allaient se perdre sous la ramure pétrifiée des arcs-boutants où courait en s'enroulant une dentelle crayeuse de pampres. Il y porta le regard après avoir reçu l'hostie, ce petit morceau de pain qui lui rappelait Adélie plutôt que Jésus dont, en fin de compte, il savait si peu de chose.

Le grand crucifix lui offrait pourtant une image qu'il pouvait désormais déchiffrer mieux que quiconque. Il devinait les crampes et la lente asphyxie qu'avait dû subir Jésus dans sa lente agonie. Mais il ne comprenait pas le pourquoi de sa mort. « Par amour pour nous », lui avaient dit les moines. C'était précisément cela qu'il n'arrivait pas à comprendre. La mort n'était qu'une chose abjecte. L'amour n'avait rien à y voir. « Et en plus, les clous dans les mains, c'est impossible. Ça ne supporte pas le poids du corps. Faut clouer aux poignets. Qu'est-ce que je suis en train de penser là? Merde! »

Il décida d'aller faire un tour en haut et il fut surpris de voir que l'escalier en colimaçon ne le dérangeait plus; le travail dans des donjons l'avait endurci. Il n'avait plus mis le pied au faîte de la tour depuis son enfance. Une fois qu'il eut atteint la galerie de la Vierge, il s'appuya au garde-fou pour admirer, tout en bas, les luisantes écailles rouges ou noires des toits. Il était seul. «D'ici, ils verront tout, se dit-il en admirant le panorama du côté de l'Hôtel de ville devant lequel s'étirait la place de Grève. Toute la ville saura. »

Une brise égarée vint taquiner ses cheveux et en rabattit une mèche, toujours la même, dans les yeux. Il lui fallut se plier aux caprices de cet été trop chaud et redescendre. Le ciel se barbouillait de cendre. D'orgueilleux nuages bouffis de ténèbres commençaient à parader avec une lente solennité annonçant l'orage.

Tandis que Louis traversait la place déserte en direction des geôles, un vieux chien somnolent tituba jusqu'à un seuil où il se laissa choir lourdement. À la vue du bourreau, il ramassa sa grande langue et grogna sans conviction. Louis ne parut même pas le remarquer. Il passa son chemin en goûtant d'avance l'orage qui fomentait son courroux depuis la fin de l'avant-midi.

*

—Mais c'est un vieillard! s'indigna Desdémone lorsque Baillehache vint lui annoncer la nouvelle.

—Un vieillard coriace. Mais il a avoué.

—Oh! mon Dieu.

Elle, mieux que quiconque, savait qu'un tourmenteur se souciait rarement de l'âge de sa victime. Ses regrets l'avaient suivie jusque dans le fond de son cachot où, tels des cafards invisibles, ils avaient besogné jour et nuit. Dieu avait décidé qu'il était temps pour elle de rendre des comptes. Si elle avait accepté son sort avec résignation, elle était tout de même parvenue à faire de sa prostitution forcée, d'abord avec Firmin, ensuite avec ses geôliers, une sorte de martyre édifiant.

—Emmenez-moi avec vous ce soir, se hasarda-t-elle à demander.

—Sûrement pas. De toute façon il y a encore du boulot qui t'attend ici. Les gens de prison sont des solitaires insatiables.

—Mon maître va mourir et vous...! Vous vous occupez de vendre mon cul au plus offrant? Vous êtes odieux!

—Ton maître, c'est moi. Et cesse donc de te plaindre. D'après ce que j'ai su, tu as l'air d'apprécier cela autant qu'eux.

—Et vous? Pourquoi ne venez-vous pas coucher avec moi au lieu de m'envoyer vos copains? L'autre bourreau est marié, lui. C'est quoi au juste, votre problème? Ce que vous avez entre les jambes n'est pas à la hauteur du reste, c'est ça?

— Mon problème, c'est toi. Que veux-tu. Il y a des putains qui me fichent une envie de vomir. Bonne nuit.

— Salaud! Salaud!

En quelques mots, il avait tout détruit. La porte du cachot se referma sur des cris hystériques et des coups de griffe contre l'homme à la cagoule qui avait pris soin de se tenir hors de portée.

*

« La Cour déclare le boulanger Firmin Ruest dûment coupable du crime très méchant, très abominable et très détestable de haute trahison à l'encontre de Sa Majesté pour avoir fourni secours et pain aux Jacques Bonhomme; et, en conséquence, pour réparation condamne ledit Ruest à faire amende honorable devant la principale église de Paris, où il sera mené en charrette, vêtu seulement d'une chemise, la corde au cou et tenant une chandelle d'un poids de deux livres; là, sur ses genoux, il devra dire et déclarer qu'il a commis ce crime très mauvais, très abominable et très détestable pour lequel il devra se repentir et demander pardon à Dieu, au Roi et à la Justice; la Cour ordonne qu'il soit ensuite ramené du lieu d'où il est venu et, de là, être traîné sur une claie jusqu'au lieu d'exécution, sis en place de Grève et, sur un échafaud dressé dans ce but, qu'il soit pendu par le cou et, toujours vivant, redescendu; qu'il soit écorché vif; que ses parties intimes soient sectionnées pour démontrer qu'un traître aussi vil et abject soit désormais privé de descendance; qu'il ait les bras, jambes, cuisses et reins rompus vifs, et qu'il soit laissé mourant à la vue de la bonne gent de Paris qui en tirera leçon, tant et si longtemps qu'il plaise à Notre-Seigneur de l'y laisser; qu'enfin, à son trépas, sa tête soit séparée de son corps, pour que le Roi en dispose à sa guise. En outre, la Cour ordonne que ses propriétés lui soient confisquées au profit du Roi, qui en disposera selon sa volonté. Et que le Dieu de miséricorde ait pitié de son âme[184]. »

Chacun des mots de l'horrible sentence résonnait encore aux oreilles de Clémence et de Hugues. Ce dernier dit, tout bas :

— Je sais bien que c'est contraire aux usages, mais que veux-tu que je te dise. La corporation refuse de le défendre et de risquer ainsi de se compromettre en se portant garante pour lui. C'est trop grave. Des collègues l'ont prévenu, pourtant, et pas rien qu'une fois. Aussi bien se faire une raison : le mal est fait.

Ils se terraient autour de la table avec les enfants, dans l'atmosphère confinée de leur pièce à vivre. Tous les volets étaient fermés. Les petits n'osaient pas dire un mot. Quelque chose de grave s'était produit et ils se doutaient bien que cela concernait le Papy qui était parti depuis si longtemps. Il était peut-être tombé malade.

Un grondement lointain leur sembla provenir des abîmes de l'enfer. L'orage approchait. La place vide du vieux maître paraissait les tenir pour responsables de cette absence qui n'était pas encore irréversible. C'était comme si un mort en sursis les observait et Dieu dans Son ciel était en train de leur dire ce qui se passait.

*

De grosses gouttes glacées commencèrent à tomber sur son habit noir, le constellant de taches plus noires encore. Elles ressemblaient à de l'encre. Le bourreau se trouvait encore à Saint-Denis avec les autres et il dut se mettre à courir vers son tref* qui avait été monté juste à la sortie de la ville. En un instant l'homme fut trempé. Le *homespun** de la tente supporta bien l'orage. Louis retira ses vêtements et s'enveloppa de son aumusse à capuchon court, dépourvu de nœuds. Il soupa d'un quignon de pain bis et de fromage salé. Le bailli lui avait également fait remettre une bouteille de vin gris. Il aima cette sensation d'isolement total produit par la rumeur incessante de la pluie qui tombait en rafales. Il leva les yeux vers la toile qui ondulait au-dessus de sa tête.

«Les nuages disent les choses à ma place», songea-t-il en se souvenant d'un autre orage qui, jadis, avait pleuré sur le parvis de Notre-Dame avec un garçon de onze ans.

La loi, elle aussi, avait parlé à sa place. Il s'était caché derrière une tapisserie et l'avait écoutée en même temps que la famille, *sa* famille. Il avait regardé Clémence, soutenue par un Hugues au visage grave, chanceler jusqu'à la porte du palais de justice.

«*Dura lex sed lex*[185]», disait l'ancien proverbe romain. La loi portait en elle la conviction que la peine infligée devait refléter le crime qu'elle vengeait. L'heure était venue pour Firmin d'expier pour son seul véritable crime. Car c'était lui, et non pas son fils, qui était cruel, disait l'écho lointain de sa conscience qui cherchait à se défendre.

Telle est la loi du talion, ce sens élémentaire de la justice qui sommeille au cœur de l'homme. Louis la ressentait inconsciemment comme un acte magique: la destruction de celui qui avait commis tant d'atrocités allait effacer magiquement ses gestes.

---

185. La loi est dure, mais c'est la loi.

Au plus profond de lui-même, Louis savait qu'il n'aurait normalement pas dû être dominé comme il l'avait été par son père. Que ce père, aussi redoutable qu'il avait pu être, aurait dû le traiter en égal. La peste, puis son métier lui avaient au moins appris une chose fondamentale : l'existence humaine avait la même valeur pour tous, que l'on soit riche ou pauvre, faible ou puissant. Tous devaient la vie à une mère; chacun avait d'abord été un enfant sans défense; et, un jour, tous allaient mourir. La cruauté était contre nature, elle piétinait les exigences de la conscience qui étaient les mêmes pour tous. Ainsi, cet intense désir de réparation en Louis était-il mobilisé par cette conscience élémentaire, même si, paradoxalement, cela allait à l'encontre de ce que lui dictait la même conscience. Puisque le Seigneur, depuis Son portail en or, ne Se préoccupait que du lointain Jugement dernier, Louis avait pris la justice défaillante en main en se servant des autorités séculières.

Dies irae, Dies illa[186]. Louis s'élevait au rôle du Dieu vengeur et vivait peut- être son plus grand moment.

*

Des pigeons s'éternisaient autour d'une rigole crasseuse dans laquelle trempait la jupe d'une matrone occupée à invectiver un gros homme qui avait vidé son pot de chambre trop près d'elle, depuis sa fenêtre. Les brancards d'une charrette pointaient, prêts à labourer les côtes de tout passant qui n'y prenait pas garde. Un cochonnet s'était réfugié dessous et couinait d'inquiétude à cause de gamins qui tentaient de l'en déloger pour attacher une guirlande de petites ferrailles autour de sa queue en tire-bouchon. Un vieillard les regarda passer en se fourrant un doigt dans la bouche afin d'aller recueillir une particule de noix qui s'était logée dans la cavité d'une molaire brunâtre. Tout était sale. Il y avait trop de bruit, trop de monde partout. Lionel avait oublié tout cela. Comment parvenait-on à vivre dans de pareilles conditions?

L'heure du dîner était passée depuis belle lurette. Le temps avait filé devant la nuit redoutée qui approchait à pas de loup. Il pouvait déjà en ressentir l'angoisse, en dépit du soleil encore radieux. Sans savoir pourquoi, il avait pris soin un peu plus tôt de remplacer sa coule par des habits civils et avait dissimulé sa tonsure sous un chaperon. Le plus inquiétant, c'était qu'il n'avait pas trouvé de librairie sur la rue de Montmorency, et la petite avait faim. Ils

---

186. Jour de colère, que ce jour-là.

entrèrent donc dans une auberge et cherchèrent une place. L'enfant, qui avait été jusque-là silencieuse, n'avait aucune idée de ce qui était réellement en train de se passer. Elle demanda :

— Père Lionel, c'est vrai que je suis une fille, maintenant ?

— Oui, c'est vrai. En fait, tu en as toujours été une. Mais tu étais déguisée en garçon.

— Je préfère être un garçon. Je n'aime pas porter des robes et des capelines.

— Tu devras bien t'y faire... Dieu a voulu que tu sois une fille, Jehanne. Il te faut l'accepter, car, vois-tu, Il a ses raisons et on ne les connaît pas toutes.

— Je suis content... contente que Dieu vous ait redonné votre voix.

Lionel sourit tristement. Elle questionna encore le prêtre :

— Pourquoi les gens s'habillent-ils tous différemment ? Pourquoi ont-ils des cheveux sur le dessus de la tête ?

— Eh bien... c'est parce qu'ils ne sont pas des moines.

— Ils sont laids, dit-elle catégoriquement.

— Qu'est-ce que ce sera ? demanda soudain une vacelle* dépenaillée qui vint se planter devant eux. Son corsage bas énonçait avec un peu trop d'éloquence ce que devait être la seconde tâche de cette femme. Yeux écarquillés, Lionel la fixa d'un air si déconcerté qu'elle pouffa de rire.

— Ben, dites donc, d'où sortez-vous, l'homme ? On dirait que c'est la première fois que vous en voyez. Vous voulez voir de plus près ? Toucher, peut-être ?

Le moine se demanda soudain s'il avait eu une bonne idée en s'habillant en civil. Il ne bredouilla que quelques « euh ! » pitoyables, sans parvenir à changer son expression. Lorsque quelques rires goguenards se mirent à monter tout autour d'eux, Lionel baissa la tête comme un gamin fautif. Cette vieille habitude contractée au cours de ses années de solitude n'allait pas disparaître aisément. La vacelle eut donc devant elle un grand efflanqué qui regardait avec effarement le bois de sa table. Elle souffla, à peine méprisante :

— Bon, ça va, j'ai compris. En tout cas, j'espère pour vous que c'est à cause de la petite. Nous avons de la soupe.

Jehanne avait posé les mains sur son giron et se contentait d'écouter, comme si elle se trouvait encore au réfectoire de l'hôtellerie où l'on prenait ses repas en silence.

Pendant plus de vingt-cinq ans, Lionel n'avait pas vraiment eu à surveiller son maintien ni ses expressions. Rien de cela ne pouvait porter à conséquence derrière les murs d'un couvent. Il avait tout à coup le désagréable sentiment qu'on allait prendre sa spontanéité pour un signe de légère déficience mentale. Pourtant, il avait accumulé, surtout après être entré à la bibliothèque du monastère, une véritable mine de connaissances en matière de philosophie, de lettres et de sciences. Mais il ne croyait pas bon d'en faire montre. Sa nouvelle situation lui recommandait un minimum de prudence.

Malgré tout, avant d'être qualifié de simple d'esprit, Lionel attirait l'attention. Il y avait en lui quelque chose de l'aristocrate déchu : maigre, des traits devançant un peu son âge, une tête haute plus rêveuse que martiale... et des yeux sombres qui évoquaient les lointaines contrées des Mille et Une Nuits.

La servante revint avec deux écuelles et un demi-quignon de pain qu'elle posa devant eux. Lionel la remercia et demanda :

— Demoiselle, savez-vous où je puis trouver une dénommée dame Garnier de la rue de Montmorency ?

— Je n'en ai pas la moindre idée... Ça vous fait soixante-dix sous et, si vous trouvez ça trop cher, vous pouvez toujours filer pour quêter pitance dans la basse-cour, car c'est nous qu'on a les meilleurs prix en ville.

— Elle a une drôle de robe, la dame, et elle n'est pas très gentille, chuchota Jehanne une fois que la vacelle fut partie avec la somme demandée.

Bienheureuse candeur de l'enfance ! Il aurait donné n'importe quoi pour être capable de ressentir ne fût-ce qu'un dixième de la curiosité de Jehanne, alors qu'ils s'étaient fait bousculer dans des rues étroites et encombrées, couvertes de crasse. Dire qu'il allait lui falloir abandonner l'enfant bien-aimée dans cet univers ignoble. Il se pencha en avant et lui rappela une phrase qu'il avait puisée dans la sagesse orientale :

— Avant de parler, assure-toi que ce que tu vas dire est plus beau que le silence.

Un jeune homme bien mis s'approcha et se découvrit, avant de dire :

— Veuillez m'excuser, mais je n'ai pu m'empêcher d'entendre votre requête auprès de cette jeune personne qui est, ma foi, d'un tempérament fort irascible. Il se trouve que je possède justement un hôtel rue de Montmorency. Je n'y connais aucune dame Garnier. Par contre, je connais bien une librairie, c'est-à-dire la mienne, mais qui est sise au carrefour des rues de Marivaux et des Écrivains. Il me sera très agréable de vous y accompagner. Après votre dîner, bien sûr, et seulement si vous y consentez.

— Messire, j'accepte votre offre avec toute ma reconnaissance, dit Lionel qui se leva et se découvrit à son tour. Les yeux vifs de l'homme pétillèrent avec malice et il murmura:

—Oh, je comprends maintenant pourquoi vous ne vous êtes pas décoiffé devant la vacelle. Peut-être auriez-vous dû.

—Je ne vous cache pas que j'en ai eu très envie... Vous joindrez-vous à nous?

—D'accord. J'ai déjà dîné, mais il me reste encore un peu de ce bon vin que j'ai d'ailleurs payé fort cher.

Le gobelet de l'homme changea de table.

—Bonjour, petite, dit-il aimablement.

—Bonjour, messire. Vous au moins, vous êtes bien, même s'il y a des cheveux sur le dessus de votre tête.

—Jehanne, dit Lionel.

—Eh! eh! Laissez, laissez. Elle a tout à fait raison, dit l'homme en se flattant le crâne.

Il fit un clin d'œil à Jehanne et lui dit:

—La tonsure rend l'homme sage. J'en aurai une moi aussi un jour, lorsque mes cheveux deviendront tout blancs.

—Moi aussi, j'en veux une, dit Jehanne.

Comme ils éclataient de rire, elle fronça les sourcils.

—Les femmes n'ont pas de tonsure, voulut préciser Lionel.

Il se plaqua une main sur la bouche. Jehanne se renfrogna et croisa les bras. Elle dit, la mine boudeuse:

—Ça veut dire que je ne serai jamais sage? Je veux redevenir un garçon.

—C'est une longue histoire, dit le moine à l'homme qui haussait les sourcils.

—Je vous crois. Étant libraire, je raffole des longues histoires. Cela dit, ne vous sentez pas obligé envers moi.

—Libraire, vraiment? J'ai peine à le croire. Je suis, quant à moi, bibliothécaire. Du moins, je l'étais jusqu'à tout récemment.

—Décidément, la Providence a voulu que nos routes se croisent. Si le cœur vous en dit, je vous invite à venir passer un moment chez moi. Je viens d'acquérir quelques précieux ouvrages qui, j'en suis persuadé, sauront émoustiller votre intérêt de connaisseur.

—Ce sera avec grand plaisir. Car, voyez-vous, c'est à cette dame Garnier que je devais conduire l'enfant.

—Ce nom ne me dit, hélas, rien du tout. On vous aura mal informé.

—Mange, Jehanne, dit Lionel à l'enfant qui les regardait d'un air sombre.

Il s'adressa de nouveau au libraire.

—Il faut pourtant que je la trouve. Je ne suis pas en mesure de garder l'enfant avec moi ce soir.

—Je vois. Écoutez, il sera toujours temps d'entreprendre des recherches demain, après-demain ou lorsque cela vous conviendra le mieux. En attendant, la petite pourrait loger chez moi. Ma maison est spacieuse et paisible. Du moins elle l'est lorsqu'aucune de mes expériences ne tourne mal. Seigneur, le nombre de fois où je suis obligé d'y passer le balai! Quoi qu'il en soit, l'enfant y sera bien tout le temps qu'il faudra en attendant votre retour.

—Soyez remercié, messire, mais je ne veux pas abuser de votre générosité. Nous pouvons toujours nous rendre chez les religieuses.

—Mais puisque je vous offre mon hospitalité de grand cœur! Permettez-moi d'insister. Mon épouse, Pernelle, adore les enfants. Elle sera ravie.

—Dans ce cas...

—Nous y allons? La soupe était bonne, à ce que je vois.

Ils se levèrent. L'homme se retourna soudain et dit:

—Au fait, j'ai oublié de me présenter. Mon nom est Nicolas Flamel.

*

Ils descendirent à la file indienne l'escalier de pierre rendu glissant par l'usure et débouchèrent dans une pièce où l'air vicié se renouvelait difficilement par la mince fente d'une seule archère. Des chaînes, des colliers et des bracelets de fer pendaient à des crochets fixés au mur. Entre une caisse remplie de manilles de rechange et une pile d'écuelles, une enclume sur laquelle étaient posés un marteau et une paire de tenailles attendait. Le geôlier s'avança et souleva la trappe munie d'un anneau qui donnait accès aux cachots.

—Si vous le voulez bien, mon père, dit-il en invitant Lionel d'un geste.

Dès qu'il mit le pied sur l'un des degrés de l'échelle, Lionel suffoqua, pris de nausée. Le geôlier sortit quelque chose de sa poche et dit, en le lui offrant:

—Tenez. Ça pue là-dedans comme chez les boucs. Faut avoir le cœur solide et on voit tout de suite que vous n'avez guère l'habitude.

C'était un mouchoir imbibé d'eau de rose.

—Merci bien... mon fils.

—Pas de quoi. Tenez, voici une chandelle. J'ai aussi un banc pour vous. C'est là. Si vous avez besoin de quoi que ce soit, n'hésitez pas à appeler.

Il déverrouillait une lourde porte qu'il lui ouvrit. Le grand moine entra d'un pas hésitant. Le geôlier posa le banc à l'intérieur et ressortit. La porte se referma derrière lui de la même manière que si cet emprisonnement d'une nuit avait été définitif.

On aurait dit que le cachot était vide. Des insectes gras et noirs sinuaient entre les plaques de salpêtre qui tapissaient les murs, dérangés par la soudaine clarté qui leur était étrangère. Lionel leva sa chandelle. Un visage émacié se dessina dans la pénombre.

Firmin était méconnaissable. Il devait y avoir un écart de quelques années seulement entre les deux hommes, mais le prisonnier aurait facilement pu passer pour l'aïeul du moine. La mauvaise enflure provoquée par son ivrognerie s'était brutalement résorbée, lui laissant la peau flasque et le teint jaunâtre. Ses cheveux et sa barbe d'un gris sale ressemblaient à des toiles d'araignée poussiéreuses. Le scorbut avait déchaussé ses dernières dents, et ses petits yeux porcins étaient profondément enchâssés dans des orbites creuses soulignées par deux poches ridées. Il était couvert d'ecchymoses, de brûlures et de plaies dont certaines s'étaient infectées et suintaient. Et, comme si tout cela ne suffisait pas, il était d'une saleté repoussante.

— Oh! mon Dieu! Firmin!

Il s'accroupit à la hauteur du vieillard. On lui avait retiré ses fers, peut-être dans le but d'adoucir les tourments de sa dernière nuit, et il avait été revêtu d'une chemise trouée et tachée. Il semblait ne pas s'en être aperçu. Cela ne faisait plus de différence désormais : le vieillard demeurait voûté sous un poids inexistant. Il agitait les mains devant lui en des gestes désordonnés qui ressemblaient, d'une manière amplifiée, aux mouvements d'une personne discutant avec animation. Il chantait. Du moins Lionel perçut-il ainsi la seule note monotone que le vieillard prolongeait sans arrêt jusqu'à ce que le souffle lui manque.

Moment assurément tragique, pensa Lionel, que celui où Firmin s'était senti sombrer dans la folie, cet instant où sa raison, épuisée, avait cessé de lutter et vacillé avant de s'éteindre. La vie de Firmin, confiée à son tourmenteur, s'était déjà consumée.

— Firmin, m'entends-tu?

Le condamné prit une grande inspiration et, tout en regardant le moine penché au-dessus de lui, il s'empressa de chanter plus fort sans remarquer que sa respiration, chargée de mucosités, crépitait. Ses mains s'agitaient de plus en plus.

— Tiens, je t'ai apporté de quoi te couvrir un peu.

Il déploya sur lui une couverture brodée de motifs fleuris qu'il avait précieusement emportée, pliée sur son coude. La dame

Flamel, lorsqu'elle avait appris ce qu'il s'en allait faire, lui avait recommandé d'en faire cadeau au condamné. Cette chose était trop belle, elle était déplacée en un tel lieu. Lionel en fut gêné. Deux petites bosses se déplacèrent sous l'étoffe, et les mains du vieil homme ressortirent pour se poser sagement sur son giron. Il pencha la tête et se mit à les regarder intensément. Elles ressemblaient à deux vieux oiseaux gisant sur un lit de fleurs.

Firmin ne se taisait pas. Longtemps, Lionel le laissa faire, sans le quitter des yeux. Peut-être le son de sa propre voix était-il un réconfort pour lui.

Il eut une idée. Il commença à chanter, lui aussi.

L'amour de moi s'y est enclose
Dedans un joli jardinet...

Cette mélodie lui était subitement revenue en mémoire sans raison apparente. Il haussa le ton de manière à chanter par-dessus la voix monocorde de Firmin. Ce qu'il entendit le surprit : il ne reconnaissait plus sa propre voix. Elle avait changé. C'était comme si un étranger chantait à sa place. Firmin cessa brusquement sa mélopée et leva les yeux sur lui. Lionel s'arrêta lui aussi, mais il se ravisa et continua bravement sa comptine dans le silence nouveau. Il lui fallut plusieurs minutes pour réaliser qu'elle se mettait à se décaler par rapport à celle que sa mémoire lui dictait. Il n'y pouvait rien. Il hésita encore, puis se tut. Il ne pouvait plus chanter, et ses yeux s'emplirent de larmes. La mélodie de sa mémoire continua toute seule. Il sembla à Lionel que Firmin l'entendait aussi. C'était une femme qui chantait.

Firmin cligna les yeux. Ses mains, oiseaux captifs, se remirent à battre frénétiquement des ailes. De petits sons secs et nerveux jaillissaient de la gorge fanée. Lionel attendit un court instant et décida d'attraper les mains affolées. Il les emprisonna dans les siennes. Il en sentit un moment les soubresauts au creux de ses paumes. Elles s'apaisèrent.

— Te souviens-tu de la musique, Firmin ? Te souviens-tu comme elle aimait à s'attarder chez nous ? Pour une raison que j'ignore, est-ce simplement à cause de l'amour que je lui porte, cette mélodie depuis longtemps occultée arrive parfaite à mes oreilles, inaltérée comme celle de mes plus beaux souvenirs. La perfection des souvenirs à elle seule corrige ce que le temps endommage. Lorsque nous serons morts, Firmin, la mélodie, elle, continuera de vivre. Elle s'en ira chanter aux oreilles d'un autre.

Le vieil homme dodelina de la tête et leva péniblement les yeux vers lui. On n'entendait plus que sa respiration congestionnée. Soudain, il dit d'une voix sans timbre :

— Pourquoi t'es-tu laissé faire ça ?

C'était lui qui posait cette question, alors que ç'aurait dû être le contraire. Firmin n'était pas fou. Il avait compris. Et son « ça » comportait tout. Cette vie en robe grise, à se laisser dessécher par le destin, cette apparente indifférence des siens à tout ce qui lui paraissait injuste à lui. Tous ces souvenirs mis en sourdine depuis tant d'années s'agitaient pêle-mêle dans le cerveau du moine. Il secoua la tête.

— Non, Firmin. C'est sans importance. N'en parle que si tu désires le confier à Dieu, pas à moi. C'est pour cela que je suis venu.

— Dieu... Ils... ils vont me tuer, n'est-ce pas ?

Les deux hommes se regardèrent dans les yeux, et la vacuité de l'un s'abreuva de la tragique humanité de l'autre. Firmin redevenait un homme.

— Oui, dit Lionel.

Le condamné baissa la tête. Il se mit à sangloter. Lionel lui libéra les mains et le prit dans ses bras.

tre captif, le corps mis aux fers et l'âme emprisonnée par cette seule pensée horrible, terrifiante : condamné à mort !

— C'est pour quand ?

— Demain matin.

— Demain ? Mais on est quoi, là ?

— Au début de la nuit.

— Non. C'est trop tôt...

Pathétique tentative de réunir sous sa main tremblante les dernières miettes d'existence qui lui restaient. Firmin hoquetait. Il s'était mis à trembler. Il se redressa soudain et serra les bras maigres du moine. Son regard fiévreux ressemblait à celui d'un noyé.

— Parle-leur, toi. Ils t'écouteront. Dis-leur que je regrette et que je ferai tout ce qu'ils voudront. Demande Baillehache.

— Qui est Baillehache ?

— Tu ne le connais pas ? Voyons, tout le monde connaît Baillehache. C'est un bourrel. Il fait une toise de haut. Fort comme deux hommes. Un démon. Noir. Tout noir de haut en bas.

Lionel ne put réprimer un frisson.

— Je ne peux pas faire cela. Ce bourrel ne m'écoutera pas. Et ce n'est pas lui qui a décidé de la sentence.

— Les autres...

— Personne n'écoutera, Firmin. Seul Dieu t'écoute, désormais. Ne crois-tu pas en Dieu ?

— Si, j'y crois, mais...

«Que dire à l'homme qui va mourir?» se demanda Lionel. L'histoire du bon larron, si représentative qu'on devait l'utiliser dans toutes les geôles de la chrétienté, demeura cette nuit-là au creux de la bible enluminée du monastère. Il n'y avait rien là qui ne fût applicable à tous; depuis toujours. Les aumôniers de prison récitaient des choses toutes faites, ils distribuaient des leçons de catéchisme là où il aurait fallu arracher à l'âme une ferveur ressentie. Il aurait fallu un dialogue d'une âme à l'autre et non pas une parcelle d'enseignement prodiguée sans conviction à un élève jugé irrécupérable. Il lui fallait consoler Firmin quand il savait que, bientôt, il allait devoir être également auprès de lui au moment où on allait l'entraver et le tondre, il devrait l'accompagner à travers l'affreuse foule démontée lorsqu'il serait cahoté sur la claie, il allait devoir l'embrasser au pied de l'échafaud comme un frère, pour demeurer là, fidèle à son devoir, jusqu'à ce que ce frère ne soit plus qu'une tête et un corps.

Lionel n'avait qu'une envie, celle de vivre en communion totale avec lui ces moments terribles. Il aspirait à se traîner à genoux avec lui et à l'enlacer, à pleurer avec lui les mêmes larmes. Il aurait voulu être suffisamment éloquent pour voir Firmin consolé, pour lui retirer par ses paroles un fardeau qui n'était pas le sien et pour le convaincre, avant qu'on ne vienne à lui pour lui prendre la vie, de permettre à Dieu de lui prendre son âme.

Il ne se rendit pas compte tout de suite que le vieillard s'était jeté dans ses bras et qu'ils pleuraient ensemble. La chandelle s'éteignit.

— C'est pour bientôt, mon père, dit une voix de l'autre côté de la porte.

— Déjà?

La nuit hypocrite avait filé sans rien laisser paraître en abandonnant derrière elle un jour tronqué.

— Permets-moi de t'offrir les derniers sacrements... mon fils, dit doucement Lionel.

Firmin haleta et libéra le moine de son étreinte.

Lionel se leva. Des frissons d'épuisement le parcoururent tandis qu'il administrait l'extrême-onction à Firmin qui n'en comprit pas un mot. Il entendit ouvrir et fermer une lourde porte dont le verrou grinçait. Le trousseau de clefs à la ceinture du geôlier carillonna, il y eut des pas précipités et enfin le fracas de la trappe qui s'ouvrait et le tremblement de la grosse échelle sous le poids de plusieurs hommes conversant à voix basse. Dans le cachot, ils entendirent distinctement une voix familière, celle du bailli qui disait:

— Vous devez contresigner la levée d'écrou, maître.

La levée d'écrou. C'était l'ordre de livrer le condamné à son exécuteur. Firmin aussi avait entendu. Il souffla :

— Non !

Le religieux fit un signe de croix presque violent au moment même où le cadenas de fer cliquetait dans la main du geôlier. Firmin se traîna à genoux dans la paille souillée jusqu'à Lionel et lui étreignit les jambes en s'y cachant le visage. Il dit, d'une petite voix :

— Ne les laisse pas me prendre... je t'en supplie.

Le geôlier déverrouilla la porte et livra le passage à deux hommes, un garde qui se planta à l'entrée et le bourreau dont le visage était déjà dissimulé sous une cagoule noire. Ce dernier dut baisser la tête pour entrer. Il tenait dans sa main nue un rasoir émoussé. Il tourna la tête en direction du religieux. Lionel se sentit scruté jusqu'au tréfonds de l'âme. Le pouce du bourreau caressa machinalement le manche du rasoir et il resta là un instant sans rien faire. Le geôlier et le garde se regardèrent.

— C'est l'heure, dit-il d'une voix égale.

Il s'avança.

« Tout ce noir ! se dit Lionel. Il aspire à lui toute lumière, tout ce qui représente la vie. Ainsi cet homme en noir prend-il sur lui la vie des autres et l'absorbe. »

— Il faut me lâcher, Firmin. Allons, courage ! Je vais prier pour toi. Je serai juste là.

Il parvint à se libérer. Il se redressa et posa les yeux sur les fentes de la cagoule derrière lesquelles scintillaient deux prunelles sombres qui le fixaient intensément. Le moine recula vers la porte, cédant sa place au bourreau. Firmin voulut se lever pour le suivre.

— Reste à genoux, dit Baillehache, qui lui plaqua une main large sur l'épaule.

Il lui empoigna les cheveux et lui tira la tête en arrière, contre ses jambes, avant d'entreprendre de scier brutalement le chaume crasseux de sa tête avec son rasoir émoussé. À plusieurs reprises, la lame entama le cuir chevelu. Un peu de sang goutta sur les joues et le long de l'arête du nez. Firmin n'essaya pas de se débattre : il urina par terre, noyant les quelques misérables touffes de poils gris que le bourreau laissait tomber autour de lui.

Firmin sentit une main le saisir sous l'aisselle pour le soulever. Le garde remit au bourreau une longueur de fil à pêche en chanvre qu'il utilisa pour lier les mains du condamné devant lui et pour lui entraver les pieds. La corde qui reliait ses chevilles et ses poignets ne lui permettait pas de lever les bras. Baillehache lui passa autour du cou le nœud coulant symbolique et lui remit une chandelle qui allait être allumée juste avant leur sortie.

— On y va, dit le bourreau.

Le garde sortit en premier, suivi de Lionel. Firmin sentit que Baillehache empoignait la corde qui lui pendait dans le dos. Il tourna la tête et vit le cachot minuscule où il avait croupi si longtemps. Et ce cachot, il regrettait de le quitter comme si c'était sa maison. Il vit que Baillehache enroulait l'extrémité de la corde autour de sa main.

— Avance, dit-il brusquement en donnant une poussée au vieil homme.

C'était une journée nuageuse. Firmin se sentait confus et étourdi par le changement subit d'environnement. La lumière, l'air frais, l'espace vaste et les cris d'une foule nombreuse qui attendait lui occasionnaient des vertiges.

Dès que la chandelle fut allumée, la courte procession sortit dans la cour, où attendait Guy, un des assistants de maître Gérard, avec une mule attelée à une charrette. Les cris de la foule décuplèrent et Firmin commença à se faire bombarder de déchets. Firmin, Baillehache et Lionel furent seuls à grimper dans la charrette. Le garde alla se mettre en tête du convoi, tandis qu'une escorte se formait derrière et de chaque côté. Le bailli faisait partie des fonctionnaires de justice qui avaient pris les devants, précédés d'un héraut. Guy s'occupait de guider le mulet à pied.

Baillehache regardait droit devant lui, sa main serrée sur la corde qui pendait dans le dos du condamné affaibli que les soubresauts de la charrette jetaient sans cesse contre lui. Lionel tenait ouvert devant ses yeux un petit livre de prières, mais il fut à peu près incapable d'en lire. Le vacarme était tel que nul ne le remarqua.

Une fois la charrette parvenue à destination, juste devant Notre-Dame, tout se fit très vite. Baillehache poussa Firmin au bout du véhicule, où des gardes l'aidèrent à descendre. Lui-même sauta en bas et laissa à peine au bénédictin qui les accompagnait le temps de les suivre jusqu'en haut des onze marches. Un héraut disait quelques mots à la foule qui se pressait, immuable, écœurante, jamais repue. Encadré du moine et du bourreau, le vieillard regardait autour de lui d'un air hébété.

— Tu as besoin d'aide, peut-être? lui dit soudain le héraut qui s'était planté tout près et lui jetait un regard de côté.

La chandelle tremblait dans les mains jointes de Firmin. Un peu de cire s'écoula doucement et vint se figer sur le chanvre qui mordait les poignets de l'homme.

—Je...

—Faites silence, cria le héraut à la foule, qui cessa aussitôt ses imprécations.

Firmin garda les yeux baissés sur la flamme vacillante. Son tremblement se communiqua au menton du condamné, puis à sa voix. Il leva brièvement les yeux.

—Si j'ai fait du mal, je m'en excuse, je... je ne savais pas...

—Hou!

Les huées initiées par quelques personnes se répandirent comme un feu de paille dans toute l'assistance, parmi laquelle certains se retournaient pour demander:

—Qu'est-ce qu'il a dit?

Le héraut s'était hâtivement penché vers Firmin pour lui murmurer quelque chose à l'oreille, à la suite de quoi il cria:

—Silence, silence!

Les voix se turent et les poings s'abaissèrent à nouveau. Firmin dit, d'une voix sans timbre:

—Je demande pardon au roi, à la justice et à Dieu pour ce que j'ai fait.

Les gens l'acclamèrent.

—Tu vois? Ce n'était pas bien difficile, lui dit le héraut.

Baillehache lâcha la corde et montra un petit objet, à Firmin d'abord, puis à la foule. Cela ressemblait à un pétrin miniature. Il annonça:

—Le lien unissant Firmin Ruest au monde des vivants...

Il prit le petit bâton par chacune de ses extrémités, le cassa et jeta les morceaux aux pieds du condamné. Il reprit sa phrase là où il l'avait suspendue:

— ... est maintenant rompu. Firmin Ruest est civilement mort[187].

«Si au moins c'était vrai! Si au moins mon cœur pouvait s'arrêter de battre maintenant, tout seul. J'ai si peur!» se dit le malheureux, alors qu'autour de lui chacun s'occupait à reprendre sa place respective. Lionel remarqua que le bourreau avait fait une pause pour lever la tête vers les tours de Notre-Dame. Toutes les galeries semblaient ployer sous une foule d'où pleuvaient les quelques rares immondices que l'on s'était donné la peine de trimballer tout là-haut.

—Laissez passer la justice du roi!

Devant eux et tout autour, une haie de gardes parvenait à contenir la foule pour permettre à Mathurin, le deuxième assistant de Gérard, d'emmener un second mulet. L'homme se tint ensuite à l'écart avec la charrette dont on n'avait plus besoin pour le moment.

Firmin ne se rendit pas compte que Baillehache l'avait conduit en bas des marches. Quelqu'un lui arracha la chandelle des mains et il fut soudain renversé, couché brutalement sur une claie qui avait été recouverte d'une peau d'âne crue, non traitée, autour de laquelle bourdonnait une nuée de grosses mouches. Cette infamie représentait l'expulsion du condamné selon un processus de déshumanisation entrepris à la cour et qui allait se conclure sur l'échafaud.

Avant qu'il ait eu le temps de crier «non», Baillehache l'avait déjà solidement arrimé à la claie et avait rabattu la peau sur lui, en faisant une sorte de créature mi-homme, mi-âne. Le monde n'était plus qu'un chaos de jambes, de mouches et de géants penchés sur lui.

— Je suis là, Firmin, dit juste derrière lui la voix douce de Lionel à travers cette confusion.

Il se tordit le cou en clignant les yeux.

Il n'eut pas le temps de parler : devant, Baillehache empoigna les guides, et la procession s'ébranla, des gardes et le héraut en tête, le bourreau derrière. La tête de Firmin se mit à cogner contre des pavés inégaux. Où qu'il posât le regard, il ne voyait que des jambes, des visages tordus et des poings fermés. Des gens lui crachaient dessus et lui jetaient des immondices. Un homme défit ses braies et urina dessus, sous les rires et les acclamations de gens parmi lesquels, sûrement, se trouvaient d'anciens clients. Occasionnellement, la voix puissante de Baillehache couvrait les lazzis de la foule et les murmures à peine perceptibles de Lionel pour donner un appel spécial. De temps en temps, le moine se penchait pour tenir la tête de Firmin lorsqu'il voyait arriver l'un de ces pavés qui labouraient le dessous de la claie. Chaque fois, il s'attirait des invectives. Quelqu'un, irrité, le tira même par la manche et le bouscula. Pourtant, parmi cette horde de sauvages, Lionel découvrit qu'il y avait des âmes charitables. Un vieux boulanger à la retraite essaya de s'approcher pour offrir à Firmin une dernière rasade. Il fut tiré en arrière par des gardes. Une femme se pencha avec une écuelle d'eau. Quelqu'un donna un coup de pied dedans.

Des marchands avaient passé la veille et la matinée à vendre des places. On avait dressé en hâte des échafaudages qui pliaient sous le poids des gens. Ces opportunistes faisaient des affaires d'or, car Firmin était un artisan connu, et sa condamnation attirerait davantage de spectateurs que ne l'aurait fait celle d'un manant anonyme. Au fur et à mesure que la claie avançait, la foule se désagrégeait derrière elle pour aller se reformer plus loin comme un affreux caillot. La procession s'engagea sur le pont aux Meuniers. Baillehache jeta un coup d'œil sur la Seine chargée de moulins. Il fut étrangement soulagé que les Bonnefoy ne soient plus de ce monde pour le voir à l'œuvre.

La place de Grève fut bientôt en vue. Mais Firmin ne la vit pas. D'innombrables voix éclatèrent au-dessus de lui, saluant l'arrivée du sinistre cortège. Il ne vit l'échafaud que lorsqu'ils s'arrêtèrent tout à côté.

— Non. Grâce, protesta-t-il faiblement à Baillehache qui était venu s'accroupir auprès de lui pour couper les liens le retenant à la claie.

— Allez, debout. Debout, dit Baillehache tandis que l'un des assistants se chargeait de la mule.

Le héraut et le moine attendaient. Dans la foule, des voix disparates entonnèrent le *Salve Regina*. Le chant commença à se répandre doucement par-dessus la rumeur désordonnée de la ville.

Firmin se mit à hurler et se laissa choir sur les pavés. Baillehache se pencha pour le soulever en le saisissant sous l'aisselle. Le moine exhorta le condamné à distance :

— Lève-toi, mon fils. Laisse-toi faire.

Mais le vieil homme se débattait. Alors que Baillehache le traînait sur les pavés, une large auréole d'urine apparut sous sa chemise. Le bourreau lui fit gravir de force les marches, une par une. Mais, ce faisant, il faillit mettre le pied sur la menotte d'un garçonnet qui s'était faufilé à côté de l'escalier et y grattait une tête de clou. L'exécuteur s'arrêta et jeta un regard à la ronde avant d'apercevoir une jeune mère anxieuse qui se frayait un passage avec difficulté à travers la foule pour attraper l'enfant. Elle fut stupéfaite de se faire apostropher par le bourreau :

— Éloignez-vous avec cet enfant. Allez. Filez à une gargote et plus vite que ça.

— Mais... j'ai tout autant le droit qu'un autre d'être là !

— Je ne veux pas le savoir, dit-il, avec dans la voix une tonalité âpre qui n'admettait pas de discussion. Déguerpissez !

Firmin et Baillehache furent suivis du héraut et du moine au capuce relevé. Lionel s'était lui aussi mis à chanter l'hymne sacré, mais il s'arrêtait souvent. Sa voix sans relief était celle d'un étranger. Elle le dérangeait.

Une fois en haut, la grosse main de Baillehache se referma sur le bras de sa victime, au-dessus du coude gauche.

Une croix de Saint-André attendait, inclinée de façon à ce que le supplice puisse être vu de tous. Les assistants avaient déjà disposé une série d'instruments sur une petite table et préparé des seaux d'eau froide. Tout cela avait été dressé non loin de la potence contre laquelle l'échelle était appuyée.

Baillehache protégea ses chausses et sa tunique courte en se ceignant d'un tablier grisâtre que l'un des assistants portant cagoule lui avait remis. Il échangea quelques mots avec lui en retroussant ses manches et pointa du doigt la longue cotte que l'assistant portait.

— Très mauvais pour travailler sur un plancher qui sera bientôt jonché de débris, dit-il.

— Oui, maître, dit l'assistant, qui accepta le conseil même s'il ne venait pas de Gérard.

Des projectiles continuaient à les atteindre de façon sporadique. Si les deux jeunes assistants en semblaient incommodés, Baillehache savait par expérience que cela n'allait pas durer.

Avant même la fin de l'hymne, le greffier fit la lecture de la sentence.

— En l'an 1358 de l'Incarnation de Notre-Seigneur Jésus-Christ, en notre bonne ville de Paris, moi, Charles de Valois, par la grâce de Dieu régent de France, après en avoir délibéré avec mon conseil érigé en tribunal pour juger telle affaire, ai décidé ce qui suit...

Le bourreau s'avança pour présenter le condamné aux gens. Ce qu'il fit lentement, respectant les pas chancelants du vieillard qu'il soutenait. Le héraut disait :

— Ayant considéré les divers témoignages recueillis et les aveux du sieur Ruest, nous condamnons ledit Ruest...

— Ce n'est pas vrai ! N'écoutez pas cela ! Il n'y a rien de vrai, j'ai cédé sous la torture ! cria Firmin en se laissant tomber à genoux aux pieds du bourreau, malgré son bras maintenu en l'air.

— ... Ainsi en a jugé notre régent Charles, fils de notre très sage, très puissant et très aimé souverain Jean, deuxième du nom. À présent, il convient que la sentence soit exécutée. Bourreau, faites votre office.

Le regard perçant de Baillehache parcourut la foule et beaucoup, persuadés qu'il avait posé les yeux sur eux, en eurent un frisson. Firmin tremblait de la tête aux pieds et ses dents grinçaient. Un peu de sang brillait sur ses lèvres tuméfiées qu'il avait mordues. Une espèce de stupeur l'empêcha de voir Hugues et Clémence qui se tenaient au premier rang en vertu d'une permission spéciale et qui lui faisaient de tristes signes d'adieu. Il ne vit pas non plus la servante Desdémone qui était elle aussi auprès d'eux, entravée par des cordes et accompagnée d'un garde. Baillehache, lui, les avait tous remarqués.

L'exécuteur souleva le condamné par le bras et annonça bien haut, comme c'était l'usage :

—Quiconque cherchera à interférer dans le déroulement de cette exécution de quelque manière que ce soit devra faire face aux réprobations de la cour.

—Vas-y, Baillehache! À la hart, à la hart, le traître! criaient des voix.

Le bourreau s'approcha lentement de Firmin et le regarda. Le vieil homme sursauta, comme s'il revenait soudain à lui. Il se tourna légèrement et leva la tête pour dire:

—Maître...

C'était la première fois qu'il employait ce titre pour s'adresser à lui.

—Je n'ai rien fait. Je le jure devant Dieu. Tout ceci, c'est une erreur. Dites-le au roi. Vous, au moins, il va vous écouter. Ayez pitié de moi...

Il tentait désespérément de se retourner vers Baillehache et de se dégager de sa poigne de fer, mais ce faisant il se cogna le nez contre la poitrine du bourreau. Louis lui fit aisément faire volte-face. Firmin poursuivait:

—Grâce, ne me faites pas ça. Je promets de vous donner tout ce que vous voudrez. Je suis riche, très riche et...

—Ça suffit. Je ne peux rien faire pour toi.

—...Je me fais vieux. Il me reste si peu de temps, de toute façon. Et j'ai une famille.

—Tu avais un fils. Il n'est plus.

Firmin hoqueta. Savaient-ils donc tout à son propos? L'exécuteur l'entraîna vers la potence.

—Pitié. J'aimerais entendre une dernière prière.

On ne pouvait refuser une telle requête. Le moine s'approcha donc et fit une prière avec le condamné. Firmin demanda à boire. L'un des assistants lui apporta un peu d'eau-de-vie. Il eut besoin de se soulager et on le lui permit. Après cela, il ne sut plus que faire. Il se laissa passer la corde au cou, la vraie, et le bourreau fit signe au moine, qui commença à lire la prière aux morts.

—Attendez. Je veux écouter cela, dit Firmin à Baillehache.

Une fois la prière terminée, le condamné voulut adresser quelques propos héroïques à la foule bruyante:

—Vous allez voir mourir un innocent. Ce que j'ai fait, vous l'auriez fait aussi. Je l'ai fait pour vous!

Il redemanda à boire et se plaignit à l'exécuteur:

—Oh, la corde... c'est serré. C'est trop serré.

—Calme-toi. Il n'y en aura pas pour longtemps.

Tout se fit effectivement très vite, avec une sorte de rage. Moins de cinq minutes plus tard, Firmin se débattait au bout de sa corde. Baillehache sentait le jet se tortiller dans sa main comme une vipère tandis qu'il observait la déformation humiliante que produisait la strangulation sur ce visage connu, détesté entre tous. La foule ravie hurlait de plus en plus au fur et à mesure que le châtiment se prolongeait.

Baillehache finit par tirer le condamné à lui à l'aide du jet et entreprit de scier le nœud coulant avec sa dague. Firmin s'écroula sur la plateforme comme un pantin aux fils sectionnés. À demi étranglé, une cheville tordue, il haletait bruyamment et ne bougeait pas. Les assistants allèrent le ramasser, lui enlevèrent la corde et l'entraînèrent vers la croix où il fut solidement ligoté.

— Baillehache! Baillehache! criait la foule.

Celui dont on scandait le nom s'approcha avec un couteau qui ressemblait à ceux dont se servaient les chasseurs. Firmin secouait avec vigueur sa tête qui était privée de tout support. Le bourreau entreprit de couper sa chemise. Le plat de la lame froide glissa le long du bras droit, depuis l'épaule jusqu'au creux du coude. Sans avertissement, le couteau tourna discrètement dans sa main: le fil entama la surface de la peau et la lame pratiqua trois petites entailles superficielles dans l'avant-bras du supplicié. Firmin sursauta et tourna la tête vers les traits parallèles et sinueux sur lesquels bientôt se formèrent trois chaînes de rubis. La signature des Ruest pleurait des larmes de sang. Baillehache se déplaça un peu et posa la lame le long de cette coupure. Sa main fit un mouvement de va-et-vient qui fit s'écarquiller les yeux de sa victime.

— Non! Arrêtez. ARRÊTEZ! AAH! Vous n'allez tout de même pas me faire ça?

L'exécuteur posa un regard impersonnel sur sa victime. C'était irrémédiable.

— J'ai bien peur que si.

Baillehache leva la main au-dessus de sa propre tête et retira sa cagoule. Les spectateurs retinrent leur souffle. Les lazzis avaient cédé leur place à des murmures incrédules. Guy et Mathurin s'entre-regardèrent, pendant que le bailli s'avançait précipitamment en bousculant une haie de gardes.

— Qu'est-ce que cela signifie, bourrel? Mais remettez-moi ça tout de suite! Cela ne se fait pas!

Il avait parlé en vain. Louis laissa tomber la cagoule par terre et se montra à Firmin, qui clignait les yeux et plissait les paupières. La voix basse et les yeux sombres qui lui étaient si familiers se complétaient maintenant d'un visage. Un visage dur, impassible, qu'il aurait dû connaître. Louis se pencha au-dessus de lui et lui soutint la tête presque tendrement pour lui permettre de mieux voir. Firmin revit dans sa mémoire une certaine mèche de cheveux courts qui retroussait tout le temps sur la tête d'un garçon qui n'aurait jamais dû exister. Cette même mèche retombait à présent sur le front de cet homme. Les traits juvéniles du garçon se superposèrent, obstinés, à ceux du bourreau. Les lèvres, le nez, les sourcils étaient les mêmes. Les yeux aussi.

Non. Ce n'était pas possible. Pas ces yeux-là. La voix basse dit doucement :

— Vous m'avez manqué, Père.

Il laissa la tête retomber en arrière sans rudesse et sa main glissa vers la chemise tachée du vieil homme. Firmin hurla à la mort avant même d'être touché.

C'était la première fois que Louis se délectait de tuer quelqu'un, et ce serait sans doute la seule. Tel un meurtrier cruel, il aima observer l'angoisse qui se peignait sur le visage de la victime. Il aima ressentir sa peur et sa détresse. Il aima le pouvoir qu'il détenait sur Firmin. Il se sentait redevenir un homme. Un homme qui était à nouveau maître de sa destinée et qui pouvait enfin assouvir sa vengeance. L'émoi en devenait presque insoutenable. Alors qu'il sentait l'expression de son visage se mettre à changer malgré lui, il tira sur la peau en s'aidant du couteau. Les acclamations des spectateurs augmentèrent, mais les hurlements de son père furent bientôt les seuls qui peuplèrent son esprit. La foule, accessoire dont il lui avait bien fallu tolérer la présence, n'existait plus. Les amples mouvements doux qu'il effectuait avec sa lame contrastaient avec les secousses brutales de son bras gauche, transformant le supplice en une sorte de gestuelle infernale. Continuellement, la lame sectionnait d'abondants vaisseaux sanguins qui affleuraient à la surface de la peau. Du sang giclait partout. Très vite le tablier gris de Louis en fut éclaboussé. Ses avant-bras dénudés ressemblaient à ceux d'un boucher. Même son visage était parsemé d'étoiles écarlates dont certaines gouttaient. Ses yeux noirs y produisaient un effet saisissant de férocité barbare.

Firmin s'évanouit une première fois. Louis essuya avec impatience un peu de salive qui lui coulait le long du menton et réclama péniblement, avant de reculer un peu :

— De l'eau.

Un seau d'eau versé sur le vieillard par l'un des assistants suffit à faire retentir de nouveau les cris inarticulés. Et la besogne cruelle se poursuivit, interminable, jusqu'à la pause suivante provoquée par une nouvelle défaillance. Les deux bras furent dépouillés, mettant à nu le réseau rougeâtre et frémissant des muscles où serpentait çà et là la blancheur des tendons.

Graduellement, les pertes de conscience de Firmin se mirent à interrompre le supplice à un rythme plus fréquent. En jetant un coup d'œil occasionnel à son père dont la tête pendait en arrière, Louis entreprit d'écorcher les jambes[188]. Les exécuteurs devaient prendre garde de ne pas glisser sur les planches grossières.

Les assistants rejoignirent Baillehache qui s'était éloigné vers la table. Par les ouvertures de leur cagoule, ils purent voir le bourreau qui baissait la tête en fronçant les sourcils. Quelque chose n'allait pas. Il avait dans les yeux une lueur anormale. Il porta une main hésitante sur l'un des objets alignés sur la table et, soudain, sa jambe gauche se déroba sous lui. Il parvint à ne pas tomber en s'agrippant à la table, non sans bousculer les instruments qui s'y trouvaient. Le cerveau stimulé à l'extrême par l'émoi, Louis perdait le contrôle du côté gauche de son corps. Il plia maladroitement le coude afin de camoufler cet étrange malaise et demeura immobile un instant, le dos tourné à la foule. Seule son épaule gauche se haussa nerveusement deux ou trois fois.

— Serait-il saoul? demanda quelqu'un dans la foule.

Louis demeurait appuyé contre la table, tenant de la main gauche une sorte de gantelet muni de longues griffes recourbées. L'instrument cliquetait dangereusement près des doigts de sa main valide avec laquelle il tentait en vain de l'enfiler.

— Maître? demanda l'un des assistants.

— Ç-ça va. V-viens m-m'aider, dit Louis dont le maintien était roide. Il se laissa passer l'instrument à sa main gauche qui tressautait.

— N-non, dit-il à l'assistant qui lui offrit son bras pour l'escorter vers la croix sur laquelle un Firmin à demi conscient attendait, la bouche encore ouverte sur ses derniers cris.

Seul, il tituba jusque-là. Il haletait en émettant de petits grognements qu'il n'arrivait pas à retenir.

Firmin releva péniblement la tête. Ses yeux se rivèrent à ce visage dur qu'un rictus anormal déformait. Le côté gauche de la bouche était tiré vers l'oreille par quelque maléfice invisible, exposant des dents de fauve. La paupière gauche frémissait au-dessus d'un œil dont la fixité était la même que celle de l'œil non atteint. Un tic faisait faire à Louis de petits signes de tête presque amicaux. C'était une vision terrifiante.

— Hou! Fils du diable! cria une femme à l'officiant de ce sacrifice païen. Louis ne l'entendit pas: le dieu Vengeance attendait.

Il baissa lentement la main, les yeux rivés à ceux, larmoyants, du condamné. Il se tint tout contre son père, légèrement de côté, si bien que certains spectateurs dont la vue était obstruée se mirent à huer le bourreau. Firmin sentit les secousses désordonnées et involontaires dont était agité le corps de cet homme qu'il n'avait jamais essayé d'aimer. L'instrument se plaqua contre les parties génitales du supplicié et se refermèrent dessus comme les serres d'un aigle.

—Non! glapit Firmin.

Toute la haine de Louis se concentra dans sa main gauche, le temps d'assurer une bonne prise aux pointes acérées de l'instrument. Il laissa vicieusement son malaise épileptique prendre la relève. Plusieurs têtes disparurent parmi la foule. Plusieurs spectateurs vomirent.

Un cocon frileux se forma autour de Clémence. Desdémone et Hugues chancelaient près d'elle. Tous, ils avaient cru reconnaître Louis. Ils en avaient eu la certitude lorsque le bourreau s'était lui-même présenté à son père.

—Ce n'est pas lui. Ce ne peut pas être lui, souffla Clémence.

Les lèvres de Hugues s'étaient scellées. De tout le groupe, il était le seul à savoir ce que Louis était devenu. Mais il ne s'était pas attendu à cela.

Desdémone, elle, gémissait tout bas. «Dieu a entendu mes prières et voilà Sa réponse. Tout ça, c'est ma faute», se dit-elle, son âme se consumant plus que jamais de remords.

La servante s'évanouit à son tour et son garde, lui-même un peu malade, la laissa glisser par terre.

Le visage livide de Lionel était voilé par l'ombre de son capuce. Un cri, un seul, sans fin, s'arrachait du plus profond de son âme et nul ne pouvait l'entendre. Firmin criait à sa place, ses organes génitaux labourés par la patte griffue d'un ogre sanglant. Des lambeaux de chair et d'étoffe entremêlés tombaient mollement sur le plancher baigné de sang.

Lorsque la crise de Louis s'atténua enfin, Firmin était émasculé. Des guêpes s'empressèrent d'aller butiner la grosse fleur rouge, déchiquetée, qui dégouttait entre ses jambes.

Soudain, Louis arracha l'instrument de sa main comme si son contact le brûlait et il le lança aux pieds des assistants. Il manqua glisser en s'emparant lui-même d'un seau d'eau qu'il versa sur le condamné. Un liquide rosâtre s'écoula aux extrémités des branches de la croix de Saint-André, dont la surface était évidée à l'exception des endroits qui soutenaient les jointures des genoux et des coudes. Firmin gémit faiblement et cligna des yeux qui se révulsaient. Sa bouche forma quelques syllabes indéchiffrables, puis il se passa la langue sur les lèvres. Il voulait parler. Comme c'était le devoir du bourreau de recueillir les dernières paroles d'un condamné, Louis s'approcha et regarda le traître dans les yeux.

— Je t'écoute.

— F... fini? demanda l'homme faiblement.

— Pas encore. Il vous reste des os, dit l'exécuteur en tendant la main vers l'un de ses assistants, qui s'avança avec une paire de gants.

— Maître, vous êtes sûr que...

— Oui, ça va, ça va. C'est passé.

— Bien... Quelle est votre préférence, alors? Le maillet?

— Non. La barre. Pas de gants.

Le bourreau alla ramasser une lourde barre de trois pieds de long et de deux pouces carrés d'épaisseur. La foule retint son souffle. Le silence devint tel que tous purent entendre le craquement du plancher sous son poids quand il prit position et éleva l'instrument.

Visant l'avant-bras droit, Louis frappa comme s'il fendait du bois. La barre s'abattit avec un bruit mat, sinistre, écœurant sur l'os long qui n'avait aucun soutien. Le cubitus et le radius se brisèrent comme de la faïence. La barre rebondit contre la solive et vibra dans les mains et les bras de Louis alors qu'un cri sauvage s'élevait. Il eut vaguement conscience que la foule excitée l'acclamait.

Fou de douleur, Firmin fixait des yeux l'homme qui déjà se dressait pour frapper à nouveau. Mais Louis n'eut pas un seul regard pour lui. Son attention était concentrée sur l'humérus qui, l'instant d'après, était réduit à l'état d'esquilles. Firmin cria à en perdre la voix, la tête sans appui rejetée par en arrière, tirant sur ses liens ensanglantés. Le bienheureux répit de l'inconscience se refusait désormais à lui.

Le bourreau se déplaça de l'autre côté de la croix pour frapper l'autre bras. De la transpiration dégouttait du visage blafard de Firmin. Ses cris étaient stridents, inhumains.

— C'est bien fait, sale Jacques! cria une mégère édentée, bientôt imitée par ses voisins.

Louis appuya la barre contre sa jambe pour s'essuyer les mains sur son tablier. Il prit son temps pour rompre les jambes, administrant à chacune les deux coups prescrits par la loi. La foule était enthousiaste: c'était un gars qui savait s'y prendre pour faire durer son homme le plus longtemps possible.

Le moine dont les grandes mains blanches s'étaient frileusement dissimulées dans les manches de sa coule sursautait à chaque coup. Il suivit des yeux les calmes déplacements du bourreau et ses deux mains serrées sur la barre qui s'élevait. Il vit le visage hermétique, les yeux baissés sur le corps disloqué comme s'il s'agissait d'une chose. Un tel visage se passait de cagoule.

Firmin reçut ainsi huit des onze coups réglementaires, le dernier étant habituellement le coup de grâce porté au cœur, à l'estomac ou à la nuque. Les chairs autour des liens se boursouflaient et les zones écorchées qui avaient été frappées directement s'étaient mises à saigner abondamment. Firmin geignait sans arrêt.

Les neuvième et dixième coups défoncèrent la cage thoracique. Le hurlement de Firmin fut cassé par la secousse, mais il reprit de plus belle après le choc. Pour le onzième et dernier coup, Louis abattit de toutes ses forces la barre sur son nombril, lui écrasant la colonne vertébrale, sectionnant plusieurs nerfs, broyant les viscères et les reins[189].

Le bourreau déposa la barre et s'approcha son visage de celui de son père. Les plaintes de Firmin évoquaient les vagissements d'un bébé. Il bavait de la salive rosâtre.

— Je n'en peux plus, marmotta-t-il.

Louis répondit tout bas :

— Père, vous n'aurez pas le *retentum*[190]. Je vous avais prévenu : vous mourrez longtemps.

Il s'adressa aux assistants et se fit apporter un banc sur lequel il s'assit pour attendre. La foule commença à se disperser. Les vide-goussets qui avaient sévi pendant le spectacle s'en retournaient, satisfaits de leur journée, en sifflant un petit air.

Firmin était devenu une larve délirante. À intervalles réguliers, des spasmes douloureux lui arrachaient de la gorge des râlements semblables à ceux d'un cochon que l'on saigne. Mystérieusement avertis, des corbeaux étaient apparus sur les toits.

— Je reviens, dit Louis aux assistants.

La foule s'ouvrit comme par magie lorsqu'il descendit de l'échafaud et se rendit à l'hôtel de la prévôté pour réclamer sa prime. Personne ne le bouscula ni ne lui cria d'injures. Nul n'osa poser les yeux sur son visage de pierre qui n'était pas celui d'un homme.

Plusieurs heures passèrent. Louis avait repris sa place sur son banc. Firmin ne mourait pas. Des silences de plus en plus prolongés laissaient croire à son trépas jusqu'à ce que de faibles gémissements se fassent à nouveau brièvement entendre. Le fil ténu qui le retenait encore ne se rompait pas. La vie pouvait être incroyablement, cruellement tenace. Bientôt, il ne resta plus que quelques groupes épars sur la place. De temps en temps, des curieux s'arrêtaient pour jeter un coup d'œil. Guy et Mathurin étaient allés s'installer dans la charrette pour casser la croûte. Seuls le moine, Hugues, Clémence, Desdémone et son garde étaient demeurés avec l'exécuteur pour assister à l'interminable agonie.

—Louis, appela Firmin entre vêpres et complies.

Le bourreau, surpris, se leva et s'approcha de son père qui ne l'avait jamais appelé par son nom auparavant. Entre deux spasmes, Firmin parvint à dire:

—Un coup magistral... Tu m'as bien eu.

Louis acquiesça. Le moine s'approcha en silence. Malgré les spasmes qui l'arquaient continuellement, le corps ravagé du vieillard fut subitement animé par l'un de ces inexplicables regains d'énergie qui étaient si menteurs, car ils précédaient de peu le trépas. Ses yeux papillonnèrent de Lionel à Louis.

—Faut que je te dise... Adélie... elle m'aimait pas... Son amour, elle le gardait... pour un autre. J'ai tout perdu. Tout. C'est ta faute. Tu es maudit!

—Firmin, dit Lionel d'une voix blanche.

—Les vipères... viennent au monde... en déchirant... le ventre de leur mère. Tu es une vipère. Elle n'en a pas eu d'autres... à cause de toi...

—Firmin, non, dit Lionel.

Louis accusa le coup. Une lueur électrique passa dans son regard.

Firmin ne parla plus. Un tressaillement s'empara de son corps au moment où son visage tournait au gris. La dernière chose qu'il vit de ce monde fut le visage défait de son fils qui se penchait fiévreusement sur lui. Louis s'appuya contre Firmin et parut l'enlacer. Avec sa dague, il pratiqua une petite entaille à la base du cou de l'agonisant, du côté gauche. Il y posa les lèvres et parut embrasser goulûment cette petite blessure. Firmin leva la tête et sentit les mèches presque noires de Louis lui caresser le visage.

—Que fait-il? demanda le garde de Desdémone.

Personne ne lui répondit.

Louis se redressa, la bouche et le menton barbouillés de sang[191].

Clémence s'écroula de nouveau et Lionel chancela. Pour se donner du courage et, peut-être, un sentiment d'utilité, il entonna d'une voix chevrotante le psaume *Ayez pitié de moi, Seigneur*[192]. Quelques badauds l'accompagnèrent charitablement. Le bourreau joignit à ce chœur modeste une voix étonnamment belle. Trop belle même. Lionel, saisi, s'arrêta pour l'écouter.

Ce regain d'activité attira de nouveau quelques spectateurs.

Sans s'arrêter de chanter, Louis sectionna les liens rougis qui retenaient Firmin à la croix. Il chargea le corps désarticulé sur son dos. Firmin râla faiblement et se vida sur lui, l'éclaboussant de souillures. Le bourreau n'interrompit pas son chant et déposa son fardeau humain au pied du billot. Il étendit Firmin sur le dos et reprit sa dague avant de s'accroupir à ses côtés. Le regard vitreux du mourant erra un peu avant de retrouver son fils. Louis posa sur le front de son père une main large et dit doucement :

— Je ne fais que reprendre ce que vous m'avez enlevé.

Sur ce, la dague brilla dans la main serrée et fendit la poitrine de Firmin. Le vieil homme émit un gargouillement et tressaillit une ultime fois. Louis enfonça la main dans l'ouverture et arracha le cœur encore palpitant de son père. Il ne se préoccupa pas du moine qui s'était détourné pour vomir et enveloppa l'organe qui avait la viscosité du sang dans la chemise du mort.

— Que fait-il? Cela n'était pas mentionné dans la sentence, dit quelqu'un.

— Et alors? Ce mort est le sien.

Le bourreau installa le défunt à genoux et lui posa la tête sur le billot. Le cadavre fut décapité en deux coups de hache. Louis prit la tête et la brandit devant sa famille et les groupes qui s'étaient reformés.

— Justice est faite.

Il laissa tomber la tête et donna un coup de pied dessus. Elle roula en bas de l'échafaud, jusqu'à la charrette où attendaient les deux assistants. Il dit, en la montrant du doigt :

— Mathurin, tu me planteras ça sur un piquet. Ne la fais pas bouillir. Qu'elle disparaisse au plus vite[193]. Restez ici pour nettoyer. Je m'occupe du corps. Donnez ce que le geôlier a confisqué sur lui à l'Hôtel-Dieu et brûlez le reste. Ne gardez rien. Guy, tu reviendras chercher la charrette au gibet. J'ai à faire.

— Bien, maître.

Louis porta le corps sans tête de Firmin jusqu'à la charrette et l'y jeta sans ménagement. Il quitta la place en guidant le mulet. Le petit paquet taché reposait dans la charrette, à côté de Firmin. Des gens se pressaient autour.

— Non, je n'ai rien à vendre, leur disait-il sans s'arrêter. Il a trépassé sans remords[194]. Passez votre chemin. Allez-vous-en.

Plus rien ne devait subsister de Firmin. Il était indigne d'être transformé en amulette. Déçus, les gens se retiraient sans trop insister.

Un vent d'humeur changeante se levait lorsque l'attelage arriva cahin-caha sur le chemin menant au gibet de Montmigny, une annexe de Montfaucon[195]. Le bourreau mit le mulet à l'attache et se noua autour de la tête un mouchoir imbibé d'eau camphrée avant de se charger du cadavre mutilé. Le petit paquet demeura dans la charrette. Louis gravit une échelle appuyée à l'une des fourches patibulaires. Immédiatement, il fut assailli par un tourbillon de mouches et de taons. Des hordes de corbeaux éparpillaient leurs cris grinçants pour protester contre l'intrusion d'un homme vivant dans leur repaire de charognes. Des paniers d'osier et des sacs de cuir à demi déchiquetés par les coups de bec étaient remplis de restes en décomposition qui allaient éventuellement être retirés pour être jetés dans le charnier au centre de la plateforme. La vue d'orbites suintantes et d'abdomens ouverts d'où s'échappaient des morceaux d'intestin grouillants de mouches vertes soulevèrent l'estomac du bourreau. Louis dut s'arrêter et se pencher pour rejeter un peu de bile. Malgré plusieurs années de pratique, le gibet lui faisait toujours beaucoup d'effet, surtout lorsqu'il était fatigué. Ça lui rappelait trop la peste. Il suspendit le corps nu de Firmin Ruest par les aisselles à l'aide de cordes. C'était là l'ultime action de justice qu'il avait à accomplir.

Il revint vers la charrette et retira son tablier qu'il roula en boule pour le lancer dedans avant de prendre le paquet. Guy arrivait pour ramener l'attelage.

Une autre ombre furtive avait suivi la trace du bourreau sans éveiller l'attention.

Au lieu de s'en retourner à Saint-Denis, Louis se faufila sans bruit dans de petites rues désertes, où les objets paraissaient diffus à cause de la lumière déclinante et d'un léger brouillard dont on ne savait pas s'il était fait d'humidité ou de fumées errantes. Il prit la direction du cimetière des Saints-Innocents en portant le paquet sous son bras gauche. Avant son arrivée là-bas, l'ombre qui le suivait fut rejointe par deux nouvelles ombres qui, en sa compagnie, continuèrent à suivre Louis de loin en silence. Le contour des choses et des êtres devenait de plus en plus imprécis. L'air crépusculaire les dépouillait de leur relief pour en faire des créations spectrales qui, peut-être, n'existaient pas.

Louis erra longtemps dans l'enceinte du cimetière. Il ne trouva pas ce qu'il cherchait. L'église et les charniers à la construction desquels, disait-on, Nicolas Flamel avait contribué, portaient des signes étranges qu'il y avait laissés. Le site avait beaucoup changé. La fosse commune de ses souvenirs était devenue une colline basse à la surface de laquelle, çà et là, des ossements affleuraient.

— Rien à faire. Elle n'y est plus. Je ne la sens pas, marmonna-t-il.

Et le jardin demeurait introuvable. Un son étouffé sortit de la bouche du géant, qui se détourna brusquement. Les ombres eurent tout juste le temps de se glisser dans une venelle hors de l'enceinte. Louis passa devant eux, tête basse, sans les remarquer. Elles le virent entrer dans l'une des guinguettes que Firmin avait assidûment fréquentées. Il n'en ressortit pas.

*

Ceux qui l'avaient filé résolurent de s'installer dans un coin obscur, négligé par le guet, pour l'attendre.

— Mon père, je me faisais du souci pour vous, dit tout bas Nicolas Flamel, qui tenait la petite Jehanne par la main.

Lionel ne répondit pas. Ses mains étaient enfoncées dans ses manches et son capuce de bure dissimulait inutilement son visage que l'obscurité environnante à elle seule rendait presque impossible à distinguer. Seules les luisances de deux prunelles manifestèrent leur présence. Le moine se contenta de faire un lent signe de dénégation.

— Je les connais tous les deux. Le mort et le vivant, dit-il.

Ce fut tout. Flamel n'insista pas, mais il comprit le besoin qu'avait eu Lionel de surveiller les faits et gestes du bourreau.

De longues heures passèrent. Au plus noir de la nuit, alors que le libraire dodelinait de la tête, luttant contre la somnolence, et que Jehanne s'était profondément endormie dans le giron de Lionel, Louis ressortit de la taverne en titubant. Il portait toujours son paquet sous le bras.

En silence, Lionel se leva et chargea la petite sur son dos. Deux bras chauds lui enserrèrent le cou de façon automatique. Sans vraiment se réveiller, les cuisses soutenues par les bras de son portefaix, l'enfant posa l'oreille sur l'épaule malingre du moine et se laissa ballotter mollement comme une poupée de chiffon. Les deux hommes se remirent à suivre les pas incertains du bourreau.

La rue Gilles-le-Queux s'était depuis longtemps endormie, du moins en apparence. Louis tituba entre les demeures cossues jusqu'à la boulangerie fermée dont le panonceau, au bout de ses deux chaînettes, grinçait doucement sous la brise. La lanterne était éteinte derrière sa grille, et les volets étaient clos.

Louis chancela, puis tomba à genoux. Le paquet roula à côté de lui et faillit s'ouvrir. Les doigts crispés de l'homme tirèrent le paquet à lui et en arrachèrent l'étoffe souillée. Des grognements qui tenaient du sanglot s'élevaient de sa gorge. Il se mit à se bercer en émettant de petits gémissements haletants, pathétiques.

Un hurlement sauvage secoua la torpeur de la rue. Louis pressa contre les pavés usés son front brûlant, à côté du paquet ouvert qui luisait hideusement à la lueur bleutée des étoiles.

Lionel et Nicolas virent les volets entreclos des maisons avoisinantes frémir d'inquiétude. Jehanne se redressa en frottant du poing ses yeux ensommeillés.

—Il a très mal, l'homme noir, dit-elle tout bas.

Les yeux de Louis n'étaient plus que deux charbons tristes, mouillés de pluie, issus des entrailles de la terre. La brise rabattit une mèche sur son visage imbibé de sang et de larmes. Elle y adhéra comme une algue poisseuse. Le corps de l'homme tressautait douloureusement. Mais il ne faisait aucun bruit.

Éliminer son père avait été son unique quête, sa seule raison de vivre. La destruction de Firmin et tout ce qui y avait mené, y compris sa longue attente, lui apparaissait soudain comme une sorte d'état second, une extase. Mais l'extase est normalement passagère. Celle de Louis avait duré des années; elle avait investi la totalité de son être. Il s'était entièrement voué et sacrifié à elle.

Or, Louis découvrait que son fardeau, lui, refusait d'être atteint et annihilé. «Que je sois maudit si j'oublie!» se dit-il. Véhément, il continuait à s'accrocher à chaque jour, à chaque détail de son passé. Il ne voulait omettre aucune humiliation, aucun coup, aucune parole méprisante, aucun des petits bonheurs qui, tous, lui avaient été arrachés. Et sa haine, toujours intacte, n'avait plus nulle part où s'épancher.

—Père Lionel. C'est quoi, cette chose, dans le sac? interrogea la fillette, un sanglot dans la voix.

Mais le moine ne répondit pas. Il ne se retourna pas. Le vent arracha son capuce. Il demeura pétrifié, cloué sur place.

Nicolas Flamel s'approcha doucement et dénoua les bras de la petite pour la prendre dans ses bras.

—Ce que c'est, mon enfant...

Ses yeux bleus, lucides, brillaient de larmes. Il dit, d'une voix fervente:

—C'est le désarroi d'un mort. Ô Seigneur! Je n'eus jamais cru voir aussi celui de vivants, qui ont à porter le faix de toute cette rancœur, de toute cette colère.

Il lui sembla que plus d'un cœur gisait sur les pavés, cette nuit-là. Avec cette étonnante acuité dont sont dotés les tout-petits, Jehanne s'exclama:

—Il faut soigner l'homme noir, père Lionel! Sinon, il va mourir!

—Le père Lionel saura s'occuper de lui, mon enfant. Viens. Allons, viens. Retournons à la maison l'y attendre.

—Non, je veux rester et le consoler moi aussi.

Nicolas déposa Jehanne et lui prit la main. Elle ne cessa de se tordre le cou pour regarder en arrière que lorsqu'ils eurent atteint le carrefour. Lionel ne bougea pas.

Lorsqu'il quitta la rue qui s'était de nouveau assoupie, il avait l'air d'un vieil homme.

*

Ce fut un pèlerin qui se présenta, un peu plus tard en matinée, chez Nicolas Flamel. Il portait un bâton de marche, deux gourdes et deux besaces. Il venait chercher la petite Jehanne.

— Il n'y a pas de dame Garnier, dit-il à Nicolas Flamel.

Le libraire répondit :

— Je sais.

Lionel soupira et dit tout bas :

— J'aurais dû me douter qu'il s'agissait d'un prétexte de l'abbé pour m'obliger à me séparer d'elle. Il me faut donc la conduire auprès de son père. Je préférerais qu'il en soit autrement.

Il s'adressa à Jehanne :

— Nous partons.

L'enfant confiante lui prit la main et leva vers lui ses yeux pleins d'adoration.

— Je veux bien, dit-elle. Où allons-nous?

— Dans un beau pays plein de soleil.

— C'est pour retrouver l'homme en noir de la rue *Gît-le-Cœur*[196], n'est-ce pas?

Lionel abaissa sur elle son regard intense. Il ne dit rien. Il sut que l'enfant avait été marquée par ce qu'elle avait vu. Jehanne dit encore :

Parce que moi, j'aimerais bien faire un pèlerinage et aller prier très fort pour lui.

Est-ce vraiment ce que tu souhaites? demanda Lionel, qu'un regain d'énergie anima en dépit du fait quil n'avait pas le droit de retarder plus que nécessaire l'instant de l'inévitable séparation.

Toutefois, la perspective d'en faire un pèlerinage changeait tout. Cela rendait la souffrance plus tolérable. Nicolas Flamel sourit. Nul ne pouvait se douter alors que les chemins de Louis et de Jehanne étaient destinés à se croiser de nouveau un jour.

---

196. Jehanne, dans son langage enfantin, veut parler de la rue *Gilles-le-Queux*. Toutefois, dans la réalité parisienne, le nom de cette rue est devenu *Gît-le-Cœur*. Elle est située près de la fontaine Saint-Michel. Les circonstances entourant ce changement sont fictives.

Oh, oui! répondit Jehanne.

— Alors allons-y.

Après des remerciements trop brefs, ils se mirent en route pour la Normandie. Nicolas et Pernelle Flamel les regardèrent s'éloigner depuis le seuil de leur maison. Elle dit, tandis qu'ils disparaissaient de leur vue :

— J'ignore ce qui me fait dire ça, mais je trouve qu'il a une grande âme.

— C'est vrai. Rien ne grandit autant l'âme que la grande douleur d'avoir aimé.

Pourtant, Lionel ne se sentait pas grand. Car il avait peur. Peur de tout ce qu'il avait vu. Peur de tout ce qu'il savait. Peur de Louis. Le fils d'Adélie. Versant ses larmes à lui.

*

Rue Gilles-le-Queux, la boulangerie et les volets des maisons s'ouvrirent sur un chiffon déchiqueté dont les chiens errants s'étaient disputé le contenu. Le mystérieux homme en noir avait été emporté par la nuit.

La délivrance tant attendue n'était pas venue. Et, à la place de sa vengeance enfin assouvie, Louis, l'homme sans visage, l'homme révélé par la cagoule, ne trouva rien.

À SUIVRE...

Notes

1. Ce jongleur est le moine-poète Gautier de Coincy, qui a vécu au début du XIIIᵉ s.

2. Roi de France (1268-1314), premier souverain moderne dont les élans centralisateurs tinrent tête au pouvoir temporel de l'Église et à la féodalité.

3. La rue du Four-Saint-Honoré ou de Saint-Germain se nomme aujourd'hui Vauvilliers. Elle se trouve dans le Iᵉʳ arrondissement.

4. 1 Tm 2,15.

5. La loi interdisait le colportage et la revente du pain dans la rue. Les boulangers n'avaient le droit de tenir qu'une seule boutique. Les livraisons à domicile étaient cependant permises.

6. Philippe V de Valois, roi de 1328 à 1350.

7. Le futur pont au Change. Le Châtelet était une forteresse qui commandait à l'origine l'accès nord à la Cité. Elle fit office de tribunal et de prison. Il s'agit ici du Grand Châtelet. Le Petit Châtelet fut édifié plus tard.

8. Le parvis de Notre-Dame était six fois moins vaste qu'il ne l'est de nos jours.

9. Notre-Dame n'affichait pas alors l'austérité monochrome, image d'un Moyen Âge faussé, que nous connaissons aujourd'hui.

10. Roi des Francs (465-511), couronné en 481. Baptisé vers 496 par saint Rémi à Reims, il fut le premier roi barbare catholique.

11. Architecturalement, elle était pour ainsi dire telle que nous la voyons

aujourd'hui. Mais, à l'intérieur comme à l'extérieur, Notre-Dame n'avait rien de commun avec son dénuement actuel.

12. Là où se trouvent de nos jours les grandes orgues.

13. La statue dite de Notre-Dame de Paris se dresse aujourd'hui devant le pilier sud-est du chœur. Elle a également séjourné dans le cloître Notre-Dame.

14. Il s'agit de la châsse de saint Marcel.

15. Il s'agit d'une charpente du XIIIe s. qui existe toujours, mais qui n'est pas accessible au public.

16. La coutume d'Amiens date du XIIIe s.

17. Les enfants de chœur chantaient chaque jour les offices avec les chanoines et recevaient pour cela un enseignement général et musical.

18. D'après la répartition médiévale traditionnelle des aliments en quatre groupes qui interagissent: chaud, froid, sec et humide. Ces descriptions correspondent assez souvent à la nature des aliments concernés. Par exemple, les épices sont souvent chaudes et sèches, et les fruits, froids et humides; mais ces caractéristiques sont parfois plus subtiles.

19. Ce vitrail est fictif.

20. Également connue à l'époque sous le nom de Saint-Côme et Saint-Damien, ou encore de rue des Cordeliers, c'est aujourd'hui la rue de l'École-de-Médecine, car elle était dévolue à ce genre d'institution depuis le règne de saint Louis. Chaque lundi, des malades pouvaient s'y faire soigner gratuitement. L'hébergement permanent d'un malade chronique relaté ici est fictif.

21. En 1314, cette tournelle aurait été le théâtre des amours adultères des princesses Marguerite et Blanche de Bourgogne, mais ce fait n'est pas attesté. La sinistre légende de la tour de Nesle prendra sa source beaucoup plus tard, dans un roman d'Alexandre Dumas.

22. Au Moyen Âge, faute d'horloge, on se fiait au monastère pour donner l'heure. Il est à noter qu'à l'époque le travail du boulanger n'était pas encore nocturne. Pour aider les gens à maintenir un horaire de travail assez régulier, on plaçait en semaine des sentinelles sur la tour principale du Louvre et du Châtelet où, au lever du soleil, ils sonnaient du cor. Cela indiquait aux habitants qu'il était temps de se mettre au travail.

23. Extraits d'une chanson traditionnelle du XIVe s.

24. Le pain a été l'aliment de base de la population jusqu'au XIXe s.

Selon certains auteurs, il pouvait représenter jusqu'à 91 % de l'apport calorique quotidien. Au Moyen Âge, pour souligner ce rôle de premier plan, on appelait les autres aliments companage, car ils accompagnaient le pain.

25. Les boulangers modernes ont commencé par rejeter le pétrin mécanique malgré la difficulté du pétrissage. S'il fut finalement employé pour des raisons d'hygiène, seule la main permet encore d'évaluer la texture de la pâte et de la travailler en conséquence.

26. La Confrérie vénérait saint Lazare parce que Philippe Auguste avait racheté, en 1183, les privilèges de la Maladrerie de Saint-Lazare pour y ouvrir une halle aux blés.

27. Les croyances excluaient toute femme ayant ses règles, donc considérée comme impure, du travail du pain.

28. Dès le règne de Philippe Auguste, le marché existant devint trop petit et le roi fit ouvrir celui des Halles.

29. Ce pont, situé sur le bras nord de la Seine, évinça les moulins-bateaux du haut Moyen Âge. Il formait un excellent barrage et, grâce à la dénivellation qu'il déterminait, une chute d'eau importante apparut, exploitable en tant que force motrice. Il n'en fallut pas plus pour que l'on installât des moulins en plein cœur de la ville, sur les bords du fleuve et même perchés sur des pilotis au beau milieu de son lit.

30. L'île de la Cité est historiquement le noyau de Paris. C'est la partie la plus ancienne de la ville et la plus centrale. Le marché de la Grève, où étaient déchargés des biens de consommation destinés à divers marchés, dont celui de Beauce, se trouvait à l'emplacement de l'actuel Hôtel de ville.

31. Feu sacré.

32. Cette fête était célébrée le deuxième jeudi après la Pentecôte, donc en juin.

33. La moisissure dont il est ici question, *claviceps purpurae*, est un parasite du seigle, même si on peut en trouver sur d'autres grains. Elle produit un fruit en forme d'ergot sur les épis. Elle était couramment utilisée pour provoquer des avortements. Divers noms ont été donnés à l'intoxication qu'elle provoque : mal des Ardents, feu de saint Antoine et *Ignis sacer* – le feu sacré. Ce ne fut qu'au XVIIIe s. qu'un rapprochement fut fait entre ce fléau et le seigle; on avait cru jusque-là que cette maladie était d'origine microbienne ou

bactérienne. L'alcaloïde contenu dans l'ergot de seigle est l'acide lysergique, dont le dérivé est le célèbre LSD. La manifestation la plus fréquente de l'ergotisme était une nécrose des membres, due à la contracture excessive des muscles lisses et des vaisseaux sanguins, ce qui causait une réduction de la circulation sanguine provoquée par les alcaloïdes du seigle. Cette forme du mal survenait lorsque l'intoxication était progressive, par exemple lorsque le malade mangeait chaque jour un peu de pain contaminé. Ici, on a affaire à la forme convulsive de la maladie, celle qui est due à un empoisonnement grave et subit. Cela peut plonger le malade dans un profond délire qui, si aucune intervention n'a lieu, risque d'aboutir à un coma presque toujours mortel.

34. Les Antonins guérissaient, par miracle disait-on, le mal des Ardents grâce au saint-vinage, une potion dans laquelle étaient mises à tremper les reliques de saint Antoine. Les premiers miracles signalés datent du XIe s.

35. Feu de l'enfer; ardeur mortelle.

36. Nicolas Flamel (vers 1330 ou 1340-1418) : riche bourgeois parisien qui fut libraire, érudit et philanthrope. À sa mort, il devint une figure de légende. Aujourd'hui encore, on le considère comme l'un des alchimistes les plus célèbres.

37. Des profondeurs de l'abîme, j'ai crié vers toi, Seigneur : Seigneur, écoute ma voix...

38. Donne-leur, Seigneur, le repos éternel et que la lumière sans fin brille pour eux. Qu'ils reposent en paix. Ainsi soit-il.

39. Au Moyen Âge, la majorité était fixée à quatorze ans pour les garçons et à douze ans pour les filles.

40. Les habitants de Normandie abandonnaient leurs biens, car ils ignoraient comment les sauver. Ils n'avaient jamais auparavant eu à faire face aux ravages que pouvait causer une armée en marche.

41. Cette expression semble avoir été forgée en France au début des années 1860; elle a ensuite été généralement utilisée pour désigner les guerres qui ont opposé l'Angleterre et la France entre 1337 et 1453.

42. Les Valois faisaient figure de nouveaux venus et même, aux yeux de certains, d'usurpateurs; le règne des Capétiens directs, commencé avec Hugues Capet, le fondateur de la dynastie (987-996), se termina en 1328 avec le décès de Charles IV le Bel, puis de Jean Ier, mort en bas âge. La couronne passa alors à une famille parente avec

Philippe V de Valois, plutôt qu'à Isabelle de France, sœur du roi défunt et épouse du roi d'Angleterre, qui était une descendante directe. Pour écarter l'héritière légitime du trône, on avait dépoussiéré et adapté au goût du jour une ancienne loi barbare qui n'avait plus eu cours depuis longtemps, la loi salique, selon laquelle devait être appliqué le principe de la succession mâle.

43. Les pains étant vendus au poids, ils devaient être pesés avec des mesures certifiées, délivrées par des autorités compétentes.

44. L'inhalation prolongée de poussière de silice produite par le frottement des meules exposait les meuniers à la silicose. D'autres contractaient le catarrhe du meunier, une inflammation aiguë des bronches.

45. Saint Martin, patron des meuniers, est célébré le 11 novembre. C'est un jour férié qui commémore la destruction du moulin du diable. Il s'agit d'une légende selon laquelle le diable se fit meunier et se bâtit un moulin de glace; à la Toussaint, saint Martin se mit en prière et le moulin commença à fondre.

46. À l'est de l'Anatolie, sur le littoral de la mer Noire, cet empire grec était une sorte de surgeon de l'empire byzantin; il était presque mythique pour bien des Occidentaux.

47. La bataille de Bouvines eut lieu le dimanche 27 juillet 1214. Elle opposa les troupes royales françaises de Philippe Auguste, renforcées par les milices communales, à une coalition réunie et financée par le roi d'Angleterre, Jean sans Terre, absent ce jour-là. Cet affrontement était perçu par la France comme un exemple grandiose des batailles chevaleresques de jadis, par comparaison avec celles qui avaient désormais cours.

48. Le guet de nuit était une corvée. Il n'était donc payé d'aucun salaire. Tous les habitants devaient s'y astreindre, à l'exception des gardiens de jour et des officiers royaux. Les ecclésiastiques devaient aussi y participer, mais ils se payaient souvent des remplaçants.

49. Il existait une cuisine de rue, équivalent médiéval de la restauration rapide, qui proposait aux clients une nourriture chaude et prête à manger. Le consommateur installé dans une taverne pouvait aussi s'en faire livrer.

50. Saint authentique dont le crâne était conservé à Saint-Denis.

51. Saint Honoré, évêque au VIᵉ siècle, était célébré le 16 mai par les boulangers et les pâtissiers. D'après la légende, il aurait eu pendant

son enfance l'inspiration divine et aurait transformé une pelle à four en un arbuste couvert de fruits devant sa nourrice, un merisier, sans doute. Tout porte à croire qu'il est devenu le patron des boulangers à cause de cette pelle à four miraculeuse. D'autres saints sont également vénérés par les boulangers.

52. La science des gisants est un code de représentation complexe qui eut cours jusqu'au tournant du XVe s. Il servait à illustrer la façon dont un chevalier avait trouvé la mort. C'est en se référant à ce code que Bertrand a choisi son ultime posture; il se perçoit comme un combattant vaincu.

53. La peste noire a sans doute été l'épidémie la plus meurtrière de notre histoire. À Paris seulement, elle a fait entre 50 000 et 80 000 morts, soit possiblement la moitié de la population de la ville. Les gens ignoraient que la peste se transmettait à l'homme par l'intermédiaire des puces des rats qui pullulaient dans les cales des navires. C'est pourquoi les villes portuaires furent les premières atteintes. Les puces atteignaient les humains en sautant d'un animal sauvage aux animaux domestiques comme le chat ou le chien, ou en se cachant dans les lainages. Deux principaux types de la maladie se manifestèrent au cours de cette épidémie : la peste bubonique, qui apparaît suite à la piqûre d'un insecte infecté, et la forme pneumonique, très contagieuse et toujours mortelle. Cette dernière est transmise par la respiration entre les humains. L'épidémie s'abattit sur des collectivités déjà affaiblies par les carences dues à la surpopulation et à la guerre; les conditions d'hygiène désastreuses au Moyen Âge, malgré les efforts louables de certains, ont favorisé la propagation de la maladie.

54. Forêt située à l'ouest de Paris. C'était jadis, tout comme Vincennes, un terrain de chasse appartenant aux rois de France.

55. Il a été établi qu'aux XIVe et XVe s. le climat a subi un refroidissement général qui s'expliquerait par l'avance des glaciers, commencée au début du XIIIe s., et qui se serait poursuivie en Islande au cours des deux siècles suivants. Cette hypothèse se voit soutenue par le fait que la ruine des colonies normandes au Groenland date du XIVe s. Parallèlement, à cette même époque a été observé un net recul de la viticulture en Angleterre et en Allemagne; ce recul, qui avait d'abord été attribué à des causes économiques, était en fait la conséquence d'une détérioration des conditions climatiques. Nul doute que ce phénomène a contribué aux famines endémiques de l'époque.

56. En moyen français, Pénéants, aussi connus sous le nom de Flagellants. Ils portaient des chapeaux arborant des croix rouges et allaient par les places en se fustigeant, tout en chantant des cantiques que l'on n'avait jamais entendus. Il est possible que leur intention de départ ait été bonne et que des gens mal intentionnés aient par la suite détourné les pieux objectifs du mouvement. À mi-chemin entre le mysticisme et la luxure, les Pénitents fondaient leur doctrine sur les pires éléments de ces deux extrêmes. Ils disaient vouloir offrir leur souffrance en holocauste pour apaiser la colère divine et éloigner la peste. Ils semaient la terreur dans leur quête fanatique de nouvelles recrues.

57. Jusqu'à la lie, / Le calice ils avaient bu, / Vers les promesses du pain azime / Ils se hâtent; / Ils sont près de Dieu / Ceux qui étaient au loin, / Ils sont les derniers / Qui étaient les premiers. – Extrait de *Beata viscera*, par Perotin, tel que cité dans le CD *Montségur, la tragédie cathare*, la Nef, Dorian Discovery DOR-90243.

58. Comme c'est souvent le cas, les Juifs faisaient figure de boucs émissaires, et ils étaient tenus pour responsables de tous les malheurs.

59. Fidélité et soumission.

60. Il s'agit de mastic, un produit fort répandu en médecine ancienne. On l'obtient en recueillant la résine exsudée par le pistachier térébinthe. Cet arbre pousse dans les îles de Chio en Grèce.

61. Figure sculptée représentant à l'époque médiévale un mort en décomposition. Jusqu'à la fin du XIIIᵉ s., l'individu avait une conception plutôt abstraite de la mort. Cependant, la fin du Moyen Âge, avec sa succession de calamités, provoqua l'émergence de deux angoisses nouvelles : celle de la pourriture du corps et celle du Jugement, non dernier mais individuel, à l'instant de la mort. Ce n'est d'ailleurs pas un hasard si la notion de purgatoire se développe à cette époque.

62. Tel tu es, tel je fus. Citation fondée sur le *Dit des trois morts et des trois vifs*, texte médiéval qui se lit comme suit en français moderne : « Tel je fus comme tu es / Et tel que je suis tu seras. »

63. La lèpre, dite Mal de saint Ladre, fut rapportée des croisades. C'était, malgré la terreur qu'inspirait la peste ou les autres épidémies telles que le choléra ou la grippe, la plus redoutée des maladies endémiques ; elle suscitait l'effroi autant à cause de la condition misérable du malade que de l'isolement perpétuel auquel

515

celui-ci était astreint. La lèpre fut le plus largement répandue à la fin du XIIIᵉ s. Elle est encore aujourd'hui un fléau majeur malgré un léger recul.

64. Fidélité et soumission.

65. Canal déférent.

66. Le chroniqueur de saint Louis, Jean de Joinville (1224-1317), comte et sénéchal de Champagne, fut blessé aux organes génitaux au cours d'une croisade. On arriva à le traiter de telle sorte qu'il put uriner normalement.

67. La nouvelle année ne commençait pas à la date fixe du 1ᵉʳ janvier, mais à Pâques, fête dont la date variable est fixée selon une méthode de calcul appelée comput ecclésiastique. Pâques suit la pleine lune qui coïncide ou qui suit l'équinoxe de printemps. En fait, ce calcul se fait à l'aide d'un calendrier perpétuel lunaire qui utilise une lune moyenne fictive nommée Lune ecclésiastique. Selon notre calendrier actuel, l'année 1349 était déjà commencée depuis quatre mois.

68. Traditionnellement, on estimait au Moyen Âge qu'il fallait un équilibre entre les quatre humeurs du corps humain, qui sont : flegme, bile noire, bile jaune et sang. Toute maladie était due à un déséquilibre qu'il fallait traiter, en renforçant la ou les humeurs défaillantes, le plus souvent par le biais de l'alimentation. La bile jaune était l'humeur liée à la jeunesse, à la colère, au goût salé et au feu.

69. Giovanni di Dondi, un Italien, aurait fabriqué la première horloge mécanique à la fin du XIIIᵉ s. ou au début du XIVᵉ. Même si les horloges et les pendules mécaniques commencèrent à se multiplier vers la seconde moitié du XIVᵉ s., on continua longtemps dans les villes et les campagnes à se fier au monastère voisin pour savoir l'heure ; l'usage strict qu'on y faisait du temps, divisé en heures de prière, de travail et de repos, en faisait une référence assez fiable. En guise de repères, les moines avaient élaboré leur propre système de fragmentation des journées à l'aide de chandelles d'un certain format dont ils avaient préalablement calculé la durée (environ trois ou quatre heures).

70. Même s'il y eut indéniablement de la barbarie en champ de bataille ou en affrontement singulier, les techniques et mouvements de l'escrime médiévale, très efficaces, sont complexes et très éloignés de la brutalité simpliste qu'on est souvent porté à lui reprocher.

71. C'est la procédure actuelle. Elle a varié au cours des siècles, le délai

pouvant aller jusqu'à dix ans avant qu'un candidat prononce ses vœux définitifs. Il en va de même pour la prise d'habit : aujourd'hui, les postulants le reçoivent après quelques mois.

72. Ici, le moine responsable de la discipline.

73. Le cellérier est la contrepartie matérielle du sacristain. Il doit répondre de tous les besoins pratiques des moines, des sandales aux semences, en rassemblant les produits des fermes et des granges du monastère pour aller au marché acheter ce que les moines et leurs employés ne peuvent fournir eux-mêmes. Il ne s'acquitte pas seul de cette tâche exigeante : sous ses ordres directs, on retrouve le cuisinier et le chambellan, ce dernier s'occupant des vêtements. Trois autres moines sont plus ou moins sous son contrôle tout en détenant une certaine autonomie : le maître d'hôtellerie, l'infirmier et l'aumônier.

74. Les postulants ne portaient pas l'habit monastique.

75. Saint Bernard (1090-1153) est le fondateur de l'ordre cistercien, une ramification de la grande famille bénédictine. La champagnisation du vin blanc a été réalisée à son abbaye de Clairvaux, au XIVe s. C'est là un fait curieux, quand on pense que ce moine austère ne buvait jamais.

76. Le sacristain faisait partie des obédienciers (religieux qui étaient soumis canoniquement à l'autorité d'un supérieur), haut placés dans la hiérarchie du monastère.

77. L'infirmier tire ce savoir des idées majeures des grands corpus médicaux gréco-latins qui, possiblement teintés par une interprétation héritée des Arabes, étaient transmis par le biais de quelques traités. L'on affirmait entre autres qu'une activité sexuelle trop intense était susceptible de conduire à la stupidité.

78. D'après un auteur inconnu.

79. D'après le roman de Wolfram von Eschenbach (environ 1170-1220). *Les Contes de la Table ronde*, d'où cette histoire est extraite, ont été repris par plusieurs auteurs au cours du Moyen Âge.

80. Ce livre raconte l'histoire d'un jeune homme amoureux d'un bouton de rose, qui pénètre en secret dans le jardin qui l'abrite. Il s'agit d'un des textes clés de l'amour courtois, très poétique et allégorique.

81. La terre où Dieu bannit Caïn après le meurtre d'Abel.

82. C'est le début de l'acte de contrition : Je confesse à Dieu Tout-Puissant, je reconnais devant mes frères…

83. ... que j'ai péché en pensée, en parole, par action et par omission...

84. C'est ma faute, c'est ma faute, c'est ma très grande faute... Cette confession en salle du chapitre est peu commune. Habituellement, on prononce le Confiteor à prime ou complies, ou encore durant la messe.

85. Ce canal s'appelle la petite Seine; il s'agit en fait d'un bras du fleuve. Le moulin hydraulique et les installations annexes sont fictifs. L'auteur a emprunté leur disposition à des constructions similaires.

86. Famille noble ayant donné son nom à ce qui est aujourd'hui l'un des départements du Midi de la France. Si les noms cités ici ont bel et bien existé, le personnage d'Arnaud ainsi que les membres de sa famille sont, quant à eux, fictifs.

87. Les royaumes ne constituaient pas forcément les blocs unifiés que nous connaissons aujourd'hui. Les frontières étaient parfois imprécises. Certains territoires dans le nord de la France actuelle appartenaient jadis au roi de Navarre ou à ses vassaux. La Normandie, entre autres, était ainsi fragmentée entre le roi de France et lui.

88. Il s'agit du couronnement de Charles II, roi de Navarre, né Charles d'Évreux en mai 1332. La Navarre se trouve au sud de la France, du côté de l'Espagne; son souverain doit l'hommage au roi de France.

89. La ville de Caen, en Normandie, devait à l'époque allégeance à Charles de Navarre. Friquet de Fricamp a réellement existé. Il est mentionné à la fois comme gouverneur de la ville et du château.

90. L'ordre du Temple fut un ordre militaire et religieux fondé en 1119. Il avait pour mandat entre autres de défendre les intérêts chrétiens en Terre sainte. Extrêmement puissants, les Templiers sont par la suite devenus les banquiers du pape et de nombreux nobles.

91. Cette fable locale est fictive, mais elle s'étaye sur une légende qui avait réellement cours au sujet du mont Bugarach, dans le Midi, dont on disait qu'il était creux et rempli de trésors templiers.

92. Philippe IV le Bel, l'arrière-grand-père de Charles II, avait aboli l'ordre des Templiers en 1314 et persécuté ses membres; bon nombre de ceux qu'il avait fait arrêter avaient été condamnés pour des questions d'argent et de pouvoir qui, à son avis, mettaient en péril ses projets centralisateurs.

93. Le pays d'Oïl est l'ancien royaume de France; il se trouve grosso modo dans la partie nord de la France actuelle, sans toutefois inclure la totalité de certaines régions telles que la Bretagne ou la Normandie.

94. L'année 1350 fut déclarée année sainte. Des 1 200 000 pèlerins qui se rendirent à Rome, 100 000 seulement survécurent.

95. Les chemins du Moyen Âge étaient faits de cailloux liés avec de la chaux, d'où le mot chaussée.

96. La peste de 1348 commença à régresser en 1349-1350. Mais, pendant plusieurs années encore, des épidémies isolées allaient se poursuivre un peu partout en Europe et ailleurs.

97. Ce procédé de tatouage est basé sur une technique dévoilée par des artefacts préhistoriques ainsi que sur un type de marquage militaire qui a bel et bien existé. En France, on avait recours au fer rouge et à une pommade ou un onguent fait de poudre à fusil et de lard qu'on appliquait à l'aide d'un morceau de bois protégé avec du cuir. Cependant, cette méthode n'était pas tout à fait au point, car la brûlure produisait une gale dans laquelle la poudre ne pénétrait pas. La marque devenait habituellement blanche après la chute de cette gale. La marque de Louis demeurera rougeâtre, car Jacinta y a appliqué suffisamment d'ocre rouge pour que tous les pigments ne soient pas complètement évacués par l'épanchement de sang.

98. En moyen français, passer peut signifier mourir.

99. Personnage fictif. Cependant, le nom de Beaumont est réel et d'appartenance noble.

100. Urbain II (v. 1042-1099), pape célèbre pour son appel lancé en novembre 1095, à l'issue du concile de Clermont: «Ô race des Francs, chérie et choisie par Dieu, une race maudite vient d'envahir la Terre sainte...» C'est par cet appel que furent lancées les croisades.

101. L'ancêtre du français actuel. Oïl est un mot de l'ancien français qui a abouti à oui. Il est caractéristique de l'ensemble gallo-roman des régions situées plus au nord, y compris la Belgique, mais à l'exclusion notamment du Limousin, de l'Auvergne et de la Bretagne. Le francien se parlait essentiellement dans la région parisienne et était par conséquent la langue du royaume de France. À partir du moment où Paris devint le centre administratif de la région, le français s'est progressivement imposé au détriment des multiples variantes de patois locaux. Car, parfois, seulement d'un village à l'autre, on n'arrivait pas à se comprendre. L'occitan, ou langue d'oc, nommé d'après le mot signifiant oui formé sur le latin hoc, désignait l'ensemble linguistique gallo-roman du sud de la France actuelle.

102. Loi authentique : les roturiers n'avaient pas le droit de posséder une épée.

103. Grâce.

104. Beaucent à la rescousse, ou Beauséant à la rescousse : cri de guerre des Templiers.

105. Moine bénédictin. Les cisterciens, vêtus de blanc, étaient surnommés moines blancs.

106. Beaucoup de courage, Louis.

107. Édouard III, le roi d'Angleterre, avait pris la ville de Caen en 1346 après un court siège. La Navarre est une alliée de l'Angleterre.

108. Les bougies étaient une denrée de luxe, car les chandelles d'usage domestique étaient en suif. La cire d'abeille, plus raffinée et presque blanche, était réservée aux cierges.

109. Que tous pleurent avec moi / Car le preux / Est vaincu par le Destin… Extrait du mouvement intitulé *O Fortuna* de la cantate scénique *Carmina Burana*, une œuvre basée sur un écrit du Moyen Âge mise en musique dans les années 1930 par Carl Orff. L'œuvre originale, dont l'ensemble constitue quelque deux cents poèmes collectifs qui dateraient de la première moitié du XIIIe siècle, était conservée à l'abbaye bénédictine de Benediktbeuren, en Haute-Bavière.

110. Il existe un grand nombre de théories à propos de ces supposés actes de profanation dont les Templiers se seraient rendus coupables. Ici, il s'agit possiblement d'un rite d'initiation sous forme de comédie sacrée, qui aurait pu être mal compris. D'après cette hypothèse, le novice était présenté aux membres de l'ordre comme un mauvais chrétien qui reniait Jésus. Dans cette pantomime, il illustrait ce reniement en crachant sur la croix. L'ordre prenait aussi part au jeu théâtral et se chargeait symboliquement de réhabiliter le « renégat ».

111. Rappelons ici que Charles de Navarre est un descendant indirect de la dynastie éteinte des Capétiens, qui a été supplantée sans égards pour les parents restants par celle des Valois. Le gouverneur craignait donc qu'un brusque rappel de ce lien de parenté avec Philippe le Bel, par le biais de la disgrâce et de la sordide exécution collective des Templiers, ait pu donner lieu à un incident diplomatique auprès du roi de France qui régnait alors, soit Jean de Valois.

112. Il était fréquent que les exécuteurs de jadis exercent un second métier, souvent celui de boucher ou d'équarrisseur.

113. Jadis, on ne chargeait pas une personne spécifique, toujours la même, des exécutions; lorsqu'un bourreau était requis, les collectivités choisissaient un habitant au hasard, selon un code préétabli, et celui que le sort désignait n'exerçait cet office qu'en une seule occasion. Ces gens n'étaient pas victimes d'ostracisme par la suite, car le hasard pouvait désigner n'importe qui. La notion d'infamie attachée au métier de bourreau n'apparut que plus tard, avec l'apparition des exécuteurs professionnels. Louis en fait l'objet pour une raison bien différente. Il est à noter que les femmes enceintes, les enfants et les fous n'étaient pas condamnés à mort. Que l'on doutât de la santé mentale de Louis a très bien pu être un incitatif supplémentaire à le gracier en échange de ses services.

114. Être mis à mort par l'acier était considéré comme moins déshonorant que par la corde. Cette idée venait des Normands, pour qui cette façon de mourir était assez semblable à la mort trouvée au combat. L'épée, plus noble que la hache, était réservée aux aristocrates, car elle était en principe plus expéditive; cela n'était vrai que si la personne qui la manipulait était assez habile. En tant que chevalier, Garin aurait dû y avoir droit.

115. Officier païen à la cour de Nicomédie, au IVe s. Chargé de superviser les exécutions, il traita avec bonté les condamnés chrétiens. C'est le patron des bourreaux.

116. Au Moyen Âge, l'emprisonnement ne constituait pas une peine en soi; il n'intervenait que comme mesure préventive contre les évasions en attendant le verdict. Pendant leur captivité, les prisonniers étaient habituellement traités selon leur condition; ils pouvaient débourser les sommes nécessaires au maintien d'un certain confort pour la durée de leur séjour.

117. Bon gré, mal gré.

118. Le fait de se tenir à proximité d'une échelle ou de passer dessous est traditionnellement reconnu pour porter malheur à cause du fait que les condamnés à la pendaison devaient y grimper.

119. Il est à noter que les haches à double tranchant n'existaient pas au Moyen Âge.

120. En l'absence d'autres preuves, il était essentiel que le plus de témoins oculaires possible soient témoins non seulement de ce que justice avait bel et bien été faite, mais aussi du fait qu'elle avait frappé la bonne personne. C'était de plus une précaution visant à

éviter qu'un imposteur tente plus tard d'usurper l'identité du défunt pour revendiquer ses biens.

121. Il s'agit de Jean, duc de Normandie, puis Jean II dit le Bon, (1319-1364), couronné roi de France en 1350.

122. Le 23 avril.

123. Il arrivait que des enfants soient donnés très jeunes à un ordre monastique. Ces jeunes gens, les oblats, ne connaissaient rien de la vie extérieure au monastère. Leur conception de la femme n'était donc en général que théorique. Cela pouvait donc très bien avoir pour conséquence de faciliter la conservation d'un certain secret...

124. Il fallait que les candidats, difficiles à trouver, soient suffisamment insensibles pour exécuter le travail sans fléchir, mais aussi qu'ils aient bonne réputation afin de ne pas mettre les autorités civiles dans l'embarras.

125. Le bout d'une épée d'exécuteur était habituellement arrondi, car elle ne servait qu'aux exécutions. Celle de Louis n'est pas typique; elle est pourvue d'une pointe. C'est aussi une arme offensive. L'habit du bourreau était de couleur rouge pour le rendre plus facilement reconnaissable. Cependant, il arrive que l'iconographie le représente en noir ou même dans des habits civils ordinaires. Il faut en déduire que, au début de la profession, le rouge n'était pas encore la norme. Le noir est ici un choix personnel de Louis. Ce sera ce noir même ainsi que ses accessoires rouges – tels sa canne – qui feront partie des insignes qui le distingueront des autres citoyens de la ville.

126. Pouvait aussi bien signifier celui qui porte la hache que celui qui donne la hache.

127. Le chevalet ou banc de torture était utilisé lors des interrogatoires; avec un, deux ou quatre opérateurs à chaque bout, selon les modèles, cet instrument pouvait élonger une victime jusqu'à la dislocation de ses membres. L'administration de la question et des châtiments corporels fut interdite à certains bourreaux, plus tard, lorsque la fonction devint mieux réglementée. Il ne semble pas exister une telle distinction au Moyen Âge.

128. Le chêne est significatif. Bien que, pragmatique, Louis ait choisi cette essence pour sa robustesse, dans la mythologie normande le chêne est l'arbre de la justice, d'où la célèbre représentation du roi saint Louis rendant la justice sous l'un de ces arbres.

129. À l'époque, il y avait peu de distractions, alors que la pauvreté et les

maladies dévaluaient la vie. Une exécution était une diversion recherchée.

130. Les bourreaux utilisaient normalement une simple louche préalablement approuvée. La canne de havage de Louis est fictive.

131. Au Moyen Âge, on n'épandait pas encore le fumier dans les champs. Ainsi, il existait même une rue Maufumier à Tours !

132. Il est à noter que l'intimité était chose inconnue, excepté pour les reclus et les ermites. Louis est un cas à part.

133. Puisque l'Église interdisait la dissection aux médecins, la chirurgie était des plus rudimentaires et seuls les bourreaux, avec leurs connaissances empiriques de la médecine, avaient quelque conception précise de l'anatomie humaine.

134. Se poudrer le visage en blanc afin d'en cacher la crasse était déjà dans les mœurs, même si cela n'a vraiment été en vogue qu'à la Renaissance.

135. Les prostituées qui ne renonçaient pas à leur vice étaient, selon les époques, marquées au fer rouge de différentes manières.

136. La question dite ordinaire était pratiquée dans le but d'obtenir l'aveu et n'envoyait le condamné à la mort, s'il y avait lieu, qu'une fois le but atteint. La question extraordinaire constituait généralement la première étape de la peine de mort étant donné le caractère définitif des tortures que l'on infligeait. Certaines, sans être fatales en tant que telles, auraient fini par entraîner une infection ou une gangrène mortelle si la victime n'eût été presque systématiquement condamnée avant son application. Il est à noter que les premières archives faisant clairement état de cette distinction entre les deux formes de question sont ultérieures au XIVe s.

137. La Roue du Destin, l'une des plus importantes allégories du Moyen Âge. Centrée sur la non-permanence et l'instabilité des choses, la vanité des quêtes terrestres et l'état de péché dans lequel se trouve l'humanité déchue, l'image de la roue qui tourne devint l'un des éléments cruciaux de l'iconographie médiévale.

138. Charles de La Cerda, dit Monsieur d'Espagne, fut nommé connétable de France en 1350, à la place de celui qui avait servi le prédécesseur du roi Jean. Avide et adroit, il avait épousé la petite fille du roi Philippe VI et il se considérait comme un prince des lys. Les chroniques mentionnent que le roi Jean lui vouait «un amour désordonné».

139. Le roi de France, Jean II, avait offert le comté d'Angoulême à son favori sans restituer les fiefs accordés en contrepartie au roi Charles de Navarre, son gendre, comme il avait été préalablement convenu. Inutile de dire que cela avait irrité le jeune roi du Midi.

140. Le Mauvais. Charles de Navarre se valut sans doute ce surnom en avril 1351, lors d'une révolte où il avait fait pendre quelques sujets au pont de Miluce.

141. Édouard II (1284-1327), roi d'Angleterre, était homosexuel et entretenait de nombreux courtisans. Après son abdication, l'ordre avait été donné de le tuer sans laisser de traces. Ses bourreaux lui enfoncèrent une corne de bœuf dans l'anus et y firent pénétrer un fer rouge. Son cri d'agonie s'entendit jusqu'au bourg.

142. Je te pardonne ma mort. Ce pardon est parfois donné au bourreau qui le demande à sa victime.

143. Le nom du bourreau de Charles d'Espagne n'a pas été retenu; la chronique ne fait que mentionner un groupe d'exécuteurs conduit par Philippe de Navarre. Cependant, il est indéniable que plusieurs conjurés illustres participèrent à ce meurtre; entre autres Jean V, comte d'Harcourt, Godefroy et Friquet de Fricamp.

144. Le mot latin *liber* est à l'origine du mot livre. Dans beaucoup de langues, le bois est associé à l'écrit. *Boscus* a donné *Buch* en allemand, *book* en anglais et bouquin en français, trois mots désignant le livre.

145. Le 5 avril. Le jour des Pâques fleuries même est le dimanche des Rameaux.

146. Conclu en date du 10 septembre 1355. Les fiefs mis sous séquestre furent restitués à Charles, avec permission d'y nommer des châtelains.

147. Le dauphin, donc fils du roi Jean et futur Charles V, roi de France, né le 21 janvier 1337.

148. L'extravagance dont il est question ici est un trait authentique de la mode médiévale au XIVe s., dicté uniquement par un souci d'originalité.

149. Et ainsi de suite, pas à pas, jusqu'aux plus sévères.

150. Réflexion de Charles-Henri Sanson, le bourreau de la Révolution française.

151. L'interrogatoire de Friquet de Fricamp a bel et bien eu lieu, et son

évasion a bien été facilitée mystérieusement. Cependant, le déroulement de l'interrogatoire, de même que, bien entendu, l'intervention de Louis, relèvent de la création romanesque.

152. Édouard de Woodstock (15 juin 1330 - 8 juin 1376), prince de Galles, fils aîné d'Édouard III, roi d'Angleterre. Il fut surnommé plus tard le Prince Noir. De son vivant, on l'appelait Édouard IV, du fait qu'il était l'héritier du trône, mais il ne régna jamais. Le duc de Lancastre dont il est question ici est Henri, le second fils d'Édouard III.

153. En réalité, l'armée française n'était que deux fois plus nombreuse que celle de Woodstock.

154. Le roi Jean était surnommé le Bon, ce qui veut dire le confiant, l'étourdi, le prodigue.

155. Cet onguent est un remède typique de soldat.

156. Quatrième fils de Thomas Gurney, l'un des assassins d'Édouard II.

157. D'après Bernard de Ventadour ou Bernard de Ventadorn, troubadour limousin du XIIe s.

158. Le roi de Bohême, vassal du roi de France, prit part à la bataille de Crécy en 1346, en dépit de son âge avancé et de sa cécité. Au pire du combat, il demanda à des serviteurs de l'y conduire. Deux serviteurs lièrent leurs chevaux au sien et se lancèrent dans la bataille avec lui. Ils furent retrouvés sans vie le lendemain, gisant sur le champ de bataille, toujours liés ensemble.

159. Plus tard, Jean II créa bel et bien pour les nobles un ordre nouveau, l'ordre de l'Étoile, qui assurait la retraite à ses membres. Ses adeptes appliquaient à outrance les valeurs chevaleresques en faisant vœu de ne pas reculer de quatre arpents, s'ils étaient tués ou pris. Le roi était désireux d'en faire un modèle comme l'ordre des chevaliers de la Table ronde; il avait fait l'emprunt de cet idée au roi Édouard, qui avait fondé l'ordre de la Jarretière en 1344.

160. Feu!

161. De nombreux chevaliers mécontents de l'incarcération de Charles de Navarre à Allores-en-Paillens (Arleux), après le meurtre de Charles d'Espagne qu'ils détestaient eux aussi, profitèrent de l'occasion pour quitter le champ de bataille sans disputer la victoire.

162. Cet événement allait plus tard faire connaître le plus jeune fils de

Jean sous le nom de Philippe le Hardi (1342-1384). Il fut duc de Bourgogne.

163. Pétrarque mentionne cette particularité du caractère de Jean II en matière de superstitions, et l'incident de l'anneau est authentique. Il fut rapporté par le roi lui-même.

164. À prendre ici dans le sens ancien de médecin.

165. Littéralement, avec du pain. C'est l'origine du mot compagnon.

166. Il s'agit de Charles de Normandie, dauphin et futur roi Charles V de Valois. À ne pas confondre avec le roi Charles de Navarre, dit le Mauvais ou le Navarrais.

167. Le prévôt, à l'origine, était l'intendant d'une terre. Il devint plus tard agent du roi. Il agissait au nom du souverain, et ses fonctions demeurèrent limitées au vieux royaume: Île-de-France, pays de la Loire et du centre. Il n'y en eut pas en Normandie ni dans le Midi, encore que les bayles leur aient été comparables. Le prévôt de Paris était d'un rang supérieur, et son office fut assimilé à celui de bailli dès le XIIIe s.

168. Ou Arleux-en-Palluel. Il est à noter que le Picard Jean de Picquigny (ou Pecquigny) est un ami du prévôt Marcel, dont il sera question plus loin.

169. Ou Mecel, prévôt des marchands de Paris et héros de la bourgeoisie parisienne. Il naquit vers 1310 dans une famille de grande bourgeoisie commerçante.

170. (1310-1368), avocat au Parlement de Paris, membre du Conseil secret, puis maître des requêtes de l'Hôtel; chanoine d'Amiens et évêque de Laon avec rang de duc et pair; député aux états généraux de 1356, qui lui permirent de semer la pagaille. Il fut le complice avoué du roi de Navarre après le meurtre de Charles d'Espagne. Ce fut aussi lui qui convainquit le futur Charles V que son père lui voulait du mal, ce qui mena au banquet que l'on sait, avec toutes ses conséquences. Il fut assez rusé pour arriver à s'en sortir indemne, mais d'autres furent impliqués à sa place.

171. La Navarre se trouve entre l'Aragon et la Castille. Elle occupe une position stratégique importante entre la France et l'Espagne. Mais, au lieu de se satisfaire de cet avantage, Charles de Navarre, pourtant maître absolu des gorges pyrénéennes, se tournait avec obstination vers le Nord.

172. Des pièces, surtout de faible valeur, étaient retirées de la circulation pour être frappées à nouveau avec une plus faible proportion d'or ou d'argent. Elles étaient ensuite remises dans le circuit avec la même valeur nominale, la différence étant encaissée par le Trésor. Ce système réduisait le salaire réel et le pouvoir d'achat des pauvres gens, parmi lesquels ces petites pièces circulaient le plus.

173. Patronyme formé des deux sobriquets donnés aux paysans. Jacques était péjoratif et faisait sans doute référence à la jacque, chemise portée par les hommes du peuple. Par contre, bonhomme est un surnom positif, l'équivalent paysan du mot gentilhomme qui désignait exclusivement les nobles.

174. D'autres sources le désignent aussi sous le nom de Callet.

175. Clermont-de-l'Oise.

176. Selon la légende, le bourreau romain de l'évêque Denis et de ses compagnons martyrs était si énervé par la résignation de ses victimes qu'il décapita l'évêque sur le chemin menant en haut de la colline de Montmartre, alors qu'ils faisaient route pour se rendre sur le site prévu. La légende rapporte que les martyrs se redressèrent pour ramasser leur tête, qu'ils allèrent la laver à la fontaine et marchèrent pendant quatre milles jusqu'au lieu à présent connu sous le nom de Saint-Denis.

177. Ce célèbre site central d'exécutions était aussi l'endroit où se regroupaient traditionnellement les travailleurs sans emploi depuis le Moyen Âge, d'où l'expression faire la grève. Cette place servait aussi à bien d'autres choses comme les fêtes et les foires, car les grands espaces se faisaient plutôt rares en ville. C'est la raison pour laquelle les dépouilles des suppliciés étaient déménagées à Montfaucon.

178. Le bourreau parle ici d'un ancêtre de la guillotine.

179. Écoute ma voix.

180. Le millepertuis agit contre les douleurs d'estomac après une longue maladie ou une jaunisse; le fenouil soulage les retards intestinaux, la toux, la douleur du foie ou du poumon et les flatulences.

181. Il s'agit d'urémie. Ce dysfonctionnement rénal provoque l'arrêt de production d'urine. De l'urée, accompagnée d'autres toxines, s'accumule alors dans le sang et les tissus.

182. Priez pour nous.

183. La loi du talion.

184. Le régicide et le crime de lèse-majesté (donc de traîtrise), que l'on considérait comme aussi grave que celui du meurtre de ses propres père ou mère, étaient passibles des formes les plus cruelles et élaborées de peines capitales. La sentence de Firmin est donc plus ou moins typique, et les libertés prises sont redevables à celui qui a fait prendre à son délit les proportions suffisantes pour faire condamner le boulanger. Louis n'improvise donc pas. L'amende honorable n'était le plus souvent qu'une peine complémentaire.

185. La loi est dure, mais c'est la loi.

186. Jour de colère, que ce jour-là.

187. Cette tradition était une version théâtrale et publique de la levée d'écrou qui avait cours en Allemagne.

188. Plus typiquement, la peau était arrachée sur le dessus du crâne en premier, en descendant vers les épaules et le torse, mais peu survivaient une fois que les os de la poitrine étaient mis à nu. L'écorchage des membres en premier lieu, telle que pratiquée ici, est une façon cruelle de prolonger le supplice.

189. Le supplice de la roue, importé d'Allemagne, fut officiellement introduit en France par François Ier en 1534. Toutefois, il y fut pratiqué antérieurement d'une façon moins systématique; il remonterait à l'époque romaine.

190. L'administration du *retentum* consistait à passer préalablement autour du cou de la victime une ficelle presque invisible qui servait à l'étrangler avant la fin du supplice. Parfois une ordonnance le prescrivait à un moment précis de la sentence, selon sa gravité. C'était l'équivalent du coup de grâce, un coup porté au cœur, à l'estomac ou à la nuque lors du supplice de la roue. Le *retentum* était plus fréquemment utilisé sur les bûchers.

191. Une croyance médiévale voulait que le sang d'un agonisant protège du haut mal.

192. Psaume 51.

193. Après avoir été débités, les restes des victimes étaient partiellement mis à bouillir dans une grande marmite avec du sel de laurier et des graines de cumin, ce dernier ingrédient rendant apparemment les restes immangeables pour les goélands. Cette procédure était nécessaire pour les préserver et les exposer le plus longtemps possible à la vue du public. Aussi barbare que cela puisse paraître au monde

moderne, ce procédé n'était pas réservé aux seules dépouilles des condamnés. Bien que pratiquée avec plus de respect, sans doute, et sans le cumin, c'était une coutume courante, car les ossements étaient assez souvent transportés autre part, alors que les entrailles, le cœur et les chairs étaient habituellement ensevelis sur place.

194. Le condamné qui mourait sans remords perdait, aux yeux des gens, toute possibilité de rédemption. Les talismans que l'on aurait voulu prélever sur une telle victime étaient donc dénués d'une grande partie de la valeur mystique qui leur était attribuée. L'exécution ne visait pas tant à se venger d'un criminel qu'à le racheter; la souffrance physique visait la purification et le salut de son âme. Le sentiment public pouvait donc se retourner violemment contre un condamné qui, lors de la cérémonie, se montrait sans remords et impénitent, refusait de coopérer, remettait en question la sentence ou maudissait ses juges. Nombreux devaient être les spectateurs qui assistaient à une exécution non pas par curiosité morbide, mais plutôt pour se ranger du côté du criminel et l'exhorter au repentir. Cela souligne l'importance que pouvait avoir l'amende honorable.

195. Montfaucon était une structure permanente qui se trouvait à un kilomètre et demi au nord-est de Paris. Il était situé sur une hauteur, afin qu'il soit vu de toutes les routes qui partaient de Paris vers le nord et vers l'est; il devait exercer un pouvoir chez quiconque aurait eu l'intention de défier la justice royale.

196. Jehanne, dans son langage enfantin, veut parler de la rue *Gilles-le-Queux*. Toutefois, dans la réalité parisienne, le nom de cette rue est devenu *Gît-le-Cœur*. Elle est située près de la fontaine Saint-Michel. Les circonstances entourant ce changement sont fictives.

Glossaire

aiguillette, n. f. Pointe de métal terminant une courroie et permettant de la passer à travers une maille.

amigaut, n. m. Cordon qui passait dans une coulisse et fermait la fente pratiquée sur le devant de l'encolure d'un vêtement pour permettre le passage de la tête. Les chemises et les robes des femmes étaient munies d'un amigaut.

armure, description. Le **harnois** désigne l'ensemble de l'habit guerrier. La **broigne** est une cuirasse faite de cuir et d'anneaux de fer cousus qui fut employée dès le XII⁰ s. Le **haubert**, quant à lui, était une tunique entièrement composée d'un assemblage d'anneaux de fer entrelacés et fermés par un rivet. Il fut abandonné vers le milieu du XIV⁰ s., supplanté par des armures de plates, c'est-à-dire composées de plaques de fer. La **targe** était un bouclier de petites dimensions, ainsi nommée parce qu'elle était en cuir bouilli (*tergum*). La **cale** est une coiffe en laine qui servait à protéger la tête. Elle se portait sous le chapel ou le heaume. Le **chapel** de fer était une sorte de casque généralement en forme de dôme fait de trois pièces ou plus, avec un large rebord, plus abordable que le bassinet, vrai casque d'armure avec ventaille.

aumusse, n. f. Type de cape. || Sorte de bonnet ou de chaperon fourré que portent en particulier les chanoines.

archonner, v. intr. Bander l'arc. || Par extension, avoir une érection.

avertin, n. m. Maladie de l'esprit qui vire à la fureur. || Individu atteint de ce mal.

baille-hache, n. m. Celui qui porte la hache. || Celui qui frappe avec la hache.

bayle, n. m. Bailli.

béguine, n. f. Femme qui mène l'existence des religieuses sans prononcer de vœux. L'Église ne les reconnaissait pas. Le mot a souvent une valeur péjorative.

behourd, n. m. Escrime au bâton.

bersail ou **bersault**, n. m. Claie d'osier utilisée comme cible pour le tir à l'arc. On y trace des cercles concentriques à la craie.

bidau, n. m. Homme d'armes mal équipé.

billon, n. m. Ensemble de piécettes sans grande valeur.

blanchet, n. m. Sous-vêtement porté par les femmes, particulièrement pendant leurs règles.

bled, n. m. Variétés de grains ou céréales différentes mises en vrac.

bordeau, n. m. Bordel, lieu de prostitution, synonyme de *lupanar*. (Diminutif de *borde*, petite cabane.)

bourrel, n. m. Bourreau.

bornoyer, v. intr. Viser en fermant un œil.

bougran, n. m. Drap grossier qui ressemble à de la bure.

braies, n. f. pl. Type de caleçon qui pouvait être porté comme pantalon.

brelan, n. m. Ancêtre du poker. Au XIVe s., il se jouait avec trois dés.

brigand, n. m. À prendre dans son sens originel, c'est-à-dire *vêtu de la brigantine*, un harnois* léger fait de cuir et de petites plaques de métal superposées comme des écailles de poisson.

broigne, n. f. Pièce de l'armure. Cuirasse faite de cuir et d'anneaux de fer cousus, employée dès le XIIe s.

Burgibus, n. pr. Le portier de l'enfer.

camocas, n. m. Variété de soie ressemblant à du taffetas.

cale, n. f. Pièce de l'armure. Coiffe en laine qui servait à protéger la tête.

calebasse, n. f. Fruit du calebassier, de la famille des cucurbitacées, provenant du pays catalan qui, évidé, fut utilisé comme gourde dès l'Antiquité.

cani, e, adj. et n. Bois qui commence à pourrir.

carcan, n. m. Variante du joug. Il s'agissait d'un collier de fer fixé au bout d'une chaîne, elle-même attachée à un poteau planté sur une place de la ville. || Une des peines mineures infligées pour de petits délits. Le condamné était normalement mené à ce poteau attaché derrière la charrette du bourreau. Le pilori n'était lui-même qu'une variante du carcan.

carreau, n. m. Oreiller.

censive, n. f. Terre assujettie au cens (une redevance payée par les roturiers à leur seigneur).

cervelière, n. f. Ancien casque ouvert.

Chailly, n. m. Pain très recherché, dit *de Chailly*, fabriqué avec du froment du terroir de Chailly. Il a été consommé par les Parisiens aisés de 1300 à 1440.

chanter la Marion, Fêter.

chapel, n. m. Pièce de l'armure. Sorte de casque de fer généralement en forme de dôme, fait de trois pièces ou plus, avec un large rebord, plus abordable que le bassinet, vrai casque d'armure avec ventaille.

chasse-mulet, n. m. Domestique du meunier chargé d'apporter les sacs de grains envoyés au moulin par le boulanger et de rapporter ensuite chez ce dernier les sacs de farine.

chat à neuf queues, Fouet à neuf lanières, habituellement dépourvues de ferrures.

chef-d'œuvre, n. m. Ce terme, conservé par la langue française, définit une œuvre parfaite. À l'époque des corporations, il désignait plutôt une sorte d'examen auquel devaient se soumettre les aspirants à la maîtrise; un exemplaire de leur travail était évalué par un jury.

ciel de lit, Baldaquin.

cimereau, n. m. Variété de pains blancs.

complies, n. f. pl. La dernière heure de l'office divin, qui se récite ou se chante le soir, après les vêpres.

cornuyau, n. m. Variété de pains blancs.

correau, n. m. Type de verrou qui porte aussi le nom de bâche.

cotardie ou cotte-hardie, n. f. Type de surcot simple à jupe plus ou moins ample, porté indifféremment par les deux sexes.

coule, n. m. Vêtement de religieux à manches amples qui se porte par-dessus la tunique lorsque le moine prononce ses vœux définitifs et pendant les offices.

courante, n. f. Diarrhée.

cour des Miracles, Ancien quartier situé dans l'actuel IIe arrondissement. Il s'agissait d'un repaire pour les mendiants et les voleurs. Ils avaient coutume d'élire leur propre roi.

courtine, n. f. Tenture, rideau de lit.

croix de Saint-André, Croix en forme de X de la taille d'une personne.

déchets, n. m. pl. Au Moyen Âge, on appelait *déchets* ce que l'on désigne aujourd'hui sous le nom de *son*.

destrier, n. m. Désignait les grands chevaux utilisés dans les combats, nommés ainsi parce que conduits de la main droite par le cavalier. Leur taille représentait un avantage certain en situation de face à face.

droit de havage, Taxe créée spécialement à l'intention des exécuteurs, car leurs gages en tant que tels étaient trop aléatoires et les auraient laissés dans la misère. Les bourreaux n'étaient rémunérés que lorsqu'ils avaient à exercer leur office. Ce privilège était une sorte d'impôt à lever en nature certains jours prédéterminés. Octroyé par les villes et le roi, il permettait à l'exécuteur d'obtenir une poignée ou un morceau de toutes les marchandises amenées aux halles.

drap naïf, Étoffe dont la chaîne et la trame sont de la même qualité.

écuyer tranchant, Serviteur spécialisé qu'on voyait surtout lors des festins princiers.

émeraudine, n. f. Coléoptère semblable au hanneton, aussi connu sous le nom de cétoine dorée ou hanneton des roses. C'est un insecte de forme ovale, très coloré, qui vit dans les fleurs, les plaies d'arbres, le terreau humide ou les troncs pourris. Séchées et réduites en poudre, on les considérait comme un remède contre la peste.

empunaiser, v. intr. Puer.

énarmes, n. f. Au pluriel, courroies à l'endos du bouclier à travers lesquelles on passait le bras.

esconse, n. f. Sorte de lanterne sourde en usage au Moyen Âge.

escourgée, n. f. Fouet.

esteuf, n. m. Petite balle pour jouer à la longue paume. Ancêtre du mot *éteuf*.

fardelle, n. f. Sac en peau de daim

farinière, n. f. Pièce d'une boulangerie qui servait à divers usages, notamment au rangement. || Récipient en bois dans lequel tombe la farine qui sort de la meule. || Lourde et robuste charrette servant au transport des céréales, etc.

fauchard, n. m. À l'origine, c'était une faux, qui devint une arme d'hast, c'est-à-dire qu'elle fut munie d'un long manche en vue d'un usage guerrier. La majorité des armes de ce type dérivent d'outils de paysans, tels la serpe, le couteau ou la hache.

faudesteuil, n. m. Ancienne forme de fauteuil.

fervêtu, e, adj. Revêtu d'une armure.

feve, n. m. Forgeron.

fibule, n. f. Sorte d'agrafe, ancêtre du bouton. Les premiers boutons datent du début du XIIIe s.

filière, n. f. Chacune des rainures qui partent du centre jusqu'au bord de la meule.

floternel, n. m. Manteau court et ajusté porté par les hommes.

fond de bain, Serviette.

forain, e, adj. Lointain.

fornier, n. m. Boulanger.

fouacier, n. m. Pâtissier spécialisé.

fournois, n. m. Type de four.

fouti, e, v. et adj. De *foutir*, foutre en ancien français.

francin, n. m. Parchemin de qualité supérieure.

Franklin, n. pr. Sobriquet donné aux Français par les Anglais.

frappart, n. m. Moine dévoyé.

fromentée, n. f. Froment mondé et lard salé.

gafirot, n. m. Capitule de la bardane.

gastelier, n. m. Pâtissier spécialisé.

génitoires, n. m. pl. Organes génitaux masculins, plus spécialement les bourses.

goliard, n. m. Clerc défroqué. Référence à Golias, évêque licencieux, auteur d'écrits obscènes.

Gonesse, n. m. Pain de luxe dit *de Gonesse*, fabriqué avec du blé provenant d'une grosse bourgade céréalière, au nord de Paris.

goudèle, n. f. Déformation de *good ale*, c'est-à-dire *bonne bière*.

goulotte, n. f. Tuyau incliné vers le bas.

Grande Île, Angleterre.

Grand Panetier du roi, n. m. Représentant de l'autorité royale auprès des boulangers.

grisaille, n. f. Mélange d'oxyde métallique et de verre broyé dissous dans du vin et de l'urine, utilisé comme peinture.

guisarme, n. f. À l'origine, c'était une serpe de bûcheron, qui devint une arme d'hast, c'est-à-dire qu'elle fut munie d'un long manche en vue d'un usage guerrier.

harnois, n. m. Ensemble de l'habit guerrier.

harnois blanc, Nom donné à l'armure de plates complète.

haubert, n. m. Pièce de l'armure. Tunique entièrement composée d'un assemblage d'anneaux de fer entrelacés et fermés par un rivet. Il fut abandonné vers le milieu du XIVᵉ s., supplanté par les armures à plates*, c'est-à-dire composées de plaques de fer.

hautes œuvres, Action de justice qui se pratiquait sur un échafaud, une potence ou un bûcher, par opposition aux basses œuvres qui, elles, se déroulaient au niveau du sol ou à genoux. Ces dernières étaient parfois accomplies par une autre personne, telle que le geôlier.

haut mal, Épilepsie.

havée, n. f. Poignée, en parlant d'une quantité de marchandise. *Havir* signifie *prendre avec la main*.

hermine, n. f. Véritable symbole de l'autorité à la fois temporelle et spirituelle du roi, ce vêtement représente le glaive de la justice. Le mot *justice*, au sens médiéval du terme, signifie plutôt *châtiment* que *jugement équitable*.

heuses, n. f. Ancêtres des bottes. Chaussures souples dont la tige gainait la jambe jusque sous le genou ou jusqu'à la hauteur des cuisses.

homespun, n. m. Tissu écossais primitivement tissé à domicile, ou vêtement fait de ce tissu, suffisamment imperméable pour recouvrir une tente.

hypocras, n. m. Vin sucré dans lequel ont longtemps macéré des épices, habituellement un mélange de cardamome, de cannelle et de gingembre.

jet, n. m. Corde qui servait à balancer le condamné dans le vide, lors de la pendaison. La plateforme qui s'ouvre sous les pieds était inexistante au Moyen Âge.

karabé ou **carabé**, n. m. Ambre jaune.

lombeau, n. m. Déformation de *long bow*, grand arc gallois en usage au XIVᵉ s.

longbow, n. m. Formé de deux mots anglais. D'une force qui pouvait dépasser les 70 kg, le *longbow* ou grand arc avait une portée maximale de 270 mètres, et un bon archer pouvait décocher de 10 à 12 flèches en une minute.

malebouche, n. f. Médisance. || Personnage du *Roman de la Rose*, la médisance personnifiée.

malicet, n. m. Farine de qualité supérieure.

mastic, n. m. En plus d'un type de gomme à mâcher, l'on nomme ainsi l'encens de Perse.

matines, n. f. pl. Office nocturne, la plus importante et la première des heures canoniales, entre minuit et le lever du jour.

mementomori ou ***memento mori,*** n. m. Substantivation d'une expression latine signifiant *souviens-toi de la mort.* Un *mementomori* était habituellement soit la représentation d'un crâne humain, soit un vrai crâne qu'on suspendait bien en vue afin d'identifier les maisons condamnées par crainte de la contagion. Une croix rouge tracée sur la porte avait la même signification.

mire, n. m. Médecin.

mollequin, n. m. Mousseline de coton.

mollet, adj. Le pain mollet, fait de fine fleur de farine, de beurre et de lait, doit son appellation à son créateur, Jean Mollet.

morille, n. f. Peste.

morné, e, adj. Fortement faisandé ou pourri.

morpoil, n. m. Vermine. Peut être utilisé dans un sens péjoratif.

muscatelline, n. f. Huile essentielle de musc végétal.

none, n. f. Petite heure canoniale qui se récite après sexte, à la neuvième heure du jour (vers 15 h).

noqueter, v. intr. Errer la nuit en frissonnant de froid.

ost, n. m. Armée royale. Les barons, chevaliers et hommes d'armes devaient à la Couronne un service militaire de 40 jours.

oubloyer, n. m. Pâtissier spécialisé.

pain mouton, Pain mollet à la croûte dorée au jaune d'œuf et parsemée de grains de blé.

palimpseste, n. m. Parchemin manuscrit dont on a effacé en la grattant la première écriture pour pouvoir écrire un nouveau texte.

patenôtrier, n. m. Chapelet.

pâtière, n. f. Récipient dans lequel la pâte à pain est mise à lever.

pâton, n. m. Portion de pâte non cuite de 20 kg.

penaille, n. f. Terme de mépris désignant collectivement les moines. | Haillon, loque.

petau, n. m. Paysan.

plate, n. f. Pièce de l'armure. Plaques de fer.

plumail, n. m. Plumet. || Cimier de plumes. || Plumeau pour épousseter.

Poêlon, n. m. Ustensile de cuisine. Les poêlons, munis d'un manche, servaient d'écuelle autant que de récipient pour la cuisson des aliments.

potailler, v. intr. Boire du vin, de l'alcool.

potron, n. m. Derrière, cul d'une personne.

pouties, n. f. pl. Ordures.

presbytérien, n. m. Prêtre.

prime, n. f. Première heure canoniale. Six heures.

putainerie, n. f. Maison close.

recluserie, n. f. Cellule des reclus et des recluses.

rouelle, n. f. Figure d'une roue que les Juifs devaient porter cousue sur leur vêtement. Cette marque de discrimination leur avait été attribuée en 1106, au concile de Latran. Selon les provinces, les garçons devaient la porter à partir de 7 ou 14 ans, les filles à partir de 7 ou 12 ans.

routiers, n. m. Au pluriel, grands groupes de brigands très bien organisés, fréquemment dirigés par des nobles. Philippe de Navarre lui-même, le frère de Charles le Mauvais, ravageait l'Île-de-France, à la tête de routiers.

ruin, adj. Méchant.

sabrenasser ou **sabrenauder**, v. Travailler mal et trop vite.

sandis, interj. Juron gascon qui signifie *sang de Dieu*.

satrape, n. m. Individu qui mène une existence fastueuse.

scorpion, n. m. Fléau armé de lanières parfois lestées d'hameçons ou de clous.

siquet, n. m. Marmite marinière composée d'une variété de poissons.

saloperie, n. f. Saleté, grande malpropreté.

soule, n. f. Ancêtre du rugby. Jeu dans lequel tous les coups sont permis pour s'approprier la balle. Ce jeu, prépondérant à la campagne, se pratiquait surtout en Angleterre, dans les pays celtiques et en France du Nord et de l'Ouest.

soupe, n. f. La soupe désignait au Moyen Âge un mets composé d'une tranche de pain de piètre qualité trempée dans du potage. C'est à partir du Xe s. que le mot *souper* désigna le repas du soir. Les Parisiens n'utilisent *dîner* pour désigner ce repas que depuis le XIXe s.

talemelier, n. f. Ancêtre du boulanger. Ce mot signifie *pétrir* ou *tamiser*. Les talemeliers supplantèrent graduellement les fourniers qui ne s'y connaissaient guère en matière de pâte; ils devinrent les spécialistes du pain dans les villes.

targe, n. f. Pièce de l'armure. Bouclier de petites dimensions, ainsi nommée parce qu'elle était en cuir bouilli (*tergum*).

tijuel, n. m. Jambes de pantalon de coton.

tinel, n. m. Grande salle principale d'un château où se déroulaient les événements centraux de la vie seigneuriale, depuis les repas jusqu'aux jeux. Le seigneur y donnait également ses audiences et y rendait la justice.

toise, n. f. Mesure de longueur valant environ six pieds, ou 1,8 mètre.

tortouse, n. f. Vrai nom de la corde terminée par le nœud coulant. On utilisait souvent deux tortouses, au cas où l'une des cordes vienne à se rompre.

touaille, n. f. Serviette.

tref, n. m. Tente conique soutenue par un mât central.

vacelle, n. f. Servante d'auberge.

va-te-laver, n. m. Coup à la face provoquant des saignements.

veautre, n. m. Chien de chasse.

vilain, n. m. Le mot *vilain* désignait le serf en Angleterre et le paysan libre en France.

vouge, n. f. Arme d'hast dont l'embout est une sorte de hachoir; c'est l'ancêtre de la hallebarde.

Table des matières

Achevé d'imprimer par N.I.I.A.G.
En mars 2009
Pour le compte de France Loisirs, Paris

N° d'éditeur : 54889
Dépôt légal : mars 2009
Imprimé en Italie